日本人がいちばん暮らしやすい間取り図鑑

最新版

フリーダムアーキテクツ
FREEDOM ARCHITECTS

X-Knowledge

はじめに

私たちは１９９５年に設計事務所を設立して以来、これまでに３０００棟と、住宅の設計事務所としては日本で一番多くの建物をつくってまいりました。しかも全国津々浦々、都市部から地方まで、気候風土の異なる土地で家づくりに携わってきたのです。その経験をこれからの日本の家づくりに役立ててほしいとの思いから、本書の企画はスタートしました。

　間取りの本の多くは、広さ別、予算別、家族構成別に間取り図が掲載されているのですが、本書はリビング、子供部屋、書斎……と、部屋別に間取りを掲載しています。これには理由があります。間取り図を見るときに家の中心となるリビング、ダイニング、キッチンを見ながら、そこで繰り広げられる生活に思いをはせる方は多いのですが、トイレや階段、もしくは中庭から暮らしを想像される方はあまりいないと思います。とはいえ、トイレなども住宅にはなくてはならない存在。そこを起点に家を考えることで、もっと広い視点で家を考えられるようになります。さらに、階段なら階段、浴室なら浴室と、「ある部屋」を通して「家全体」の間取りを数多く見ていただくことで、それぞれの間取りの差異や特色が読み解けるようになり、住まいの見識がより深まるとの思いもあります。

　もちろん、読み方は自由。気になる間取りを見つけて、そこから読み始めてもいいですし、カタログのように、トイレはこの家、デッキはこの家と、お気に入りのページに付箋を貼るように読んでいっても、家づくりへの夢がより現実的なものになるはずです。

　本書がみなさまにとって、いちばん暮らしやすい間取りを実現するための一助になれば幸いです。

２０２２年12月

フリーダムアーキテクツ

目次

CHAPTER 1 居心地のよいリビング・ダイニング

CHAPTER 2 美しく機能的なキッチン

CHAPTER 3 心と体をいやす浴室、機能重視の洗面室

CHAPTER 4 ずっとそこにいたくなるトイレ

CHAPTER 5 家に帰りたくなる玄関

CHAPTER 6 美しく楽しい階段室

CHAPTER

7 寝室は就寝前のリビング

CHAPTER

8 子供の部屋は閉じすぎない

CHAPTER

9 書斎は孤立させない

CHAPTER 10 和室があると何かと便利

CHAPTER 11 愛車を常に感じられるガレージ

CHAPTER 12 中庭・バルコニーにさまざまな役割を

CHAPTER 13 敷地、家族構成の要望に間取りで応える

CHAPTER 14 最高の間取りを目指して

CHAPTER 15 新しい時代の暮らし、新しい時代の間取り

ブックデザイン：米倉英弘（細山田デザイン事務所）
編集協力：市川幹朗（武蔵野編集室）
トレース：大畑愛子、古賀陽子、杉本聡美、濱本大樹、若原ひさこ
印刷・製本：シナノ書籍印刷

CHAPTER 1

居心地のよいリビング・ダイニング

広さよりも居心地

広いリビング・ダイニングがほしい。これは住まい手の誰もが望むことです。とはいえ広いリビングが本当に快適なのでしょうか。小さくつくっても、家族が自然と集まる、そこにいるとなぜか落ち着く、気がつくといつもリビングにいる——こんな理想的なリビングが実現可能です。それでも広さにこだわるのであれば、面積的な

広さよりも感覚的な広がりのほうを意識しましょう。大きな窓の先には庭（隣家の庭でもＯＫ）がある、リビングに吹抜けがあるなど、同じ面積でも感覚的な広がりは大きく異なるはずです。

どの場所とつなげるか

リビング・ダイニングをどこにつなげるかも、居心地のよさにかかわる重要な要素です。前述のとおり庭とつなげばさらなる広がりが得られますし、趣味のバイクや車を置いてあるガレージとつなげれば、愛車を好きなだけ眺めていられます。また考え方を変えて、リビングを廊下のような存在にするという手も。廊下のようなリビングは家族が必ず通る場所、そこに、つい長居したくなる仕掛けをつくっておけば、おのずと人が集まります。

LDKと一体化させて中庭を部屋のように楽しむ

「部屋のように使える庭がほしい」というのが家族の希望。そこで家の中央に中庭をつくり、外からは見えない家族だけの外部空間をつくることに。

ダイニングとリビングは、2段のレベル差によって切り替えられる。そして、このレベル差が中庭まで続くことで、床仕上げもそろえてあるリビングと中庭は、一層、ひとつながりものとして感じられる。

玄関前から中庭越しにリビング・ダイニング方向を見る。中庭もリビングのように見える

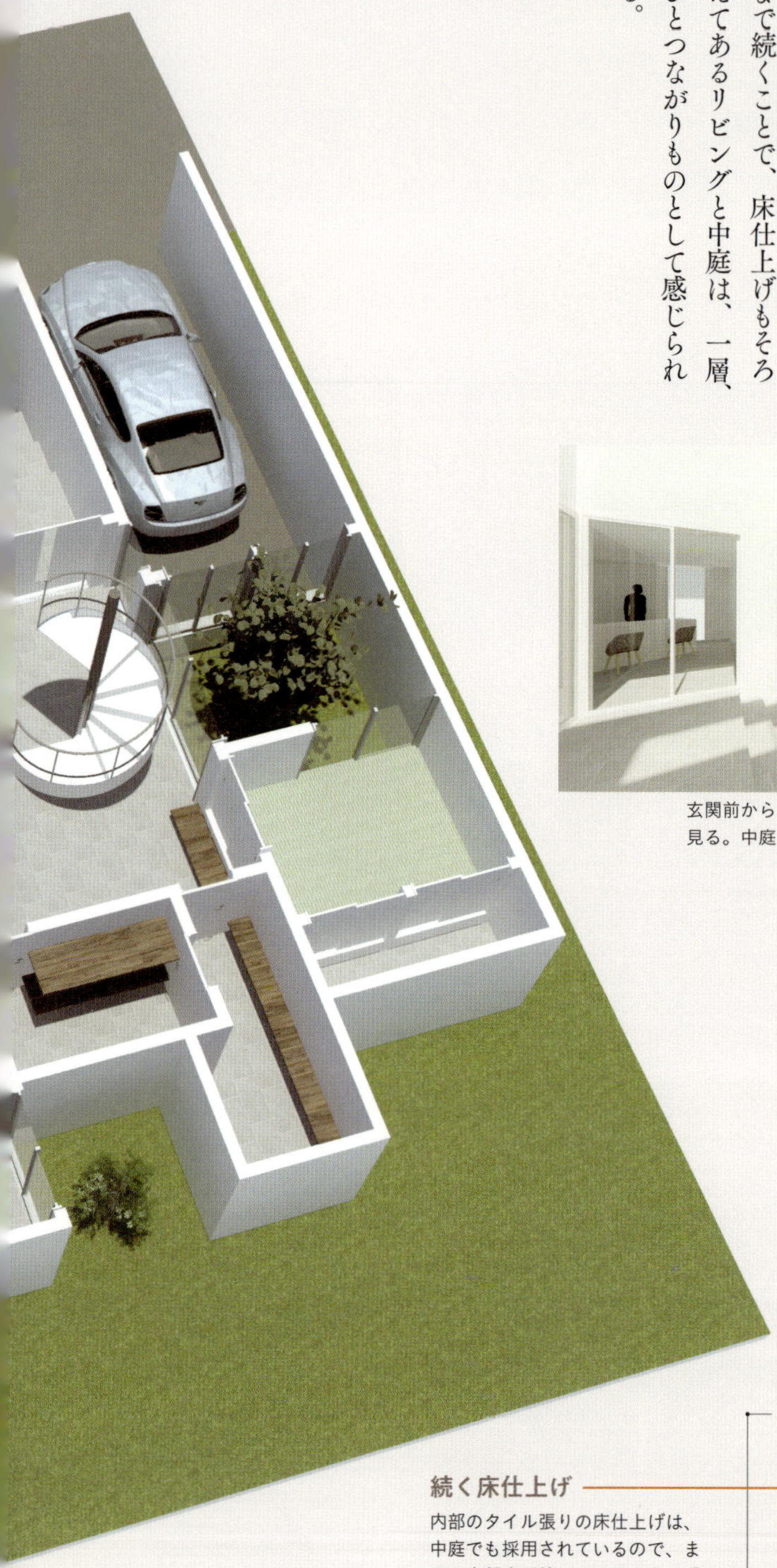

17.5畳の広い屋外リビング

中庭は約17.5畳の広さ。室内と一体になる開放感とともに、屋外の第2のリビングとして生活のなかに溶け込む

続く床仕上げ

内部のタイル張りの床仕上げは、中庭でも採用されているので、まるで内部床が続いているように感じられ、内外の隔たりを感じさせない

室内外でもつながる段差

リビングとダイニングの場を仕切る床の段差は、そのまま中庭まで続く。この段差が内外の一体感を一層強める働きをする

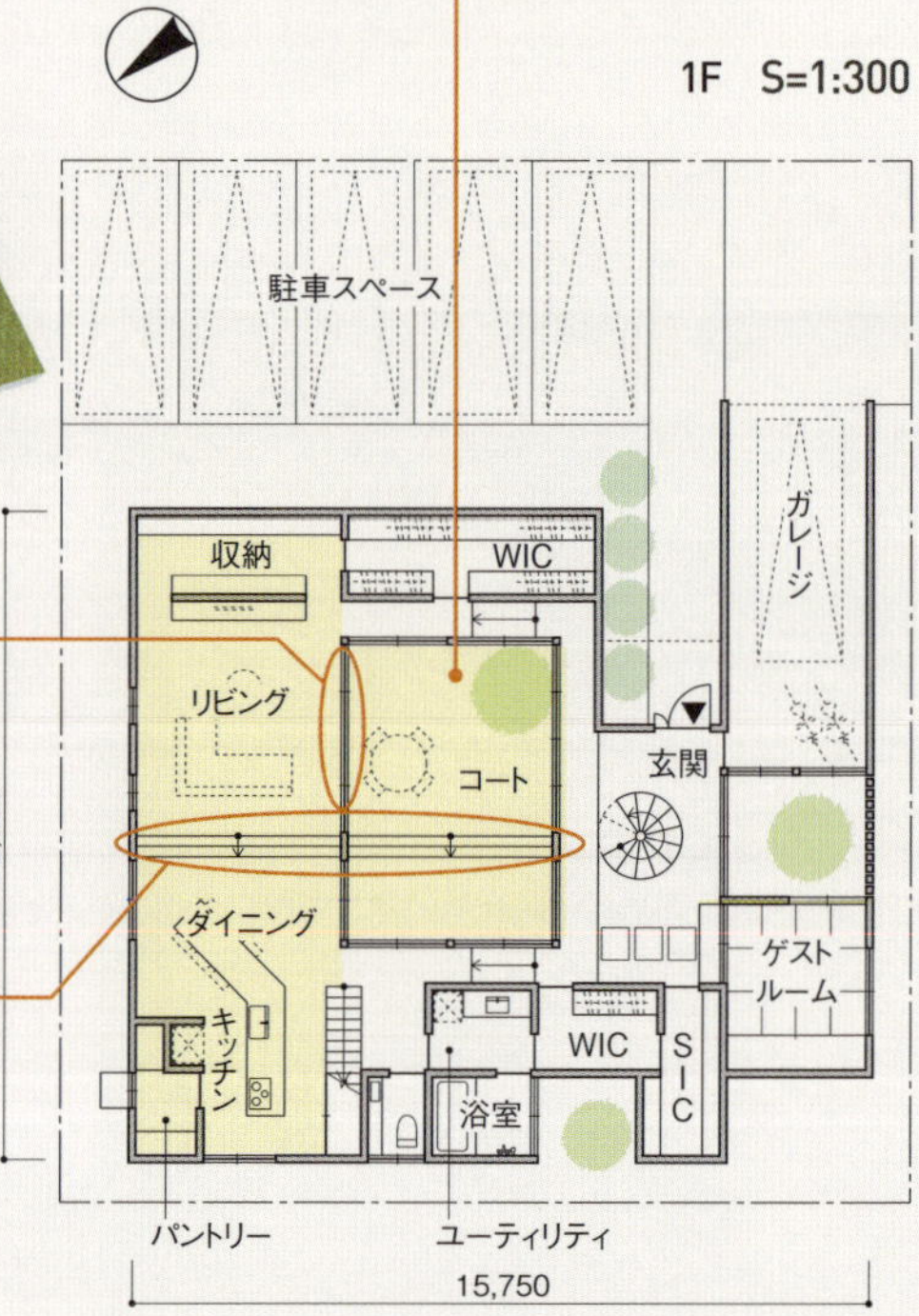

リビングから中庭方向を見る。中庭の向こうに玄関まで見通すことができる開放的なつくり

建築概要

所在地　神奈川県
家族構成　夫婦＋子供（これから）
敷地状況　整形（矩形）
敷地面積　395.53㎡（119.64坪）
延床面積　235.94㎡（71.37坪）
構造・階数　木造2階

2F　S=1:300

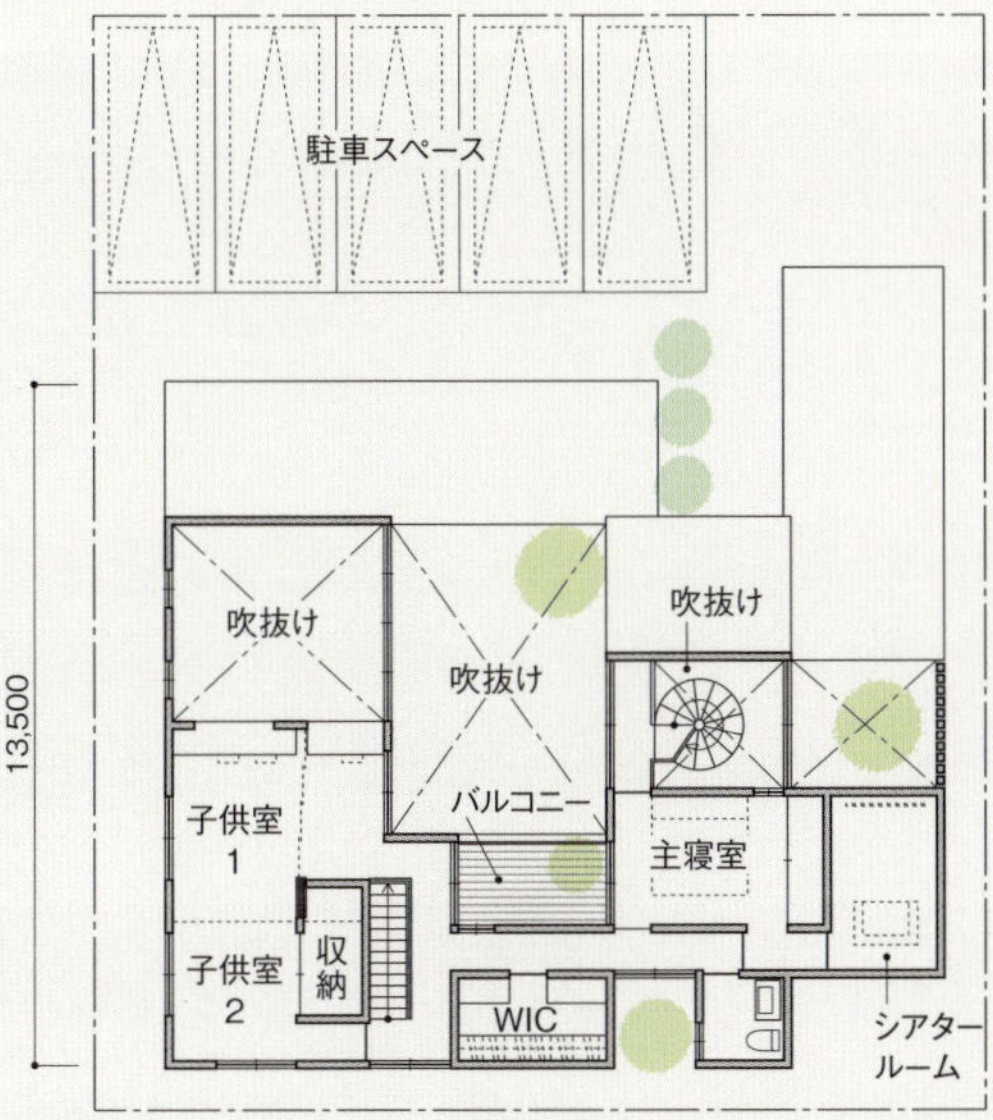

離れをつくって、「広い」LDKを演出する

とにかく「広い」空間がほしいとの要望だった。しかし、住宅で「広い空間」というとき、単なる大面積ではないのではないかと考えた。

　そこで建物を2棟に分けてLDKから外部バルコニーを通って別棟にアクセスしたり、リビングとDKの間に段差を設けて空間を切り替えるなどの工夫をし、高さ、動線、視線などに変化をつけた。毎日の暮らしのなかで、いろいろなシーンが展開されること、いろいろな感じ方ができることで、面積以上の「広さ」を感じられる家となっている。

段差で切り替わる「広さ」

DKとリビングのあいだにあえて段差をつける。一室空間でありながら視線の高さを変えてシーンを切り替え、広さを感じさせる

外とつながる「広さ」

リビングの脇に、すぐに出られるバルコニーを置き、外とつながることで広さを感じる

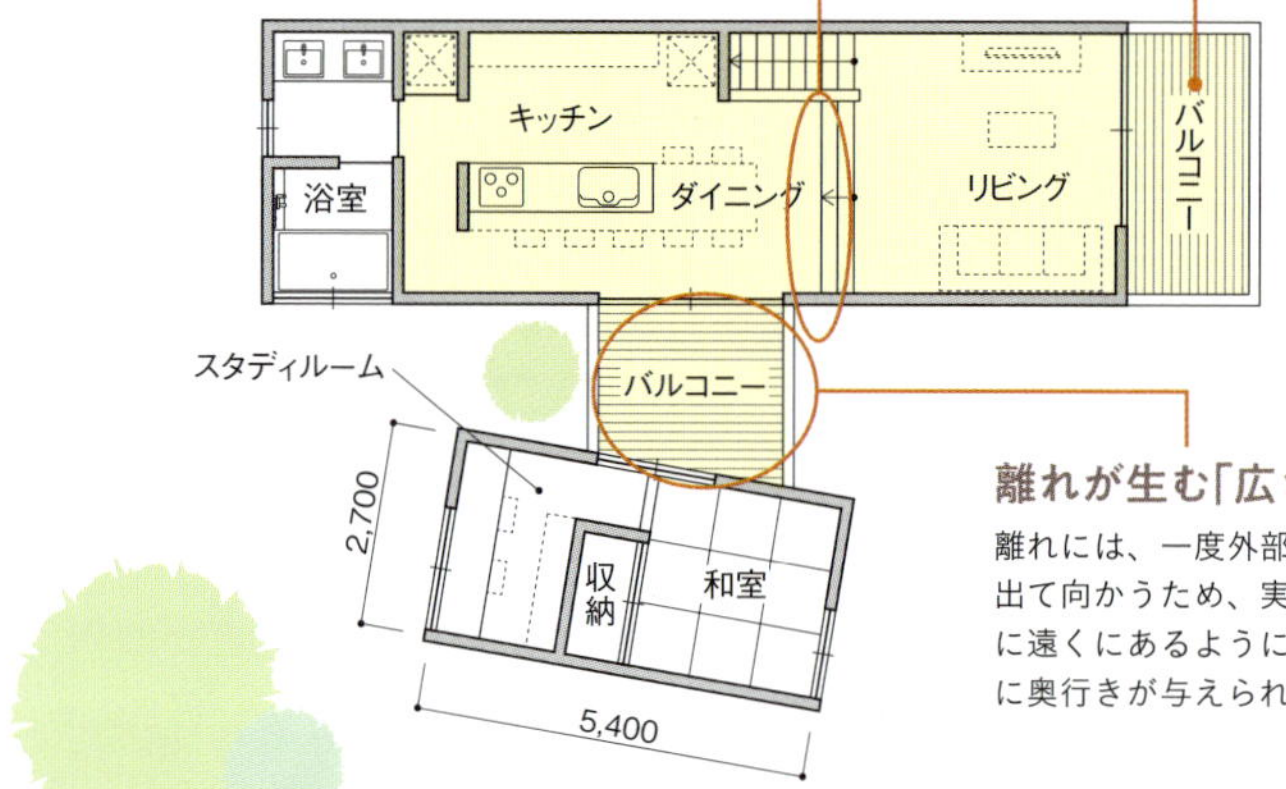

離れが生む「広さ」

離れには、一度外部バルコニーに出て向かうため、実際の距離以上に遠くにあるように感じられ、家に奥行きが与えられる

2F　S=1:200

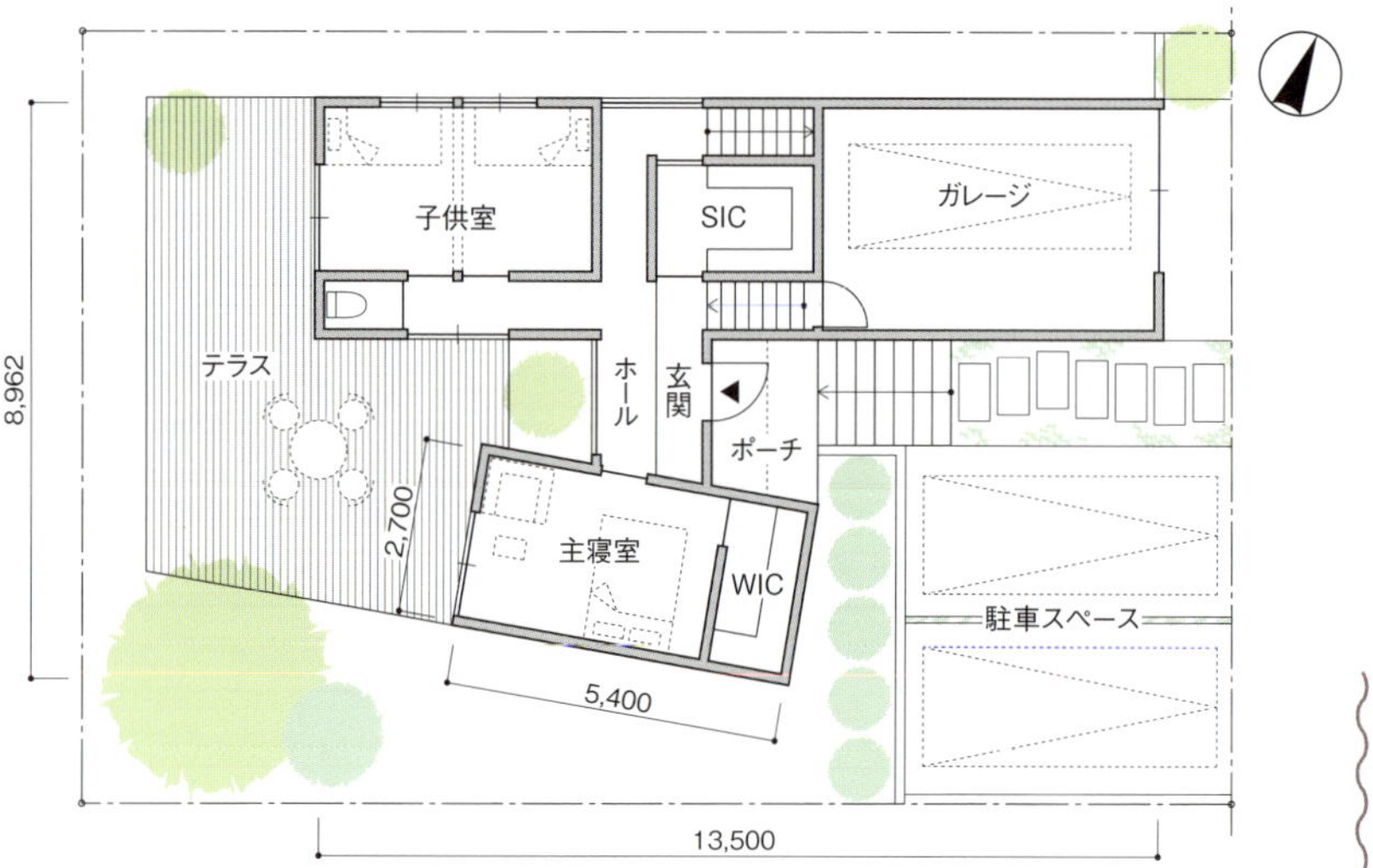

1F　S=1:200

建築概要

所在地	神奈川県
家族構成	夫婦（40歳代）＋子供1人
敷地状況	整形、東道路、道路との高低差1m
敷地面積	221.51㎡（67.00坪）
延床面積	104.50㎡（31.61坪））
構造・階数	木造2階

LDKに沿うテラスを存分に楽しめる間取り

敷地は東西に細長い形状。ここにテラスと一体になった広いLDKが求められた。そこで東西に続くLDKに沿うように南側に大きなデッキテラスをつくり、隣家からの視線をさえぎる塀を立ててプライバシーを守っている。

LDKは、23畳を超える広さとなっているが、目を外に向けると境界線上の塀までテラスが続き、部屋の面積以上に広がりを感じることができる。

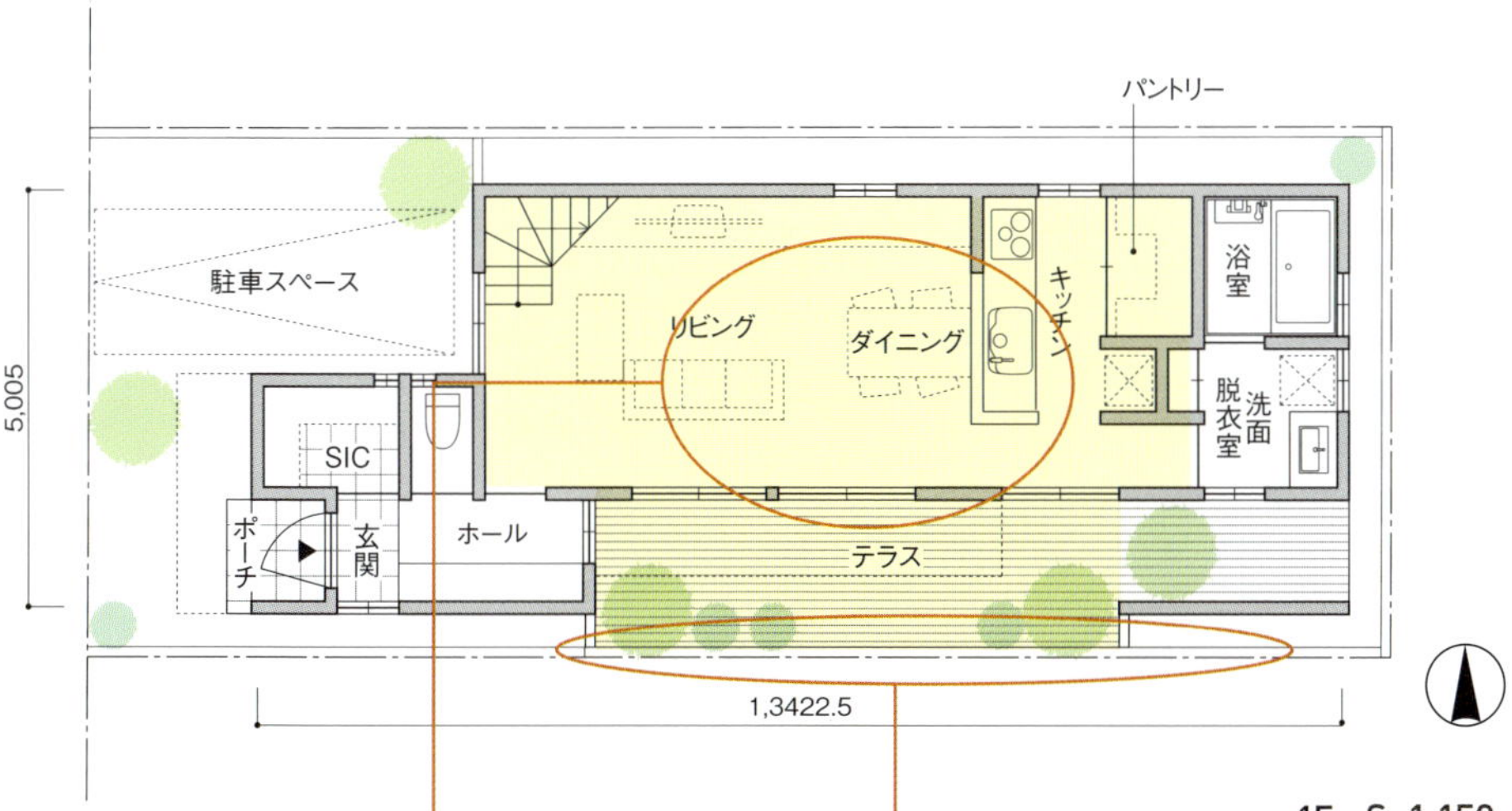

1F　S=1:150

外と一体になるLDK

ワンルームのLDKは、南側の大きな開口部で広いデッキテラスとつながり、実際の広さ以上の広がりを感じられる

プライバシーを守る

南側境界線上には、隣家の視線をさえぎる高い塀を立てている。これによって外からのぞかれる心配がなく、室内と同じようにテラスを使える

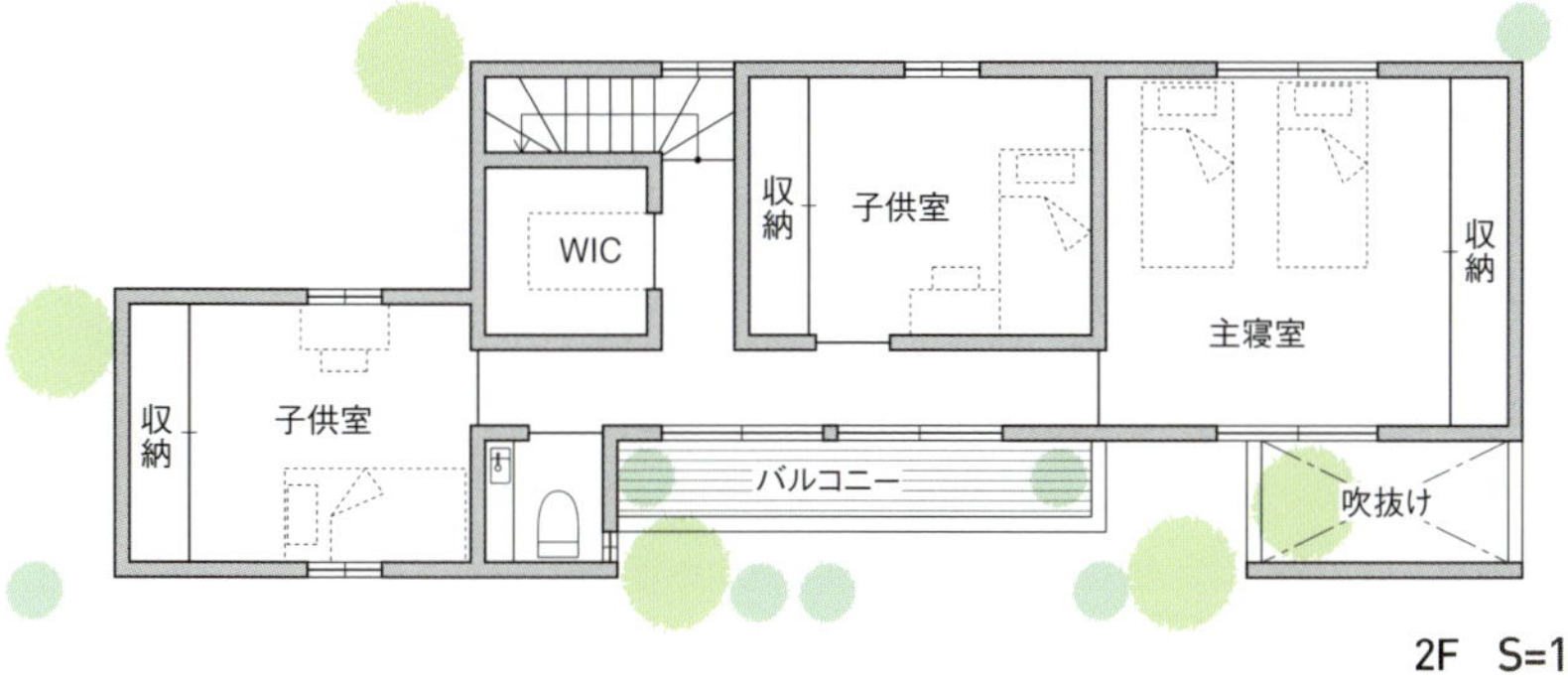

2F　S=1:150

建築概要	
所在地	東京都
家族構成	夫婦（30歳代）＋子供2人
敷地状況	整形、西道路
敷地面積	102.51㎡（31.00坪）
延床面積	97.71㎡（29.55坪）
構造・階数	木造2階

庭も離れもデッキもある広々LDK

広いLDKを希望された2世帯住宅。約110坪の余裕のある敷地を生かして、外部を有効に使った伸びやかな空間を目指している。1階では、約33畳のLDKの前に広いデッキテラスを置き、その先に離れのように寝室と庭を配置している。

LDKからは、窓の先にテラスがあり、さらにその先に寝室と庭が見えることになる。この連続性により、LDKはさらなる広さを感じられるようになっている。

ワンルームの広さ

LDKはワンルームのおよそ33畳。どこからでも、南東の窓越しに庭や離れが眺められる

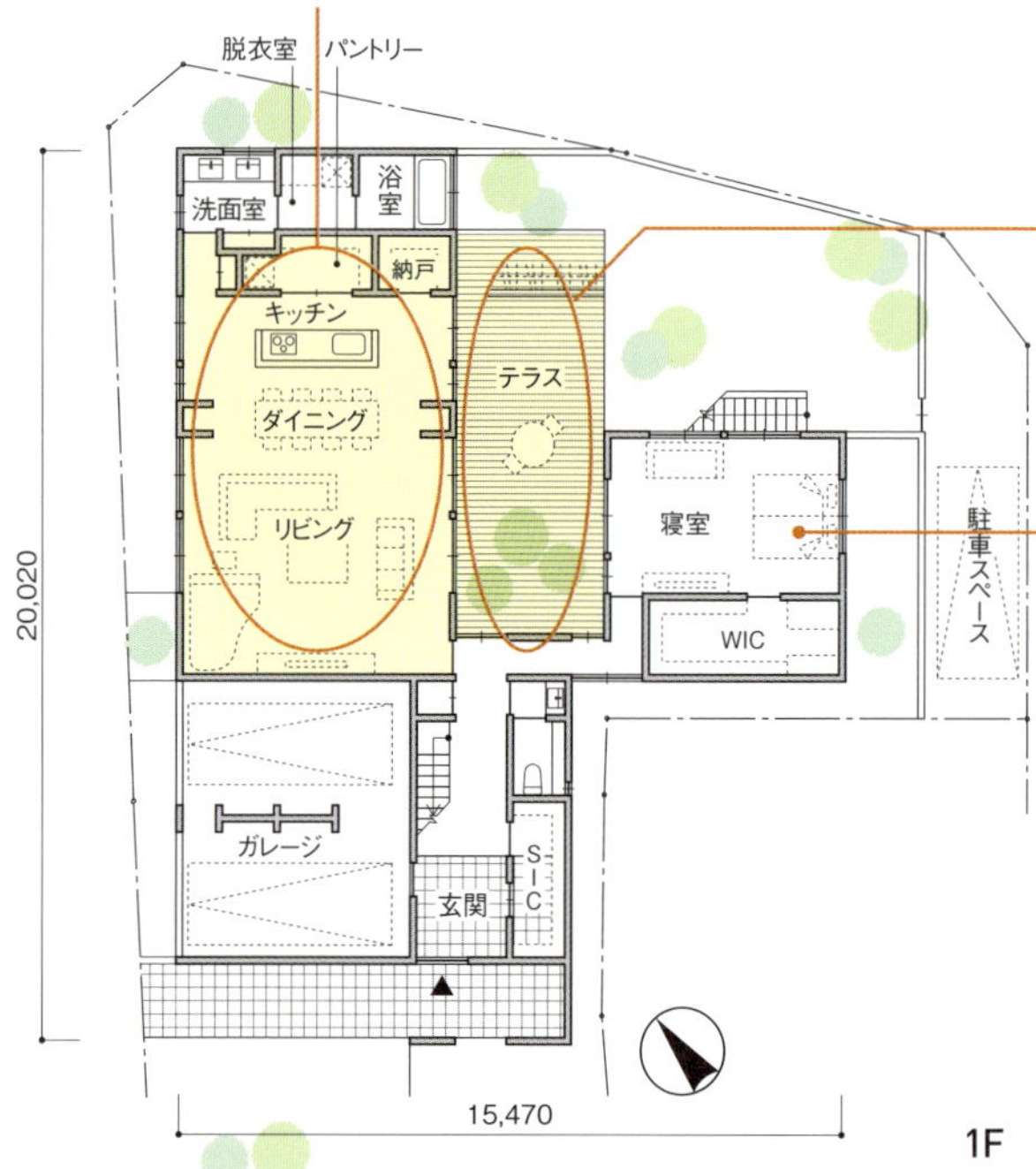

1F　S=1:300

LDKの延長として

LDKの前には広いウッドデッキが広がり、室内の延長として楽しむことができる

「向こうにある」広がり

LDKから見たときに、寝室は離れのように感じられる。向こうにまだ部屋がある、という意識が、広がりを増幅させてくれる

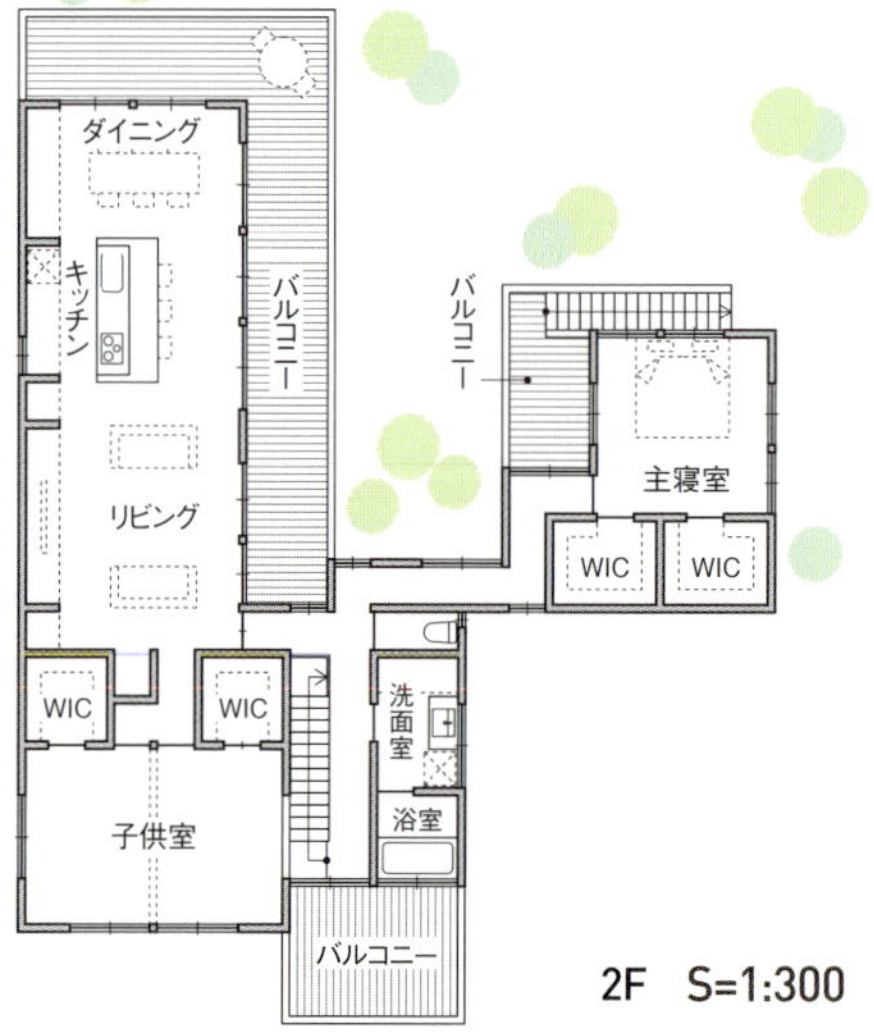

2F　S=1:300

建築概要	
所在地	神奈川県
家族構成	2世帯
敷地状況	変形、東道路
敷地面積	365.80㎡（110.65坪）
延床面積	260.02㎡（78.65坪）
構造・階数	木造2階

家全体がリビングのような家

どの部屋に行くにも、必ずリビングを通る動線で、家族どうしの顔が見える間取りが希望された。

そこでリビングを家の中心に配置し、リビングから放射状に各部屋にアクセスするように考えている。ご飯を食べるときも、お風呂に入るときも、必ずリビングを通ることから、いつも家族の動きと気配を感じていられる。

部屋の間の小さな緑

部屋と部屋の間に生まれた小さなスペースをミニガーデンとし、すべての部屋で光と風と潤いが得られる

中心のリビング

家の中心に置かれたリビングは、部屋と部屋を結ぶ動線でもあり、家族の気配をつなぐ中心にもなっている

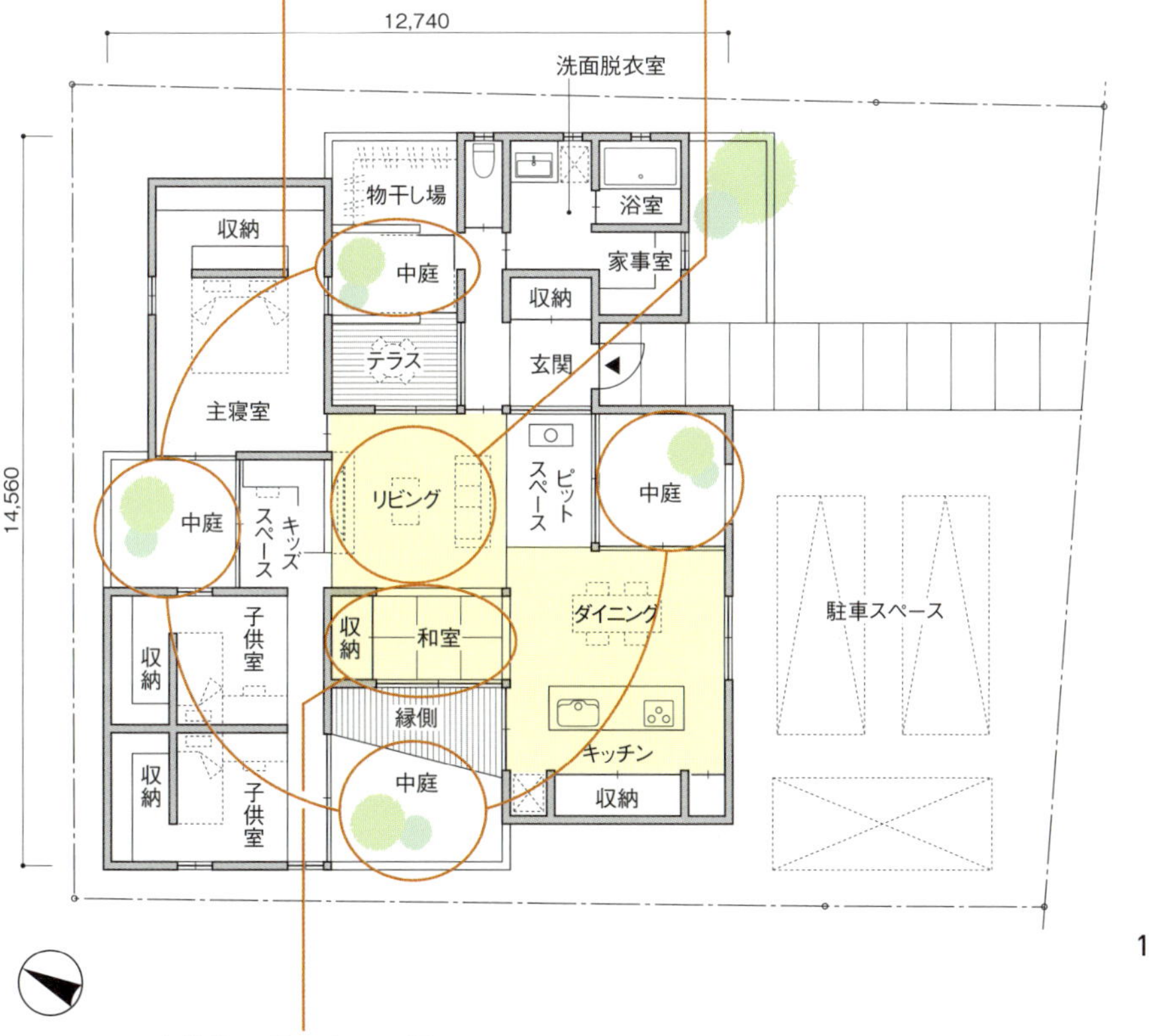

1F　S=1:200

多機能に使う癒しの場

LDKの一角に畳コーナーをつくっている。ソファのあるリビングとは異なるくつろぎの場であり、また多様な家事をこなすスペースにもなる

建築概要

所在地	東京都
家族構成	夫婦（30歳代）＋子供（これから）
敷地状況	整形（台形）、南道路
敷地面積	332.44㎡（100坪）
延床面積	120.91㎡（36.5坪）
構造・階数	木造1階

壁で囲んだテラスをアウトドアリビングに

敷地は50坪余の広さがあったが、2台分の駐車スペースが必要で、十分な広さの庭の確保は難しかった。そこでLDKの一角に設けた庭を高い壁で囲い込み、LDKと一体化した外部の部屋としてしつらえた。

植樹スペースの一隅を除いてウッドデッキを敷き詰めた中庭は、外部空間でありながら、壁に守られたプライベートなスペースとなり、リビングの一部となるとともに、室内に光と風をもたらしてくれる。

建築概要
所在地　愛知県
家族構成　夫婦（20歳代）＋子供1人
敷地状況　整形、北道路
敷地面積　166.19㎡（50.27坪）
延床面積　107.11㎡（32.40坪）
構造・階数　木造2階

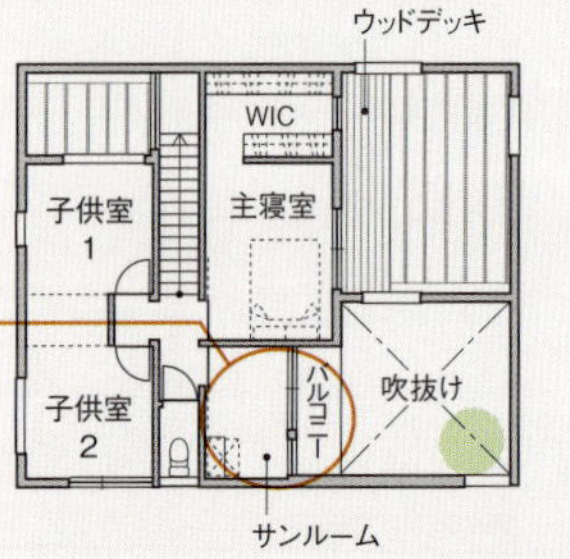

2F　S=1:300

陽当たり抜群

中庭上部に面したサンルームとバルコニーは南に向かって配置されていて陽当たり抜群。高い壁に囲まれているので、洗濯物が外から見られることもない

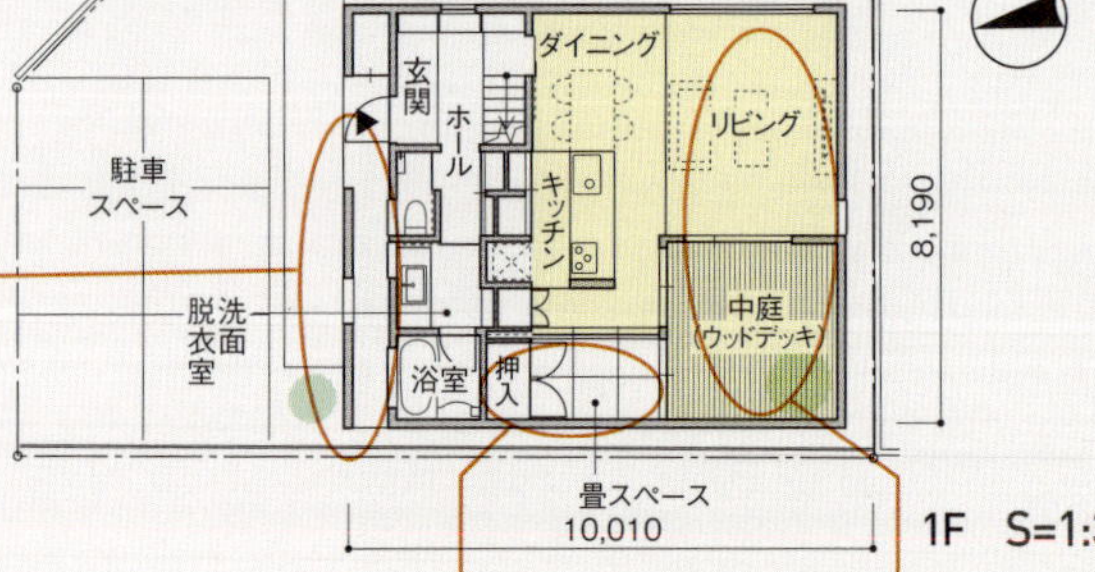

1F　S=1:300

二重の壁で守る

1階道路側は、室内の外側にもう1枚壁を立てることで、道路側と一層距離をおき、内部のプライベート性を高めている

いろいろな使い方

キッチン脇に畳スペースを設置。リビングや中庭とは違う使い方ができる場所として、生活のさまざまな要求にこたえてくれる

バランスをとる

リビングスペースをあえて小さくしても中庭を大きめにとっている。中庭を室内的に扱うことで、内部に実際の数値以上の広がりを与える

ダイニング脇からリビングと中庭方向を見る。リビングスペースは、ダイニングから1段下がり、天井高も高くなっており、室内でも空間のメリハリをつけている

南側外観。壁を2階まで立ち上げて中庭のプライバシーを守りながら、壁に大きな窓をつくって南からの陽射しを採り込んでいる

敷地の高低差を生かした包まれるようなリビング

高い天井をもつリビングが望まれていたため、道路と敷地の高低差を利用して、リビングだけ床レベルを80cm下げて3m近い天井高を実現した。

リビングはDKと視覚的につながりながら、わずかな距離とレベル差により違うスペースとして意識される。そこだけ沈み込むような囲われ感のある、落ち着いた雰囲気になっている。

リビングからDK方向を見る。3段上がるとDKにつながる

掘りごたつのような

DKから3段下がったリビングは、掘りごたつに入ったようなほっこりとした雰囲気に包まれる

自然光を導く

吹抜けが2階の外部スペースに面しているので、1階にも自然光が落ちてくる

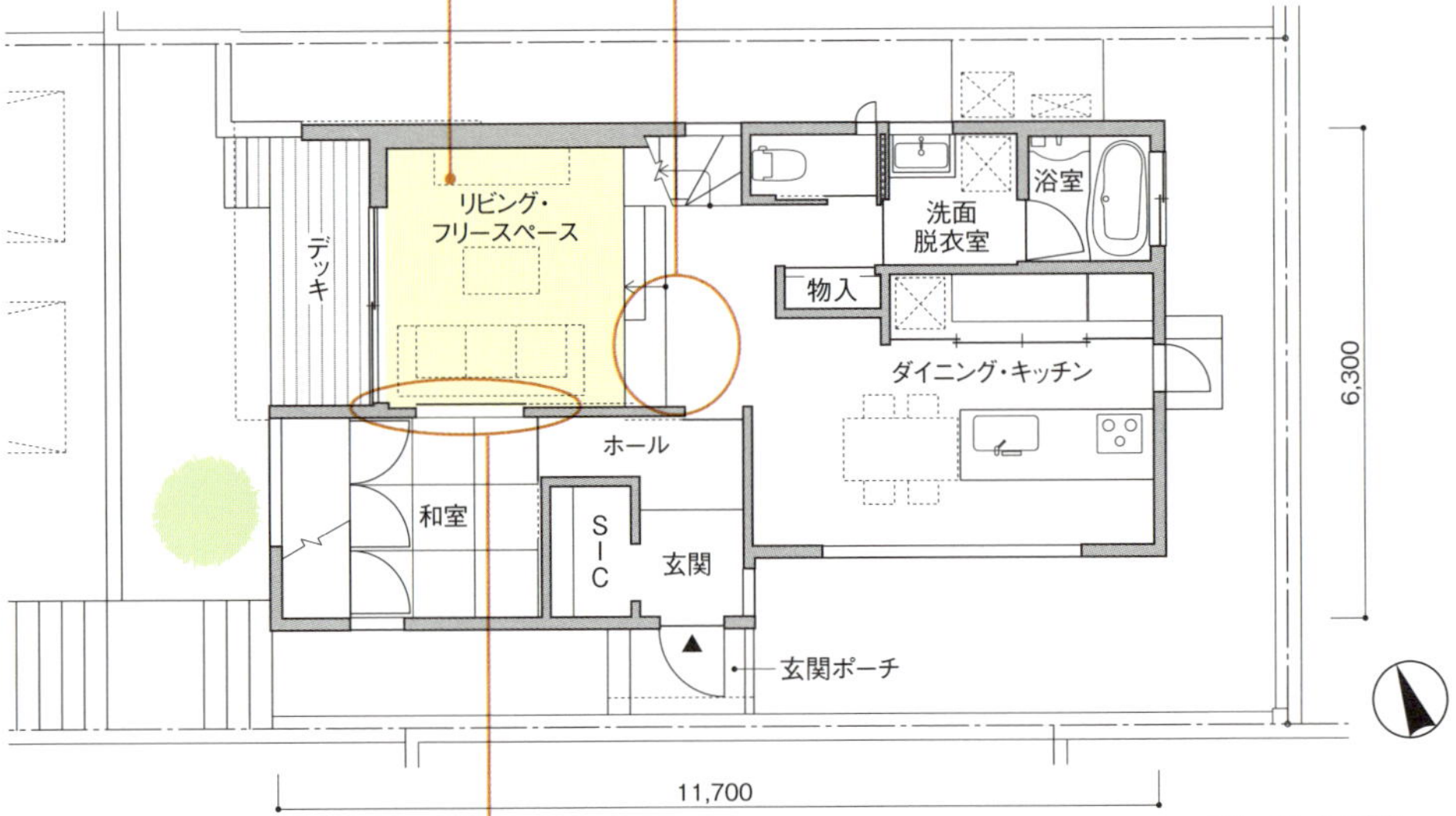

1F　S=1:150

レベルを強調する

隣の和室とは引戸でつながる。リビングの床から80cmのところにある引戸を開けると和室の床面が現れ、リビングが下がっていることがより強調される

個室のプライバシー

廊下側にクロゼットを配置することで、主寝室はクロゼットと吹抜けで囲われ、プライバシーが守られる

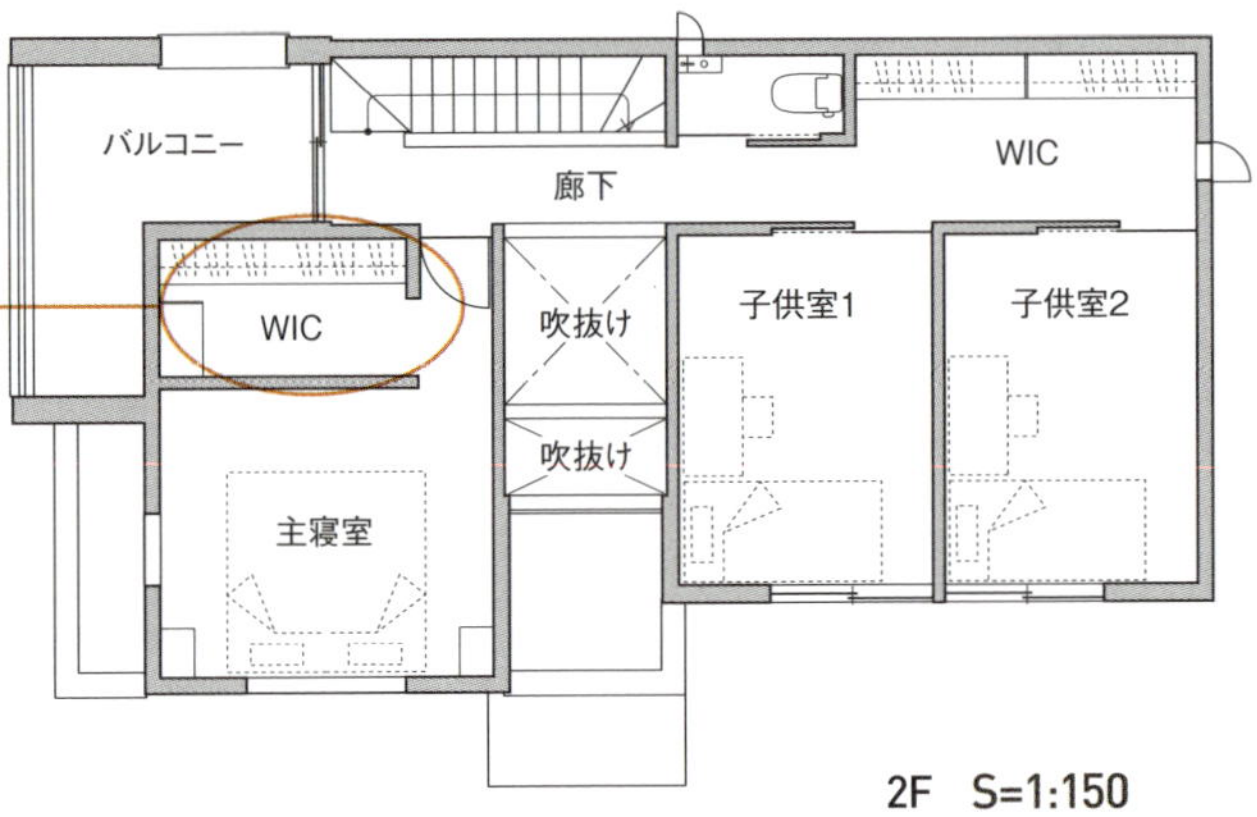

2F　S=1:150

建築概要

所在地	奈良県
家族構成	夫婦（30歳代）＋子供1人
敷地状況	整形、西道路、道路との高低差1.6m
敷地面積	187.56㎡（56.74坪）
延床面積	123..93㎡（37.49坪）
構造・階数	木造2階

ワクワク感たっぷりの楽しいリビング

クライアントは、海外の建築雑誌まで目を通すほど研究熱心な方。自宅への希望も、そんな雑誌のなかで見つけたスキップフロアを希望された。家に来たお客さんが、「この先はどうなっているんだろう」と思うような間取りである。

ここでは、リビングを玄関に隣接させて客間的にも使えるようにし、プライベートなDKは、そこから1m50cm以上スキップさせて配置している。リビングとDKは、視覚的につながっており、天井面も壁に仕切られることなく続いているので、別れているようでつながっている独特の関係が生み出されている。

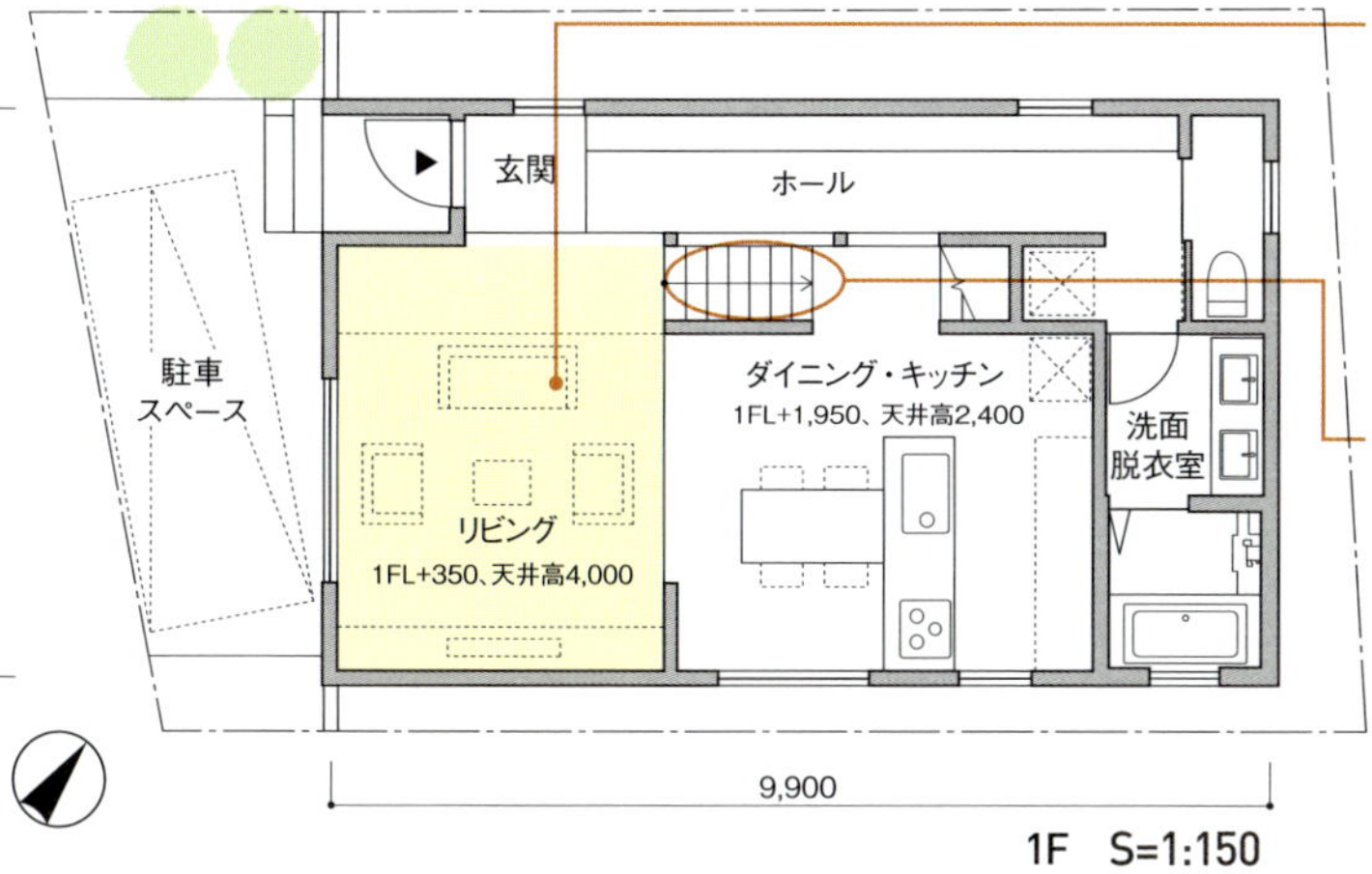

1F　S=1:150

高さ4mの開放感

リビングだけを見ると10畳ほどの面積。決して広いわけではないが、4mの天井高があり、かつ天井面でLDとつながることで一体感が得られ、開放的な気分にさせてくれる

階段の先に

リビングからDKに向かう階段は、さながらステージに向かう花道のようで、来客はワクワクしながらここを昇る

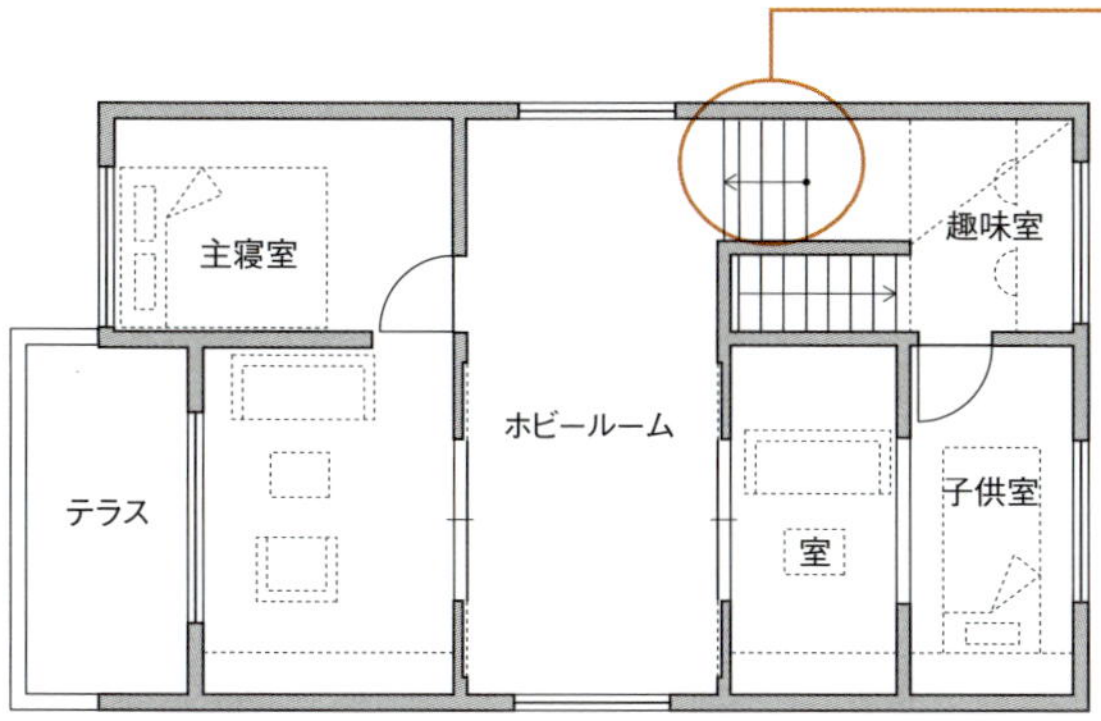

2F　S=1:150

気分転換

子供室と両親の主寝室のある場所も、1m20cmのレベル差がある。主寝室の手前は家族で使うホビールーム。子供たちは、自分たちの個室とは違う遊び場に階段を少し昇って向かうことになる

建築概要

所在地	東京都
家族構成	夫婦（40歳代）＋子供1人
敷地状況	整形、東・西道路、道路との高低差 0.4m
敷地面積	97.49m2（29.49坪）
延床面積	109.35m2（33.86坪）
構造・階数	木造3階

公園を借景した緑あふれるリビング

道路とは反対の、敷地の裏側に公園が広がる立地。その公園とつながるような気持ちのいいリビングが求められた。そこで、個室と水廻りを1階に置き、ＬＤＫを2階へ。公園側に向けて大きな開口を設け、リビングの外側には広いテラスをつくった。2階の階高は、あまり高くなりすぎても空ばかりが見えるようになるので、公園が見える高さを慎重に検討し、ＤＫ側より床面を40cm低くしている。

リビング、第2リビングともなるテラス、リビングから2段上がったＤＫからも公園の緑を楽しめるさわやかなＬＤＫとなった。

ダイニング前からリビング方向を見る。リビング、テラス、そして公園へと視線が続く

第2のリビングとして

公園の緑を直接見ながら食事やお茶が楽しめる広いテラス。手すり壁が下からの視線をさえぎるので、プライベート性の高い第2のリビングとなる

大開口をつくる

サッシの開け閉めを優先して、引き違いサッシは重いハイサッシとせず、欄間にFIXガラスを入れ、窓の組合せで大開口を実現している

1段高い見晴らし

DKはリビングより2段高いレベルにあって、リビングの人やモノがあまり気にならずに見晴らしよく公園が眺められる。また、この床レベルの調整により、リビングは天井高さ3.1mの大空間となっている

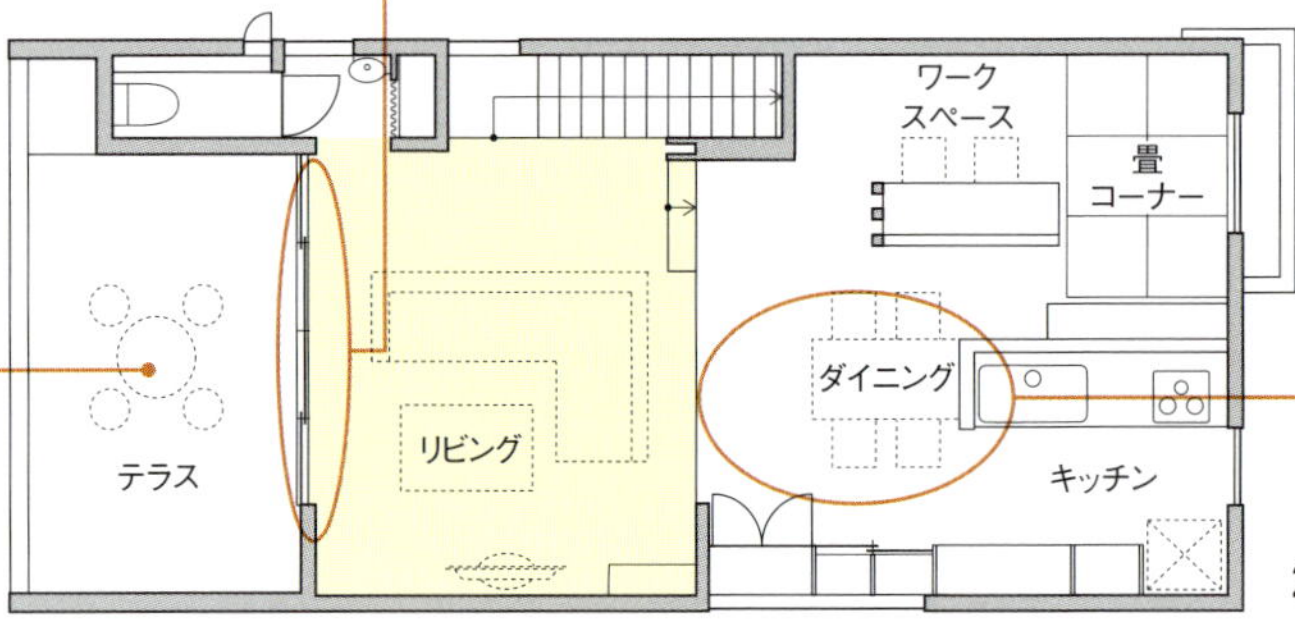

2F S=1:150

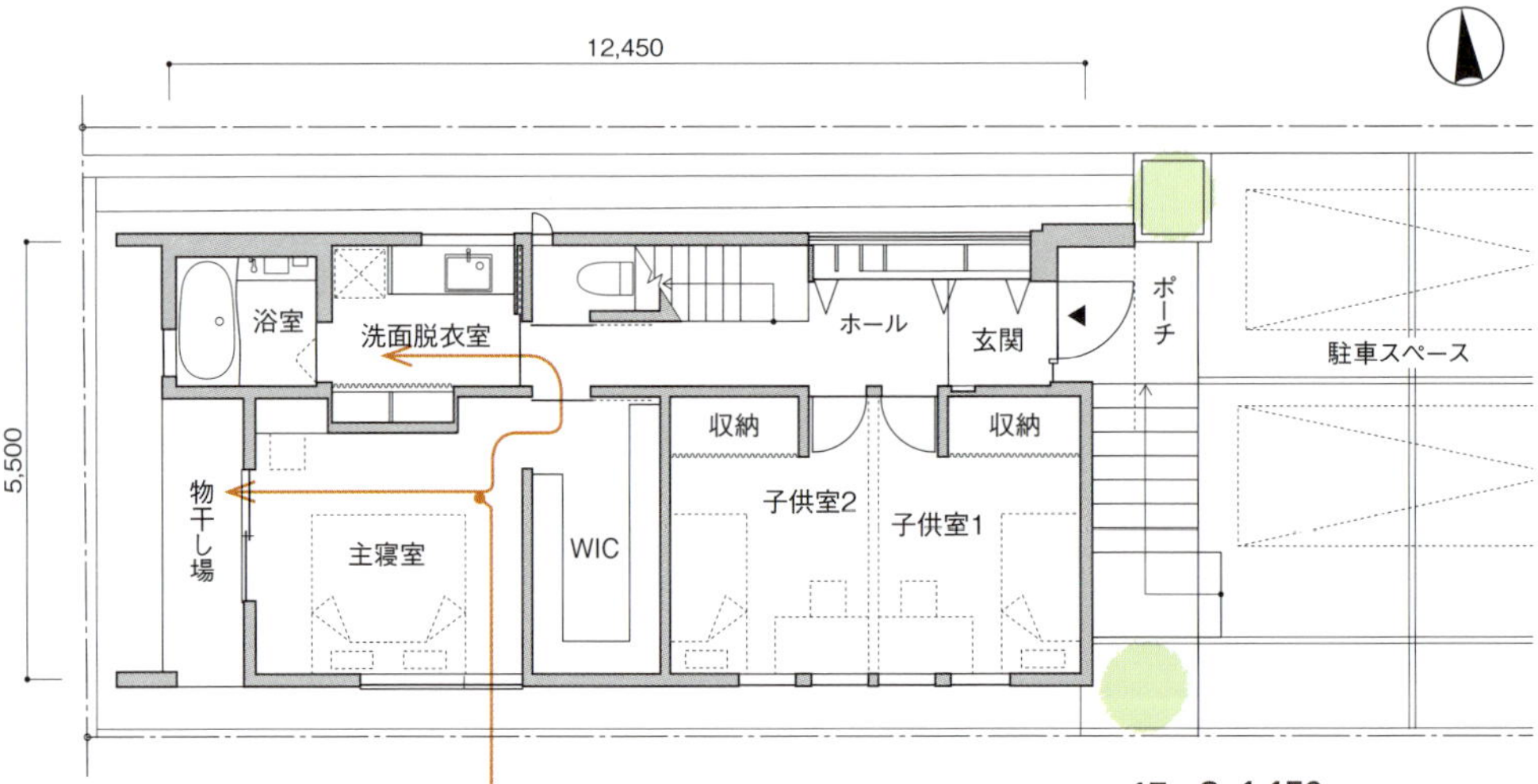

1F S=1:150

家事動線を優先

1階の水廻りは主寝室の脇にあり、主寝室経由で洗濯物がすぐに干せるよう家事動線をつくっている

建築概要

所在地	大阪府
家族構成	夫婦（40歳代）＋子供2人
敷地状況	整形、東道路、道路との高低差 1m
敷地面積	152.78㎡（46.20坪）
延床面積	119.06㎡（36.01坪）
構造・階数	木造2階

コンパクトなLDKに回遊動線を仕込む

敷地は広かったが、必要最低限のLDKがよい、ということであえて小さくつくっている。
1階にLDKと水廻り、2階に個室というオーソドックスな間取りだが、玄関からまっすぐ土間を延ばし、またLDKと水廻り空間の間に目隠しとなるように壁を配している。土間によって、外が室内に少し入り込んだようなメリハリが与えられ、また壁によって玄関、水廻り空間をリビングから隠しつつ、回遊動線が生み出されている。

非日常を差し込む

LDKのすぐ脇まで土間が延びることで、外部が近くにあるように感じられ、コンパクトなLDKに変化をもたらしている

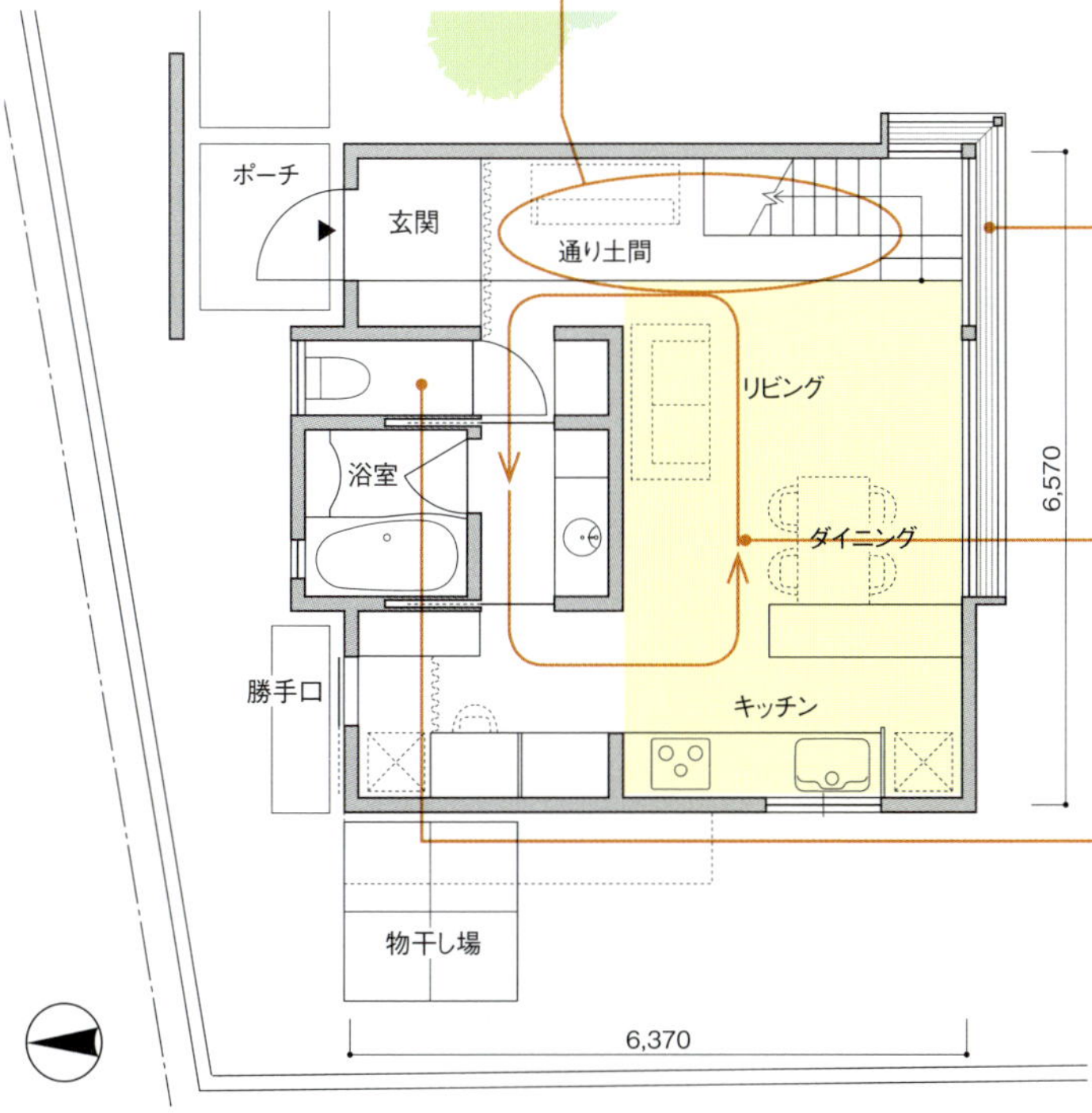

正面に明るさ

南面を大きな出窓としてLDKの明るさを確保している。この出窓は、玄関の正面にあたり、入ったときに明るい光が出迎えてくれる

楽しさと便利さと

回遊動線は、どちらからでも行けるという選択肢が生まれるので、生活動線上の便利さと、どちらから行くか選ぶという楽しさを感じさせてくれる

トイレを隠す

LDKとの間に壁を立てることで、トイレの扉がLDK側か隠され、少し奥まった状態になりトイレに落ち着きを与える

1F S=1:120

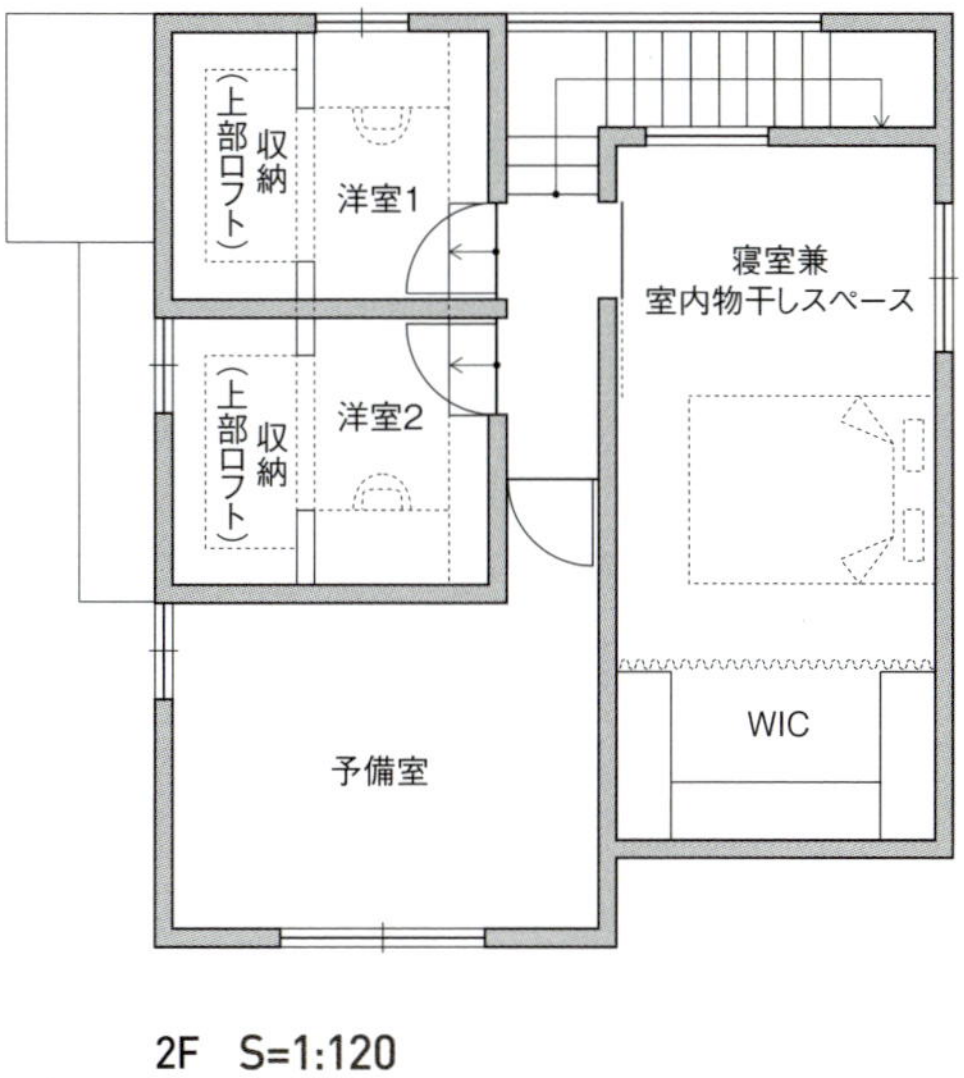

2F S=1:120

建築概要

所在地	愛知県
家族構成	夫婦（30歳代）＋子供1人
敷地状況	整形（台形）、東道路
敷地面積	370.83㎡（112.10坪）
延床面積	87.84㎡（26.57坪）
構造・階数	木造2階

3世代6人が掘りごたつを囲んでワイワイ楽しめるLDK

3世代完全同居の住まい。世代の異なる6人が集まっても狭さを感じないLDKが求められた。

家の1階中央にワンルームの大きなLDKを置いたが、この中心となるのが2m半を超す長さの大きな掘りごたつ。一般的なダイニングテーブルのダイニングとソファを置いたリビングという構成ではなく、掘りごたつテーブルがダイニングテーブルにもリビングの中心にもなる。床座にすることで、上への広がりも感じられ、6人そろっても大きな空間でくつろげる。

建築概要

所在地	愛知県
家族構成	夫婦(40歳代)+子供2人+両親
敷地状況	広い斜面地、西道路、道路との高低差 1.6m (傾斜地を避けて計画)
敷地面積	541.22㎡(163.71坪)
延床面積	190.25㎡(57.55坪)
構造・階数	木造2階

部屋の中央に置く

掘りごたつを、キッチンから少し離して部屋の中央に置くことで、単なる食卓ではない、家の中心として意識される

誰でも気軽に

キッチンはアイランド型として回遊動線をつくっている。どちらからでもアクセスできるので、誰でも気軽にキッチンと掘りごたつの行き来ができる

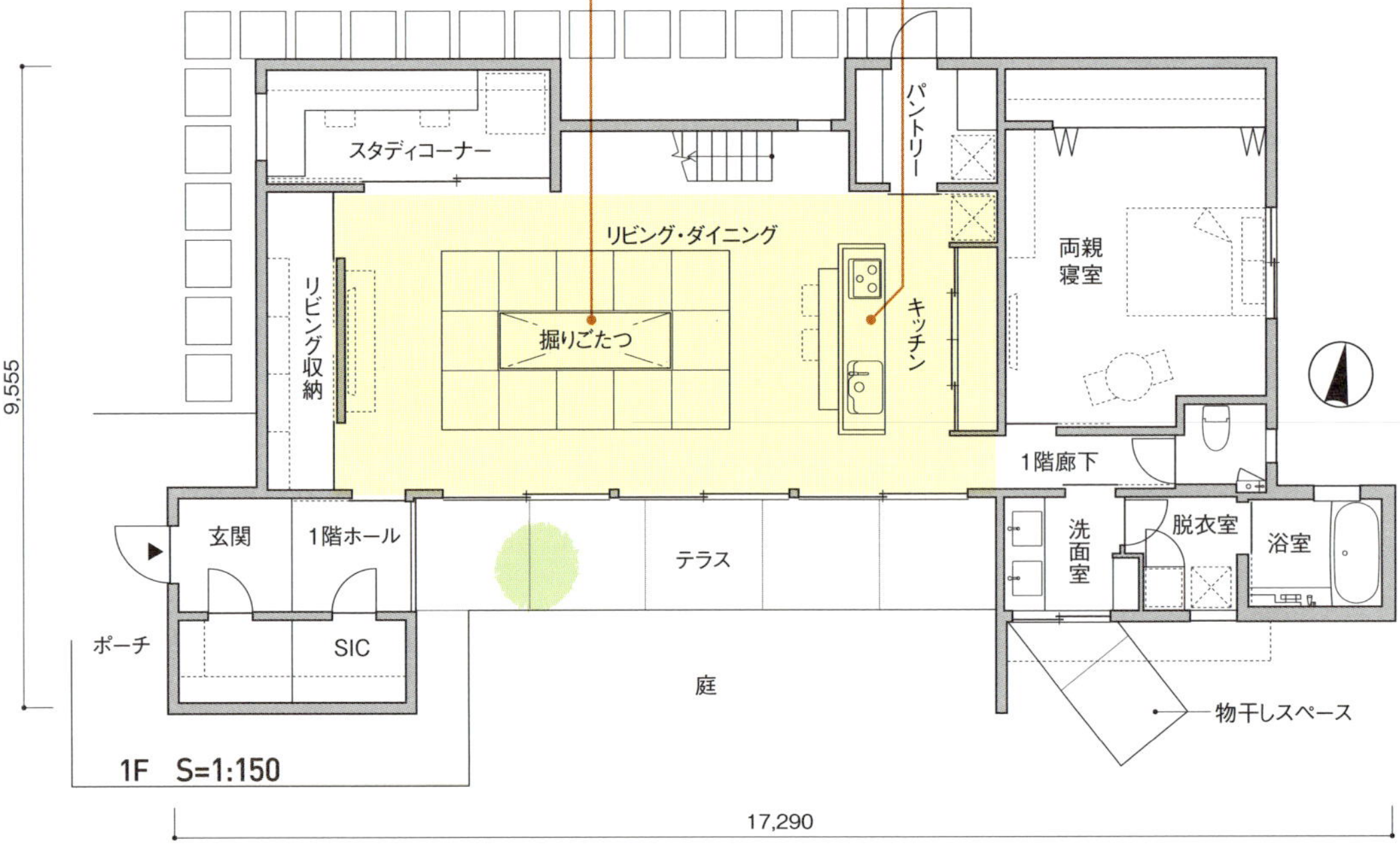

1F S=1:150

親子水入らず

2階には、1階のLDKとは別にファミリールームを設け、子供が小さいうちは親子水入らずで楽しむスペースを確保した

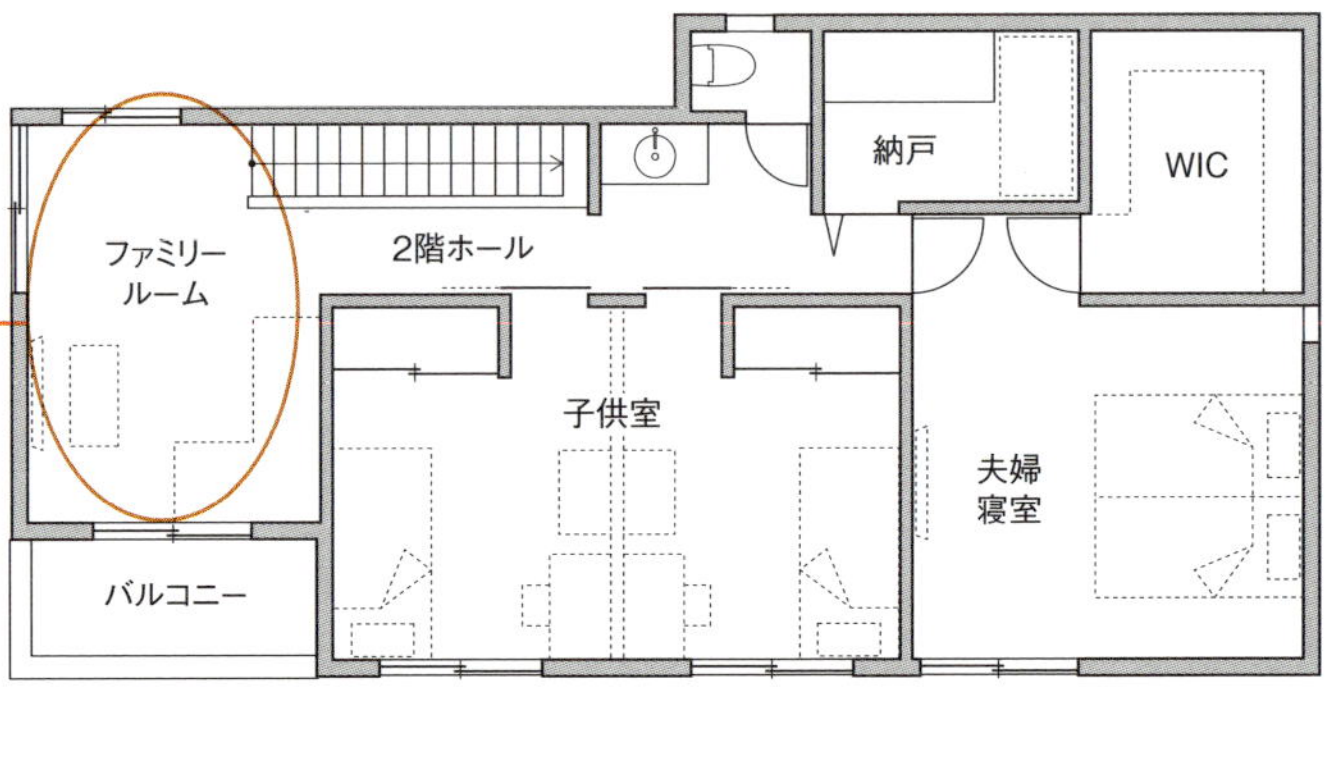

2F S=1:150

2階テラスを有効に使って明るいLD空間をつくる

奥まった敷地にもかかわらず2台分のガレージが求められたため、1階に十分な庭の確保が難しかった。そこで、2階と3階の人工地盤（テラス）を活用している。

2階では、広いリビング・ダイニングに添わせるようにテラスを配し、テラスに面する部分を全面ガラス張りとして光を存分に採り込めるようにしている。また3階に、広いルーフバルコニーをつくり、2階テラスとは異なる、アクティビティを獲得している。

上/リビング奥からダイニングとテラス方向を見る。南向きの大きなテラスはLDに多くの光を届けてくれる
下/3階のルーフバルコニー夜景。開放感たっぷりの屋上庭園は、昼も夜も楽しめる場所に

3方開ける

3階のルーフバルコニーは、3方向に開けているので開放感抜群。2階テラスがLDに寄りそう外部だとすれば、こちらは思い切り外部を楽しむ場所

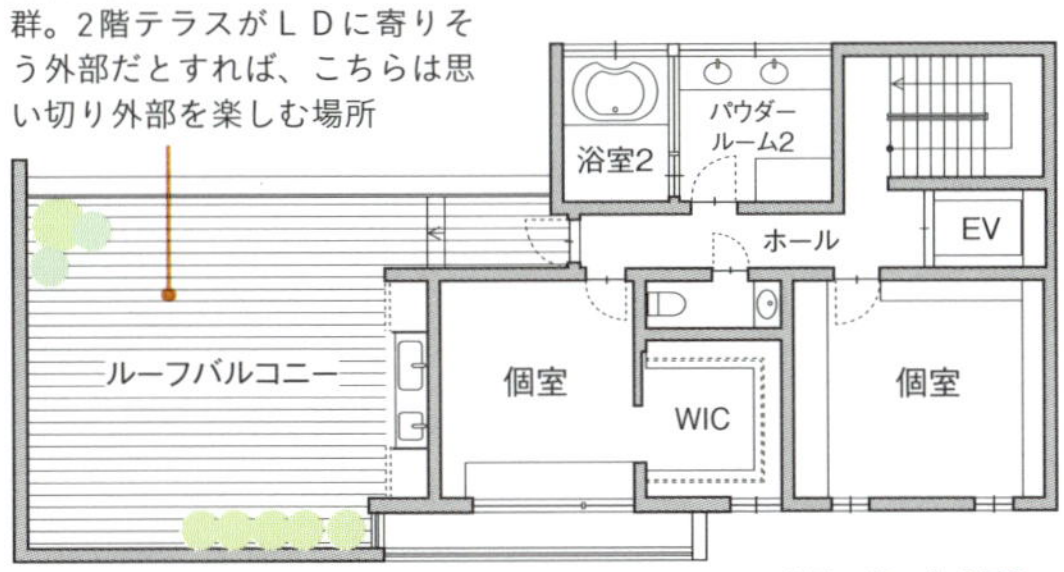

3F S=1:250

テラスから光を

リビング・ダイニングと並んで広いテラスを配置。テラスに面する部分は全面ガラス張りなので光は室内の奥まで届けられる

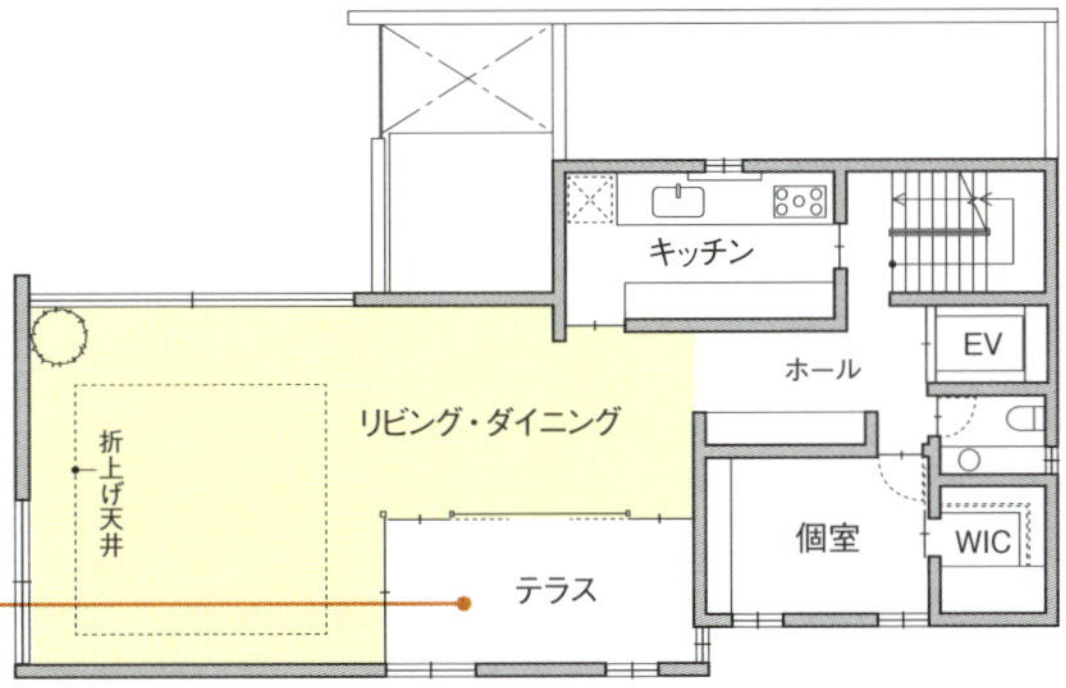

2F S=1:250

回して出し入れ

接道距離が短いため、戸建て住宅では珍しいターンテーブルを入れて、ガレージへの車の出し入れを容易にしている

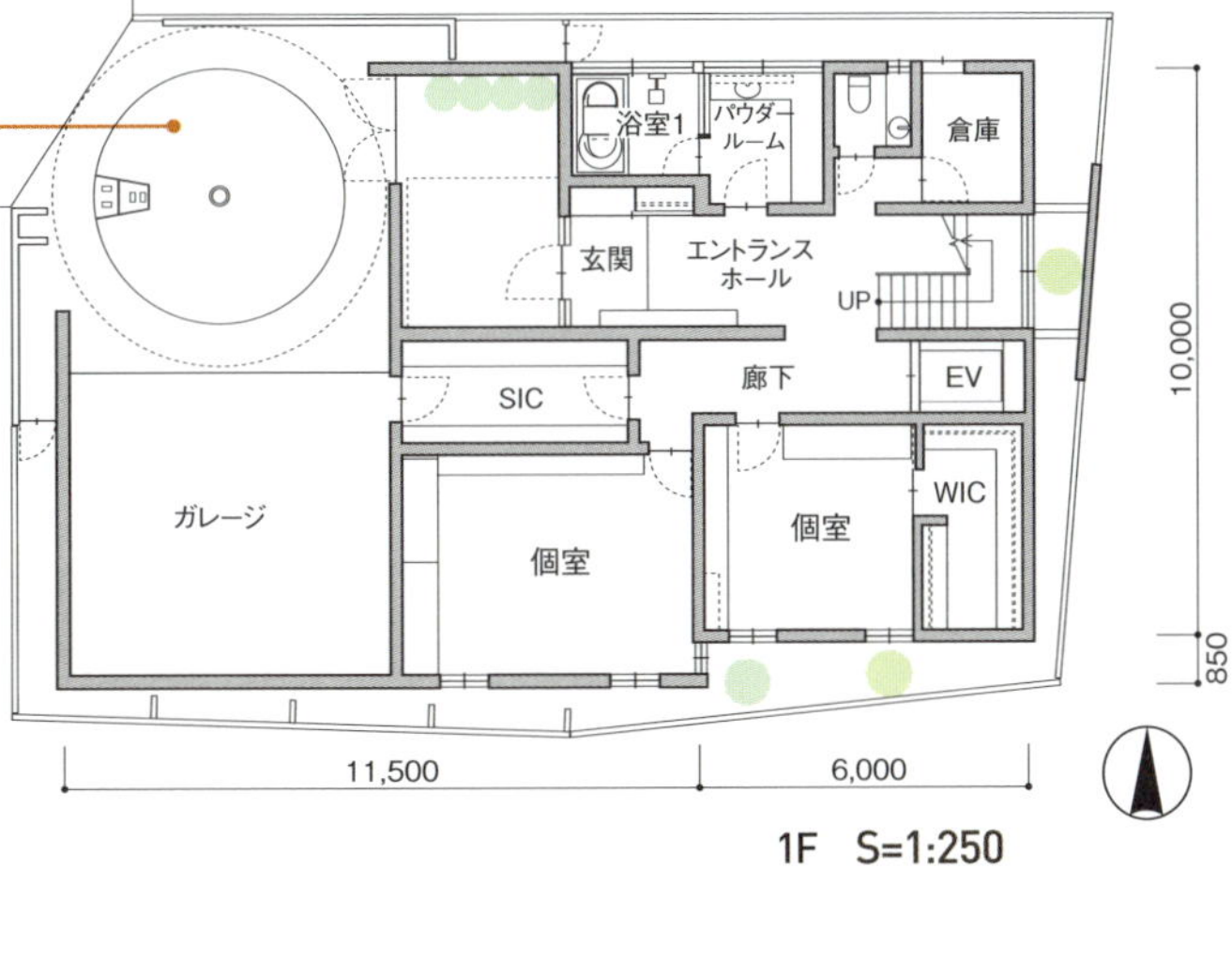

1F S=1:250

建築概要

所在地	東京都
家族構成	夫婦
敷地状況	変形地、北西道路
敷地面積	241.12㎡（72.93坪）
延床面積	334.78㎡（101.27坪）
構造・階数	鉄骨造3階

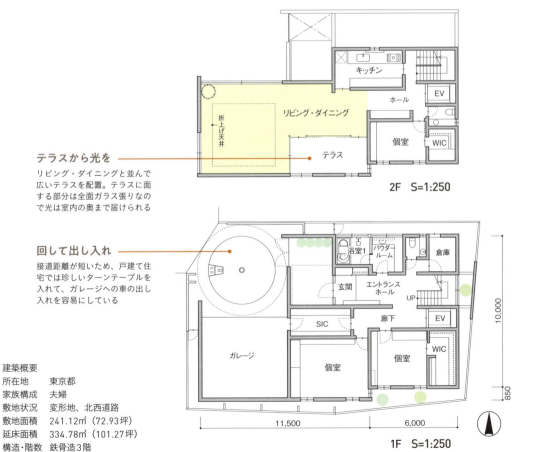

CHAPTER

2

美しく機能的なキッチン

回遊動線がオススメ

キッチンは、調理、配膳、洗い物、ゴミ出しなどの作業をスムーズに進められるよう、効率的な家事動線をつくることが大事。キッチン内での作業のしやすさを考えるのはもちろん、キッチンをダイニングや勝手口、玄関とどうつなぐかが鍵となります。それらの場所との距離をできるだけ短くし、かつ、ぐるぐる回れる回遊動線上に配置

すれば使い勝手はぐっと良くなります。

複数の人がキッチンに入って作業をすることが多ければ、通路幅を広くとるか、アイランドキッチンを採用するのがおすすめです。

使う場所のそばに収納を

多くのモノであふれがちなので、収納もしっかりと考えておきましょう。キッチンのそばにパントリー（食品庫）をつくって調理器具や食器までしまえるようにしてもよいですし、食器であればダイニング寄りに、調理器具はキッチン寄りにと、使う場所の近くにそれぞれ収納をつくっておくと使い勝手はぐっと良くなります。ただしパントリーは、モノを入れすぎると通路がふさがり、奥にあるモノが取り出せなくなるので要注意です。

2つの中庭を楽しめる皆がつどえるオープンキッチン

家族や友人が、一緒にキッチン作業ができるような、開放的なキッチンが求められた。

ここでは、アイランド型のキッチンにダイニングテーブルを連続させて、ぐるりと回れる構成にするとともに、北と南、2つの中庭を眺められるようにして、キッチンのどこで作業していても外を感じられ、また大勢が集まっても開放感が得られるようにしている。

回遊動線の奥行き

キッチン廻りだけでなく、トイレと階段を中心にした回遊動線をつくり、LDKの広がりとは異なる奥行きを生み出している

分けることもできる

普段はワンルームとして使用するが、キッチン側とリビングは5枚の引戸で仕切ることもできる

2つの庭を感じる

リビングだけでなく、キッチンからも2つの庭が見え、緑と風を感じながら調理できる

集まっても楽しむ

キッチンとダイニングテーブルの回りを自由に行き来できるので、大人数が集まって作業しても邪魔にならない

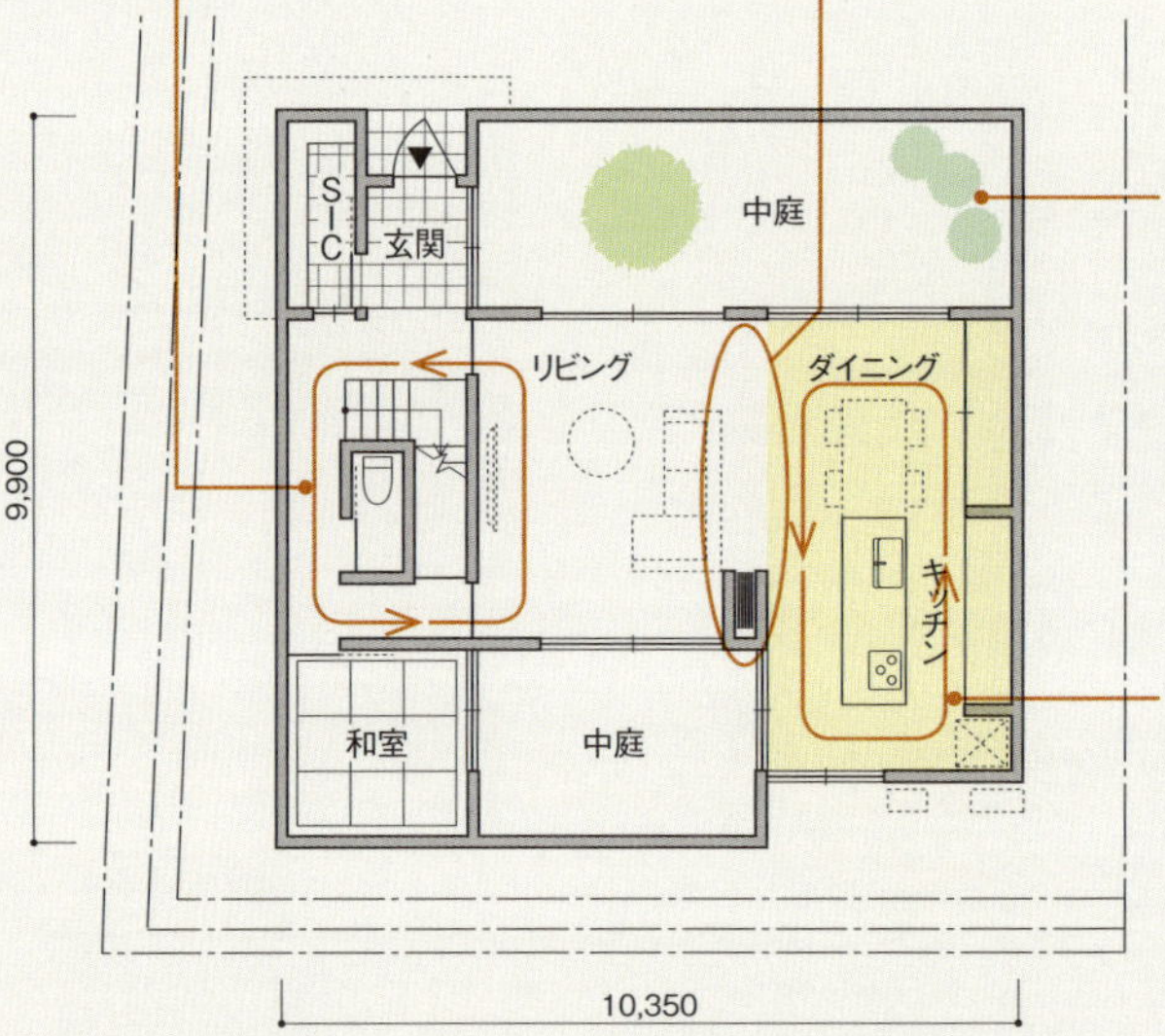

1F S=1:200

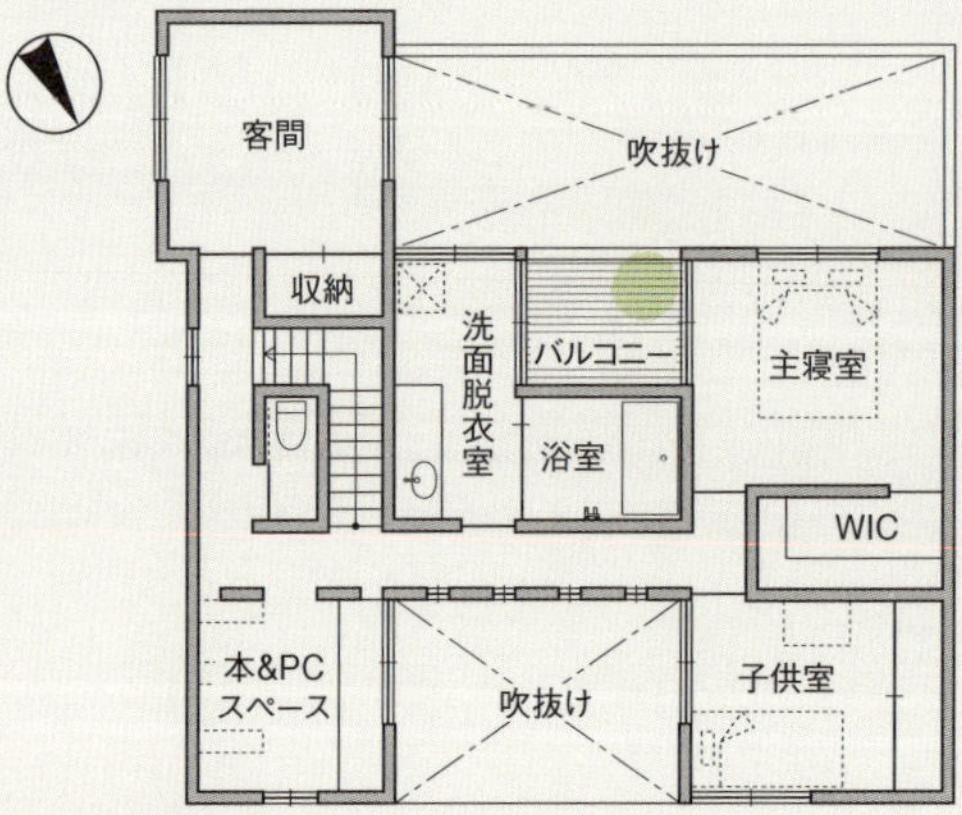

2F S=1:200

建築概要

所在地	千葉県
家族構成	夫婦（50歳代）＋子供1人
敷地状況	整形、南道路、道路との高低差1m
敷地面積	135.68㎡（41.12坪）
延床面積	232.40㎡（70.42坪）
構造・階数	木造2階

ぐるりと回れるキッチンで いろいろなシチュエーションを

キッチンをリビングに取り込んで、回遊できるように、というのが建て主の要望だった。そこで単純なワンルームのLDKではなく、コの字平面で中庭を設け、2階の中心にキッチンを配した。キッチンの前にリビングが、ダイニング前にはバルコニーが広がる構成である。キッチンとリビング、キッチンとダイニング、ダイニングとバルコニーなど、さまざまな場所がつながり、日々の暮らしを楽しめる仕掛けである。

リビングからキッチン方向を見る。リビングの天井高さと床レベルが、キッチン奥のダイニングと異なっているのがわかる

中庭越しの風景

リビングとバルコニーは、中庭越しに視線でつながる。近くにありながら、外部を挟むことで実際以上の距離感を生む

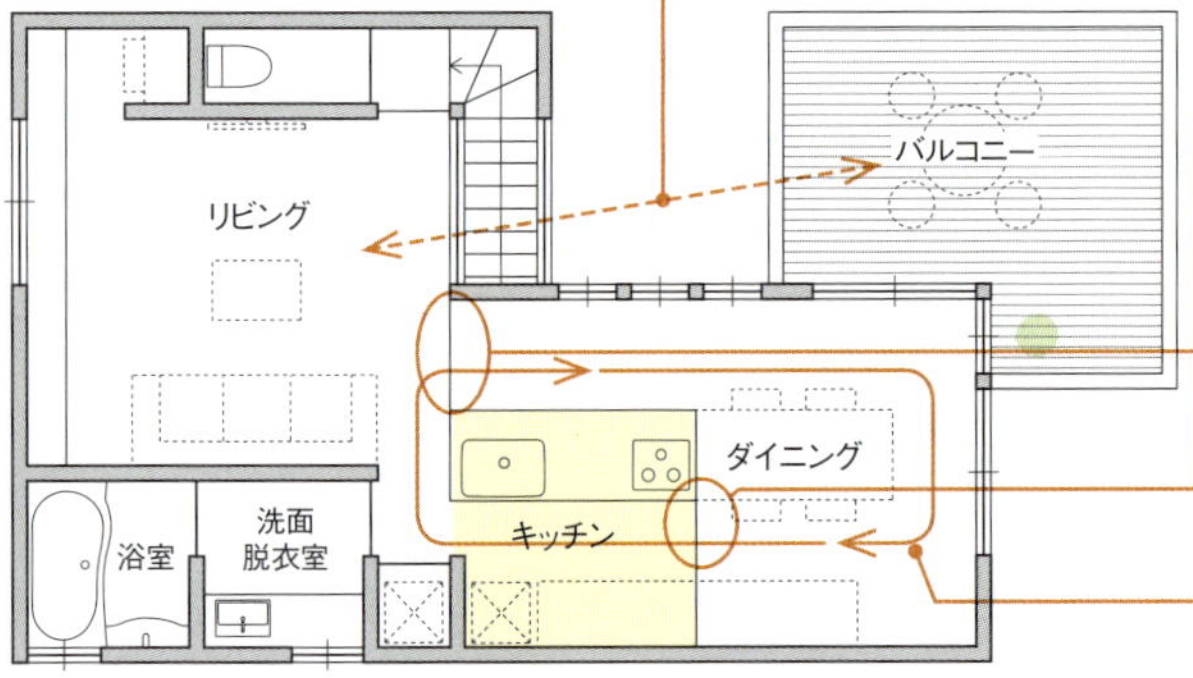

ステップで分ける

リビングから1段上がってダイニングへ。この1段で、気分が切り替わる

回遊動線

キッチンカウンターは、ダイニングテーブルと一体となって、回遊できるようになっている。行き止まりのないDKにより、さまざまなシチュエーションに対応できる

2F　S=1:150

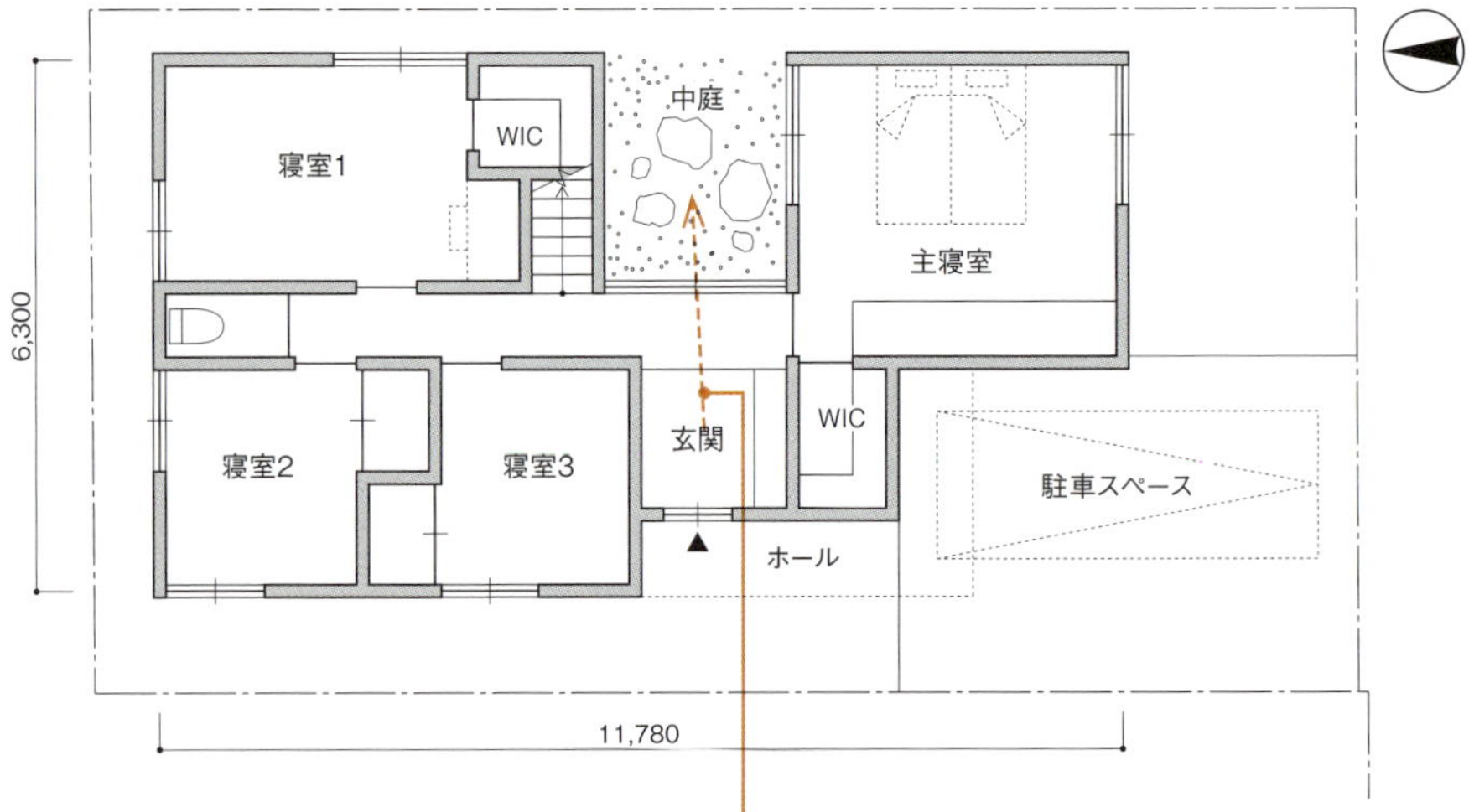

1F　S=1:150

玄関の風景

玄関に入ると、目の前には中庭の緑が目に飛び込んでくる。なかに入ったはずなのに、再び外部を見せる驚きの演出

建築概要	
所在地	東京都
家族構成	夫婦（40歳代）＋子供2人
敷地状況	整形、南道路
敷地面積	125.34㎡（37.91坪）
延床面積	150.82㎡（45.62坪）
構造・階数	木造2階

隠したいところは隠せるキッチン

玄関ホールを共有する、1、2階完全分離の2世帯住宅である。1階の親世帯は、夫婦2人のスペースだが子供や孫たちを迎えて大人数で食事することも多い。そのためキッチンは開放的でありながらも、リビングからは見えにくくなる配慮が求められた。

そこでワンルームのLDKのなかに高さ2mの壁を立てて、DKとリビングを仕切ることにした。空間的にはひとつながりだが、視線はさえぎられ気配だけが感じられる。その壁には、リビング側にテレビが掛けられている。

建築概要	
所在地	神奈川県
家族構成	夫婦(30歳代)+子供2人+両親
敷地状況	変形地、東道路
敷地面積	284.93㎡(86.34坪)
延床面積	196.29㎡(59.48坪)
構造・階数	木造2階

両側への開放感

キッチンに立つと、リビング側だけでなく左右に庭が見え、外部の緑や景色が楽しめる

家族でわいわい

子供や孫たちと一緒に料理や食事が楽しめるアイランド型のキッチン・ダイニングとしている

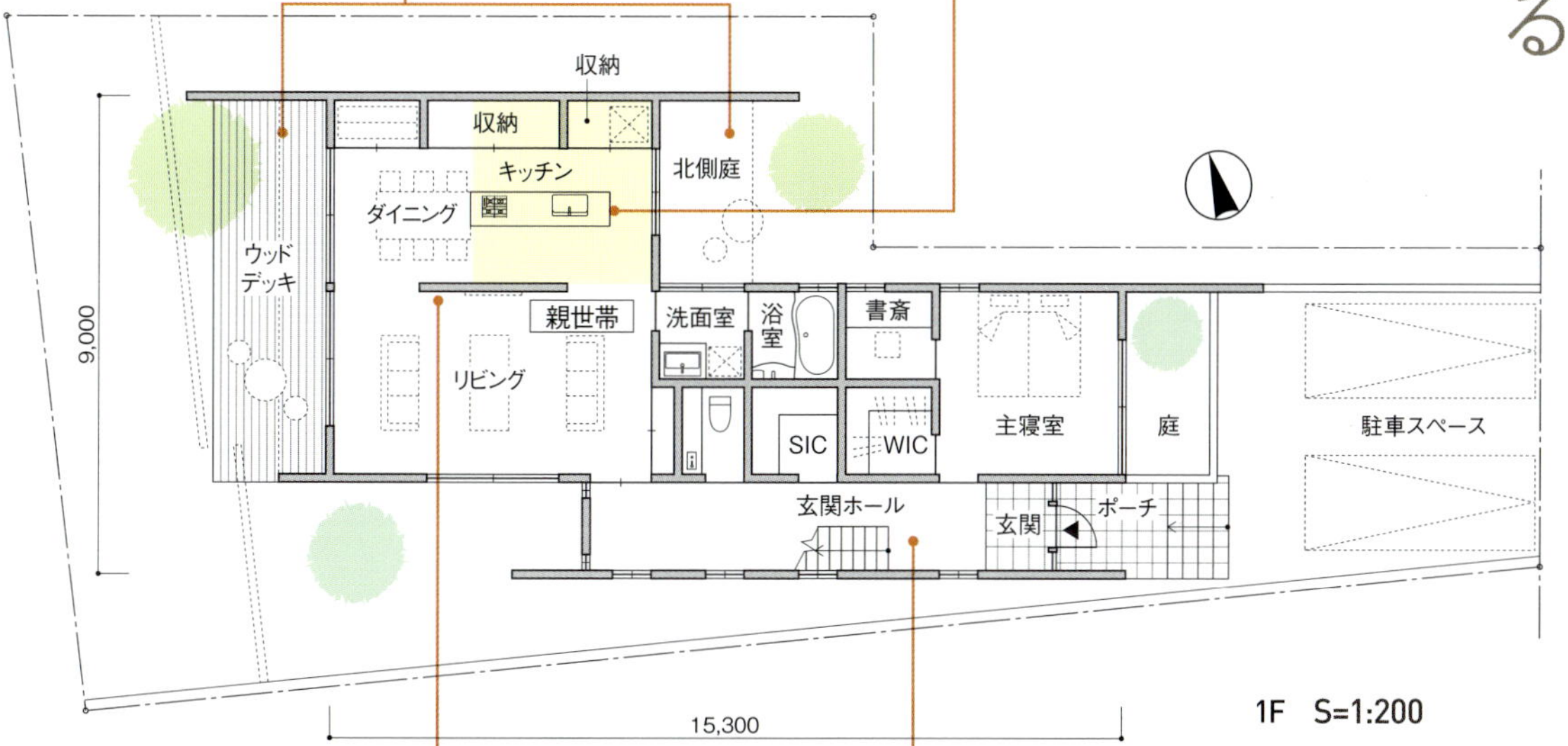

1F S=1:200

気配だけつながる

DKとリビングのあいだに、テレビを掛ける壁を立て、リビングからはDKが丸見えにならず、気配だけが伝わる

玄関ホールで出会う

玄関ホールを共有する2世帯住宅は、出かけたり帰ってきたときにときどき出会う、ほどよい2世帯の関係がつくられる

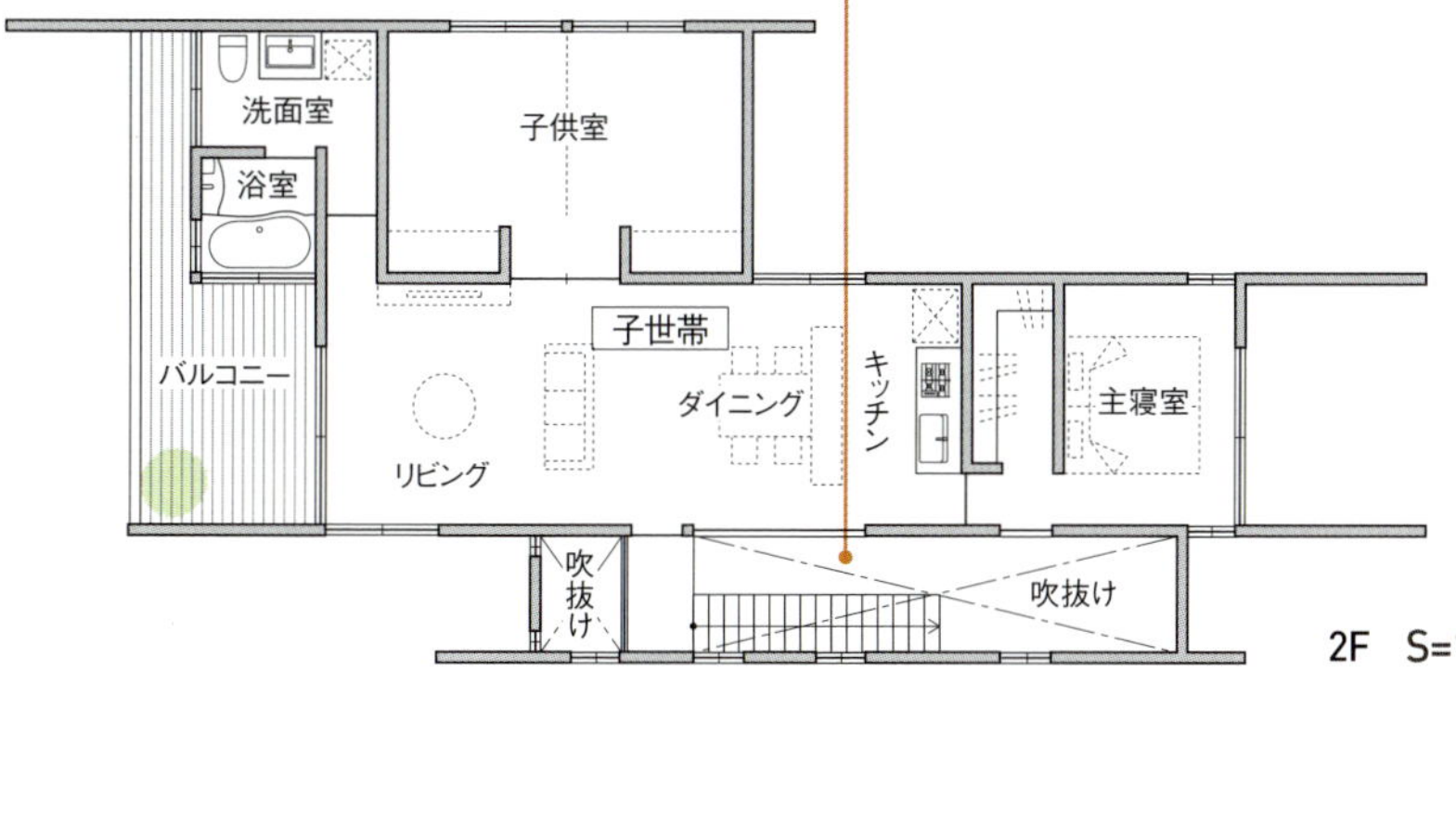

2F S=1:200

インテリアにもなる見せるキッチン

家族4人を想定した小さな家。家の中央に大きめの中庭（デッキテラス）を設けて、単純なワンルームのLDKではなく、DKとリビングを雁行に配して変化を与えている。

キッチンを家のインテリアとしても扱いたいという要望に対して、キッチンをあえて少し遠くから見せることで生活感を消し、美しい家具のように見せている。

建築概要
所在地　茨城県
家族構成　夫婦（30歳代）＋子供（これから）
敷地状況　整形、東・南道路
敷地面積　192.29㎡（58.18坪）
延床面積　101.25㎡（30.55坪）
構造・階数　木造2階

家事が楽々

水廻りをこの位置に置くことにより、LDKが雁行に配置でき、キッチンでの作業と洗濯などの作業がすぐ近くで行える

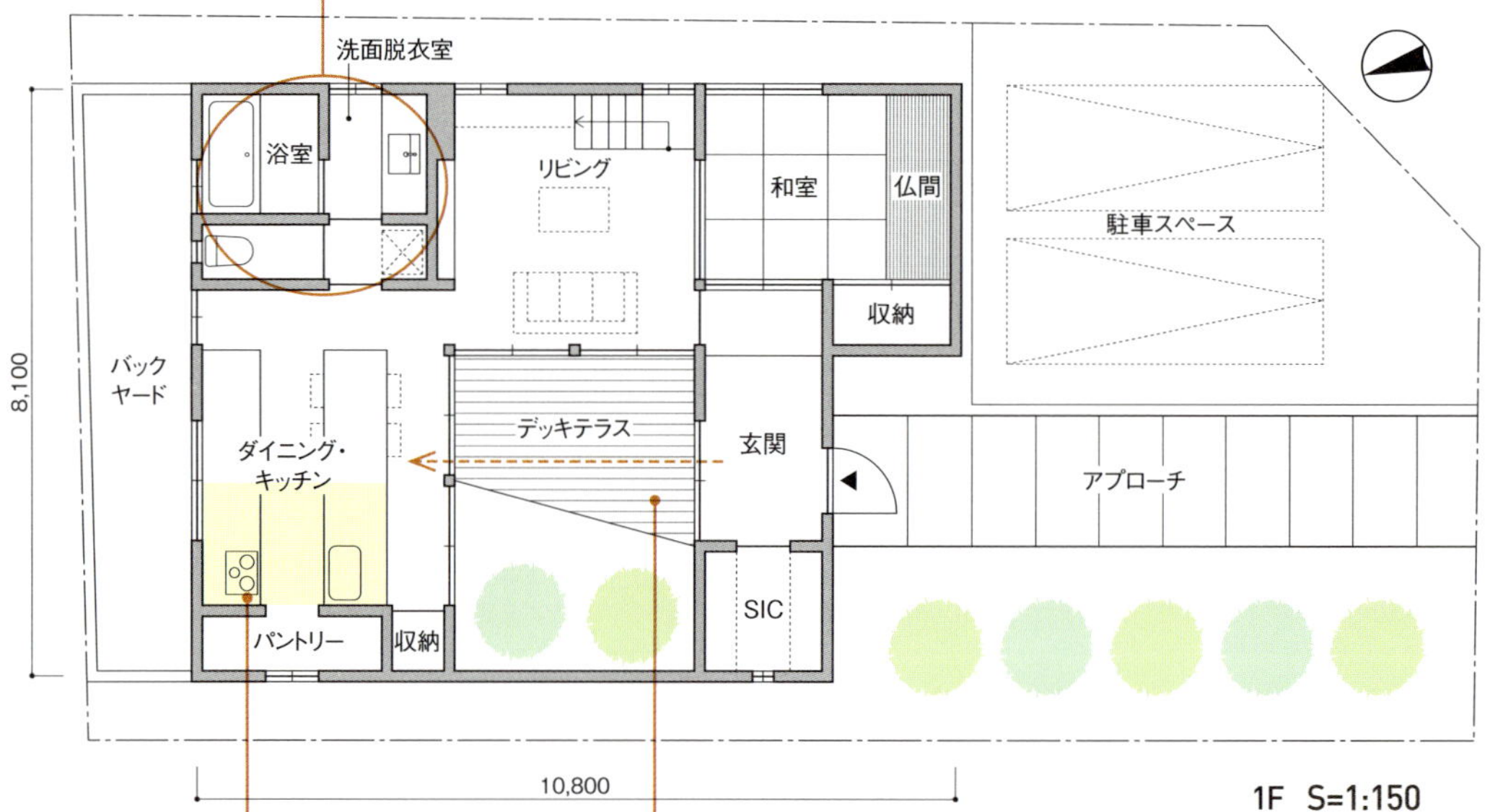

1F　S=1:150

コンパクトに

コンロを壁側に、シンクを中央に置くⅡ型のキッチン。ダイニングテーブルはシンクに連続させて一体化しコンパクトに収めている

中庭を挟んで

玄関に入ると、正面に中庭越しのキッチンが見える。ガラス越しに見えるキッチンは、抽象化されギャラリーの展示物のようにも感じられる

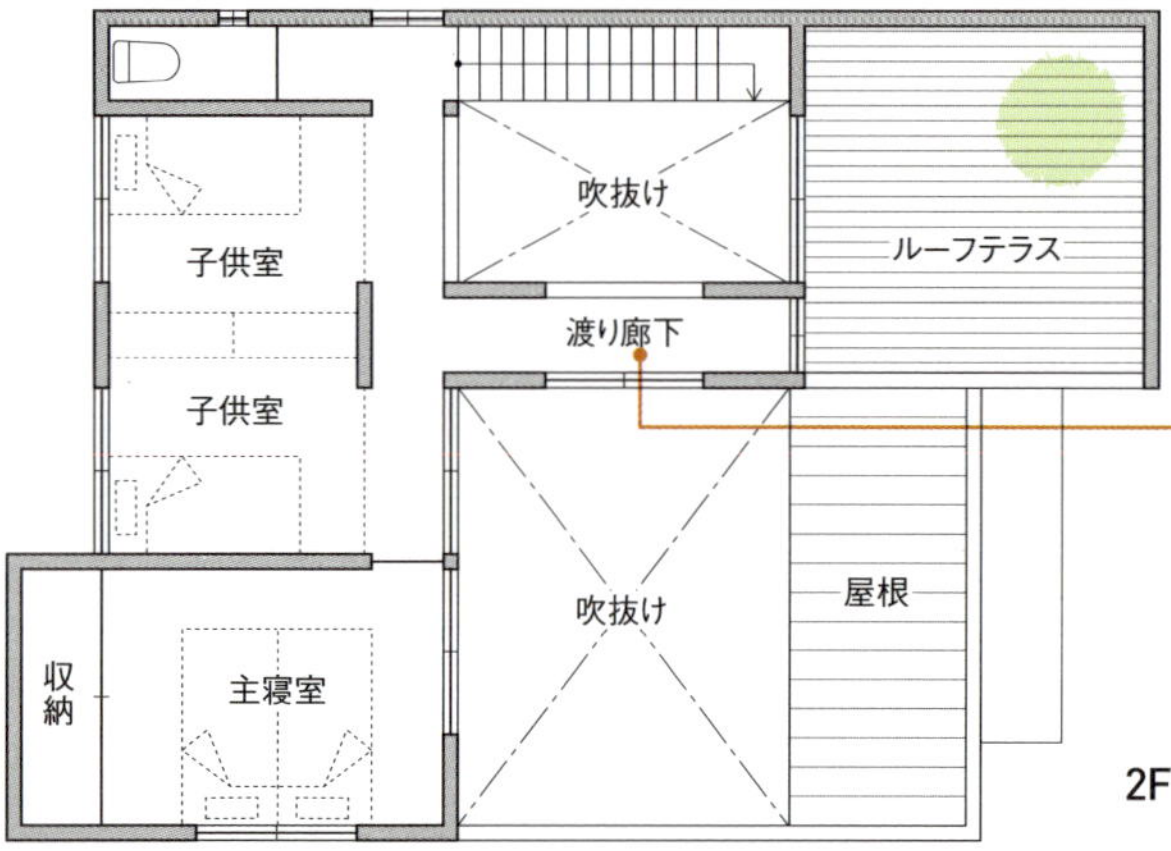

吹抜けを渡って

2階のルーフテラスには吹抜けに架かるブリッジを渡って向かう。洗濯物を干しに向かうのが楽しくなる仕掛け

2F　S=1:150

友人とも一緒に作業できるダイニングキッチン

傾斜地で、眺望を楽しめる条件だったので、2階はＬＤＫと水廻りという構成に。リビング中心ではなく、家族や友人たちが楽しく集まれるように、ダイニングキッチンを中心のプランとしている。

キッチン自体は中央にシンク、壁側にコンロのⅡ型のオーダーキッチンで、シンクのある作業台はダイニングテーブルとともに回遊動線の中心となっている。玄関から階段を上がって引戸を開けると、目の前にキッチンに立つ友だちの笑顔がある、そんな楽しい暮らしを演出するキッチンである。

キッチン端からリビング方向を見る。シンク、作業台、ダイニングテーブル、リビングとつながっていく

奥の奥にある

キッチンのすぐ脇に水廻りを配置。トイレは、洗面室に入り、さらに奥に進む構成なので、LDK側と一定の距離が保たれ、友人たちも安心して使える

すぐキッチン

玄関から階段を上がって2階の引戸を開けると、目の前にキッチンがある意外な構成。訪れる友人たちも、すぐに調理を手伝える雰囲気に

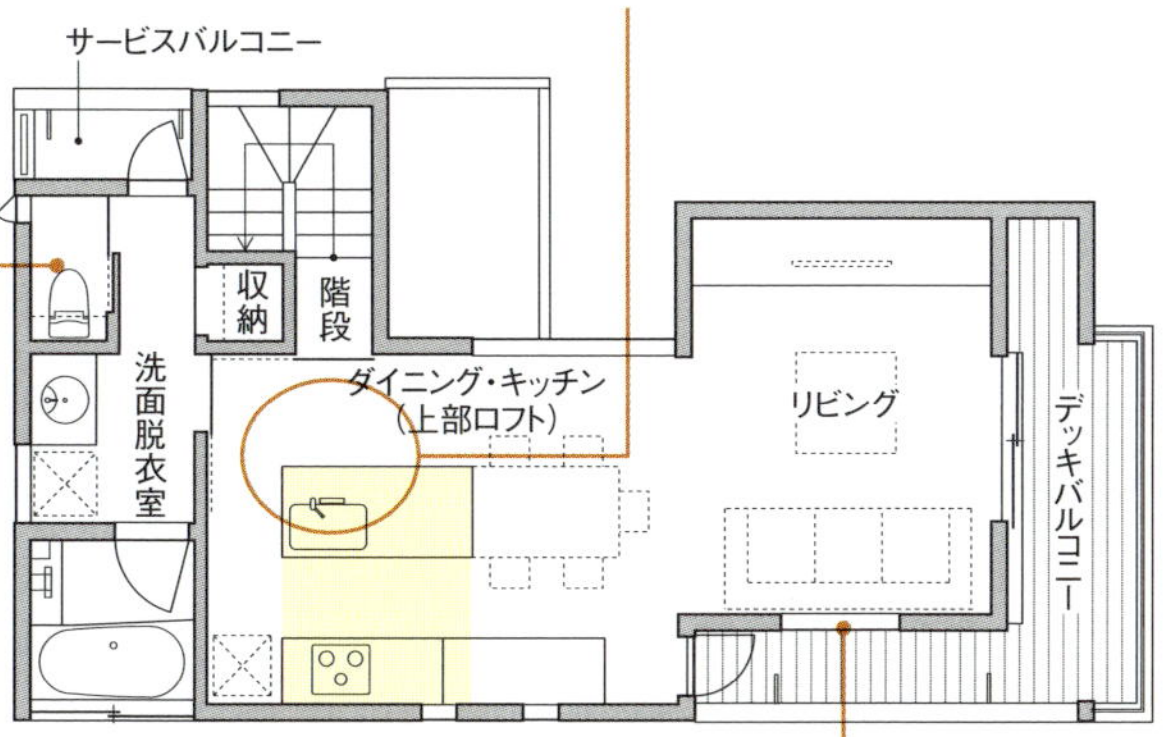

2F S=1:150

ちょっとずらして

リビングは、DK側から1mほど北側にずらして変化をつけることで、単調なワンルームにならないようにしている

橋を渡って

高低差のある敷地なので、道路から階段を上がって玄関に、さらに階段を上がってLDKへと向かう。室内の階段は、玄関土間に架かった橋のようにしつらえて楽しさを演出している

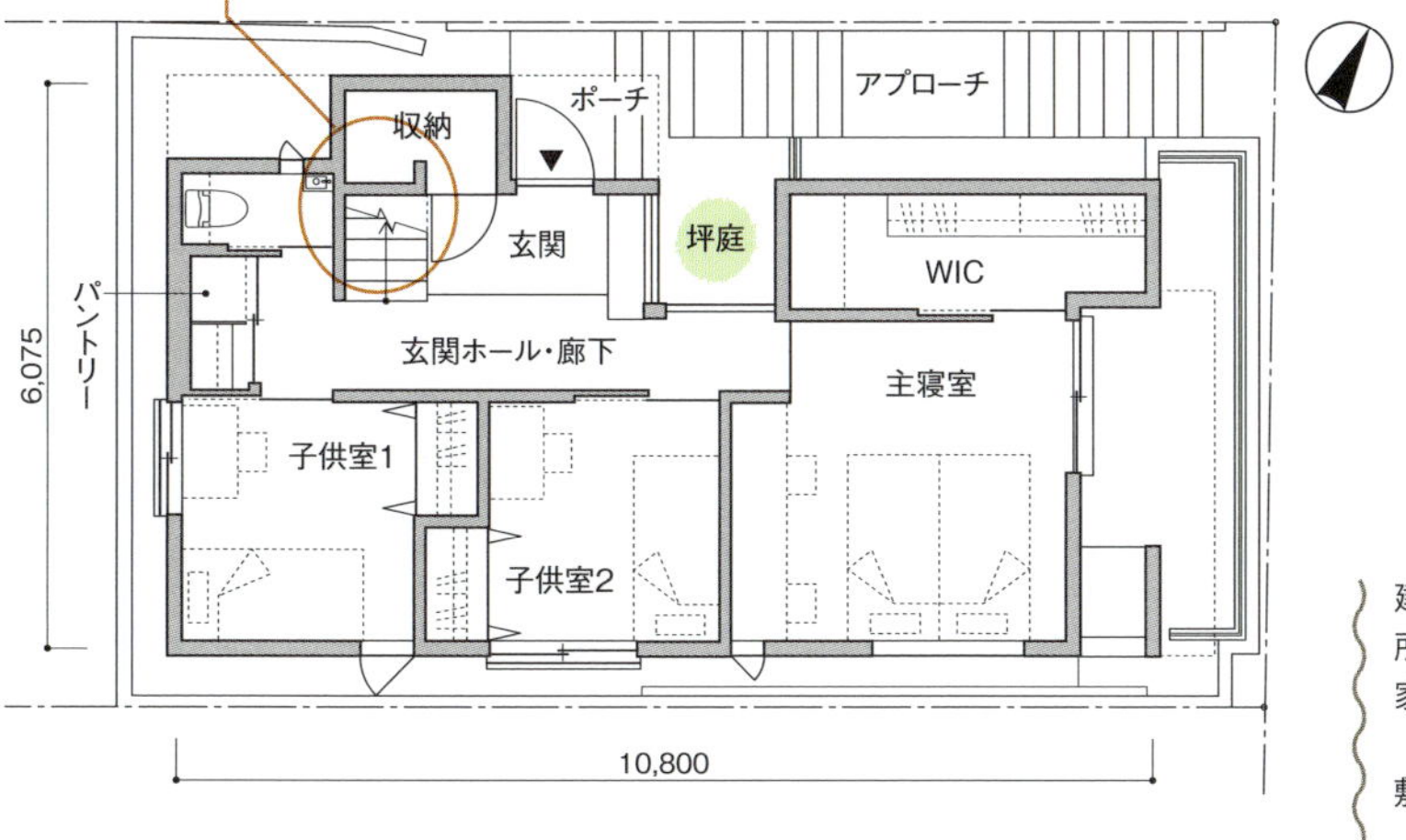

1F S=1:150

建築概要	
所在地	兵庫県
家族構成	夫婦（30歳代）＋子供（これから）
敷地状況	整形、東道路、道路との高低差 3.5m
敷地面積	143.17㎡（43.31坪）
延床面積	99.24㎡（30.02坪）
構造・階数	木造2階

キッチンを中心に友だちが集まれる家

キッチンとつながったダイニングカウンターを、家族や友人と囲んで楽しみたいという希望だった。そこで、敷地状況に合わせて建物をくの字平面として、キッチン＋ダイニングカウンターもくの字として変化をつけた。

カウンターは室内だけでなく、屋外のプライベートデッキにも伸びており、アウトドアダイニングとしても楽しめる。

建築概要

所在地	千葉県
家族構成	夫婦（30歳代）＋子供2人
敷地状況	整形（台形）、東道路
敷地面積	214.00㎡（64.60坪）
延床面積	95.24㎡（28.70坪）
構造・階数	木造2階

2種類のデッキ

リビングからつながるデッキ空間。壁に守られた東側デッキとは一味違う、遊べる外部空間になっている

変化をつける

敷地と建物の形状に合わせて、カウンターテーブルもくの字に。直線状態とは違った距離感が生まれ、キッチンに立つ人とも会話がはずむ

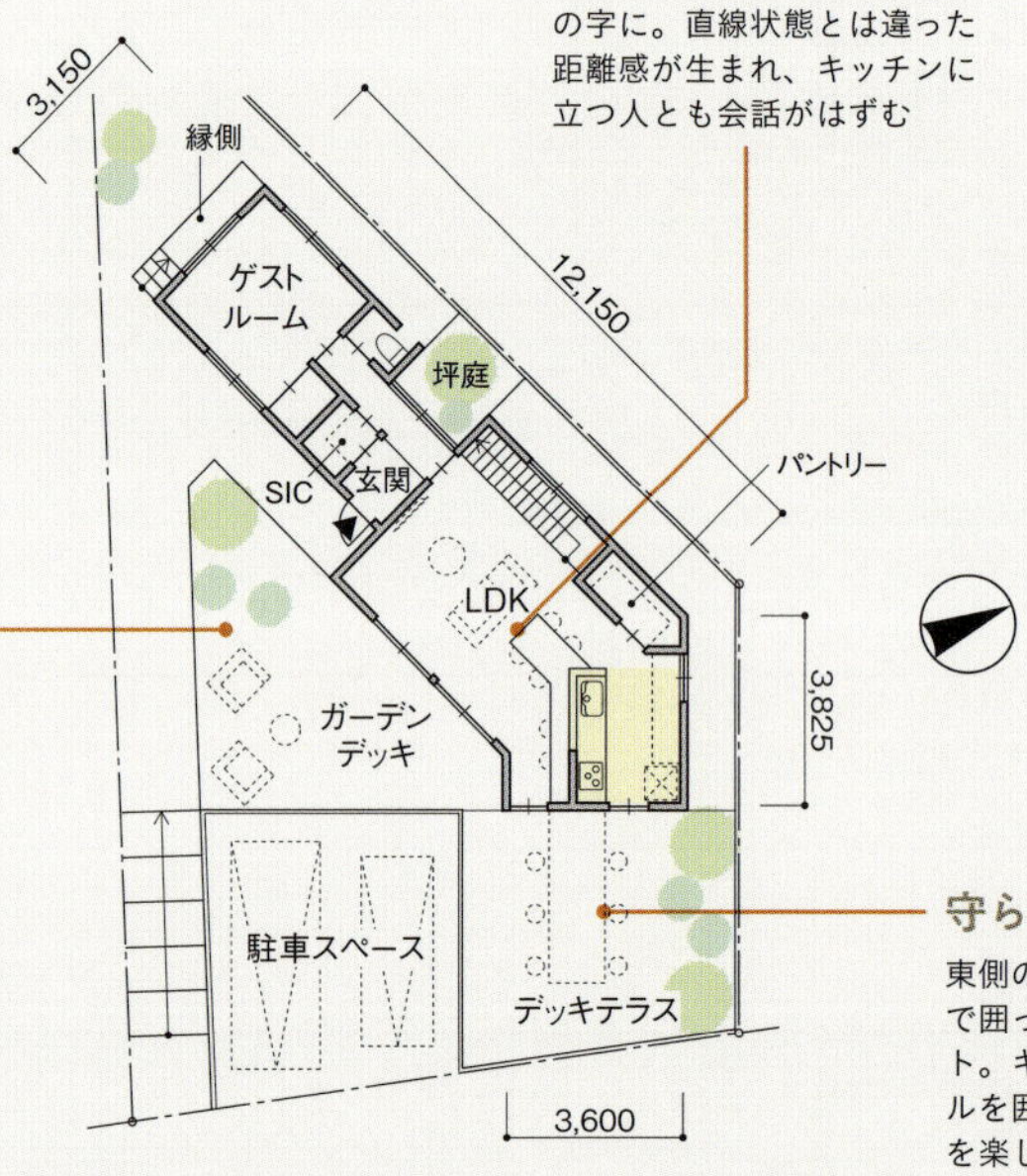

1F　S=1:300

守られた外部

東側のデッキテラスは、高い壁で囲って外部からの視線をカット。キッチンから延びたテーブルを囲んで、アウトドアライフを楽しめる

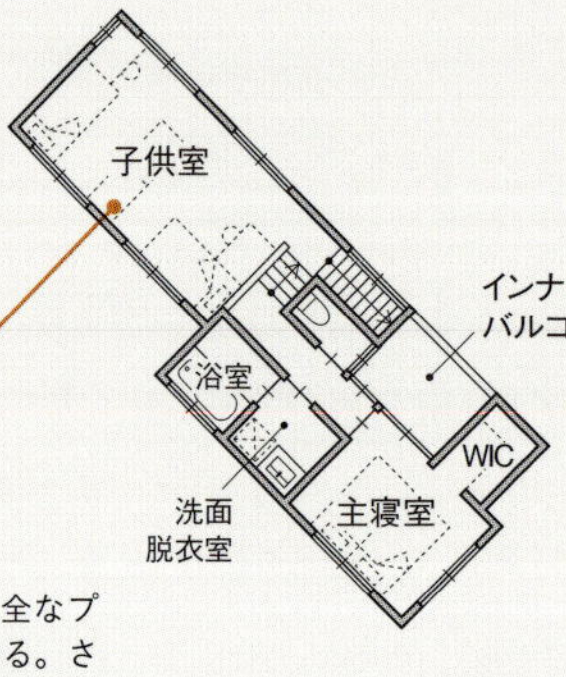

完全プライベート

2階は水廻りも含めて完全なプライベート空間としている。さらにそのなかでも、子供部屋と主寝室側は床の高さを変えて空間に変化をつけている

2F　S=1:300

生活感を消しながら機能的に使えるキッチン

夫婦2人のための建替え計画。既存の庭を残して、かつ楽しめるように建物を配置している。日常の暮らしの場となるLDKとプライベートな寝室は、水廻りと収納を収めたコアにより緩やかに仕切られる。さらに生活感を出さないようにしつらえたリビングの東側に、見えないようにキッチンをまとめた。

キッチン廻りと、水廻り+収納のコアを回る、2つの回遊動線により、日常の利便性を高めるとともに行き止まりのない広々とした空間となっている。

リビングとダイニング。正面に見える壁の向こうにキッチンがあり、左右のどちら側からも行き来できる

ゾーンを分ける

浴室などの水廻りと収納を入れたコアを境にして、東側にパブリックゾーン、西側にプライベートゾーンを置いている

2つの回遊動線

水廻りと収納を収めたコア、キッチンと、2つの回遊動線がつくられており、生活上の利便性と広がりを生み出している

使い勝手を考えて

LDから隠されているキッチンだが、左右のどちらからでも行き来できるようにして日常生活に支障がないようにしている

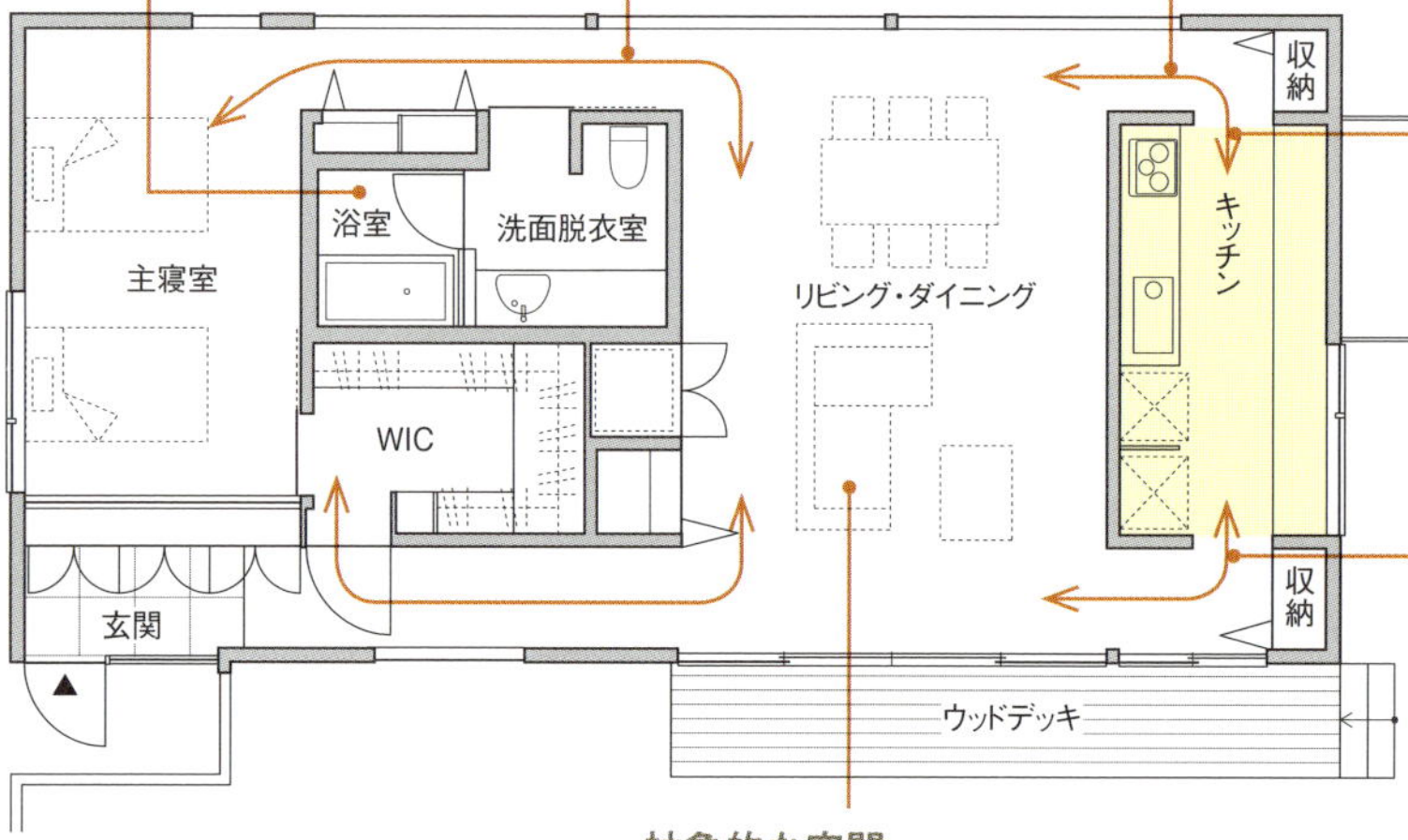

抽象的な空間

LD空間は、キッチンがまったく見えない、生活感のない抽象的な空間となっている

1F　S=1:150

東端に置かれたキッチン。直接庭に出ることもできる

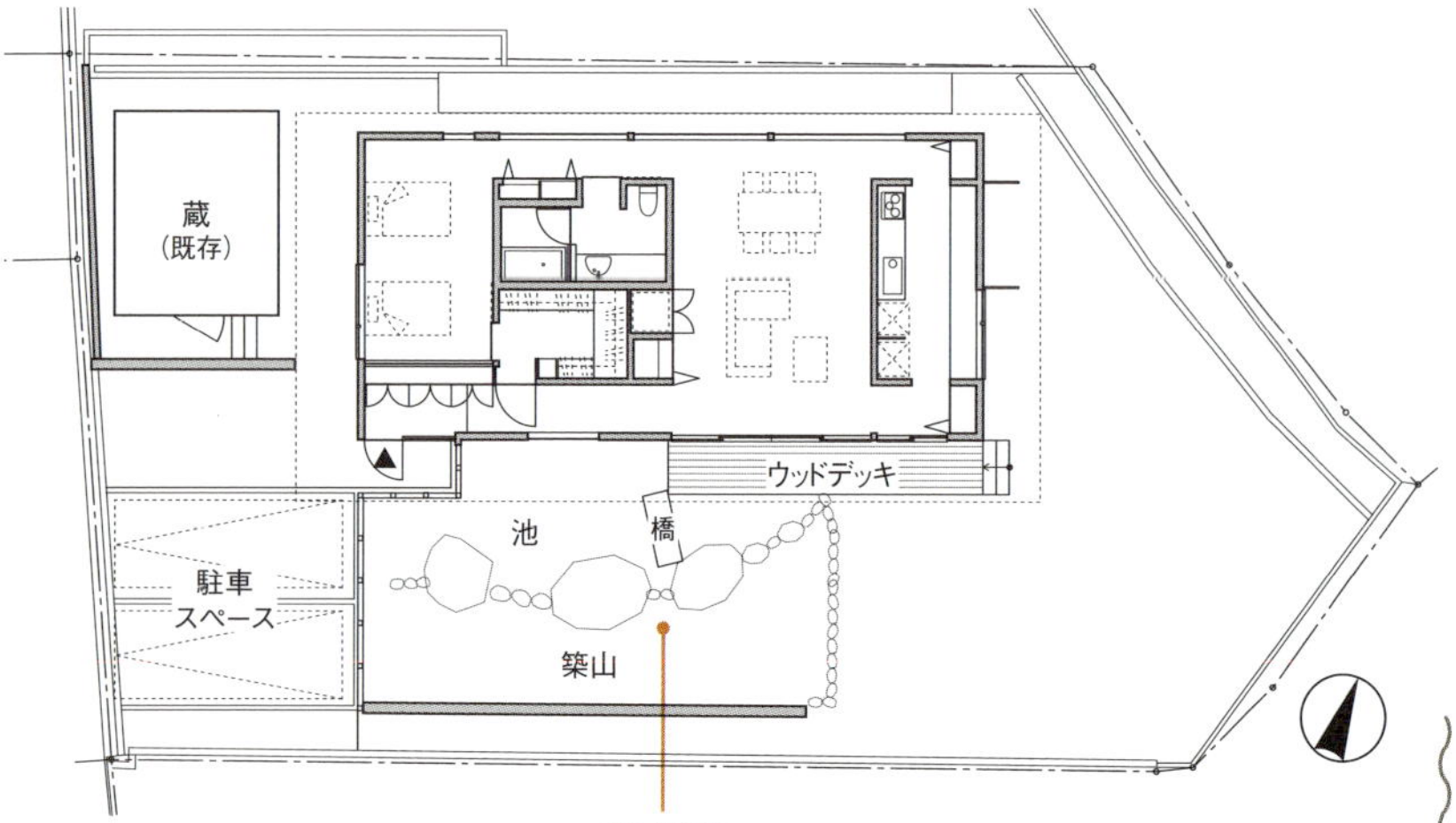

庭を残して

建て主が長年慈しんできた庭はそのまま残して、LD空間から楽しめるような配置計画とした

配置図　S=1:300

建築概要

所在地	大阪府
家族構成	夫婦(60歳代)
敷地状況	整形、西道路
敷地面積	417.17㎡(126.19坪)
延床面積	90.72㎡(27.44坪)
構造・階数	木造1階

キッチンを中心に生活動線を考えた家

ゴミ出しや洗濯物を干す作業は、リビングやダイニングでの活動に比べると地味だが、生活には欠かせない重要な行為である。この家は、そうした家事動線を中心に間取りを考えている。

主屋の中心にキッチンを置き、そこから西側にLDを、東側にパントリー、洗濯室、物干しテラス、浴室・洗面室を並べている。キッチンの後ろを少し移動するだけで、すべての家事がこなせる便利な間取りである。

建築概要
所在地　愛知県
家族構成　夫婦(40歳代)＋子供2人
敷地状況　整形、西道路
敷地面積　270.40㎡(81.79坪)
延床面積　192.32(58.17坪)
構造・階数　木造2階

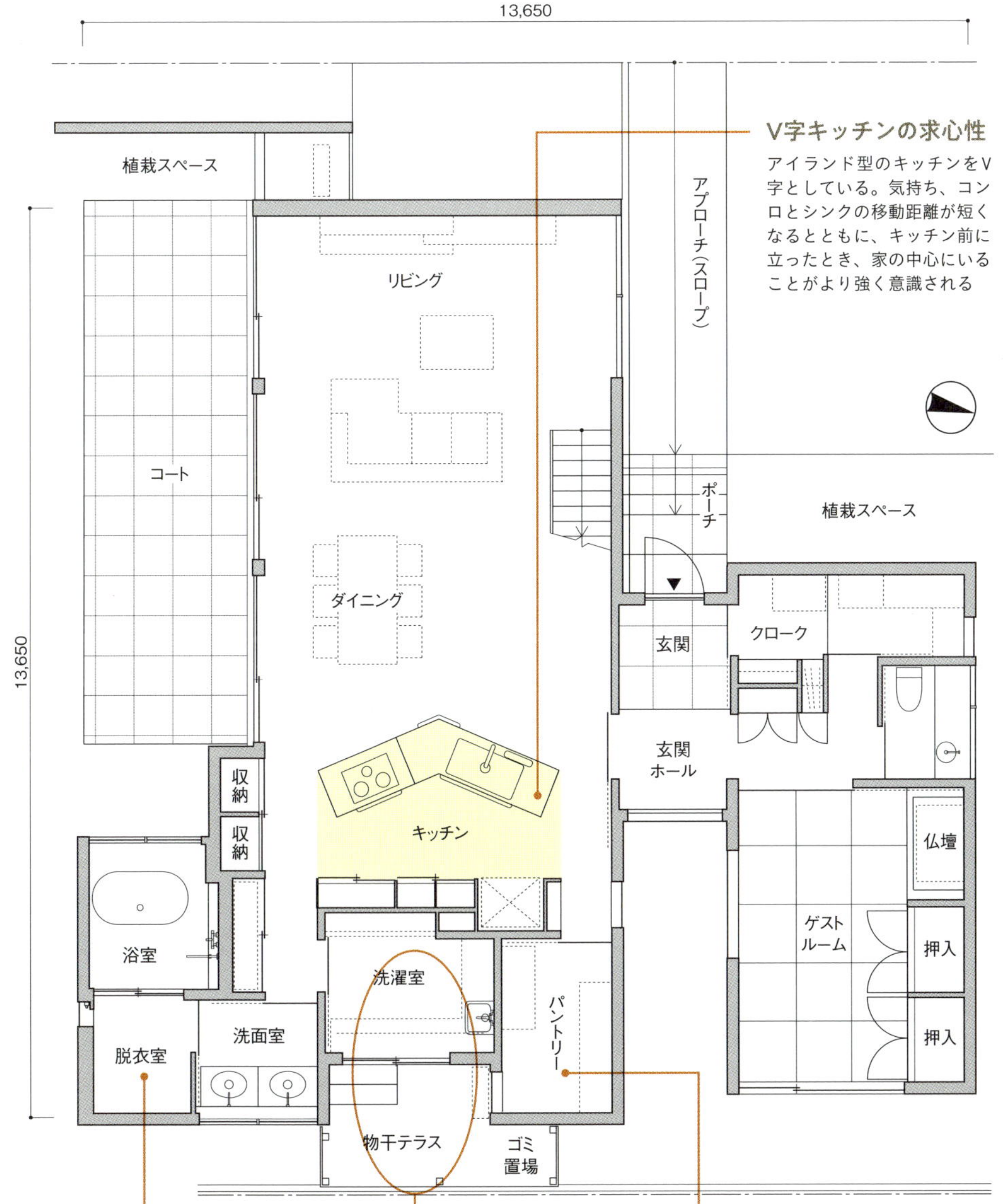

1F S=1:120

V字キッチンの求心性
アイランド型のキッチンをV字としている。気持ち、コンロとシンクの移動距離が短くなるとともに、キッチン前に立ったとき、家の中心にいることがより強く意識される

広い脱衣室
洗濯室、洗面室を別に設けたため浴室前は広い脱衣室が確保できた。洗濯室はすぐ近くにあるので、脱いだ衣類を運ぶのも苦にならない

洗濯室から物干し場へ
キッチンからわずかな距離にある洗濯室は物干しテラスとセットで置かれている。テラスは、ゴミ置き場にもなり、家事全般のバックヤードとなる

広いパントリー
およそ6畳分の広さの大きなパントリーを用意。キッチンに立って、右後ろに行けばパントリー、左後ろに行けば洗濯室や浴室、と家事の流れが分けられている

外部デッキも部屋の一部 ホームパーティが楽しめるキッチン

建物をコの字型にしてデッキを囲い込み、部屋の一部のようにしてホームパーティが楽しめるようにした家。

キッチンは、家の要（中心）の位置に置き、デッキと向き合うかたちなので、デッキがメイン空間のようにも見える。ダイニング、リビング、デッキと、キッチンからの距離感が絶妙で、大勢が集まっても、いろいろな場で交流が生まれる楽しい間取りとなった。

キッチン前に広がるデッキ。パーティのときには、アウトドアリビングとして活躍し、日常生活でも眺めているだけでキッチン作業を楽しくしてくれる明るい外部空間となる

おもてなしの緑

玄関に入ると目の前に見えるのは庭の緑。これから始まる楽しいひとときを予感させる、おもてなしの仕掛け

キッチンと向き合う

デッキは外部だが、三方を建物に囲まれてキッチンと向き合い、すぐ近くにあることで、まるでメインリビングのような場所となる

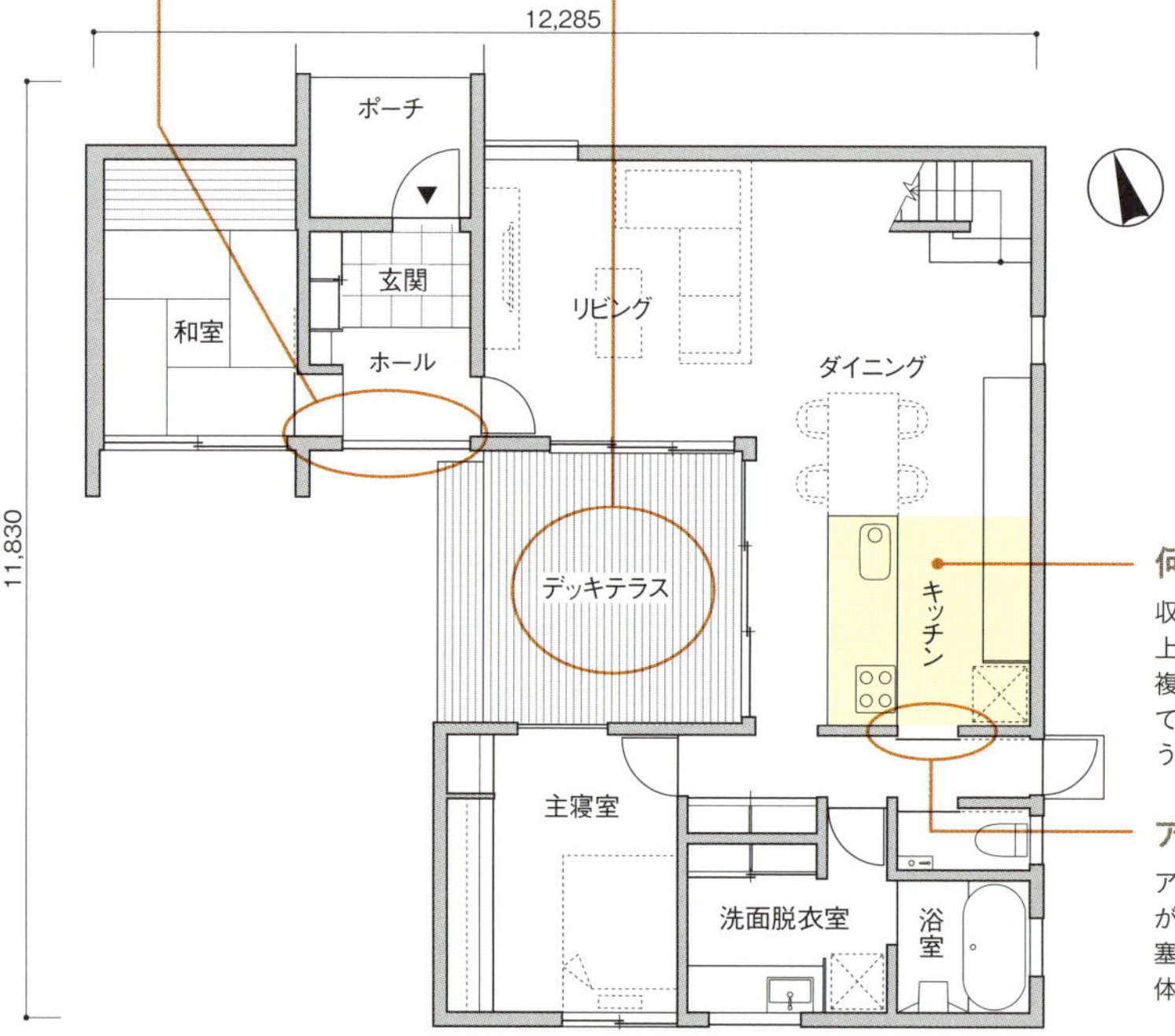

1F　S=1:150

何人も同時に

収納カウンターから1m以上離してキッチンを配置。複数の人がキッチンに立っても、狭苦しくならないようにしている

アイランドだけど塞ぐ

アイランド型のキッチンだが、あえて奥に扉をつけて塞ぎ、LDK＋デッキの一体感を生み出している

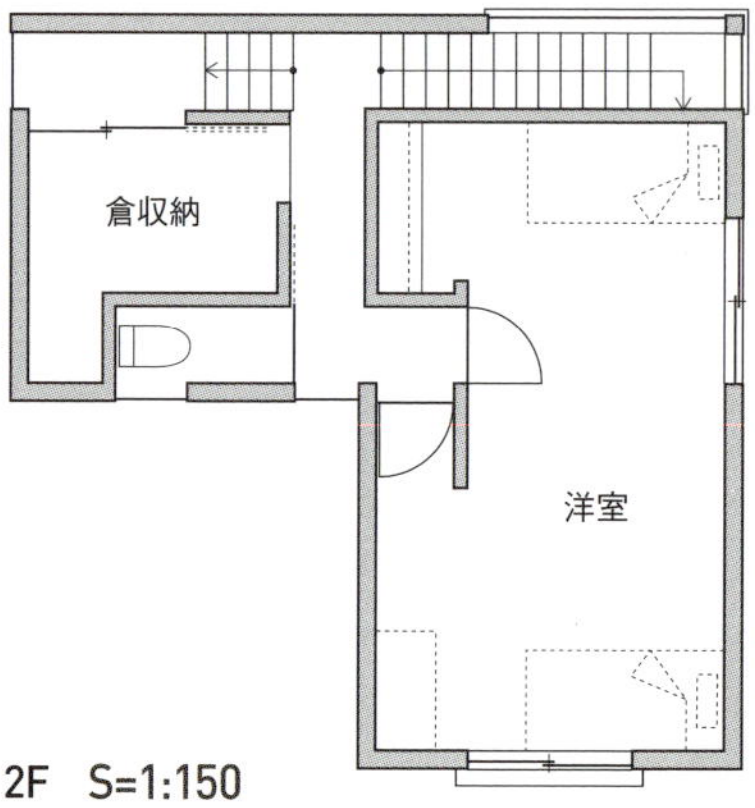

2F　S=1:150

建築概要	
所在地	愛知県
家族構成	夫婦（30歳代）＋子供2人
敷地状況	整形、北道路、道路との高低差0.6m
敷地面積	308.63㎡（93.36坪）
延床面積	123.81㎡（37.45坪）
構造・階数	木造2階

庭先まで見渡せる開放的なキッチン

100坪以上の敷地に建つ平屋である。平屋の場合、家の中央付近がどうしても暗くなりがちなので、中庭やテラスを挟み込むように平面に凹凸をつけ、室内全体に光が行きわたるようにしている。

キッチンは、とにかく見渡せるようにしてほしいという要望に沿って、家の中心付近に置き、ＬＤＫはもちろん、デッキや庭先まで見渡せるようになっている。

建築概要
所在地　愛知県
家族構成　夫婦（30歳代）＋子供1人
敷地状況　旗竿敷地、道路との高低差0.5m
敷地面積　430.98㎡（130.37坪）
延床面積　118.63㎡（35.88坪）
構造・階数　木造1階

ゴミ出しも楽々

キッチンは、要の位置にありながら、外部にも面しているのでゴミもすぐ脇のサービスヤードに一時置きすることができる

見渡すキッチン

キッチンに立つと、リビングやダイニングだけでなく、デッキテラスもその先の庭も見ることができる

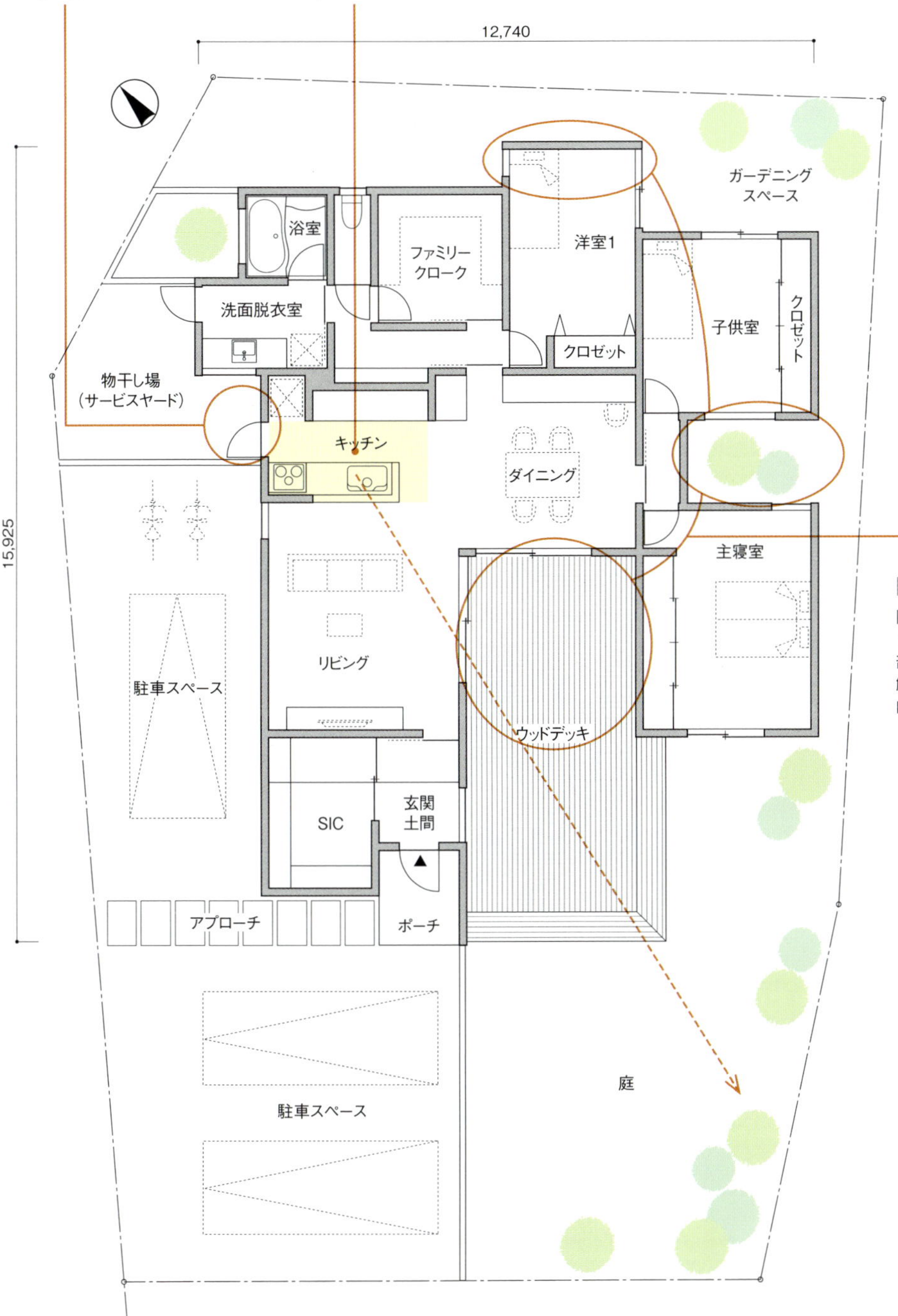

凹凸で光を入れる

陽当たりや風通しなど、大きな平屋で弱点になりがち部分を、平面形状の変化で解決。すべての居室で2方向開口を実現している

1F　S=1:150

猫と共生する清潔なキッチン

開放的にはしたいが、飼っている猫が入ってこないようにもしたい、という、一見矛盾するような要望のあったキッチンである。
要望に応えるため、キッチンは扉をつけた独立型のキッチンとしたが、LDKと面する部分の壁を、大きなFIXガラスとして開放感を高めている。キッチンに立つと、視線が抜けるため孤立感はなく、リビングに置かれたテレビを正面に見ることもできる。

建築概要
所在地　愛知県
家族構成　夫婦（30歳代）＋子供2人
敷地状況　変形地、西側道路はフラット、東側道路は2m下がっている
敷地面積　162.79㎡（49.24坪）
延床面積　92.82㎡（28.08坪）
構造・階数　木造2階

扉をつける

キッチンに扉をつけて、閉めておけば猫が入れないようにしている。引戸なので、開放しておくこともできる

ガラス張りのキッチン

カウンター式の構成だが、シンク前に大きなFIXガラスを入れて、猫の侵入を防ぎながら、開放感を獲得

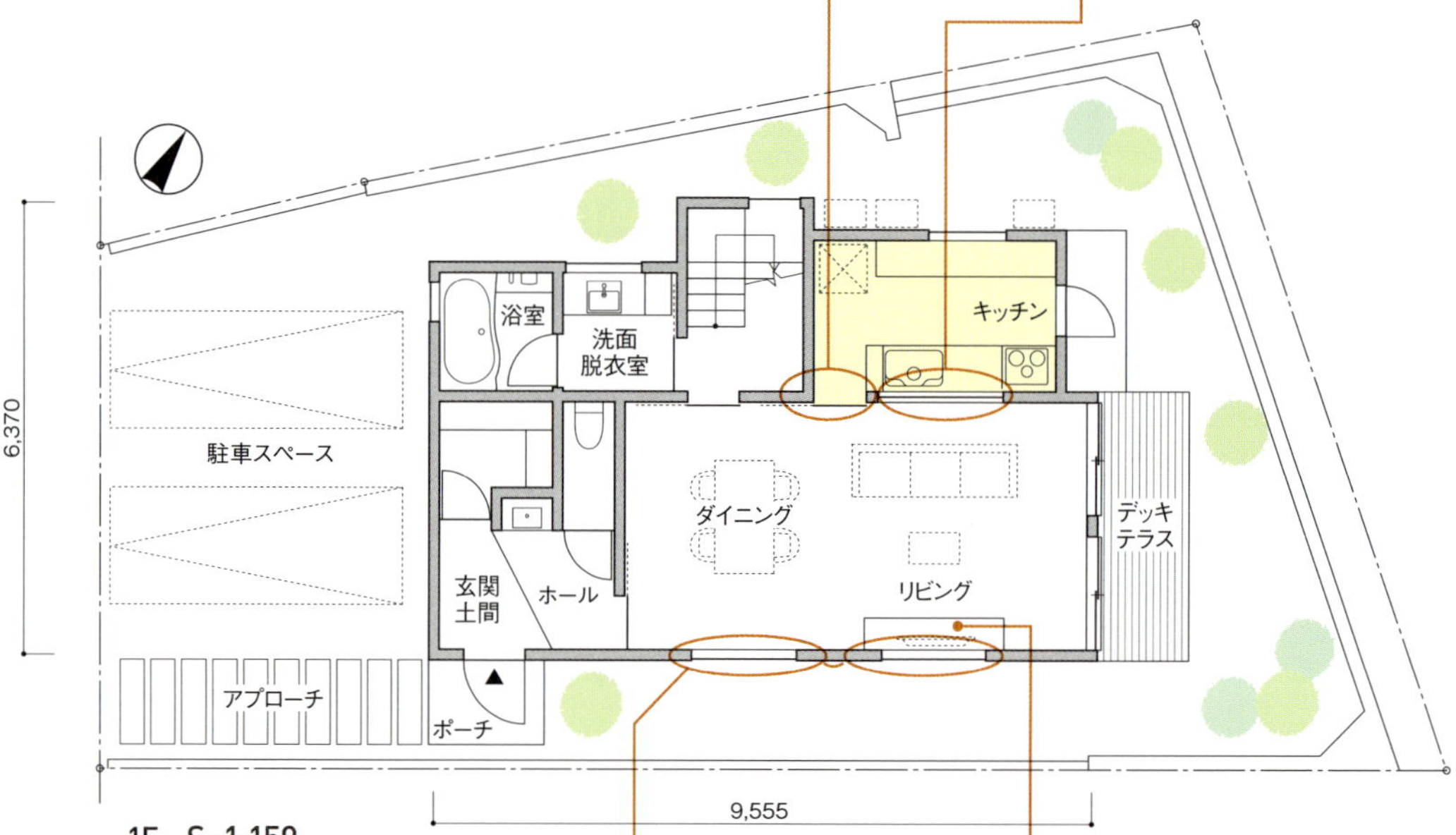

1F　S=1:150

上から採光

隣家が迫る南側は、ハイサイドライトにして隣家の視線を避けながら採光する

キッチンの正面に

リビングのテレビは、キッチンからも正面に見える位置に置いている。洗い物をしながら、家族とともに観ることも可能

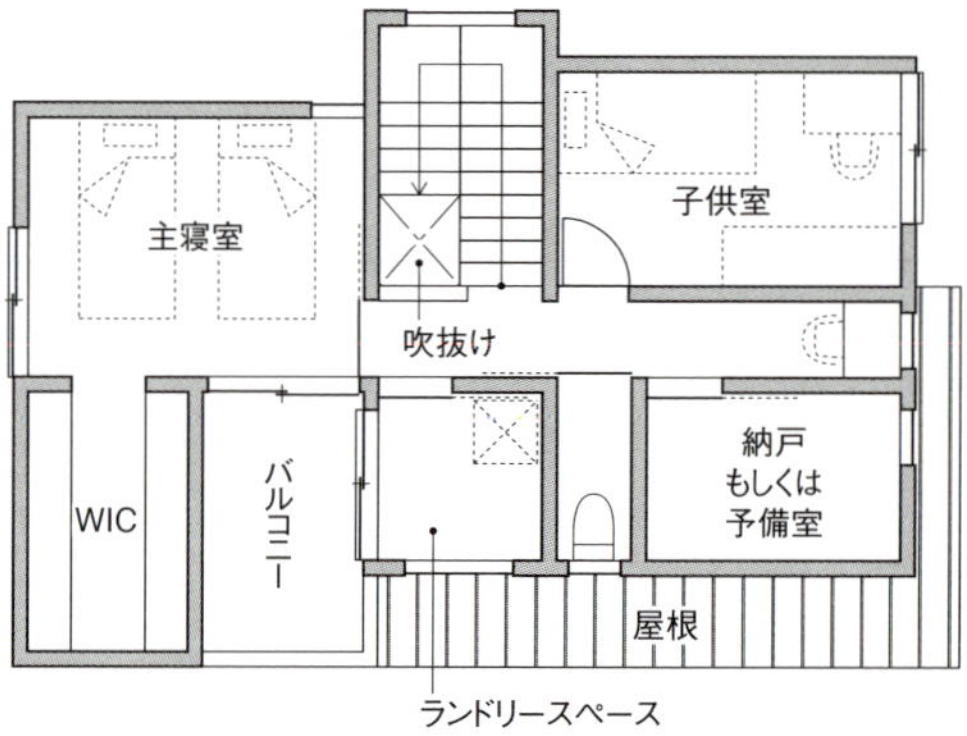

2F　S=1:150

スタイリッシュな形態・暮らしと家事動線を両立させる

敷地は、近くに電車の高架もある住宅街。周囲の喧騒から切り取る白いフレームは、道路側の重厚なコンクリートの壁と相まって、スタイリッシュで質の高い空間性であることを暗示させている。内部のLDKも一部折上げ天井などにより高級感のある空間性を有するが、一方で家事動線への配慮もなされている。

キッチンは、リビング・ダイニングと一体空間にあるが、キッチンからわずかな距離にある扉1枚で浴室・洗面室・物干しスペースにつながっている。廊下の先に置いたトイレに大きめの洗面台を設置して、来客はそこで手洗いも行うため、キッチン脇の洗面室はプライベートな場所に。パブリックなLDKとプライベートな水廻りを隣り合わせに置くことで、家事の効率を高め、大きな負担なくできるようになっている。

トイレ兼手洗い

廊下の先に置いたトイレには大きめの洗面台を設置。来客はここで手洗いが行える。この工夫によって、水廻りに来客が立ち入ることがなくなる

扉1枚で分ける

プライベートな水廻りを、扉1枚でLDKに隣接させて家事動線に配慮。トイレを併設しない水廻りなので、家族以外が扉を開けることはない

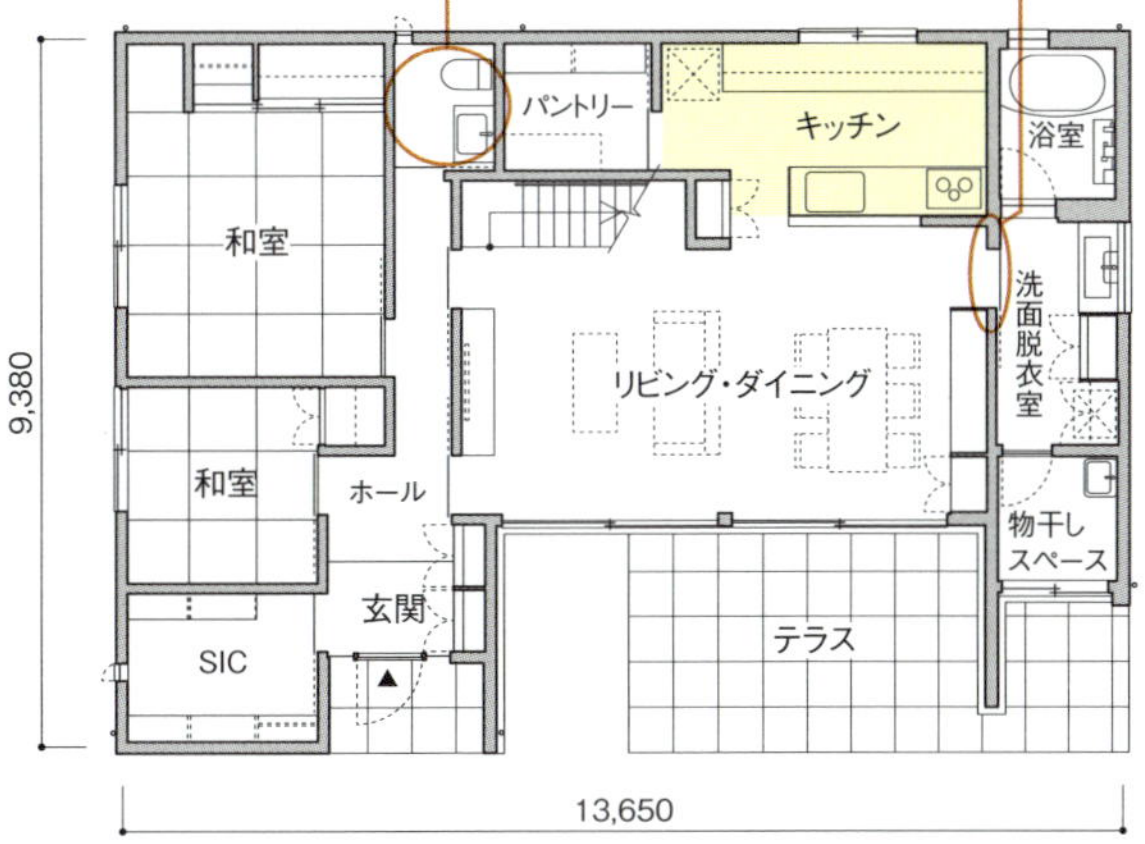

1F　S=1:200

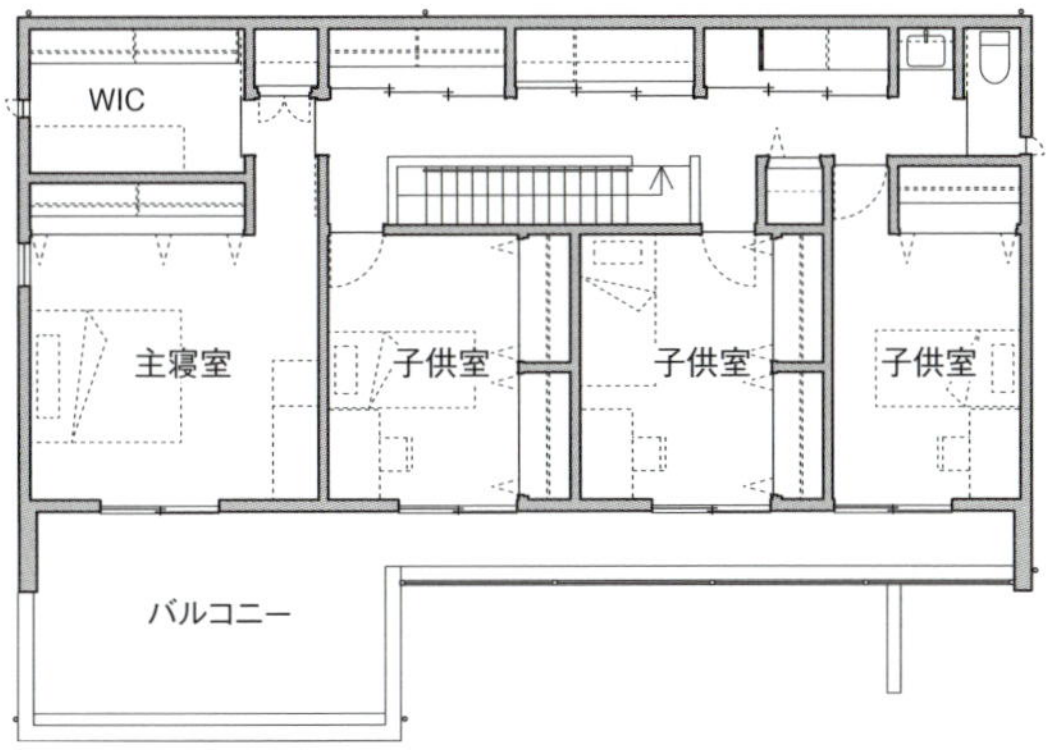

2F　S=1:200

上/道路側外観。手前のコンクリートの壁と建物を覆うフレームが印象的な外観をつくり出す
中/キッチンから見る。高級感のあるリビング・ダイニングの向こうにテラスが広がる
下/キッチン。キッチンカウンターと背面収納の間は1mあり、複数でも無理なく使える。右奥の黒い扉の向こうが水廻り

建築概要

所在地	大阪府
家族構成	夫婦＋子供3人
敷地状況	整形、南道路
敷地面積	264.10㎡（79.89坪）
延床面積	187.93㎡（56.84坪）
構造・階数	木造2階

CHAPTER

3

心と体をいやす浴室、機能重視の洗面室

入浴を存分に楽しむ

浴室はカラダを清潔に保つだけでなく、湯船にゆっくり浸かって心身ともにリラックスし、疲れをいやす場所。半身浴をしたり、読書を楽しんだりする人もいるでしょう。そうした利用を考慮すると長時間過ごせるしつらえが必要になります。人間は自然なものに安らぎを感じますから、壁や天井に木材を使った浴室や、バスコート

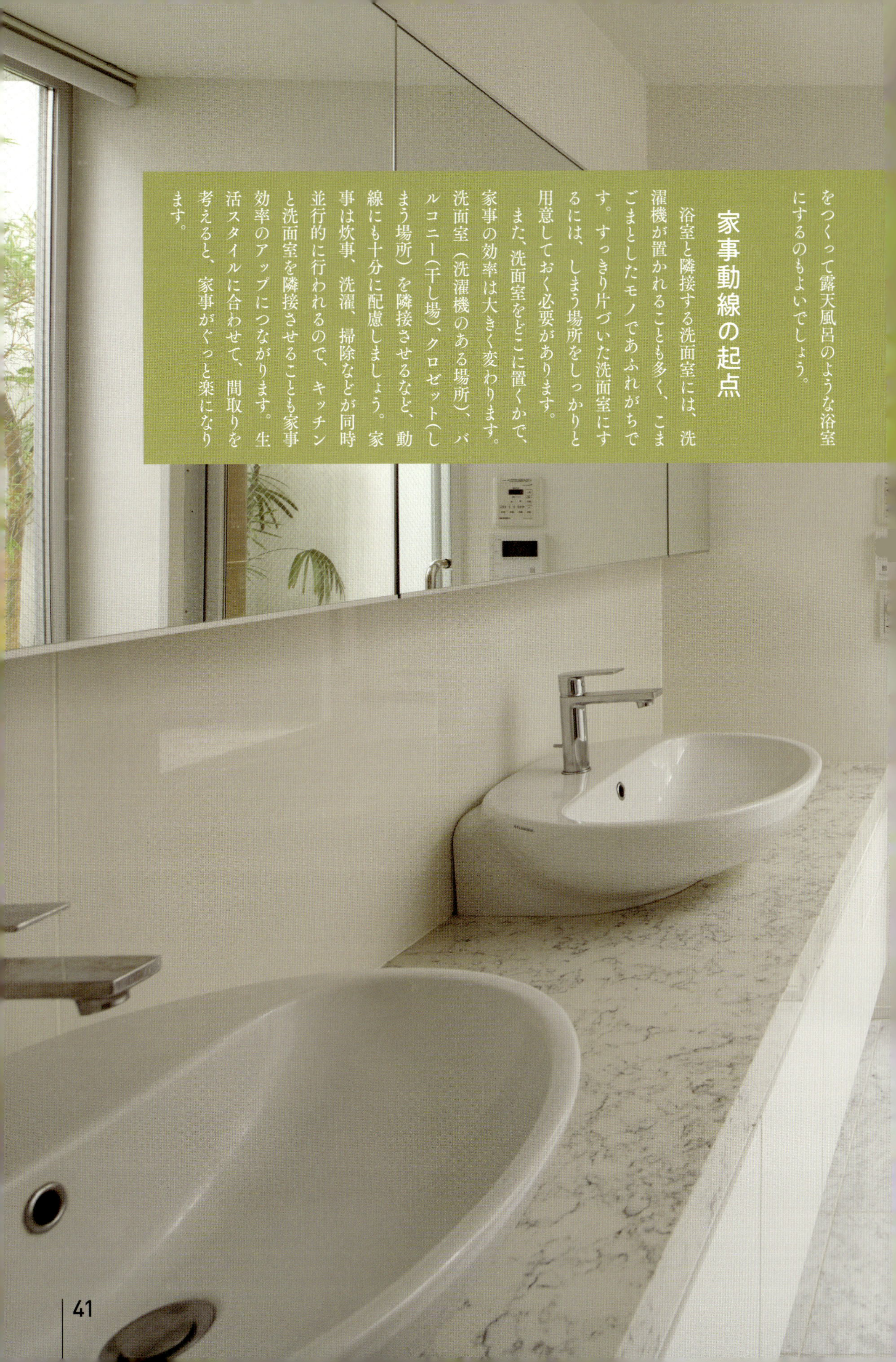

をつくって露天風呂のような浴室にするのもよいでしょう。

家事動線の起点

浴室と隣接する洗面室には、洗濯機が置かれることも多く、こまごまとしたモノであふれがちです。すっきり片づいた洗面室にするには、しまう場所をしっかりと用意しておく必要があります。

また、洗面室をどこに置くかで、家事の効率は大きく変わります。洗面室（洗濯機のある場所）、バルコニー（干し場）、クロゼット（しまう場所）を隣接させるなど、動線にも十分に配慮しましょう。家事は炊事、洗濯、掃除などが同時並行的に行われるので、キッチンと洗面室を隣接させることも家事効率のアップにつながります。生活スタイルに合わせて、間取りを考えると、家事がぐっと楽になります。

広〜いバステラスのある ゆったりと入れるお風呂

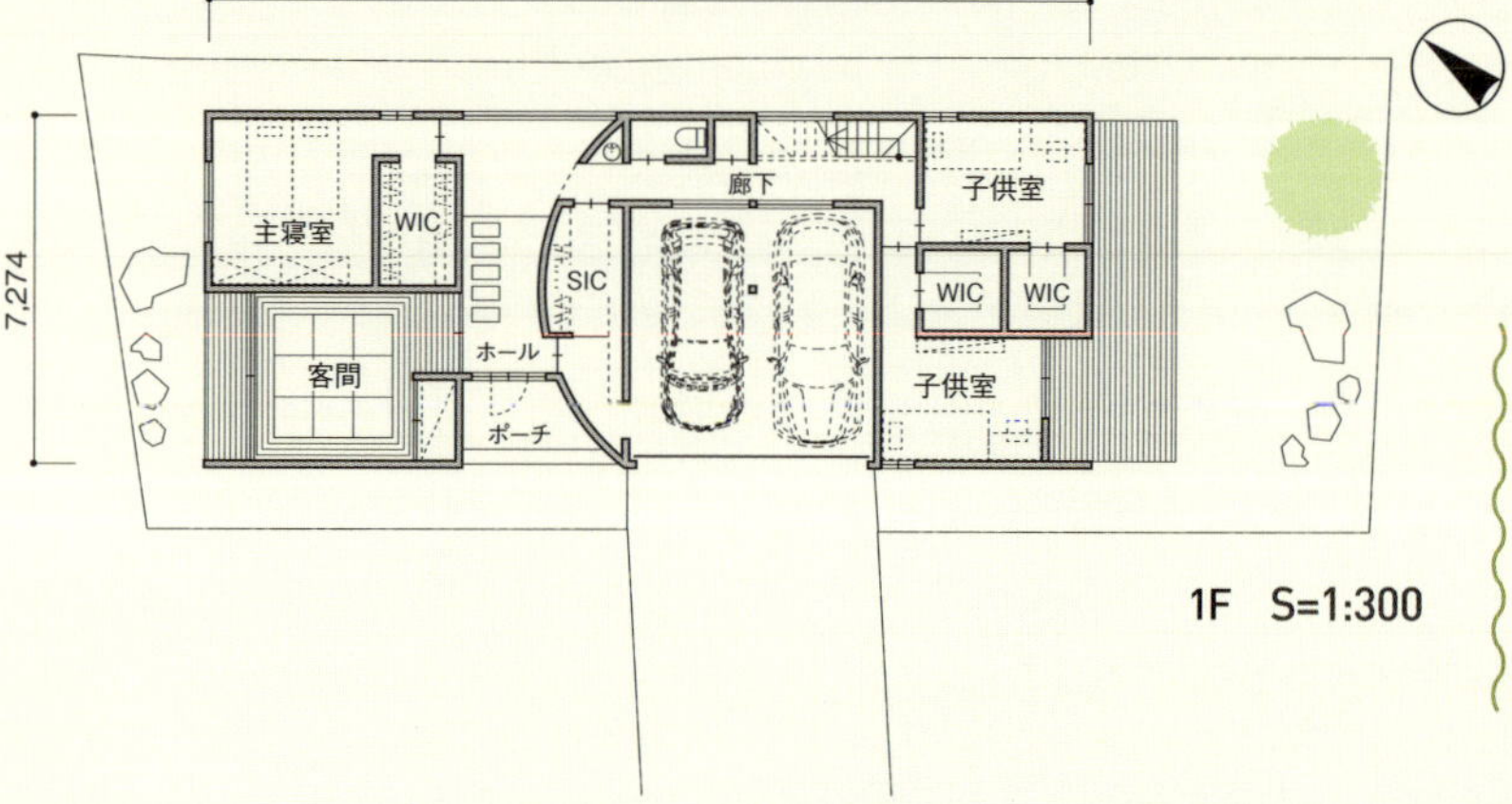

1F S=1:300

建築概要

所在地	東京都
家族構成	夫婦（40歳代）＋子供2人
敷地状況	旗竿状、旗部分は整形、南道路
敷地面積	380.28㎡（115.03坪）
延床面積	152.09㎡（46.00坪）
構造・階数	木造2階

浴室への要望は、湯船に浸かりながらゆったりした開放的な気分になれること、であった。

　敷地は比較的広く、間取りにも余裕があったため、浴室・洗面は2階西側に広めに取っている。浴槽は、浴室に接するバステラスに面するように置き、浴槽に浸かったときに外が見えるようになっている。特徴としては、このバステラスが浴室専用の小さな空間ではなく、中庭テラスまで続く大きなものであること。このため浴槽から見たとき、およそ12m先まで見通せる、開放感たっぷりの気分爽快な浴室となっている。

パウダールームになる

洗面室は、脱衣室兼ランドリーと仕切れるようにして、来客時にはパウダールームとして使えるようになっている

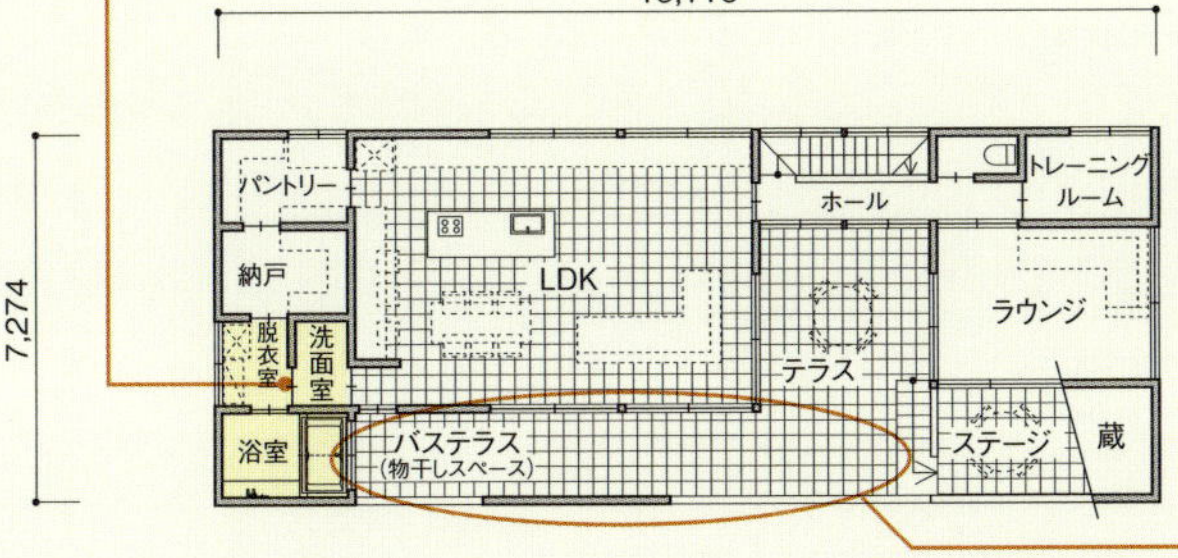

2F　S=1:300

遥かに抜ける視線

浴槽から窓の外を見れば12m近いテラスが目の前に伸びていく構成。露天風呂のような開放感が味わえる

収納を充実させて洗濯動線にも配慮した洗面・浴室

東西に細長い敷地のため、敷地中央付近に中庭を設けたコートハウスとしている。

浴室と洗面室は、吹抜けを挟んで寝室と向かい合う2階に置き、プライベート性を高めた。収納を充実させてほしいという要望に応えるため、洗面室を広めに確保し、下着やタオル類がしまえるようにしている。また、すぐ隣に6畳弱のクロゼットを配置しているので、洗濯後にはすべての衣類が短い動線で片付けられるようになっている。

建築概要
所在地　千葉県
家族構成　夫婦（30歳代）
敷地状況　整形、西道路
敷地面積　146.43㎡（44.29坪）
延床面積　128.29㎡（38.80坪）
構造・階数　木造2階

クロゼットを隣接させる

広いクロゼットを洗面室のすぐ隣に配置。廊下からも洗面室からも入れる回遊動線をつくり、洗濯後の衣類も短い動線でしまえるようにしている

ゆったりした洗面室

洗面室はゆったりとした空間。クロゼットの回遊動線上にあるが、洗濯機を置き収納を充実させても余裕のある広さを確保

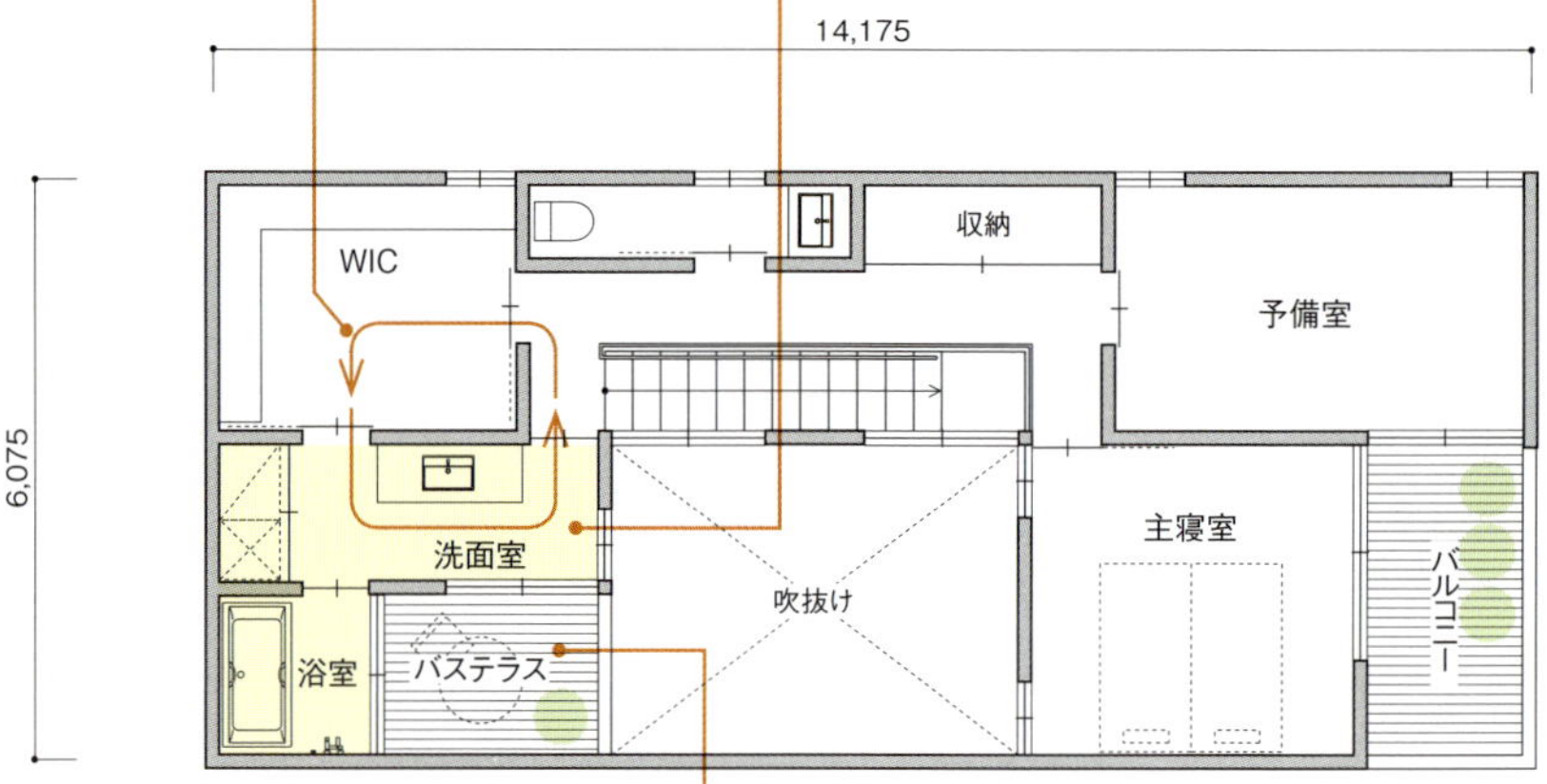

中庭に面したバステラス

浴室からも洗面室からも出られるバステラスは、吹抜けに面した気持ちのよい場所。風呂上がりの休憩はもちろん、洗濯物もここに干せる

2F　S=1:150

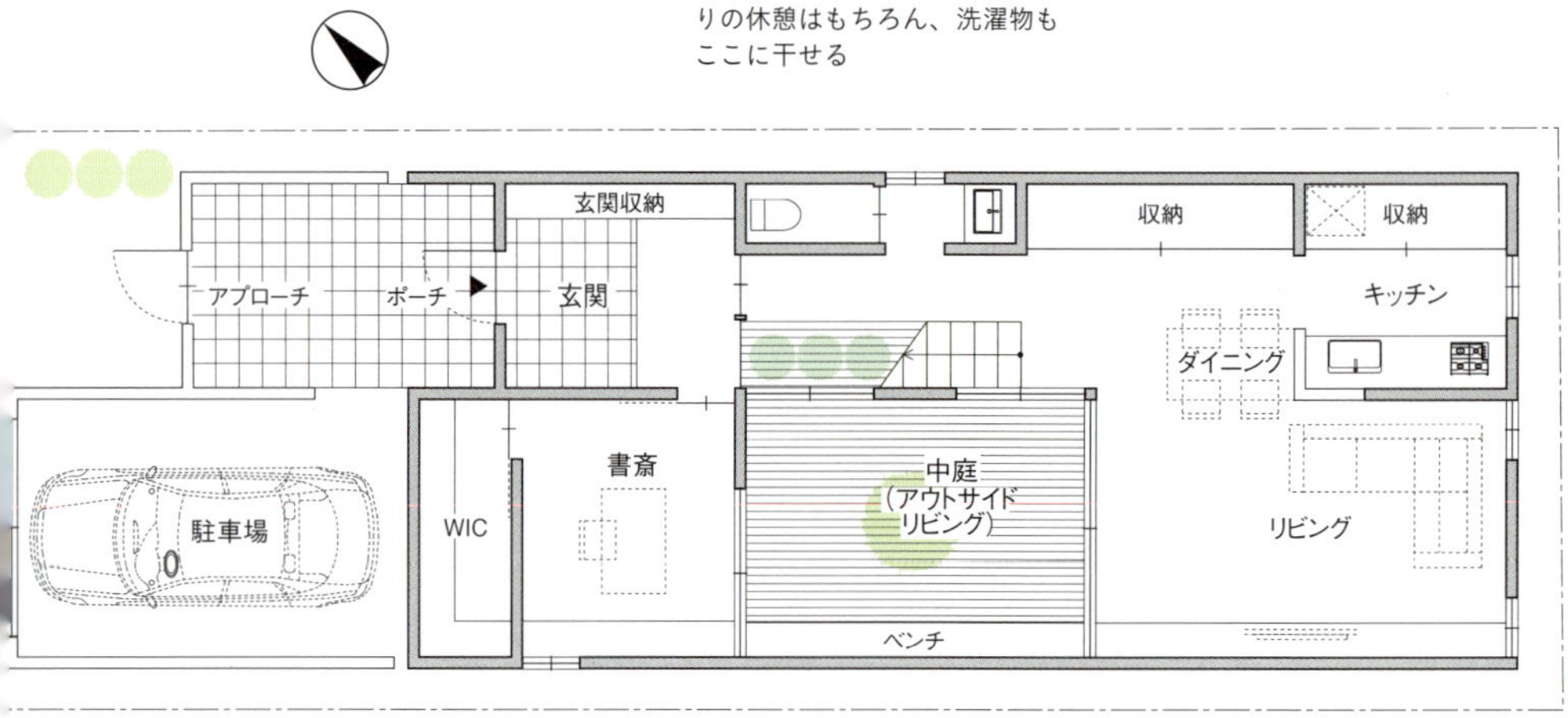

1F　S=1:150

洗面・浴室を中央に置き家事動線を一筆書きにする

夫婦と子供1人が暮らす平屋の計画。日常生活を送るＬＤＫを家の中心に置きつつ、寝室も含めたプライベートな個室をその周囲につくっている。

浴室と洗濯機を置く洗面室は、夫婦の個室の間に配置することで、どちらの部屋からもアクセスしやすくなっている。キッチンから洗面室を抜けて物干しスペース（テラス）へ、さらに取り込んだ洗濯物をそれぞれのウォークインクローゼットへと、一筆書きのような動線が可能となり、家事を楽にしてくれる。

建築概要
所在地　千葉県
家族構成　夫婦（40歳代）＋子供1人
敷地状況　整形、西道路、道路との高低差2m
敷地面積　252.83㎡（76.48坪）
延床面積　101.86㎡（30.81坪）
構造・階数　木造1階

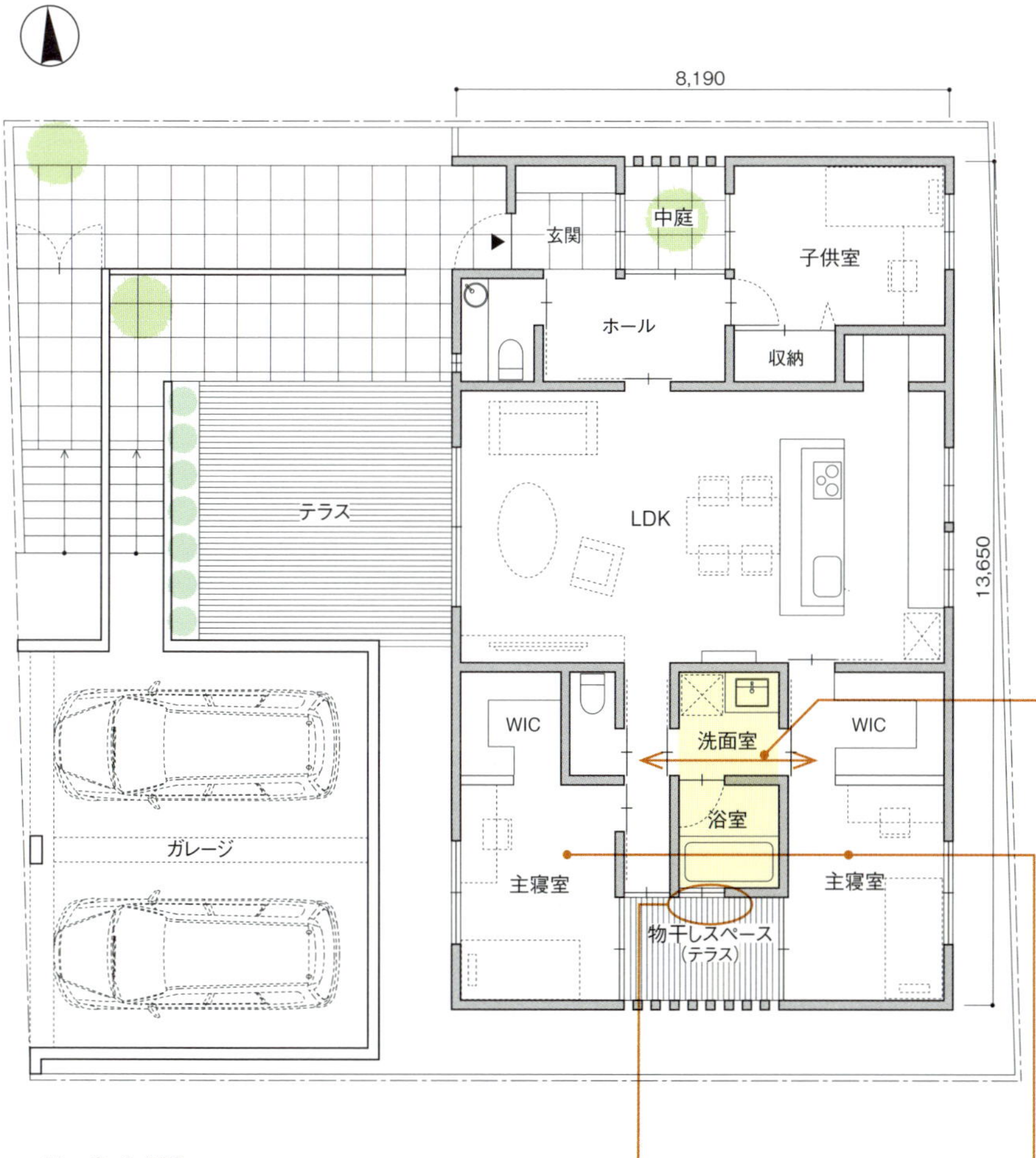

1F　S=1:150

通り抜け可能
洗面室には東西どちらからも出入りできるので、それぞれの個室から簡単にアクセスできる。通り抜けられることにより、洗濯動線も短くなる

外を感じる
浴室には小さいながら窓をつけている。換気はもちろん、プライベートなテラスとつながることで外を感じながら入浴できる

それぞれの領域
夫婦それぞれに個室をつくり、一緒に過ごすLDKと1人になれる個室というメリハリをつける。テラス越しに、気配はつながっている

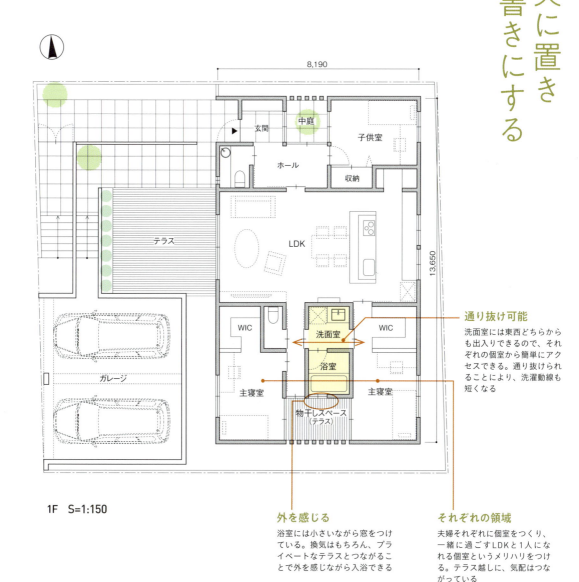

最上階に置いた浴室は星を眺められるルーフテラス付き

浴室について、長湯をしたいのでとにかく居心地のよい空間にしてほしいとの要望があった。しかし敷地の広さから、必要諸室と並べただけでは、なかなか居心地のよい浴室をつくれそうになかった。そこで思い切って、浴室と洗面脱衣室を3階につくり、ルーフテラスと並べて配置することにした。

その浴室からは、直接ルーフテラスに出ることができる。日常生活から切り離され、外も感じられる開放的で気持ちのよい浴室ができあがった。

建築概要
所在地　東京都
家族構成　夫婦（40歳代）＋子供1人
敷地状況　整形、南道路、道路との高低差 2m
敷地面積　75.64㎡（22.88坪）
延床面積　72.42㎡（21.90坪）
構造・階数　木造3階

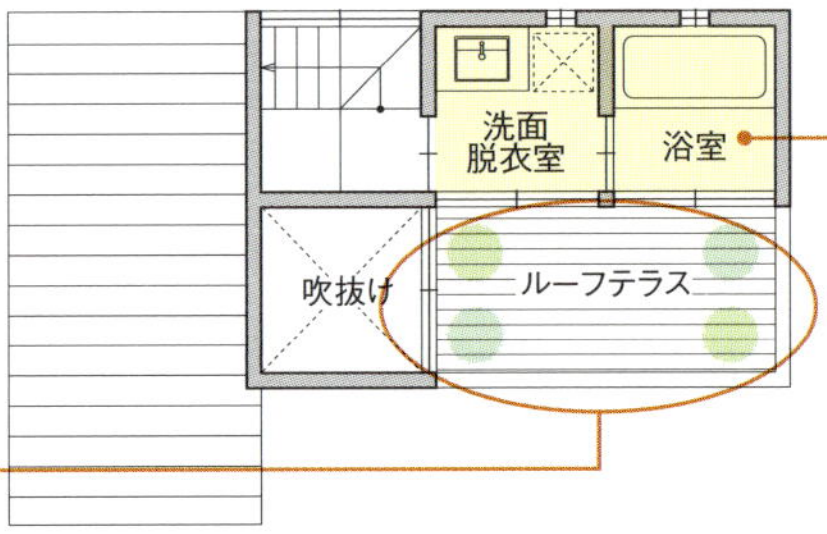

日常生活と切り離す
3階には浴室と洗面脱衣室だけを置いている。生活空間と切り離されて、自分だけの時間をのんびりと過ごすことができる

外部空間を楽しむ
十分な広さの庭を確保することが難しい状況で、このルーフテラスは貴重な外を楽しむ場にもなる。吹抜けに面した開口は、2階ダイニングに光を落とすハイサイドライトの役目も果たす

3F　S=1:150

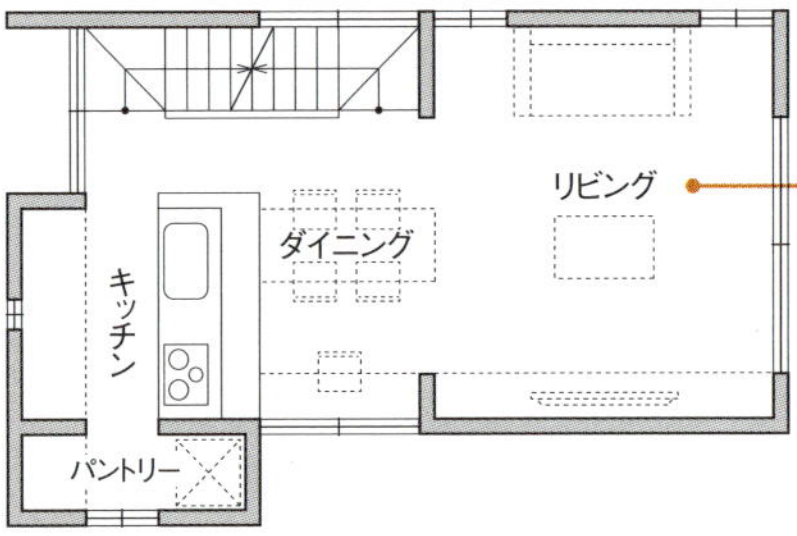

上下移動を苦にしない
日常の生活空間となるLDKを2階に置いているので、3階のお風呂に上がるのも煩わしく感じさせない

2F　S=1:150

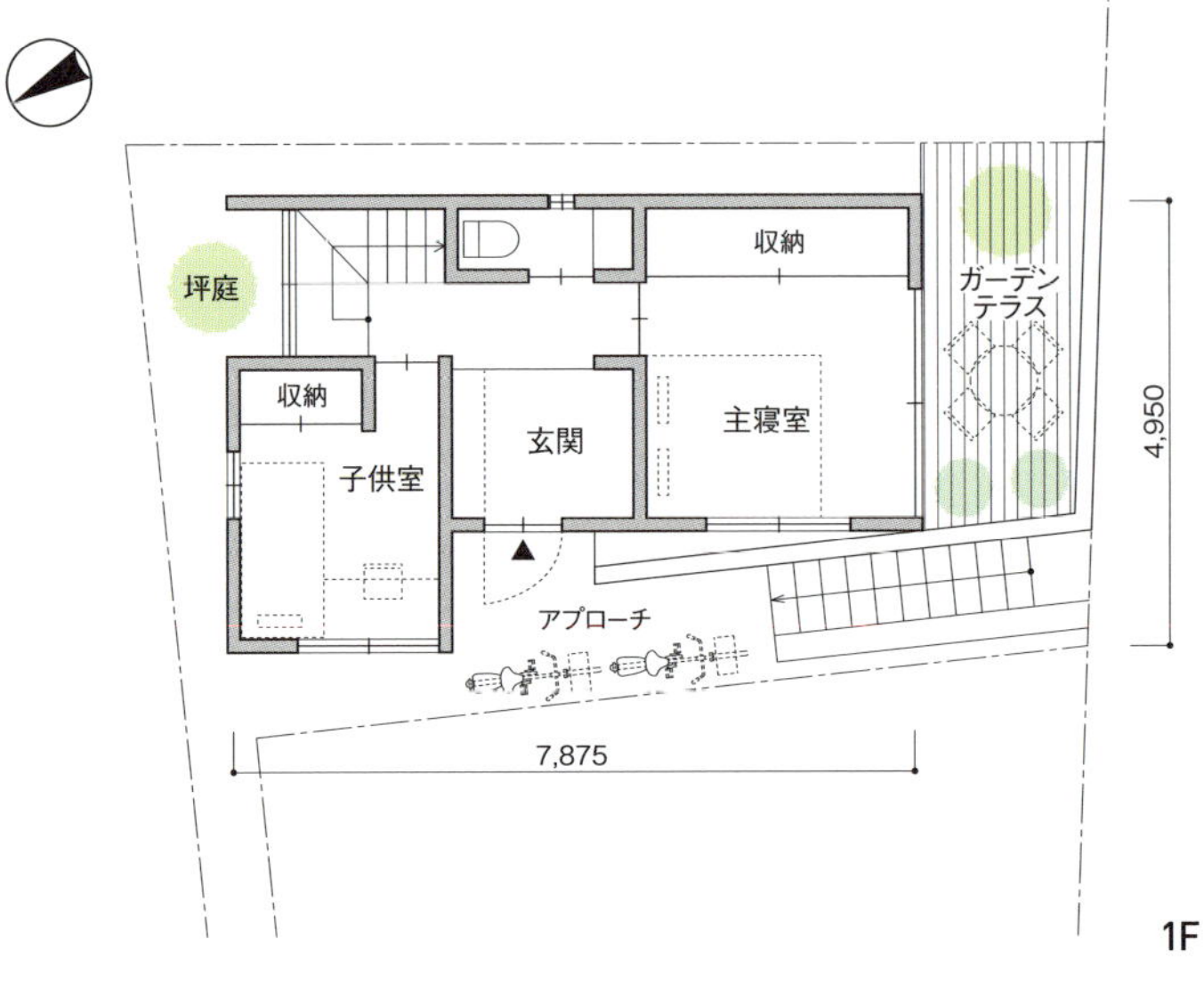

1F　S=1:150

キッチンとサニタリーを近づけて家事動線をコンパクトに

比較的広さには余裕のあるコートハウスである。広さに余裕があると、その分だけ家のなかでの行き来も距離が長くなるため、十分に家事動線を検討しておくことが重要になる。

ここでは、キッチンと物干し場も含めてサニタリーをすぐ近くに置き、効率的に家事がこなせるように配慮している。

また、離れた位置に階段を2つつくり、立体的な回遊動線としておくと、上下階の行き来がしやすく活動的になり、暮らしの幅を広げることにつながる。

家事作業の場を集める

キッチン、サニタリー、物干し場を近づけて配置することで、家事動線が短縮され、効率的に家事を行うことができる

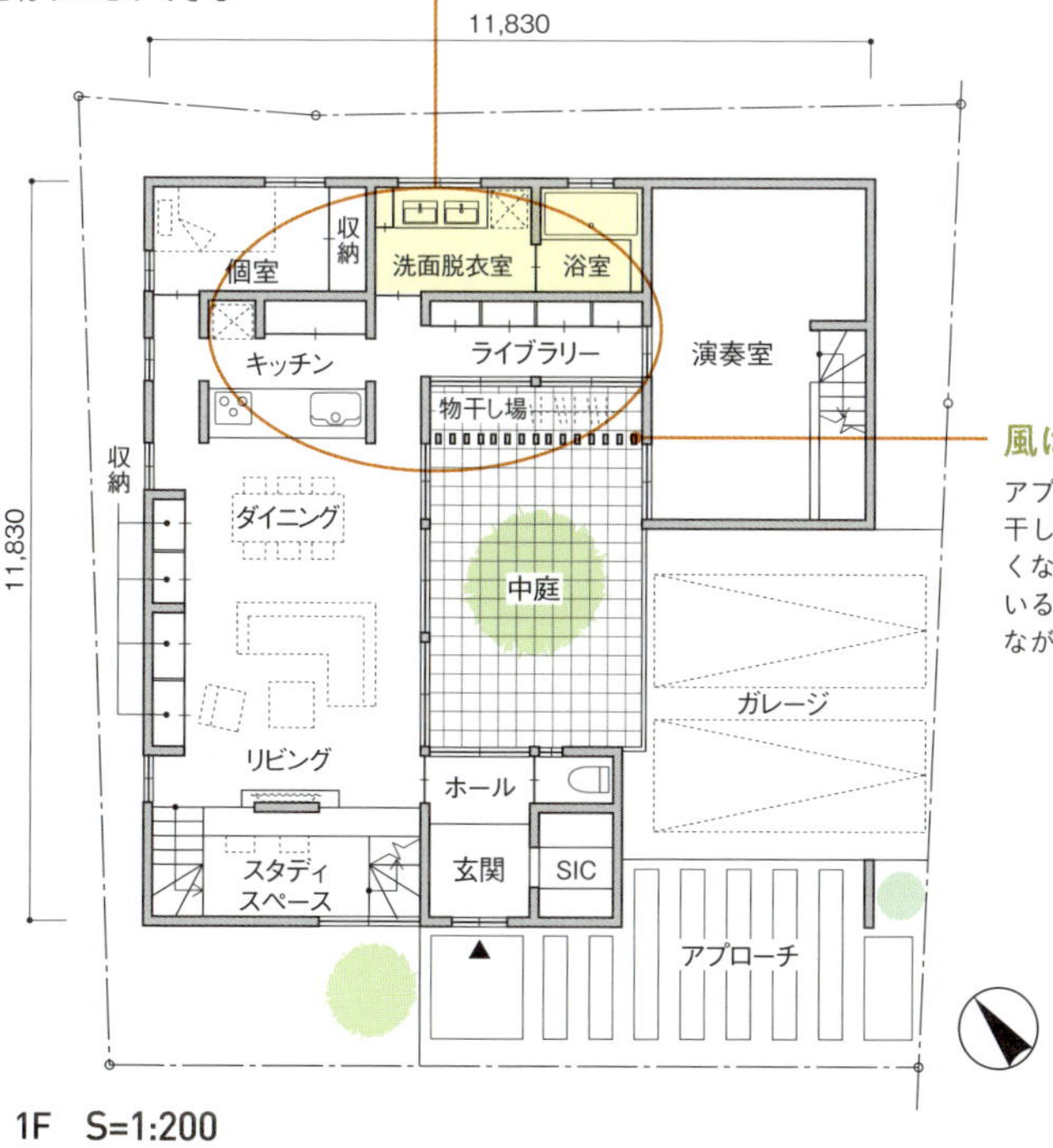

1F S=1:200

風は流れる

アプローチやリビング側から干してある洗濯物が見えにくくなるように、列柱を立てている。視線は適度にさえぎりながらも、風は流れる

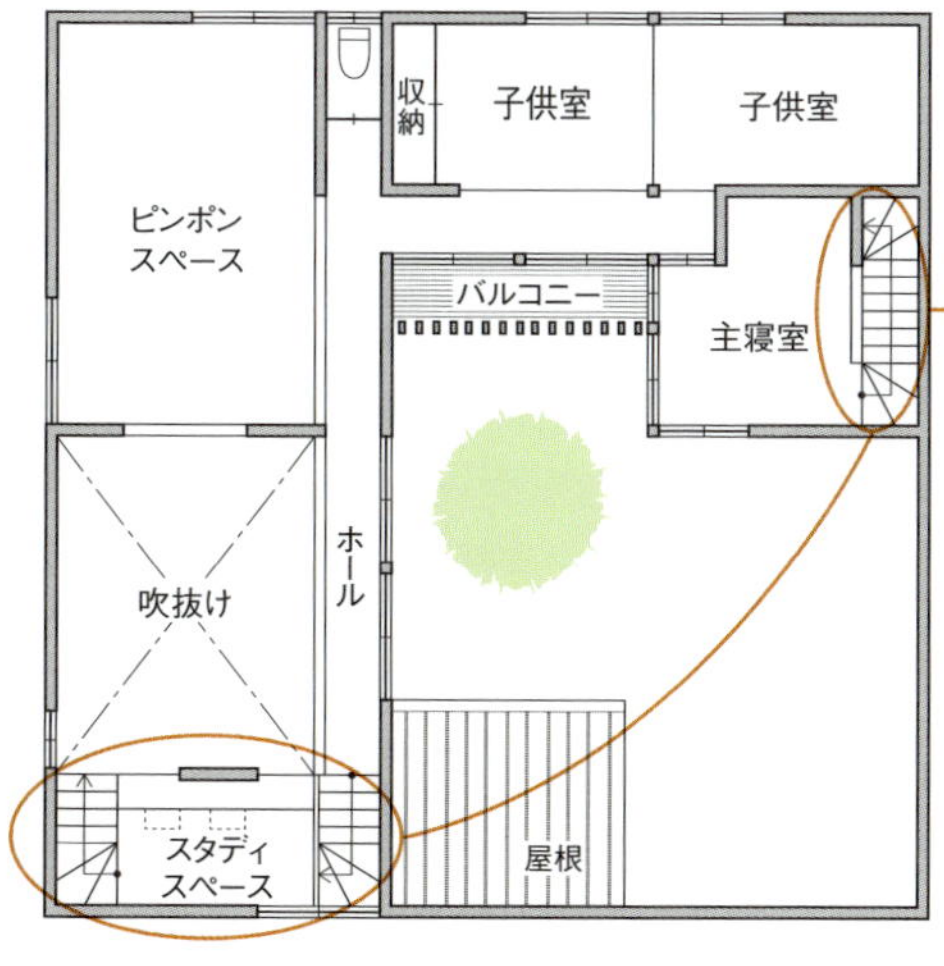

2F S=1:200

2つの階段

西端と東端にそれぞれ階段をつくることで、立体的な回遊動線が生まれる。東側の階段は、来客時の裏動線となり、リビングを通らなくても2階からサニタリーやキッチンに行くことができる

建築概要
- 所在地 東京都
- 家族構成 夫婦（40歳代）＋子供2人
- 敷地状況 整形、東道路
- 敷地面積 216.19㎡（65.39坪）
- 延床面積 156.08㎡(47.21坪)
- 構造・階数 木造2階

家事作業を伴うスペースをすべてキッチンの後ろにまとめる

「効率的な家事動線」が要望としてあったため、家事作業が行われるスペースをすべてキッチンの後ろ側に配置して、LDK空間と分ける間取りにしている。

浴室、洗面脱衣室、家事室を隣接させてつくり、家事室はランドリーとタオル類や部屋着、下着などを収納する部屋も兼ねている。この部屋から、広い収納（ウォークインクロゼット）を通り抜けて玄関側に抜ける回遊動線となっているため、家事作業は効率よくこなすことができる。また、LDKから出るテラスとは別に、洗濯機のある家事室から直接物干し場にも出られるようにしている。

多機能の家事室

家事室は洗濯機が置かれたランドリーであり、タオルや下着類を収納する部屋であり、さらに洗濯機から物干し場へ向かう動線にもなっている

床仕上げで示す

サニタリーや収納、パントリーはLDK側と床仕上げのタイルを変えて、パブリックスペースとは違うことを暗示させる

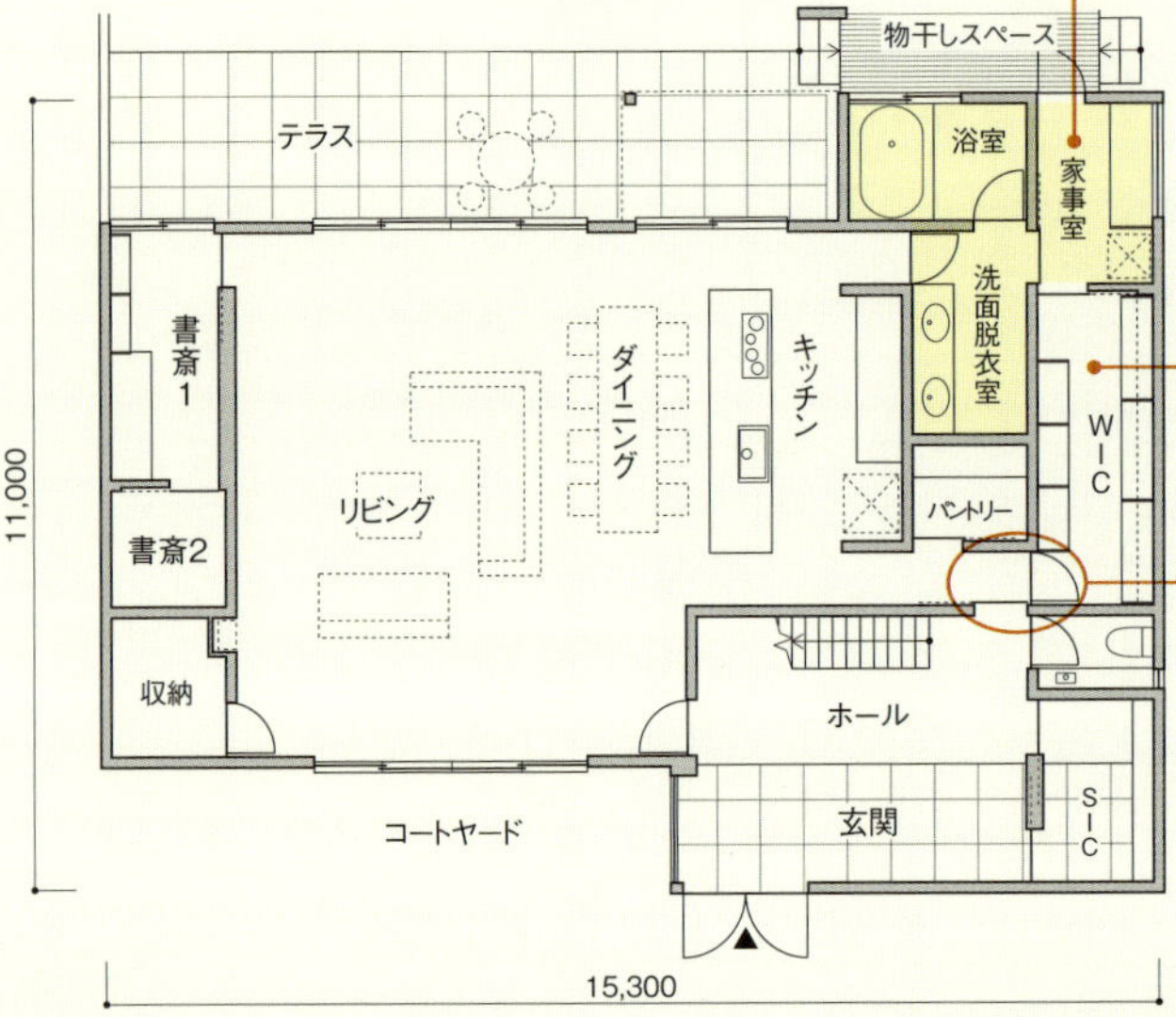

裏動線となる

家事室からはウォークインクロゼットを通ってパントリー前に抜けることができる。また、玄関ホールにも2つの扉があり、パントリーにすぐに入ることができる

1F　S=1:200

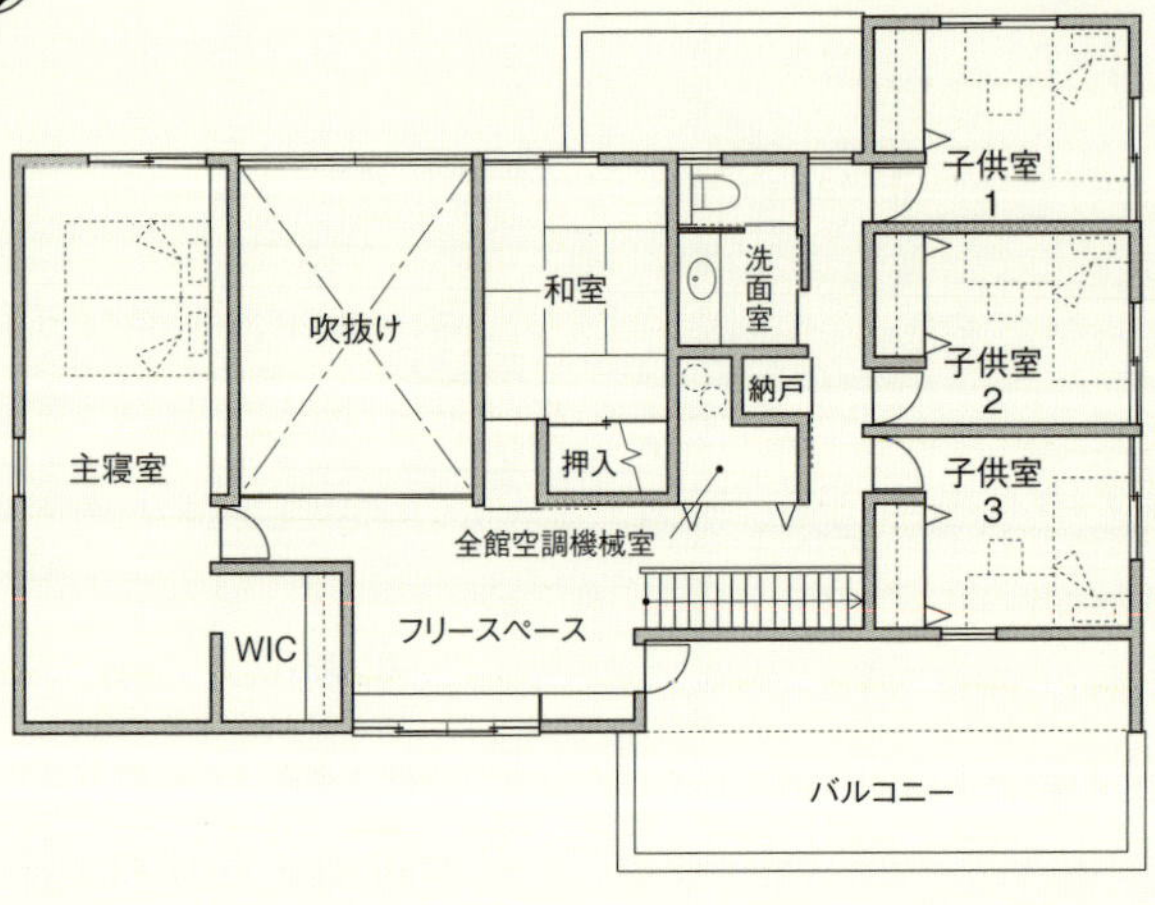

2F　S=1:200

建築概要

所在地	京都府
家族構成	夫婦（40歳代）＋子供2人＋1人（これから）
敷地状況	整形、南道路
敷地面積	354.01㎡（107.08坪）
延床面積	233.42㎡（70.60坪）
構造・階数	木造2階

サニタリー、物干し場、家事コーナーを集約した無駄のない家事動線

間口5m余、奥行きおよそ16mの細長い、北側接道の敷地。陽当たりなどの環境を考慮して1階に個室を集め、2階にLDKとサニタリーを配置した。LDKを南側に置くと、必然的にサニタリーは北側に置かれる。

そこで洗濯物は、北側の物干しバルコニーに干すことに。さらにキッチンから直接入れる家事コーナー、サニタリー、物干しバルコニーをぐるぐる回れる動線をつくることで家事の効率を高めている。キッチンで調理しながら、洗濯も同時に行える、効率のよい家事動線とすることができた。

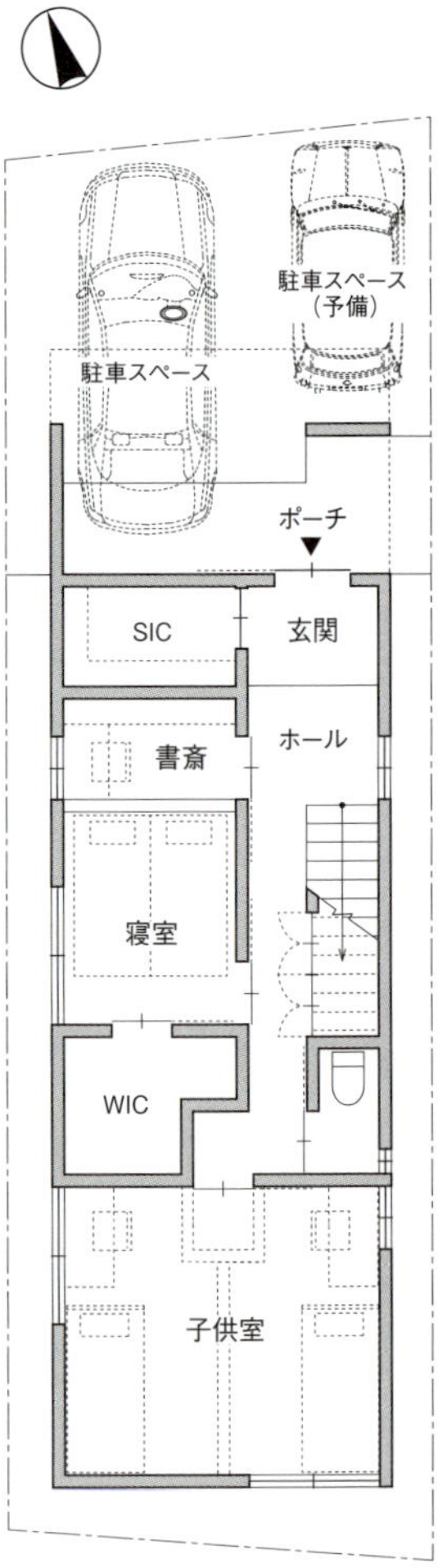

1F　S=1:150

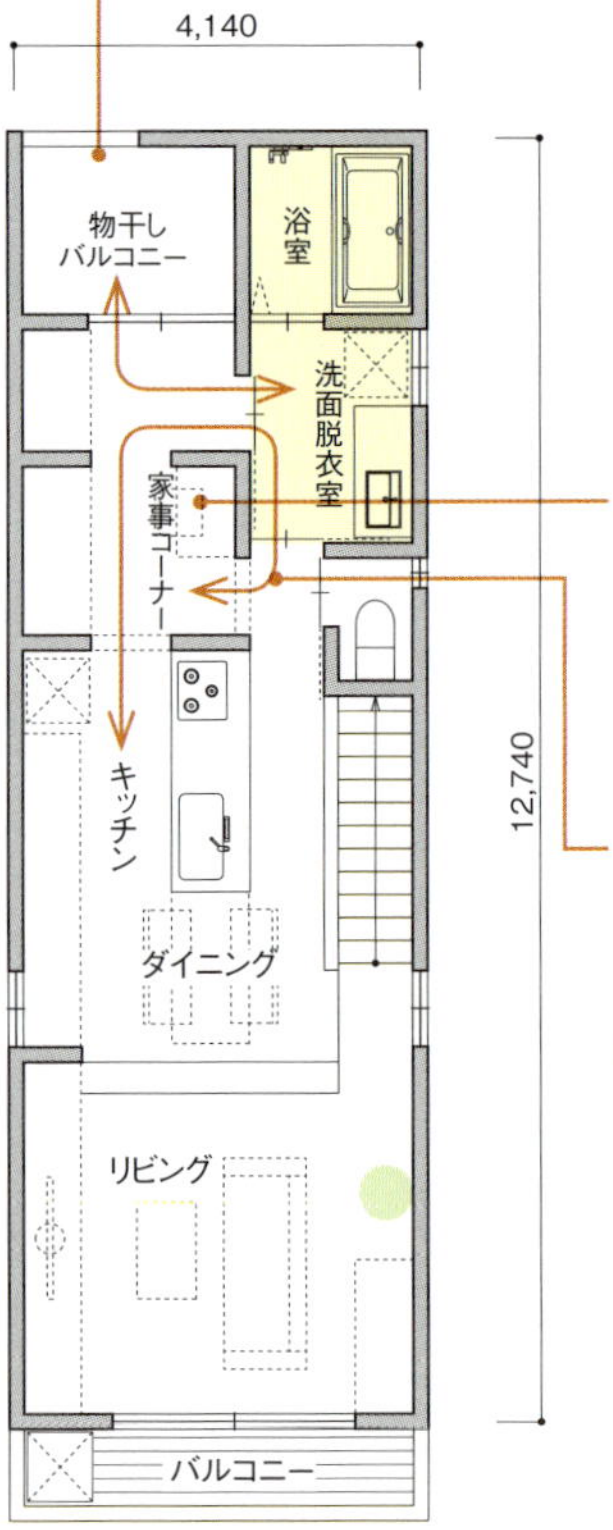

2F　S=1:150

すぐ干せる

北側ながら十分な広さを確保した物干しバルコニー。道路側の壁を少し延ばして道路からの視線に配慮している

家事作業の中心

家事動線の中心に置かれた家事コーナー。小さなスペースだが、ちょっとした作業を家事の合間に行うことができる

ぐるぐる動線

キッチン、洗面室をぐるぐる回れる動線をつくっている。通り抜けできることで閉塞感もなく、家事作業も効率よくできる

建築概要

所在地	東京都
家族構成	夫婦（40歳代・30歳代） ＋子供2人
敷地状況	整形、北道路、防火地域
敷地面積	93.07㎡（28.15坪）
延床面積	93.73㎡（28.35坪）
構造・階数	木造2階

洗濯の家事動線を一直線に並べる間取り

広い敷地を生かした平屋の計画。LDKを家の中央に配置し、周囲に個室や水廻りを分散させた。サニタリーについては、家事動線を優先し、キッチンの後ろ側に、物干し場、洗濯機、洗面室、浴室、ファミリークロゼットを一直線に並べて置いている。洗濯機から物干し場はもちろん、洗濯物を取り込んでクロゼットにしまうときにも短い動線で行き来できるようにしている。クロゼットは通り抜けできるので回遊動線となり、キッチンを中心とした家事がコンパクトな動線上にまとめられている。

建築概要	
所在地	愛知県
家族構成	夫婦（30歳代）＋子供1人
敷地状況	整形、東道路
敷地面積	418.54㎡（126.60坪）
延床面積	125.04㎡（37.82坪）
構造・階数	木造1階

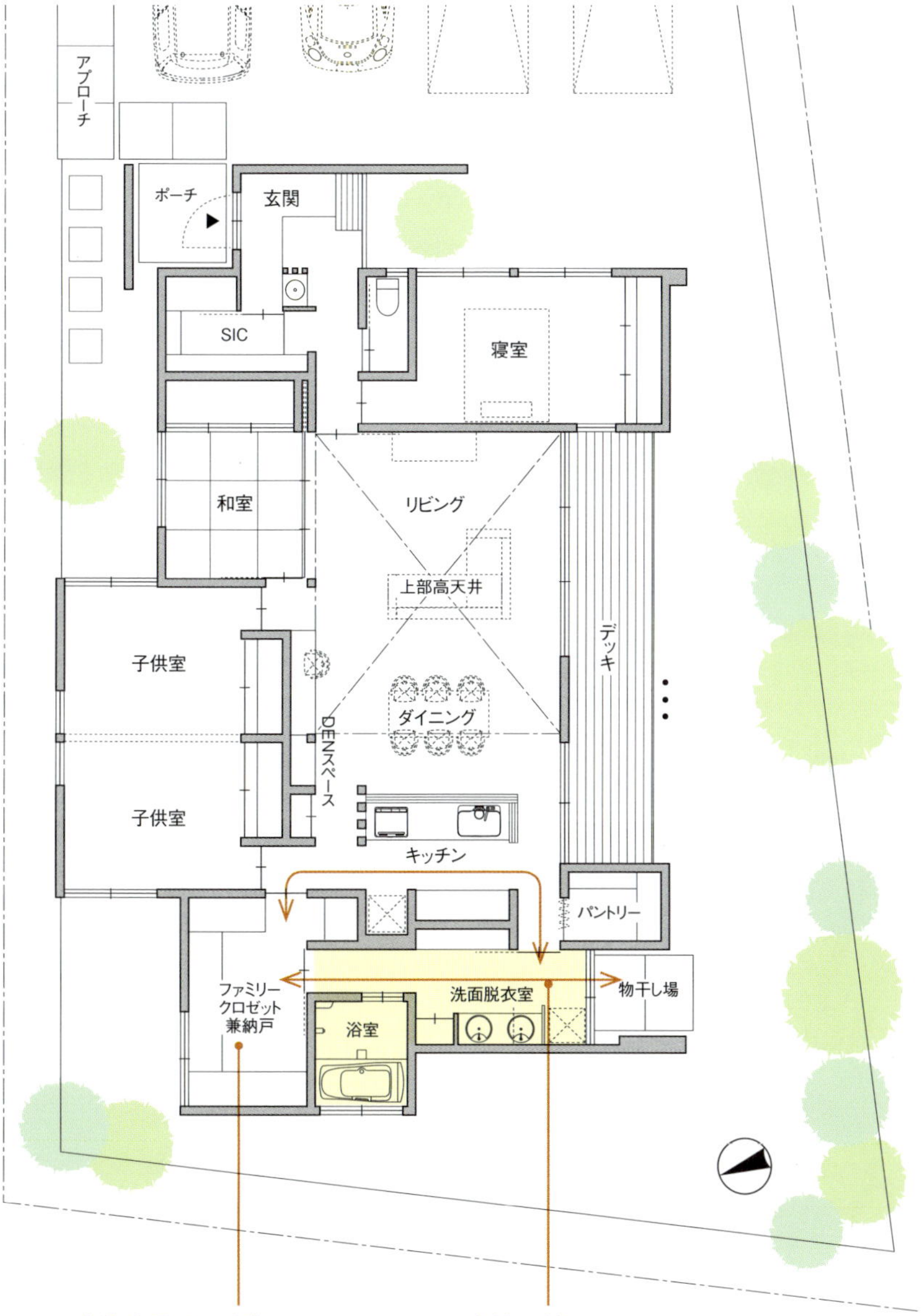

1F　S=1:150

家族全員分の衣類

5.9畳のクロゼットに、家族全員の衣類を収納。物干し場からまっすぐ来られるだけでなく、すべての衣類がここで片づけられ、あちらこちらの部屋に配る面倒がない

一直線に並ぶ

物干し場、洗濯機、洗面室、浴室、クロゼットが一直線に並んでいる。クロゼットを通り抜ける回遊動線は、子供室から洗面室に向かう裏動線にもなる

リゾートホテルのような大型浴槽でバスタイムを楽しむ

大きな浴槽にゆったり浸かりたいという要望で、お風呂にはかなりこだわりのある感じだった。そこで日常生活の中心となるLDKから切り離し、広いスペースを確保する計画とした。

浴室は約2坪。洗面脱衣室もほぼ同じ広さで、浴室の外にも2坪強のバステラスを用意している。浴槽は半円の大型浴槽で、壁にテレビを設置。一人で入るのがもったいなくなりそうな、贅沢なバスタイムを満喫できる。

建築概要

所在地	愛知県
家族構成	2世帯：母＋ときどき夫婦＋子供1人
敷地状況	ほぼ竹藪の土地、両親が住んでいた土地の一部
敷地面積	449.87㎡（136.08坪）
延床面積	118.87㎡（35.95坪）
構造・階数	木造2階

日常から切り離す

LDKの気配を感じることもない別棟にサニタリーを配置。十分な広さを確保して、日常を忘れさせてくれる別世界のような浴室としている

壁で隠す

建物から壁を延ばすことでアプローチ側からの視線をカット。安心して入浴できる

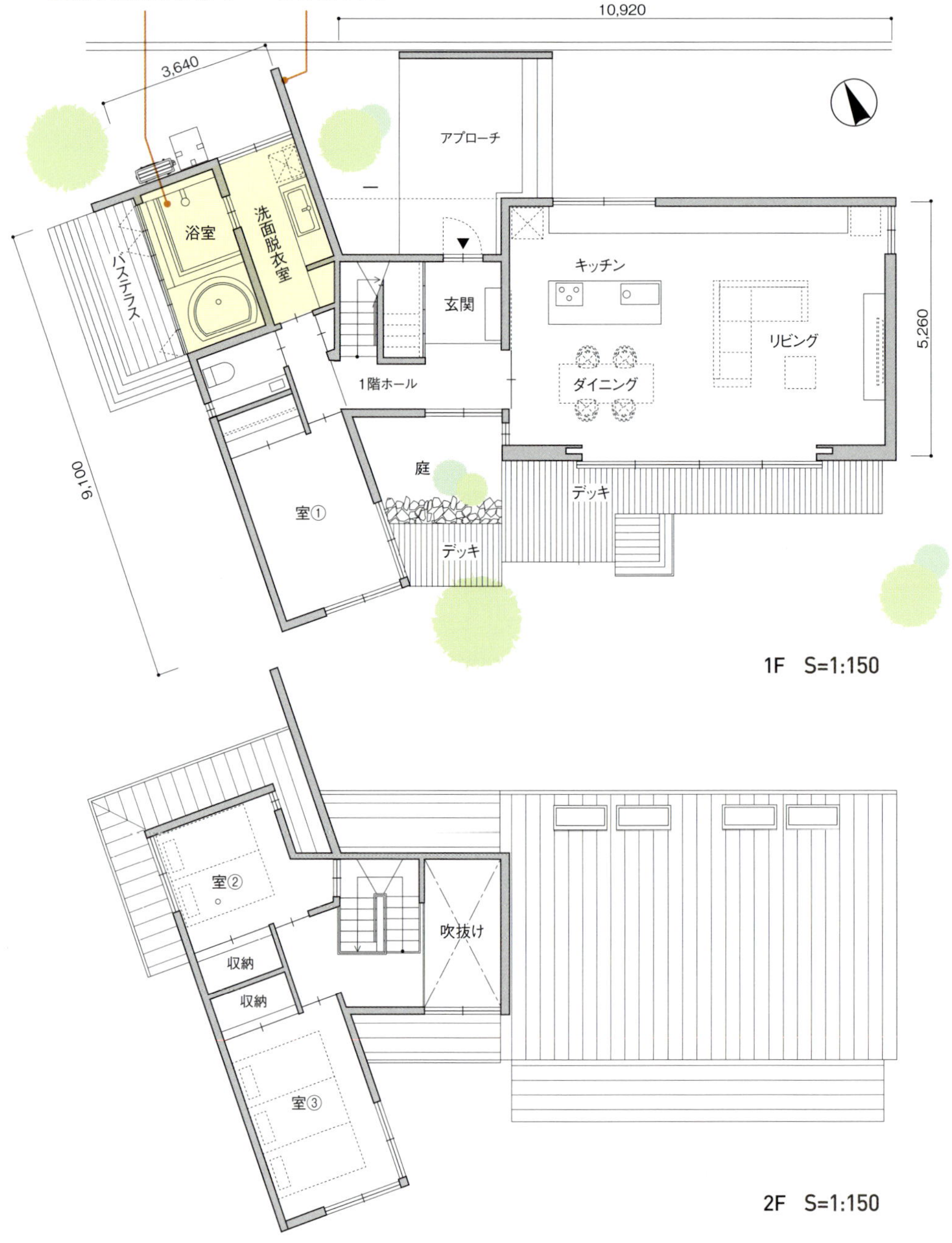

中庭に窓を全開放して露天風呂感覚を楽しむ

旗竿状のうえ、建物が建てられる旗部分も変形している狭小敷地であった。浴室については、窓をすべて開けて露天風呂感覚で入れるようにしたいとの要望だったが、もとより十分な広さは確保できない。

そこで浴室を敷地奥の北側に配置し、その手前に小さな中庭をつくって、そちらに向けて窓を開けられるようにした。隣地側には2層分の高い塀を立て、プライバシーを確保している。中庭は、隣接する和室に付属する坪庭としても機能している。

建築概要

所在地	愛知県
家族構成	夫婦（50歳代）
敷地状況	旗竿状、計画道路に4m程度しか面しない
敷地面積	111.20㎡（33.63坪）
延床面積	114.72㎡（34.70坪）
構造・階数	木造2階

ホール側から見た中庭。右が浴室、左が和室。正面に見えるのが、隣地側に立てた目隠しの壁

全開放窓

一般的な引違い窓ではなく、2枚の窓ガラスを壁側に引き込めるタイプの窓にしたため全開放できる。浴室前のデッキは物干しスペースにもなるので、全開放できると洗濯機前からの動線もよくなる

中庭で風を抜く

中庭に面して浴室の窓を開くことができるので換気には最適。中庭の重要な役割として、通風を得ることが挙げられるが、ここでは浴室のほか、玄関ホールや和室にも風を呼び込む

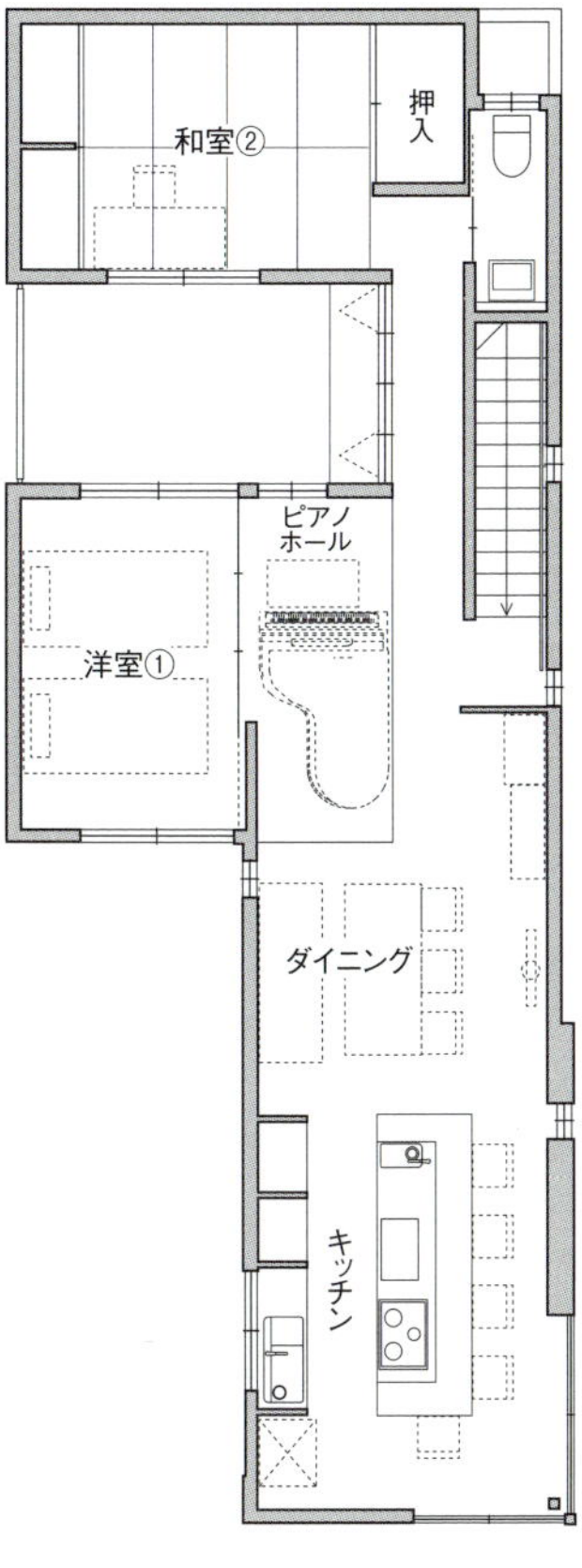

2F　S=1:150

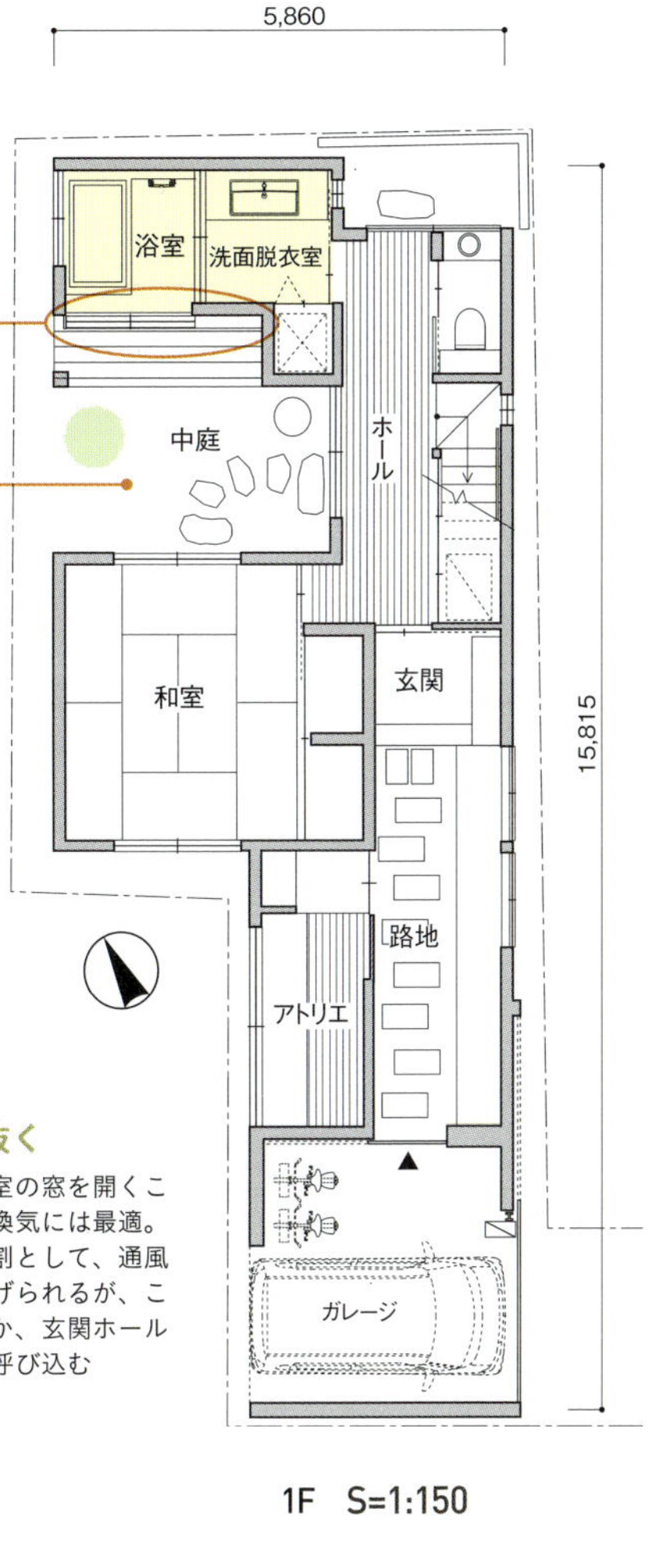

1F　S=1:150

CHAPTER

4

ずっとそこにいたくなるトイレ

トイレはどこにあると便利？

トイレは各階に１つあるのが理想ですが、広さやコストの関係でそれが実現できないことも。その場合はどこの階のどの部屋の近くに設置するかが、悩ましい問題です。来客が多い、家族がリビングで過ごすことが多いといった場合はリビングの近くが理想的。ただし、トイレの音がリビングまで聞こえたり、入口がリビングから

まる見えだったりするのは考えものです。手洗いコーナーを手前に設けて緩衝地帯をつくるなどの配慮が求められます。寝室付近もトイレがほしい箇所の1つ。夜中にさっと行き来できるのは便利ですね。高齢者との同居であればなおさらです。

長くいたくなる場所に

ホテルのような開放感のあるトイレが好みであれば、洗面、浴槽が一体になった3in1タイプもオススメ。後々、介護が必要となったときに介助者が入るスペースが容易に確保できるのも利点です。また、トイレにこもるときもあります。長時間、居座ることになってもくつろげるしつらえにしておくことも大切です。掃除しやすい素材を選び、掃除道具をしまう場所もしっかりと考えておきましょう。

トイレ専用庭のある明るいトイレ

奥様が閉所恐怖症で、閉塞感のないトイレにしてほしいという要望だった。そこで、トイレの前に、囲い込んだ小さな庭をつくり、そちらに向けて大きめの窓をつけて、内部の閉塞感が払しょくできるようにした。

囲い込んだ壁には、トイレ内部が見えない位置で2か所にスリットを入れて風通しをよくしている。庭に向けて大きく開放したことで、開放感だけでなく、明るくて清潔感のあるトイレになった。

建築概要
所在地　埼玉県
家族構成　夫婦（30歳代）＋子供（これから）
敷地状況　整形、南道路
敷地面積　215.85㎡（65.31坪）
延床面積　125.40㎡（38.00坪）
構造・階数　木造2階

書斎も明るく

トイレ前の庭は、書斎コーナーも明るくしてくれる。書斎からトイレへの視線にも配慮している

トイレのための庭

トイレの前に壁で目隠しされた小さな庭をつくり、そこに向けてトイレを開放。閉塞感のない明るいトイレができた

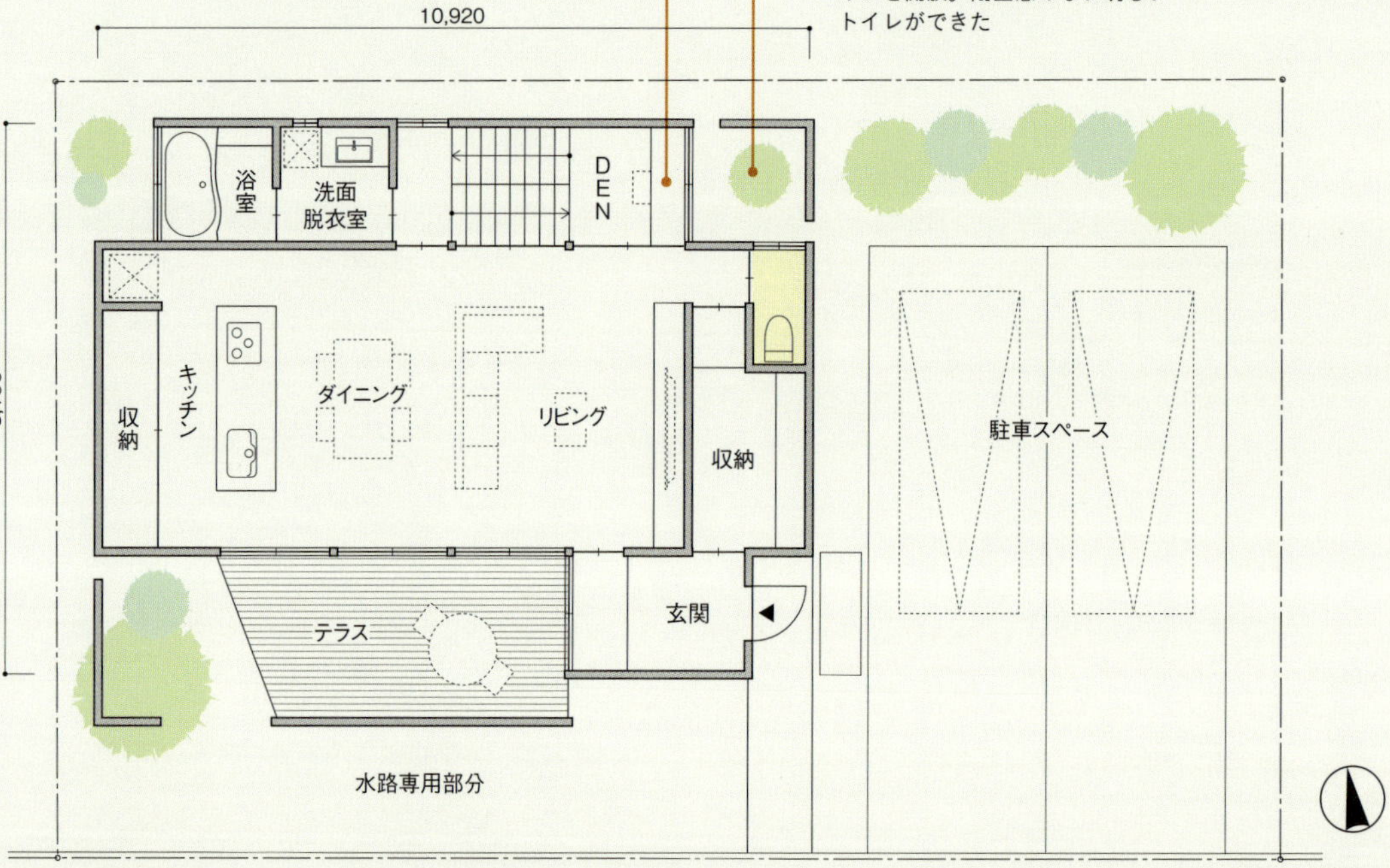

1F　S=1:150

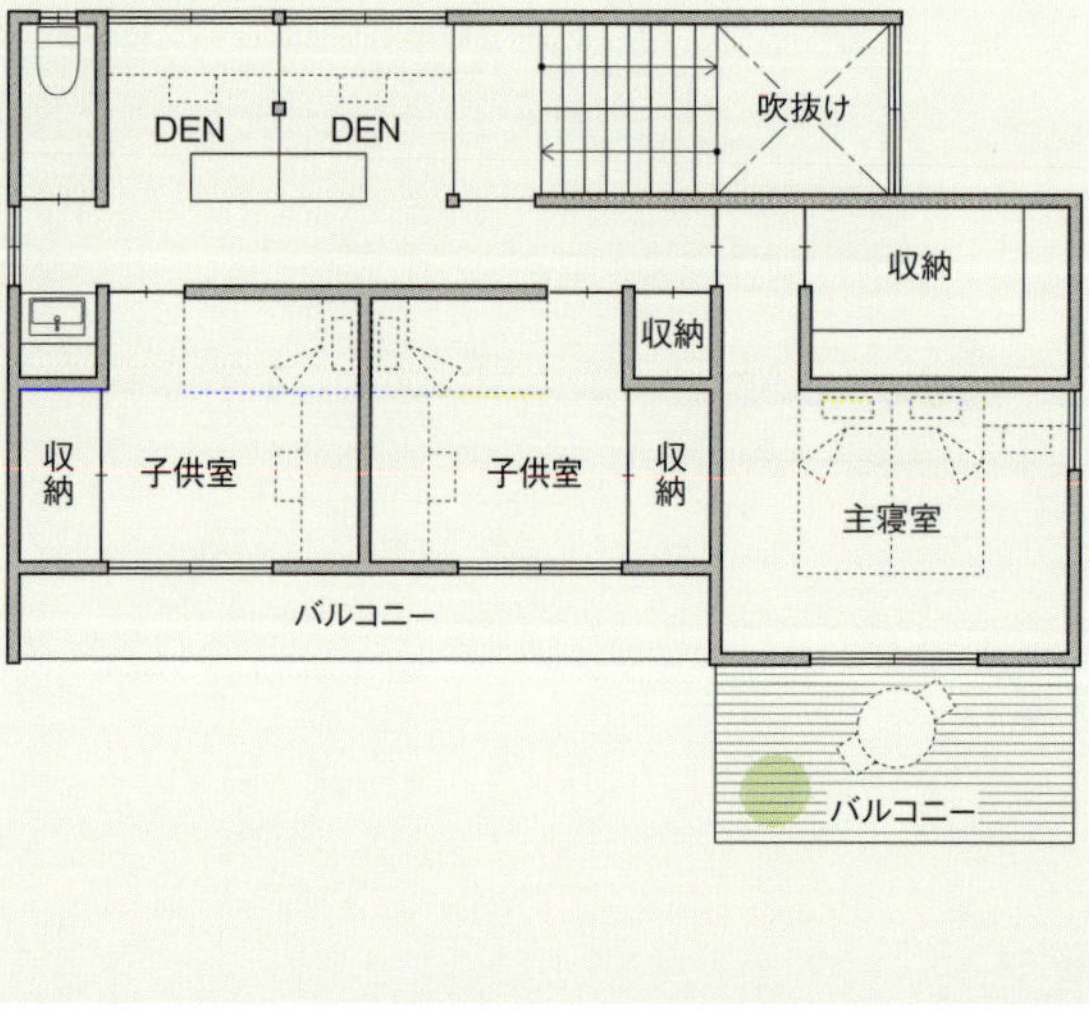

2F　S=1:150

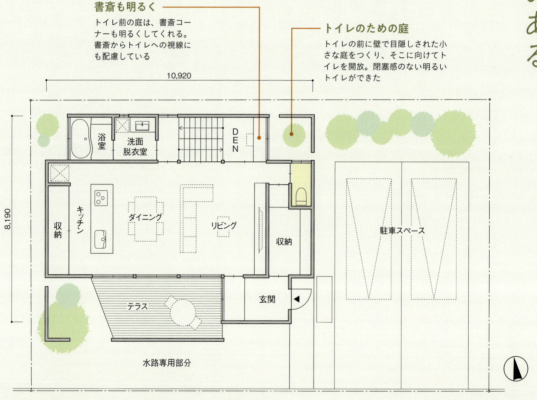

来客も安心して使える和庭脇のトイレ

広い敷地を有効に使った平屋の計画である。トイレについては、リビングから気にならない位置で、かつ来客も安心して使えることが要望された。

全体の計画を、パブリックゾーンとプライベートゾーンに大きく分け、トイレはパブリックゾーンに置くことにした。ワンルームのLDKから一度玄関ホールに出て、向かう位置にある。ここはLDKに付属する和庭の脇で、1.2mと通常より幅をゆったりとったトイレは、気分転換できる場所にもなっている。

あえてトイレは1つ

敷地奥にプライベートゾーンをまとめた計画。ここにはあえてトイレはつくっていない。個室にいる子供たちも必ず部屋から出て、LDKを経由してトイレに向かう

外への意識

LDKに沿ってテラスがあり、その先に庭がある。そちらに向けて開口部も大きくとっているので意識は常に「外」へ。トイレ方向には意識が向かない

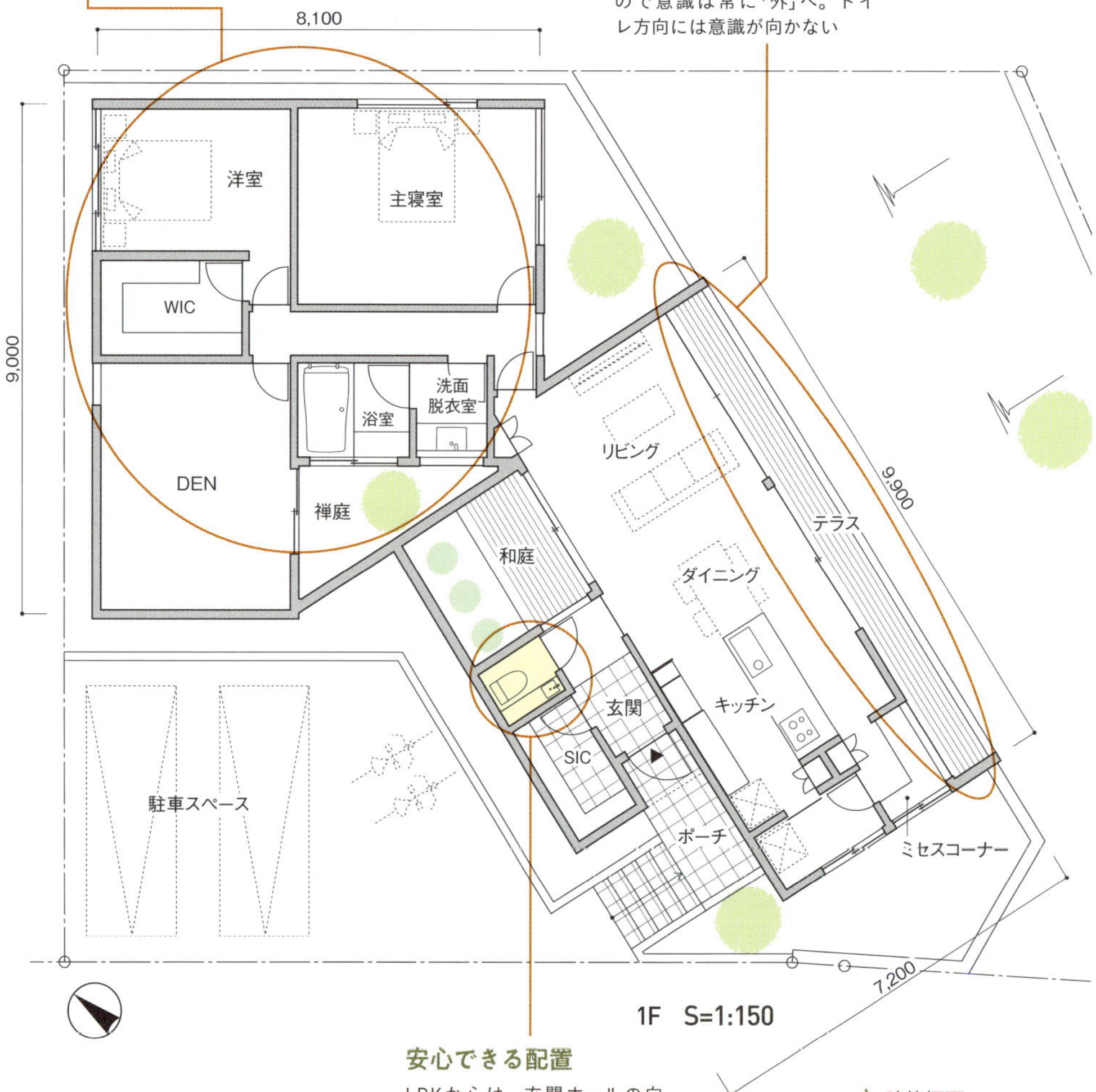

1F S=1:150

安心できる配置

LDKからは、玄関ホールの向こう側にあり、和庭を見ながらアプローチする位置にある。LDK側を気にせず、安心して使うことができる

建築概要

所在地	千葉県
家族構成	夫婦（40歳代）＋子供1人
敷地状況	整形、南道路、道路との高低差0.5m
敷地面積	333.95㎡（101.01坪）
延床面積	104.77㎡（31.69坪）
構造・階数	木造1階

将来に備えた車いす対応のトイレ

玄関と浴室廻りを共有する2世帯住宅である。1階で暮らすご両親はまだ元気だが、将来に備えて1階のトイレは車いすでも使えるようにしておくことになった。

1階では、トイレ・洗面脱衣室・浴室が北側に並んでおり、その奥行き（南北方向）を通常の1間（1820㎜）より大きく取った2047・5㎜（芯々寸法）として、トイレ出入口の開口幅を大きく確保した。浴室、洗面脱衣室とも奥行きは同じ比率で大きくしているので、トイレ以外も車いすが操作しやすい広さとなっている。

1.125倍する

水廻りの南北方向の寸法を、一般的な1820mmを1.125倍して2047.5mmとしている。これによりトイレの引戸も十分な開口幅が確保できた

寝室からの動線

ご両親の寝室からトイレまでの動線をできるだけ短くするようにしている。廊下も車いすが通行しやすい幅を確保

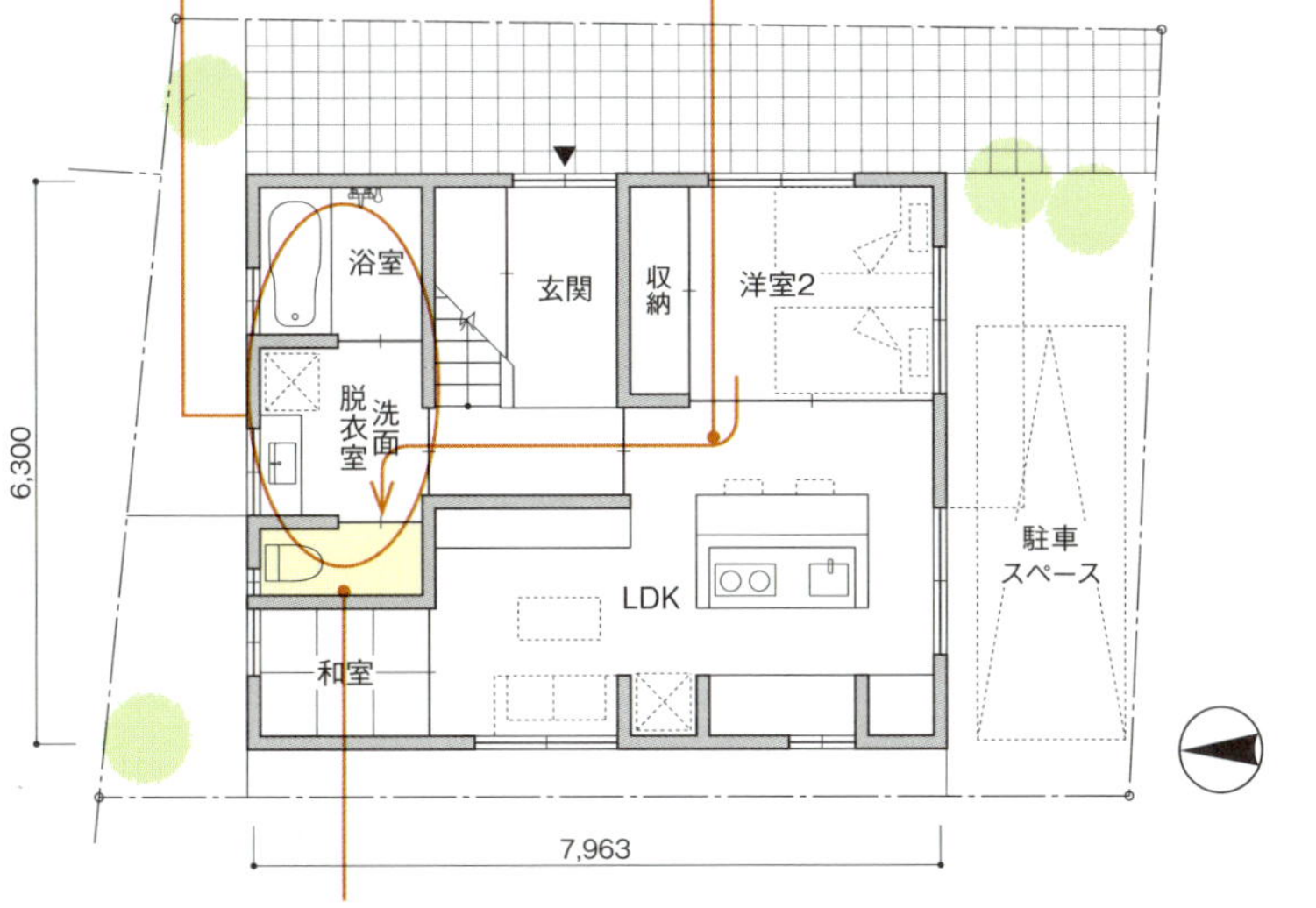

幅は一般的につくる

トイレの幅は一般的な910mmとしている。万が一、車いすになった場合、広すぎるとかえってつかまる手すりが遠くなり危険になる

1F　S=1:150

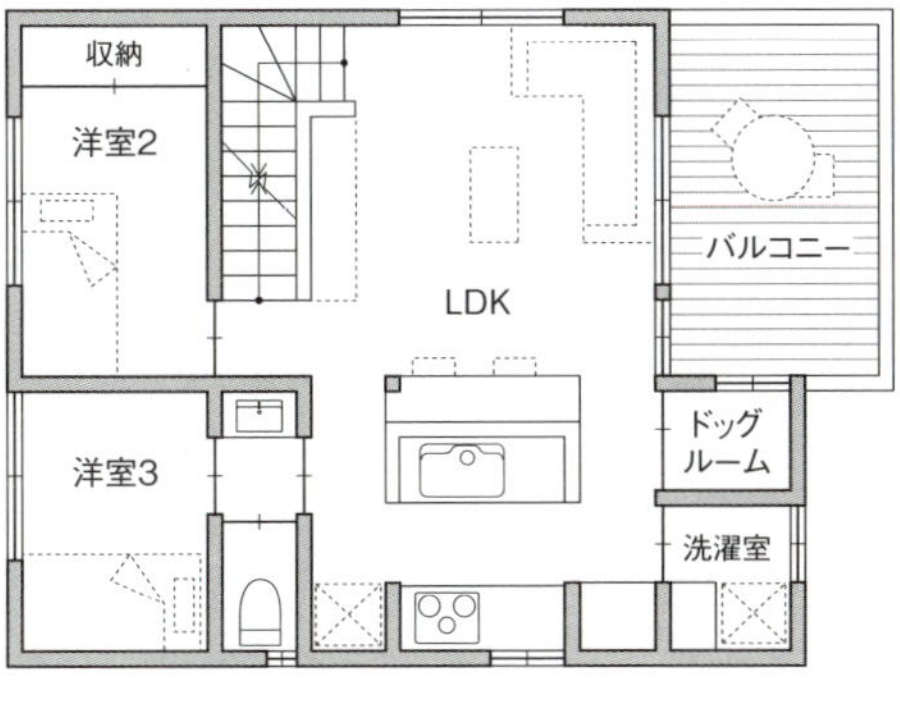

2F　S=1:150

建築概要	
所在地	東京都
家族構成	親世帯夫婦（1階）＋子世帯夫婦（2階）
敷地状況	整形、東道路
敷地面積	251.11㎡（75.96坪）
延床面積	96.47㎡（29.18坪）
構造・階数	木造2階

ホームパーティにも対応 ホテルのようなおしゃれなトイレ

ホームパーティをはじめ、来客が多いという3階建ての住宅。トイレも、ホテルのようなおしゃれできれいなトイレにしたいとの要望だった。

来客に配慮して、2階にLDKを配置したが、階段室とトイレのある東側と、西側のワンルームのLDKは壁で仕切り、2カ所の引戸から出入りするようにしている。洗面台はトイレの外にあり、トイレに行った後、皆の集まるLDKに戻る前に、身だしなみを整えるパウダールームの機能ももたせている。

建築概要
所在地　埼玉県
家族構成　夫婦（50歳代）＋子供2人
敷地状況　整形、北道路
敷地面積　145.45㎡（44.08坪）
延床面積　193.51㎡（58.64坪）
構造・階数　木造3階

3F　S=1:200

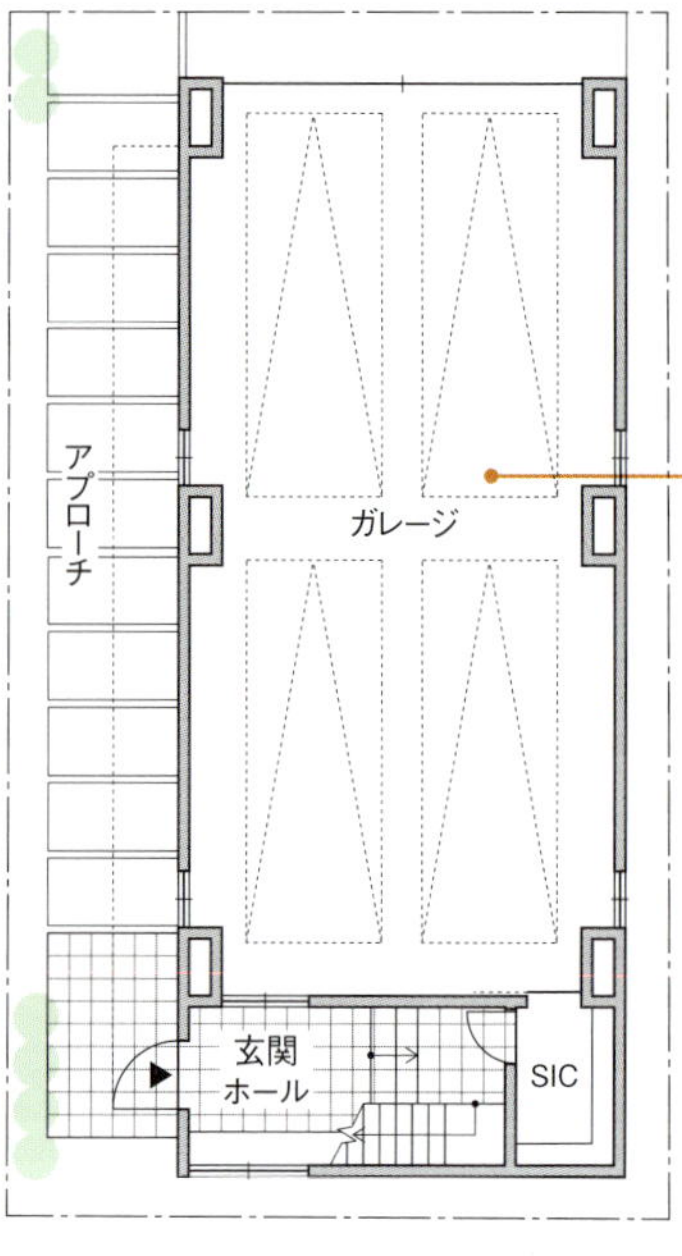

1F　S=1:200

4台分の駐車スペース

1階は、駐車スペースのほかには玄関のみと割り切って、車4台を収容できるスペースを確保している

キッチンもパーティ仕様

アイランド型のキッチンだが、大勢が集まったとき、複数で作業ができるように正方形に近いかたちにしている

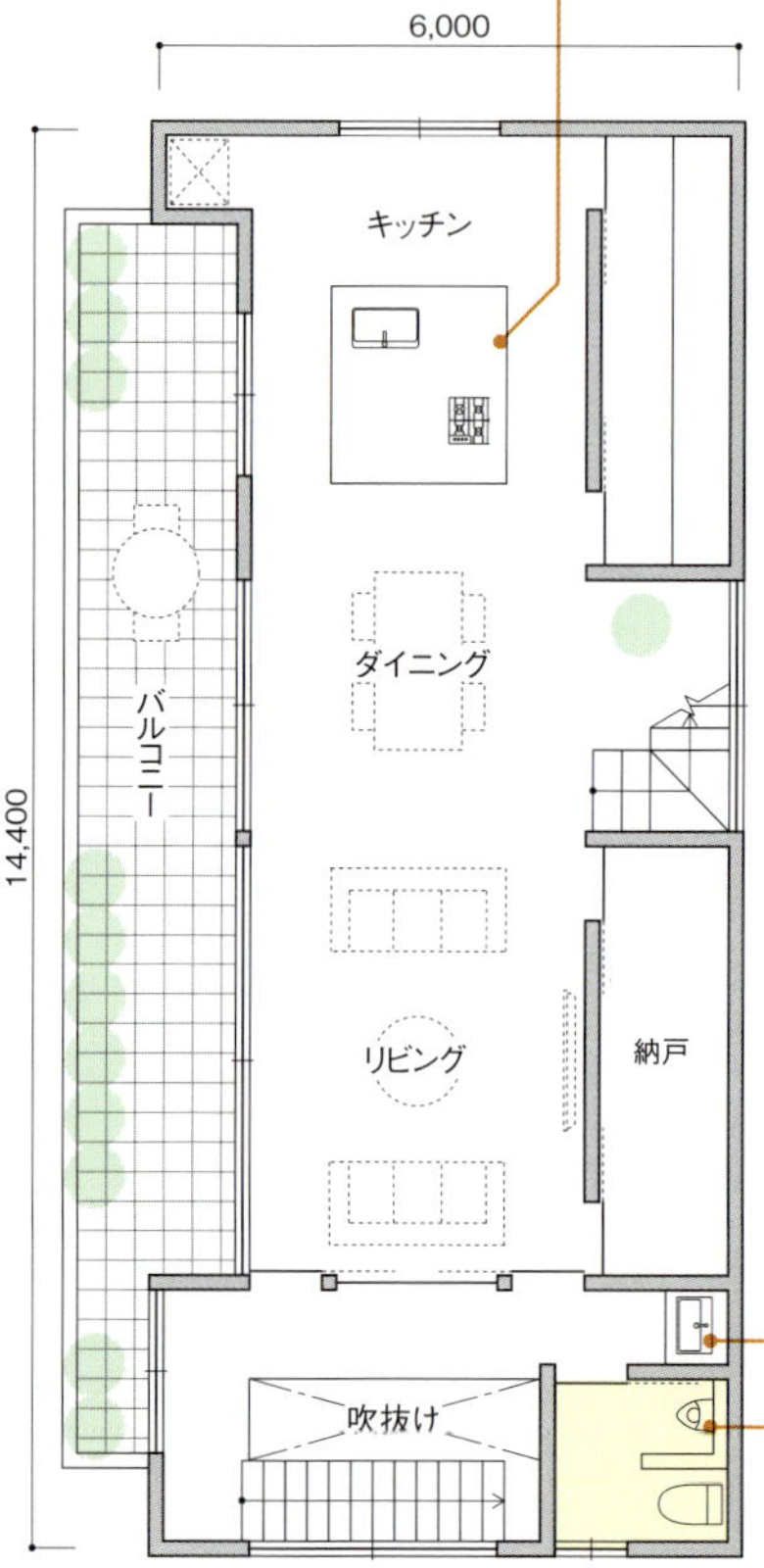

2F　S=1:150

パウダールーム

LDKとは仕切られたところにトイレを配置しているので、皆のところに戻る前に、ここで化粧直しなどができる

小便器も併設

比較的面積に余裕があったので、住宅では珍しい小便器を、腰掛け便器と並べて設置。節水や清掃の点でも役立っている

来客を楽しませる居酒屋のようなトイレ

1階に個室、2階にLDKの構成だが、1階東側に駐輪スペースなど、階高を低く抑えた部屋をつくって、スキップフロア状とし、生活の中心となる2階LDKを際立たせるつくりにした家。

トイレは、「居酒屋のトイレくらい遊んだ感じで」との要望を受けて、LDKから半階降りたところに配置し、色彩と間接照明を使って暗く演出した不思議な空間になった。

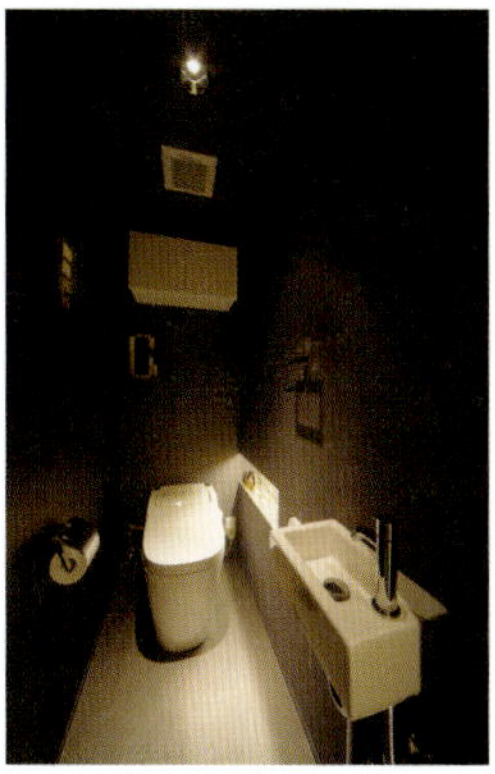

トイレ内部。間接照明で、店舗のトイレのような落ち着いた空間を演出する

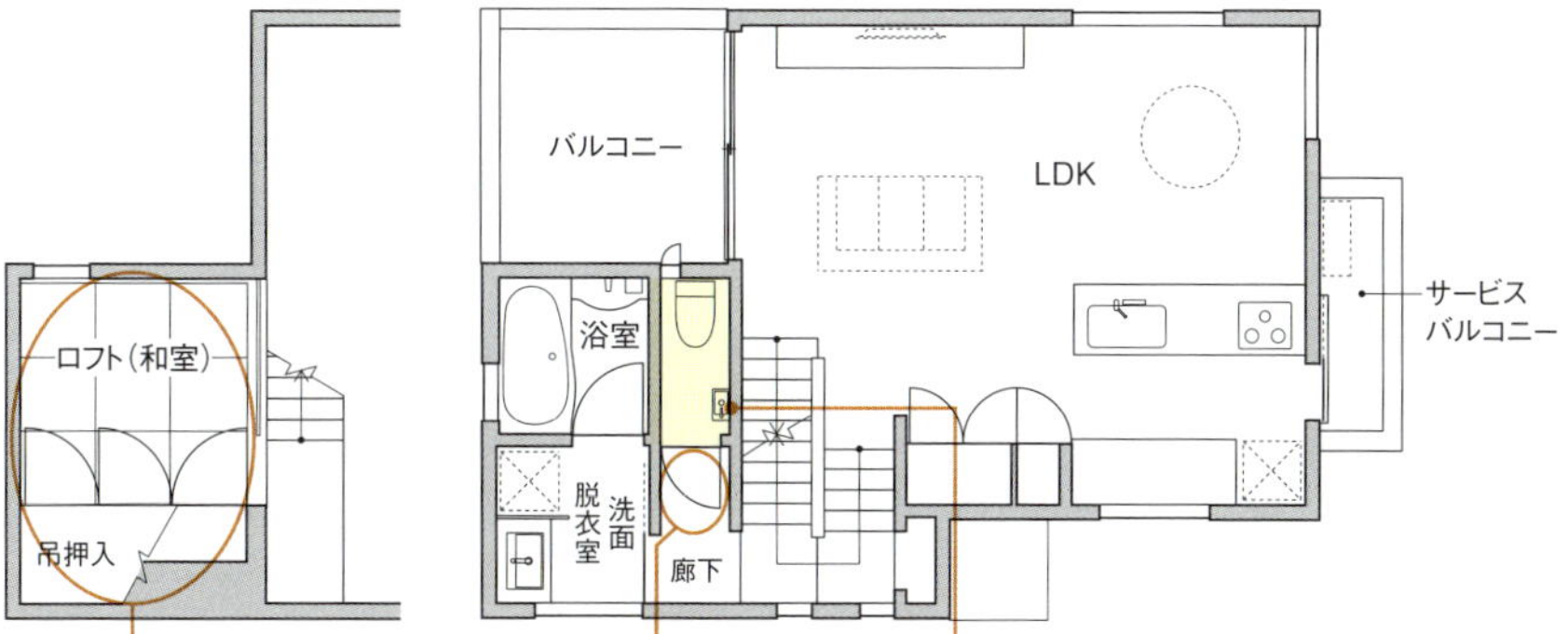

LF　S=1:150

2F　S=1:150

客間にもなる

スキップフロアを活用して、水廻り空間の上部に客間にもなる和室をつくっている。和室は、LDKとも視覚的につながっており、双方で交流もできる

踏み込みスペース

トイレの前に、専用の踏み込みスペースをつくり、「トイレに入っていく」気分を高める

手洗いも店舗風に

トイレの便器はタンクレス式。おしゃれな手洗いをつけてお店のようなトイレの雰囲気を高めている

低くてOK

自転車置き場と収納スペースなので、高い階高は必要ない。この部分の上に水廻りを置き、スキップフロアを実現している

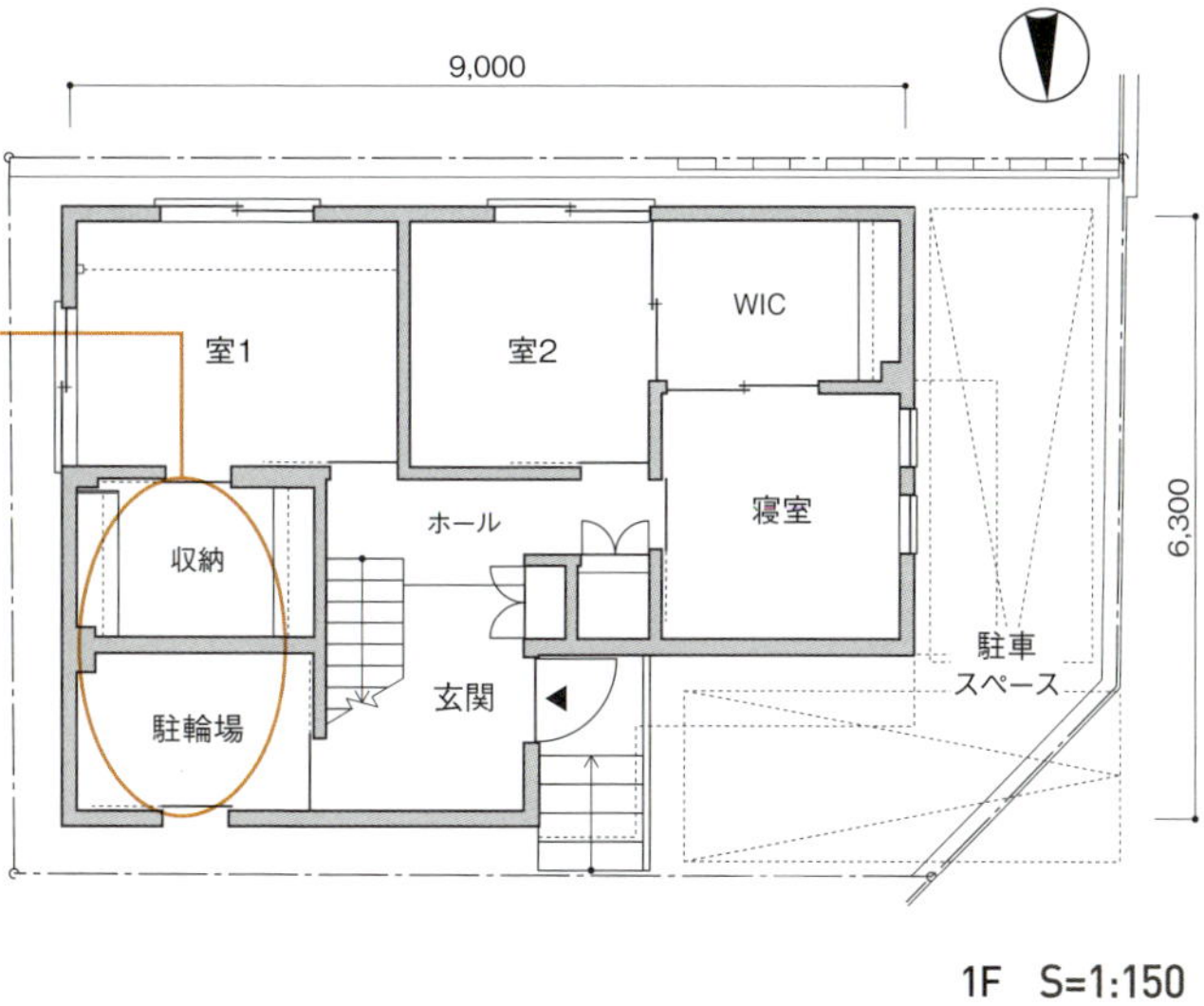

1F　S=1:150

建築概要	
所在地	大阪府
家族構成	夫婦(30歳代)+子供1人
敷地状況	整形、北・西道路、坂の途中で、敷地内高低差1.1m
敷地面積	87.73㎡(26.54坪)
延床面積	94.57㎡(28.61坪)
構造・階数	木造2階

居室の広がりにマッチするゆとりのあるトイレ

30畳を超えるＬＤＫや中庭に面したホールなど、1階は全体に伸び伸びとした空間となっている。トイレも、これに合うようにゆったりとしたものにしてほしい、という要望だった。

開放的な空間から、トイレに入ったとたんに窮屈な印象を与えないよう、広さについて慎重に検討を行い、奥行きとともに幅を広めにとっておよそ1.5畳のゆとりある大きさにした。手洗い器から延長するように伸びるカウンターは、花やゲストタオルの置き場など、ディスプレイカウンターとしても機能する。

多機能空間のゆとり

玄関からLDKまでの間に位置するこの場所は、通路であり、客間スペースにもなり、ときにはミニコンサート会場にもなる。中庭に面した多機能な空間が、生活全体にゆとりを与えてくれる

入り口のしつらえ

出入り口をアルコーブ状にしてトイレの扉を正面から見せないようにしている

1.5畳の広さのゆとり

トイレ自体の広さもおよそ1.5畳と大きめにしてある。手洗い器のあるカウンターは、花などを飾ることで癒しのスペースにもなる

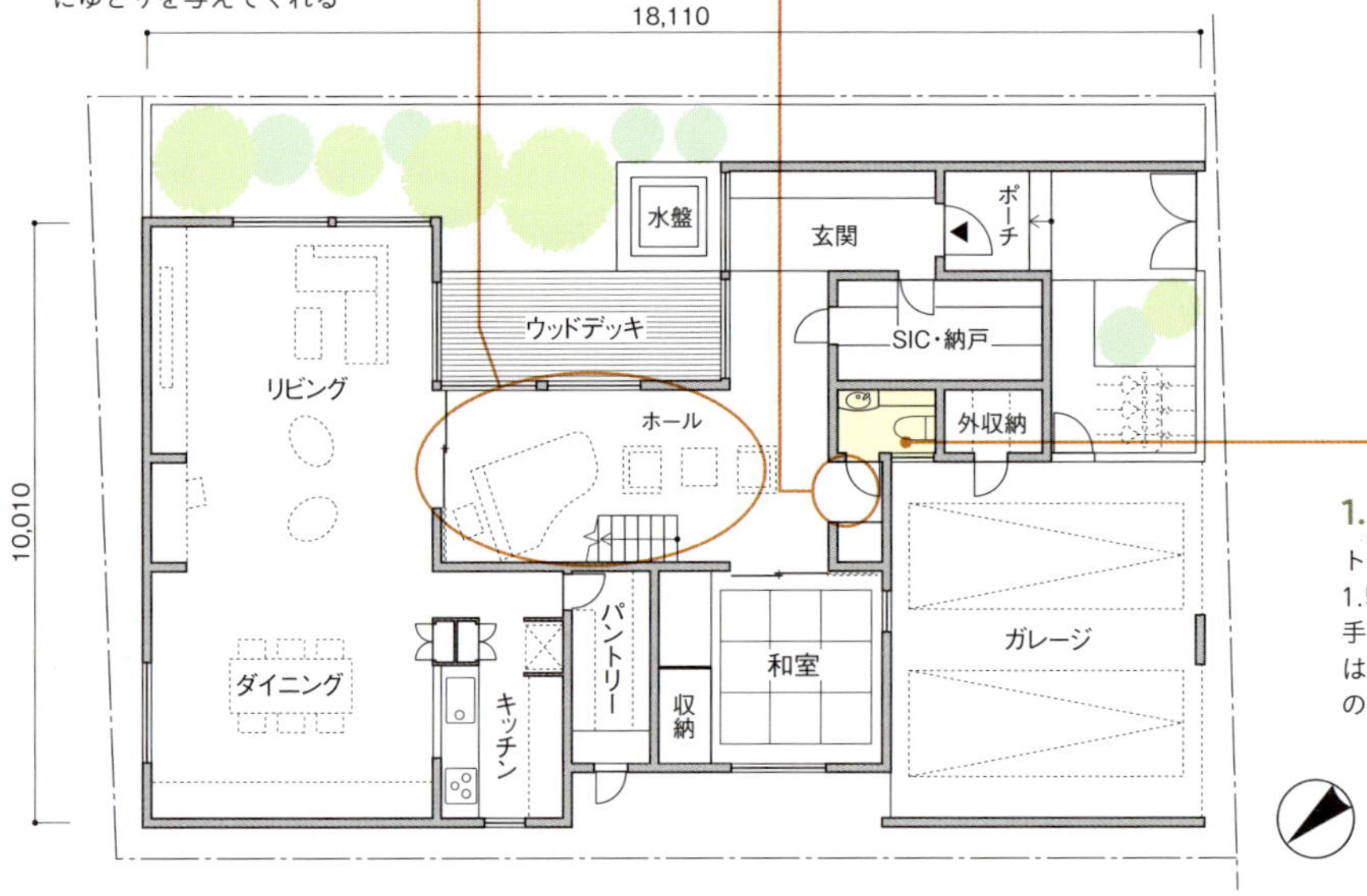

1F　S=1:200

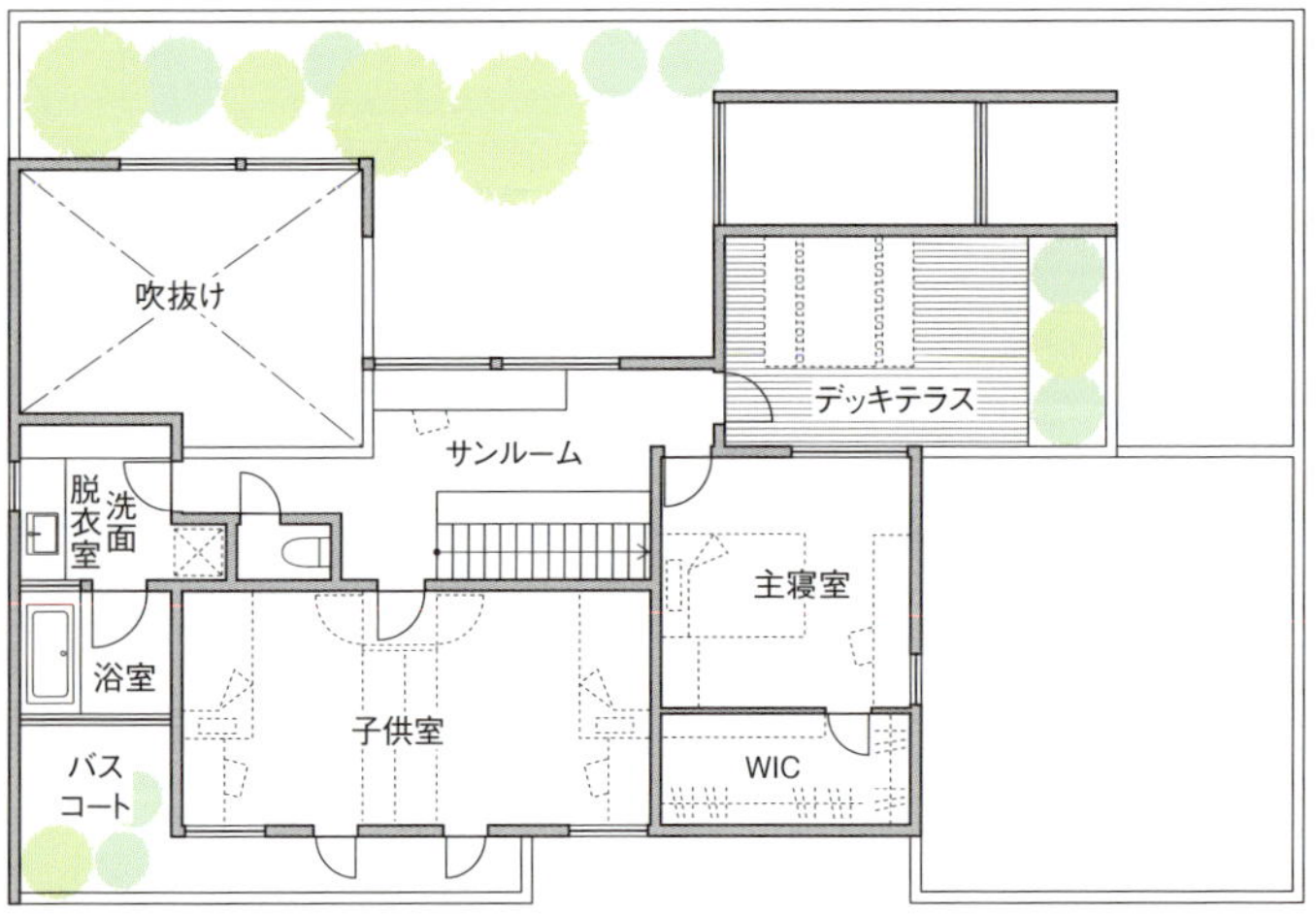

2F　S=1:200

建築概要

所在地	東京都
家族構成	夫婦（40歳代）＋子供1人
敷地状況	整形、南道路
敷地面積	245.14㎡（74.15坪）
延床面積	190.71㎡（57.68坪）
構造・階数	木造2階

車いすの母親を尊重した2世帯住宅のトイレ

1階に母親、2階に子世帯が暮らす2世帯住宅。1階の母親は車いす生活だが、日常生活のほとんどを自力で行っており、その暮らしを尊重しながら、将来や具合の悪いときにも対応できる間取りが求められた。

1階の母親世帯は、廊下のような単なる移動空間をできるだけ減らして車いすでの移動がしやすいよう工夫している。トイレを含めた水廻りももちろん車いす対応。そこに、子世帯玄関側からもアクセスできる和室（客間）を配置して、両世帯のつながりをつくっている。

回転スペースを確保

車いすの回転できる広さをできるだけ確保することで、家のなかでの移動に不自由がないようにしている

将来の介助にも配慮

トイレは、しっかりした手すりをつけており、自力で車いすから移動ができる。将来的に介助が必要になっても対応できるように、十分な広さを確保している

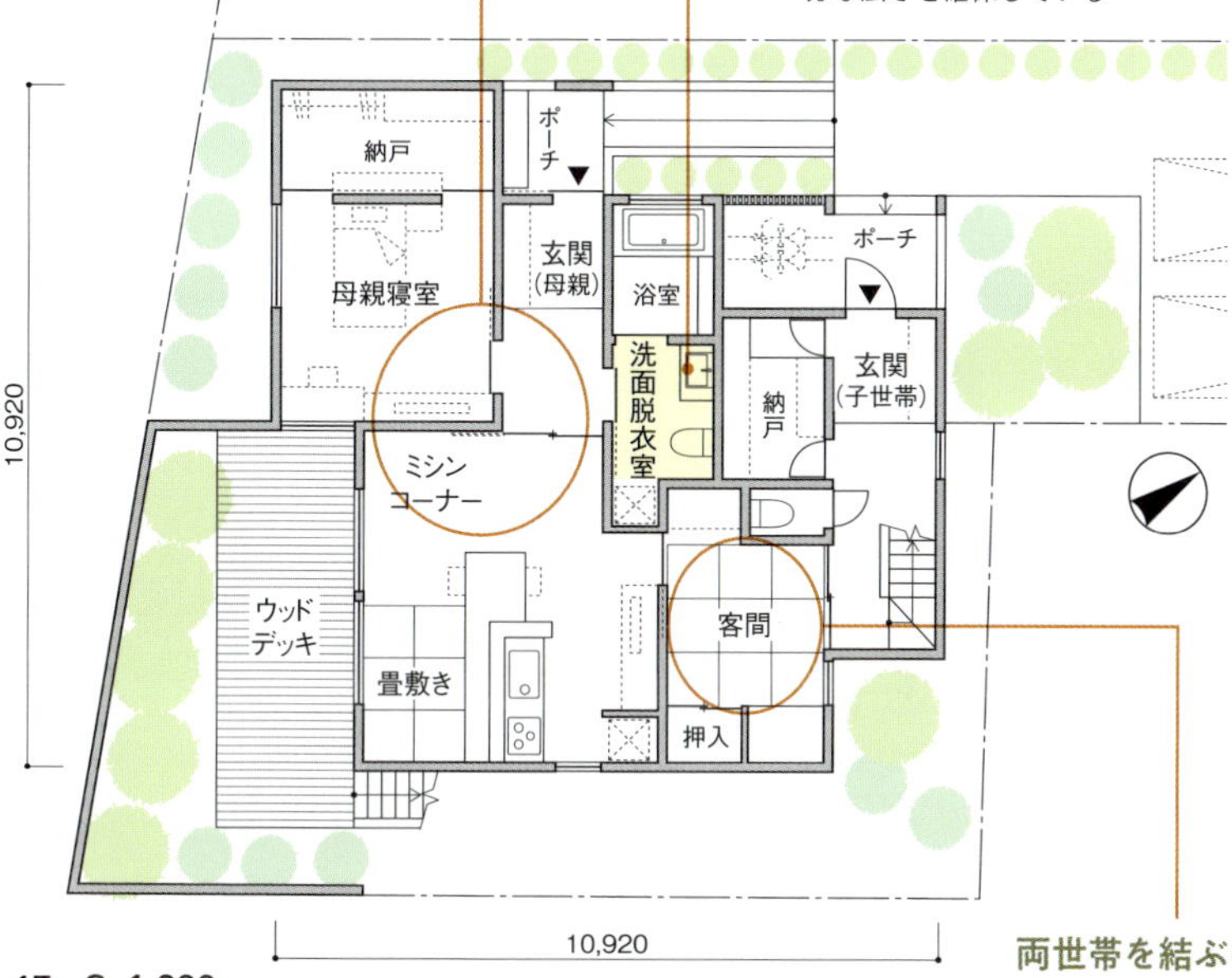

1F　S=1:200

両世帯を結ぶ中間領域

客間にもなる和室が、2つの世帯をつなぐバッファゾーンにもなる。両側の引戸（板戸と障子）を開けておけば、和室の向こうにお互いの様子をうかがえる

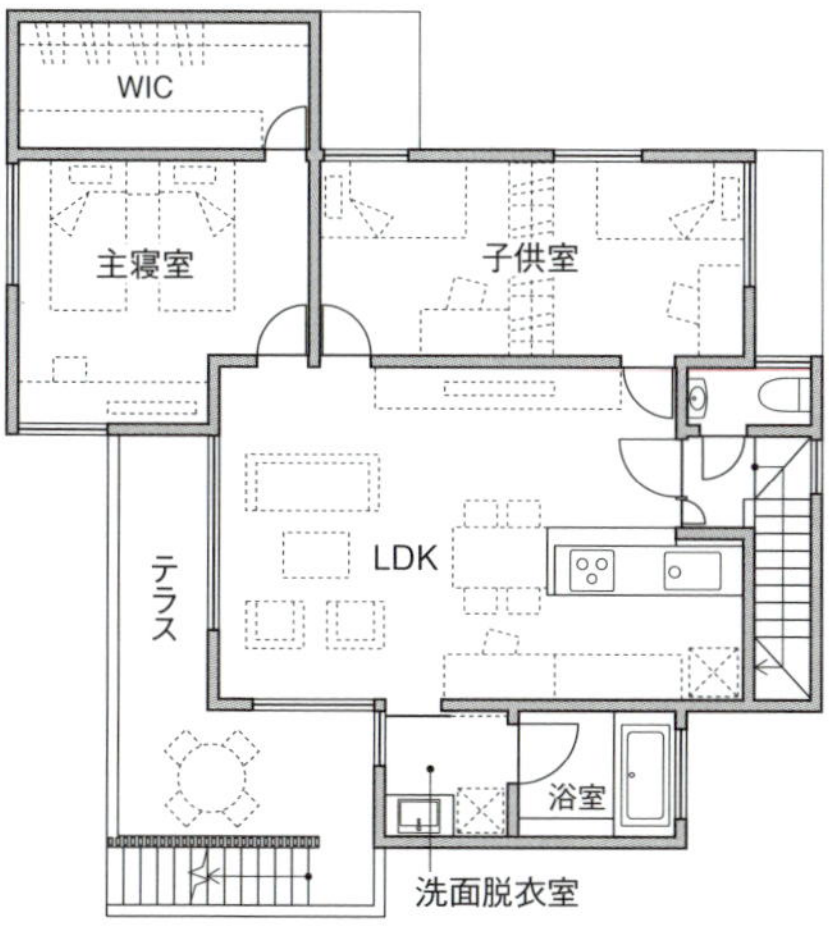

2F　S=1:200

建築概要

所在地	東京都
家族構成	母＋夫婦（30歳代）＋子供2人
敷地状況	整形、南・北道路
敷地面積	245.00㎡（74.00坪）
延床面積	170.60㎡（51.60坪）
構造・階数	木造2階

余剰スペースを利用したお店のようなおしゃれなトイレ

玄関を建物の中央付近に設けて、入って右側の1、2階を水廻りと個室群に、左側を平屋のLDKとしたプランになっている。LDKはくの字型に45度の角度をつけて配置し、その南側に大きなプライベートテラスを設けた。

トイレは、「く」の字に振ることで生まれる余剰スペースを利用している。三角形平面のトイレは、住宅ではあまり見ることのないユニークな楽しい空間となった。

建築概要

所在地	埼玉県
家族構成	夫婦（30歳代）＋子供（これから）
敷地状況	整形角地、南・東道路
敷地面積	506.74㎡（152.9坪）
延床面積	100.51㎡（30.3坪）
構造・階数	木造2階

広いテラスをつくる

LDKの南側に、壁で囲まれたテラスをつくっている。外からの視線を気にすることなく、外部のリビングとして活用できる

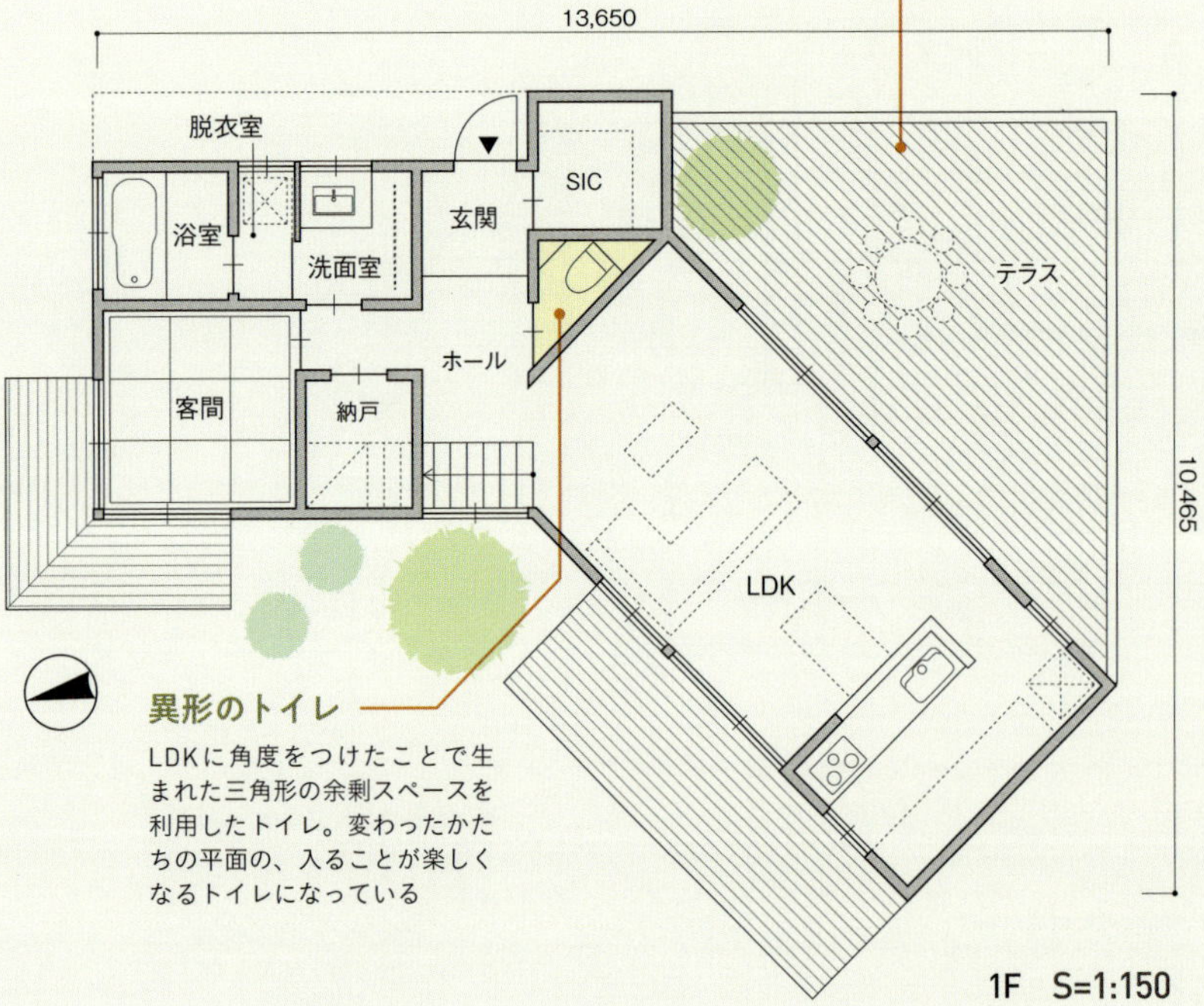

1F　S=1:150

異形のトイレ

LDKに角度をつけたことで生まれた三角形の余剰スペースを利用したトイレ。変わったかたちの平面の、入ることが楽しくなるトイレになっている

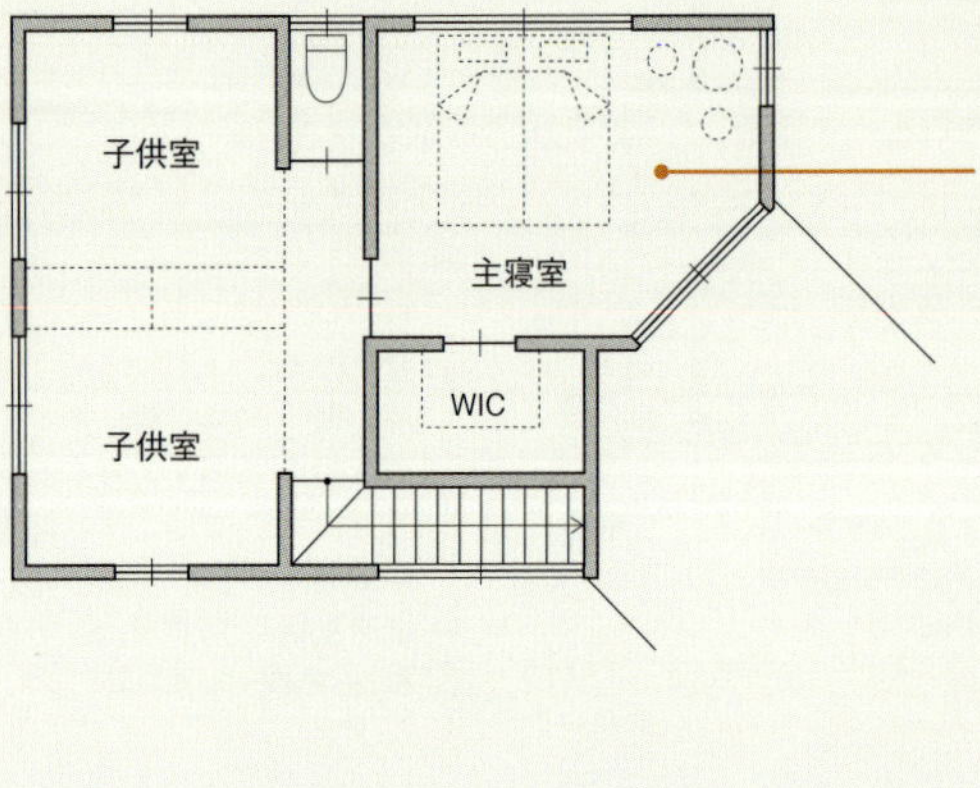

2F　S=1:150

2階は個室だけ

2階には寝室と子供室だけを置き、完全なプライベート空間としている

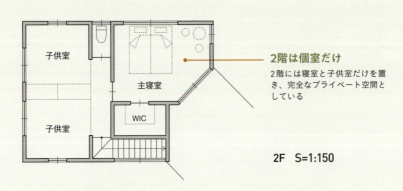

開放的な水廻り空間のホテルのようなトイレ

道路に面した北側と敷地奥の南側でレベル差を設けて、スキップフロアの構成としている。

1階南側の半地下を、寝室、アトリエ、水廻りがあるプライベートゾーンとし、その上のLDK、ロフトのパブリックゾーンと分けている。

2階に来客も使用するトイレがあるので、半地下の水廻りは完全にプライベートな場所として使えることから、トイレもガラス張りの開放的な空間のなかに置くことができた。

8m以上抜ける視線

半地下となる1階は、完全なプライベート空間。そこで浴室もガラス張りとして、外のデッキまで8m以上視線が抜ける開放的な空間にしている

守られた外部空間

半地下の外のドライエリアに、壁で囲われたデッキスペースをつくり、落ち着いてくつろげる外部空間としている

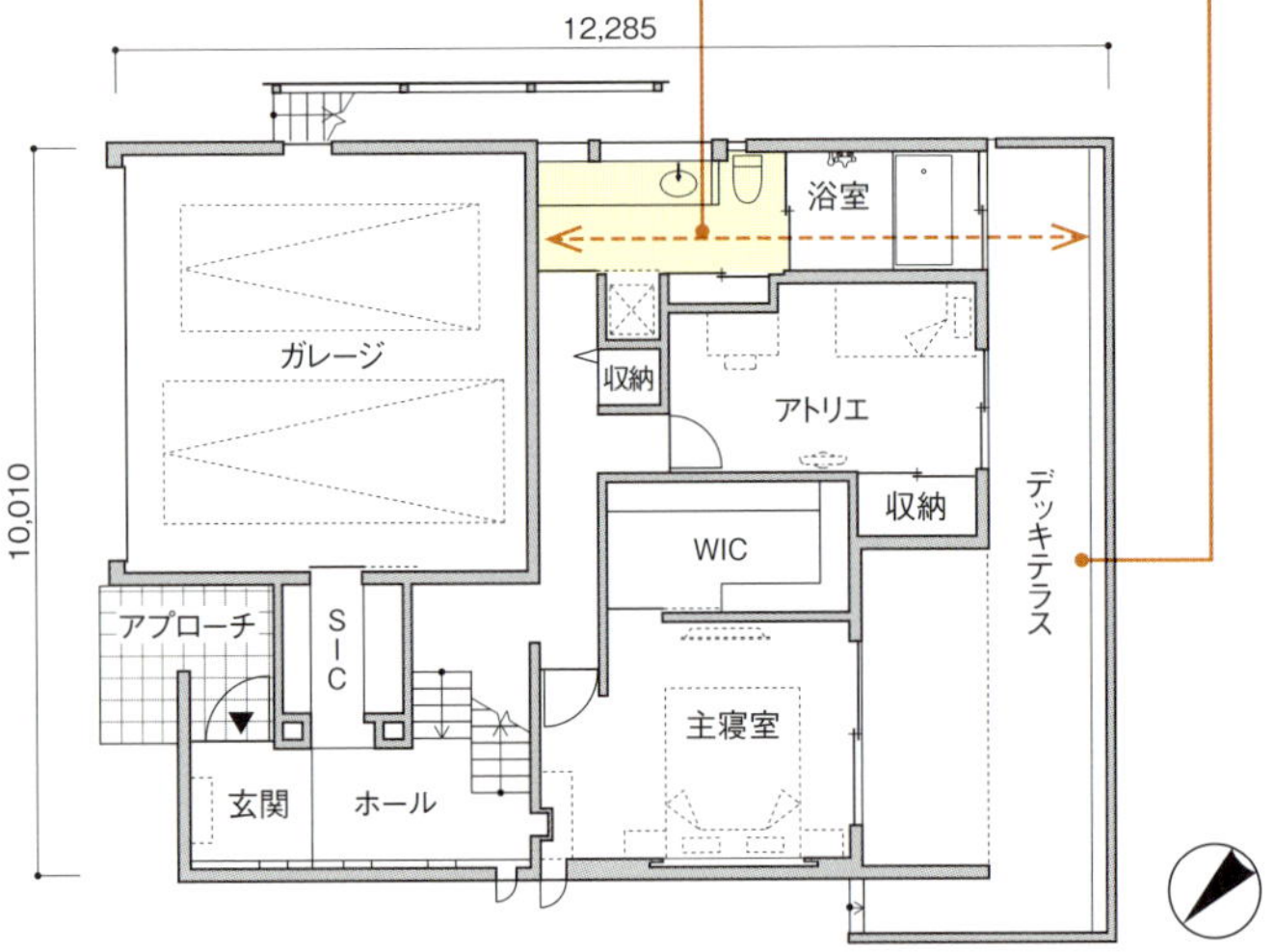

1-1'F　S=1:200

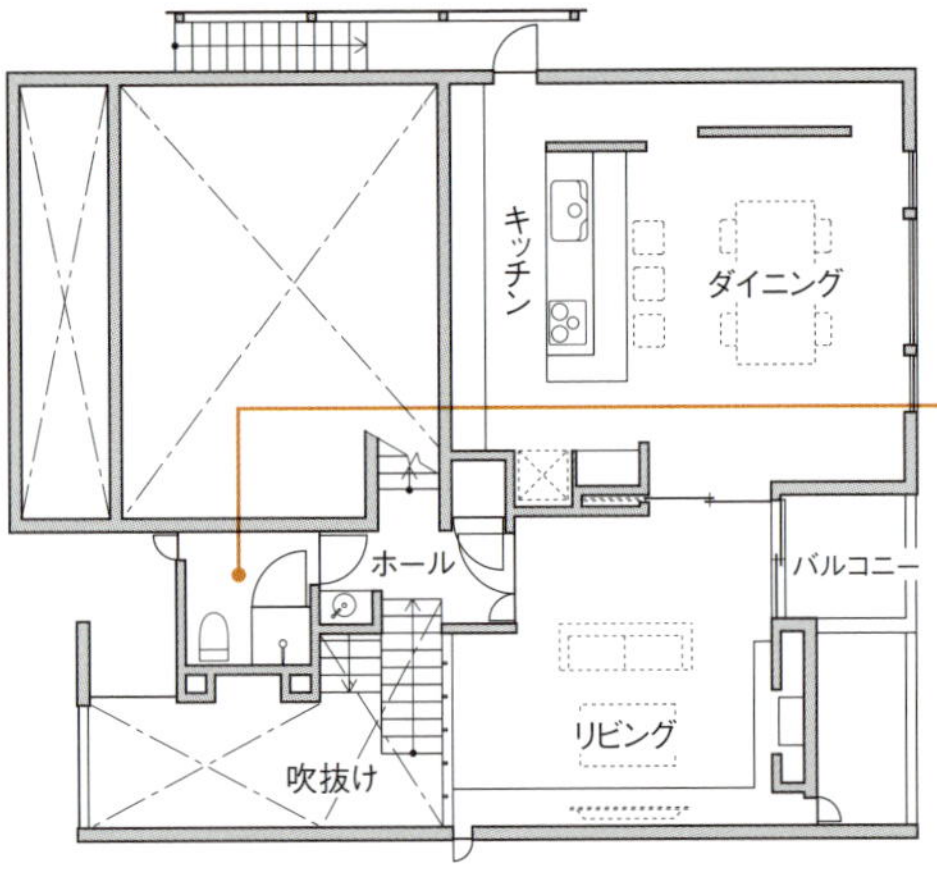

日中のトイレ

LDKと同じ階のトイレはお客さんも使う、いわばパブリックなトイレ。シャワーユニットと並置して1階とは少し違う、広がりのあるトイレとなっている

2F　S=1:200

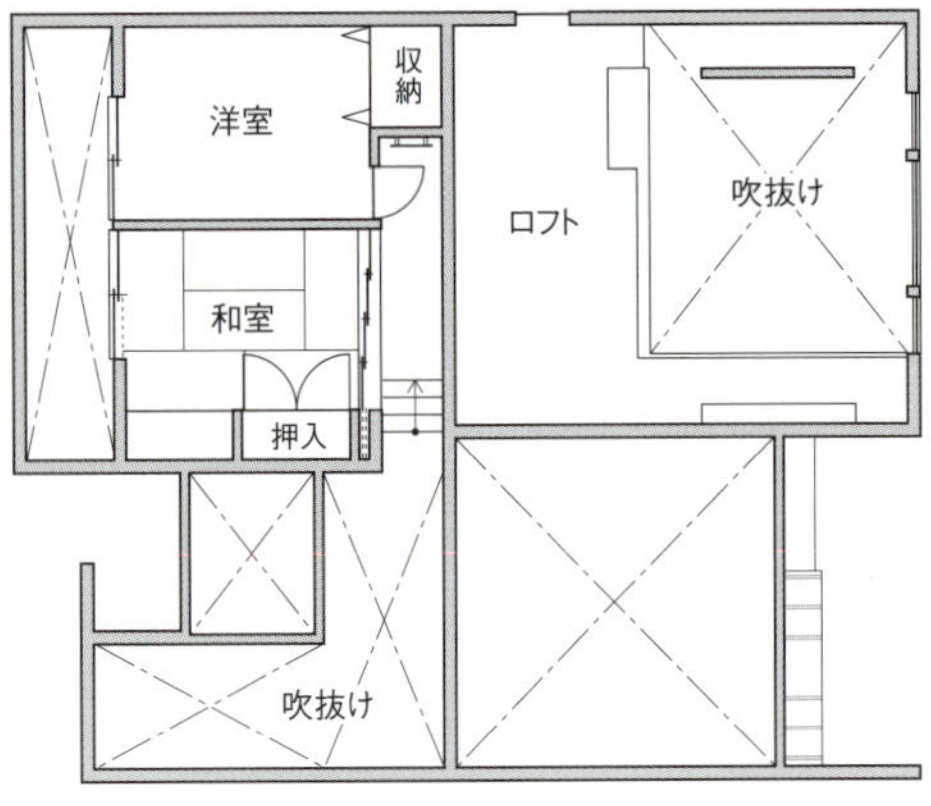

2'-LF　S=1:200

建築概要

所在地	愛知県
家族構成	夫婦（30歳代）＋子供1人
敷地状況	整形、北道路、道路より1.5m程度下がる、南垂れの土地
敷地面積	206.41㎡（62.43坪）
延床面積	165.07㎡（49.93坪）
構造・階数	木造2階

1つの部屋として トイレをしつらえる

東西に細長い敷地で、定石どおり中庭を建物のあいだに挟み込んで採光と通風を確保している。

トイレについては、入ったときにもゆったりしたいという要望を受けて、中庭に挟まれるような位置に配置し、2畳分の広さを確保、さらに中庭に向けて足元に地窓を設け、落ち着いた1つの部屋のようにしつらえている。

建築概要	
所在地	愛知県
家族構成	夫婦（30歳代）＋子供1人
敷地状況	整形、西道路、道路との高低差1.5mで南下がり
敷地面積	2016.41㎡（62.44坪）
延床面積	165.07㎡（49.94坪）
構造・階数	木造2階

2倍の広さ
およそ2畳分は、一般的なトイレの2倍の広さ。足元には中庭も見えて、1つの部屋としてくつろげる

離れに行くように
LDKから玄関前の廊下を通って中庭を見ながらトイレに向かう。生活の場を少し離れることで気分転換にもなる

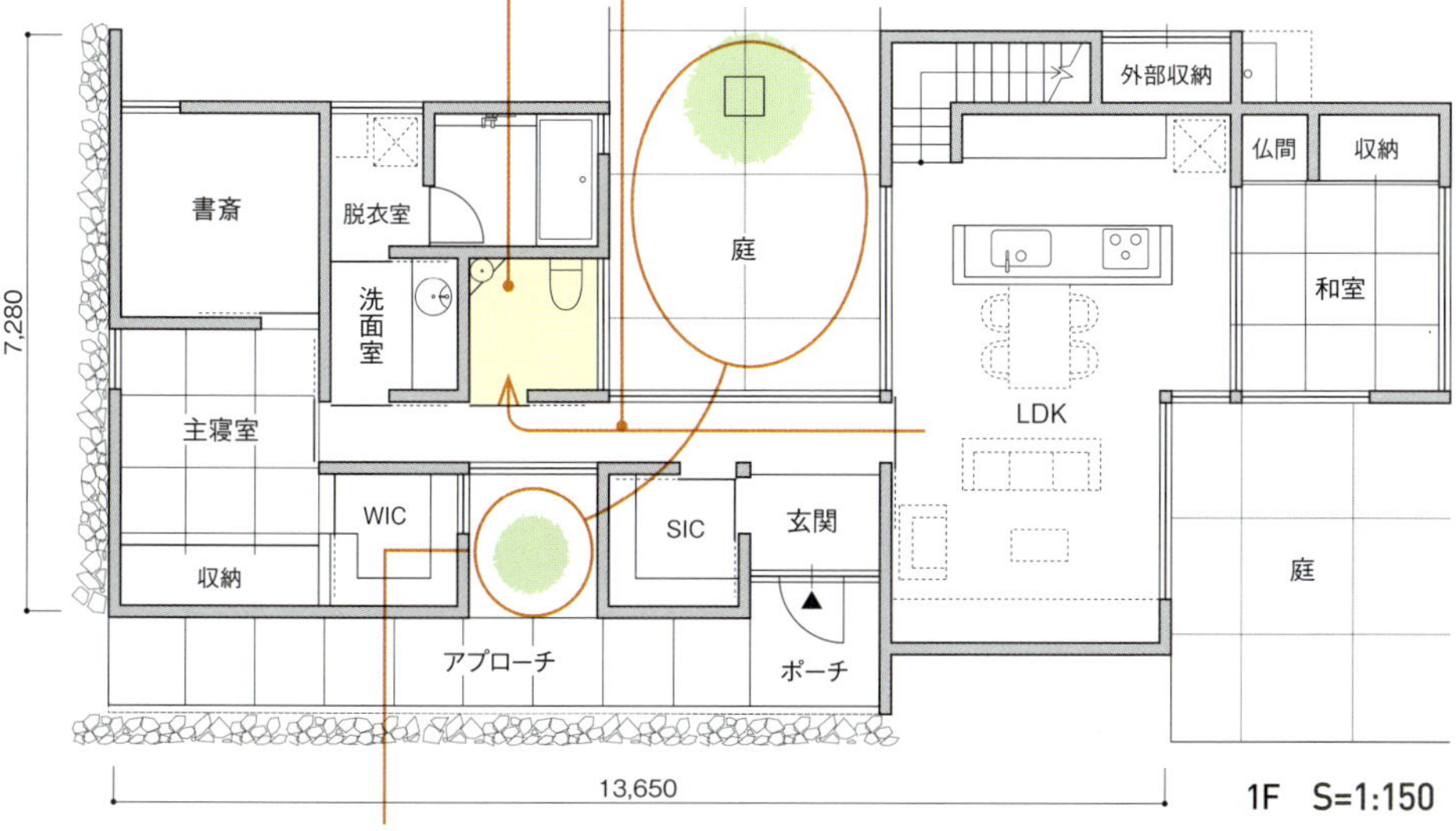

1F S=1:150

庭のあいだに
LDKから向かうと、左右の中庭に挟まれるようにトイレが置かれている。トイレから出たときには、目の前に外の緑が見え気分もすっきり

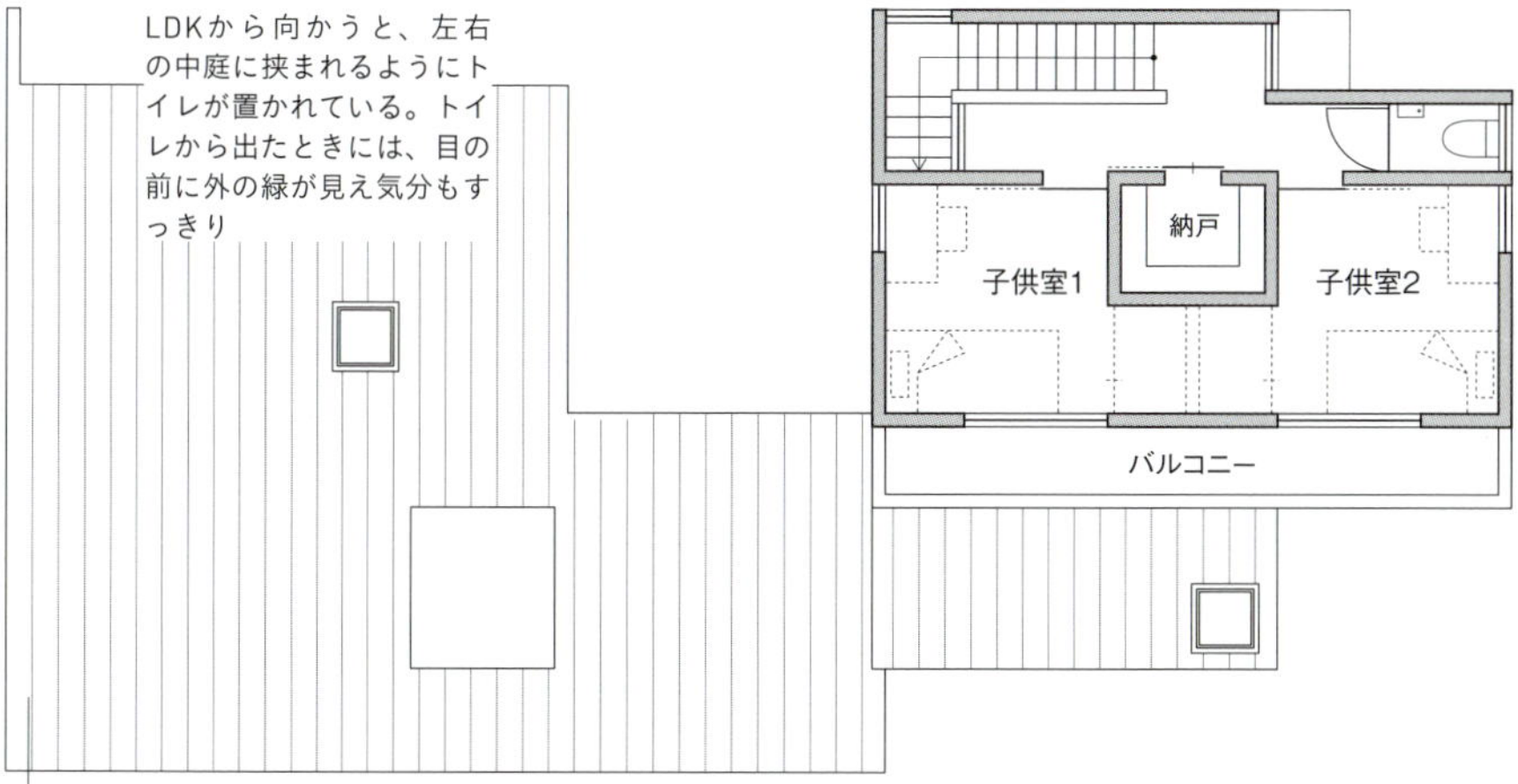

2F S=1:150

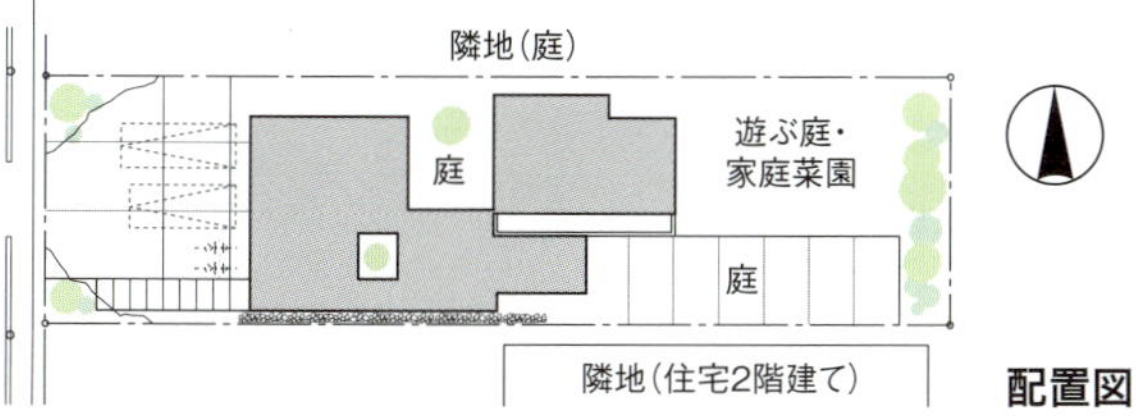

配置図 S=1:600

家中が車いす対応 2つのトイレも広々と

将来に備えて車いすでも自由に使えるような家、というのが要望だった。比較的敷地には余裕があったため、中庭を多く配置しているが、それらを結ぶ通路も含めて、移動空間の幅を十分に確保し、1階なら車いすでどこでも行けるよう配慮している。

1階の2か所のトイレは、ともにおよそ2畳分の広さをとり、車いす利用になっても不自由なく使えるようにしている。

3つの中庭

東西方向に3つの中庭を並べてつくっている。屋内への採光や通風の目的もあるが、各部屋からの見え方・使い方を考慮して、さまざまな楽しみ方ができる

広さを確保

出入り口は引戸にし、内部はおよそ2畳分の広さを確保。車いすでも不自由なく使える

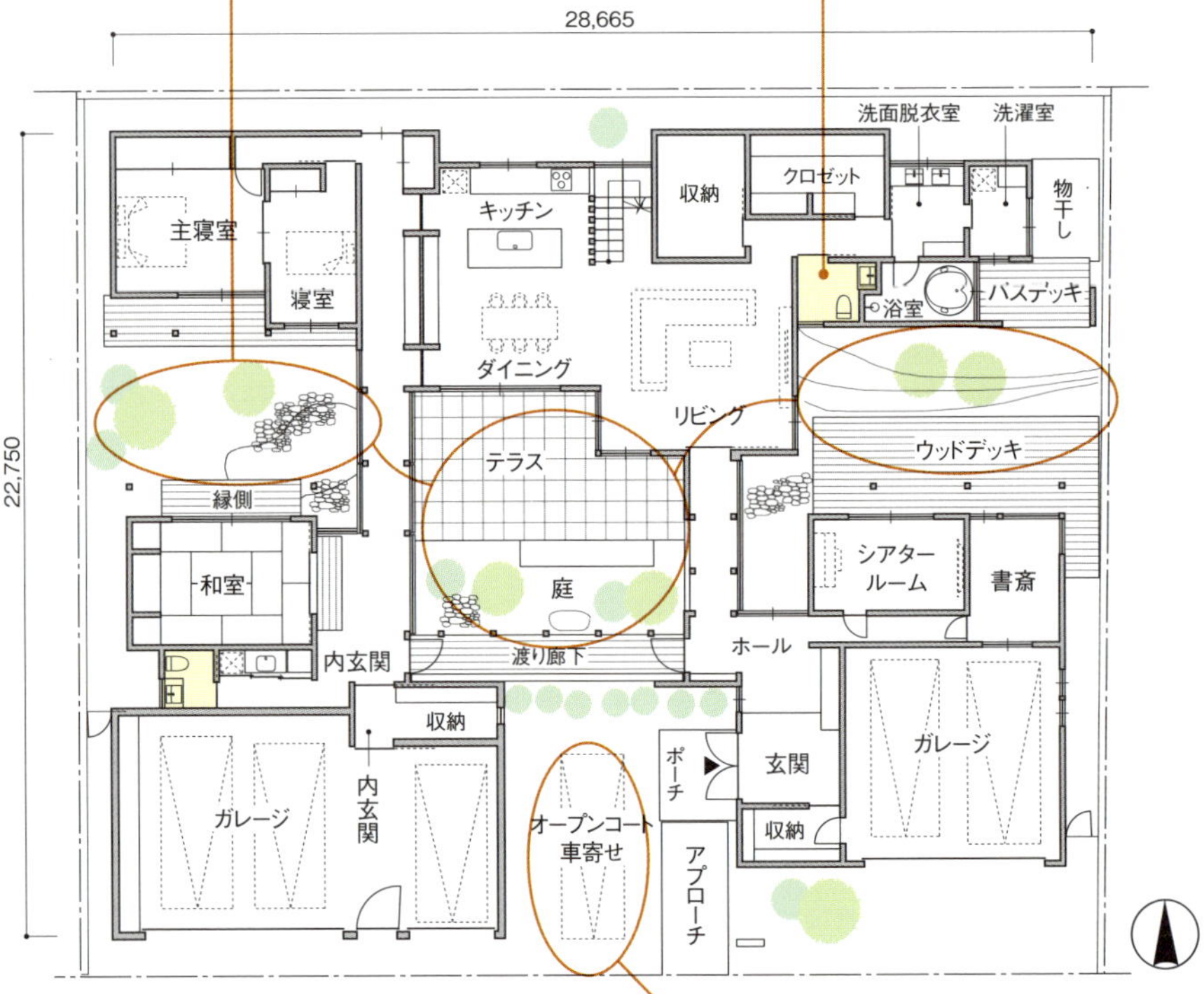

1F　S=1:300

車寄せを用意

将来、車いす利用になったときに車の乗り降りで不自由がないよう、玄関前に専用の車寄せを用意してある

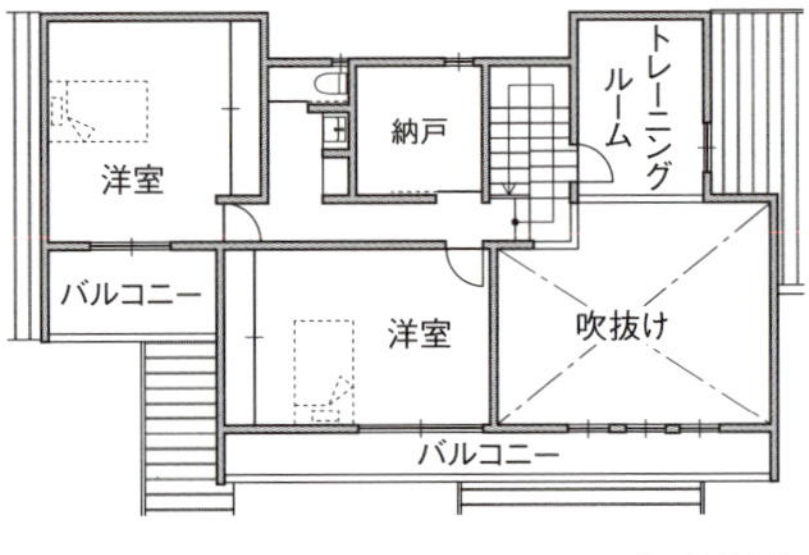

2F　S=1:300

建築概要	
所在地	愛知県
家族構成	夫婦（50歳代）＋子供2人
敷地状況	整形、南道路
敷地面積	757.37㎡（229.10坪）
延床面積	295.32㎡（89.33坪）
構造・階数	RC造2階

風水を重視した家ではトイレは東南方向に

若い夫婦と子供たちの家だが、ご両親が風水を気にされて、プランニングは風水にも配慮したものとなっている。

トイレや浴室などの水廻りは、風水では北側に置くのを避け、東から南の方向に置くのがよいとされる。そこでＬＤＫを西側に寄せて水廻りを東南の隅に配置。トイレは東に面した場所に置いた。また、窓のないトイレや浴室もよくないとされるため、トイレ、洗面脱衣室、浴室はそれぞれ外壁に面する位置に置いて窓を設けている。

方位を重視

風水により、水廻りは東南方向に配置。トイレ、洗面脱衣室、浴室すべて外壁に面する位置に置いて、それぞれに窓をつけている

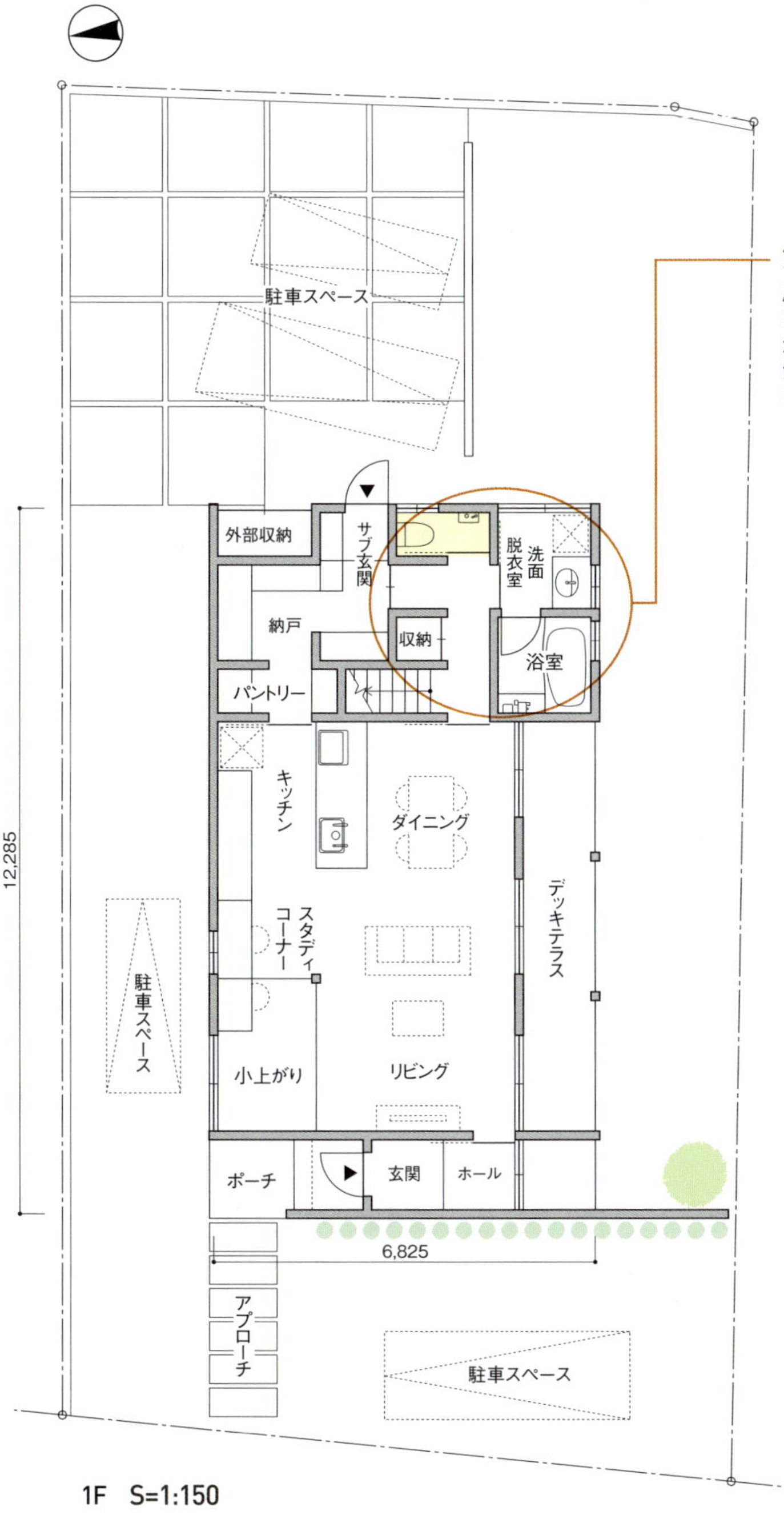

1F　S=1:150

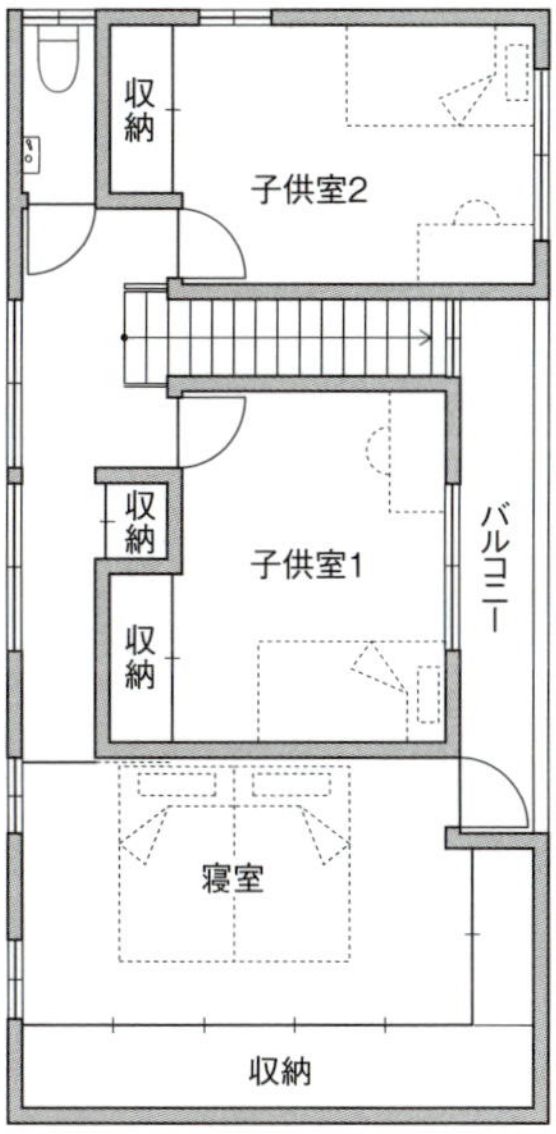

2F　S=1:150

建築概要

所在地	三重県
家族構成	夫婦（30歳代）＋子供（これから）
敷地状況	整形、西道路、東に森、南に茶畑が広がる
敷地面積	285.86㎡（86.30坪）
延床面積	122.96㎡（37.12坪）
構造・階数	木造2階

CHAPTER

5

家に帰りたくなる玄関

そもそも玄関とは

玄関は家の顔。またそこで靴を脱ぎ履きする、家の外部と内部を区切る境界ともいえます。そのためほとんどの玄関は外と同じ扱いの土間部分と、室内と同じ扱いのホール部分に分かれています。最近はその土間を広く取る間取りが増えてきています。人気の秘密は、自転車をいじったり、プランターを植え替えたり、外でしかできない作業が室内（土間）でできるか

ら。子供のちょっとした遊び場にもなりますし、椅子とテーブルがあれば、訪問者は靴を脱ぐことなく長時間会話に花を咲かせることもできます。

収納も忘れずに

玄関には靴・スリッパをはじめ、外で使う道具など、さまざまなモノをしまう必要があります。そのため収納はたっぷり設けたいところ。大容量の壁面収納や、別室となるシュークロークなどがあると便利です。

さらに玄関はほかの部屋と仕切られていることが多いため、どうしても暗くなりがち。玄関ホールに階段を設置すれば上部からの光を採り入れることができますし、中庭や坪庭に隣接させれば陽射しを得ることができます。リビングの明かりがスリット越しに漏れると、玄関はぐっと暖かい雰囲気に。夜、家に帰るたびに、「戻ってきてよかった」とほっとできる明るい玄関を目指しましょう。

細長い形状を利用した現代の通り土間

間口5m弱に対して南北の長手方向は12m超の細長い形状。玄関は、独立させないで部屋と一体化してほしいとの要望だった。

そこで、細長い建物形状を利用して、玄関から建物を横断する土間を延ばして通り土間のようにし、1階のＬＤＫと一体化させた。玄関が孤立することなく、同時に長く延びる土間が、実際以上の大きさを感じさせてくれる間取りとなった。

建築概要
所在地　神奈川県
家族構成　夫婦＋子供2人
敷地状況　整形、北道路
敷地面積　172.01㎡（52.03坪）
延床面積　107.73㎡（32.58坪）
構造・階数　木造2階

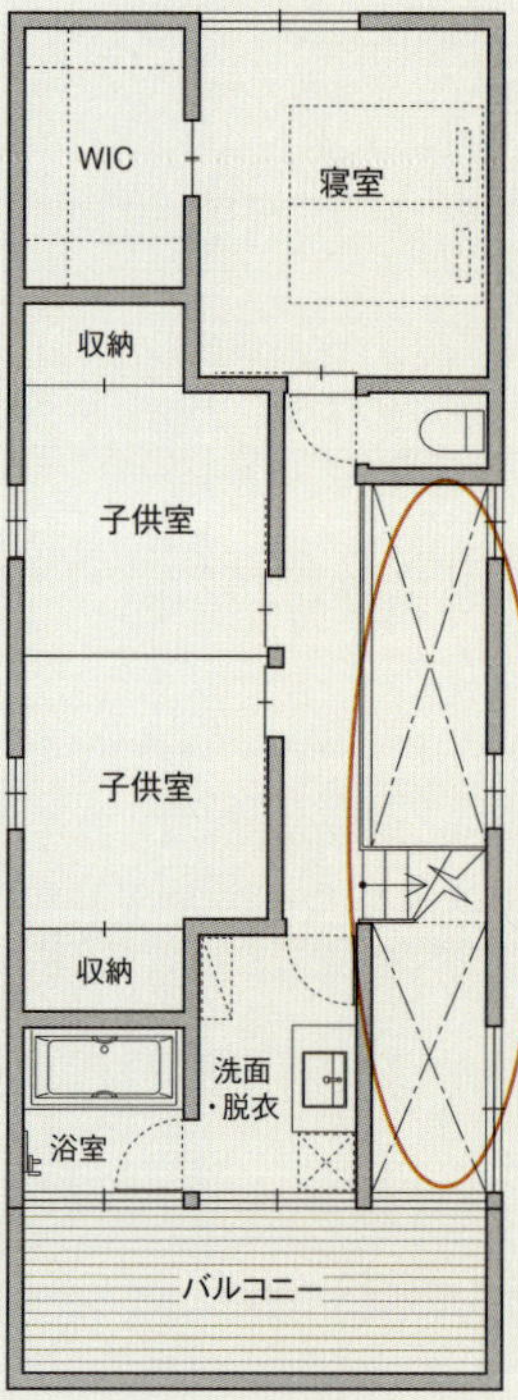

2F　S=1:150

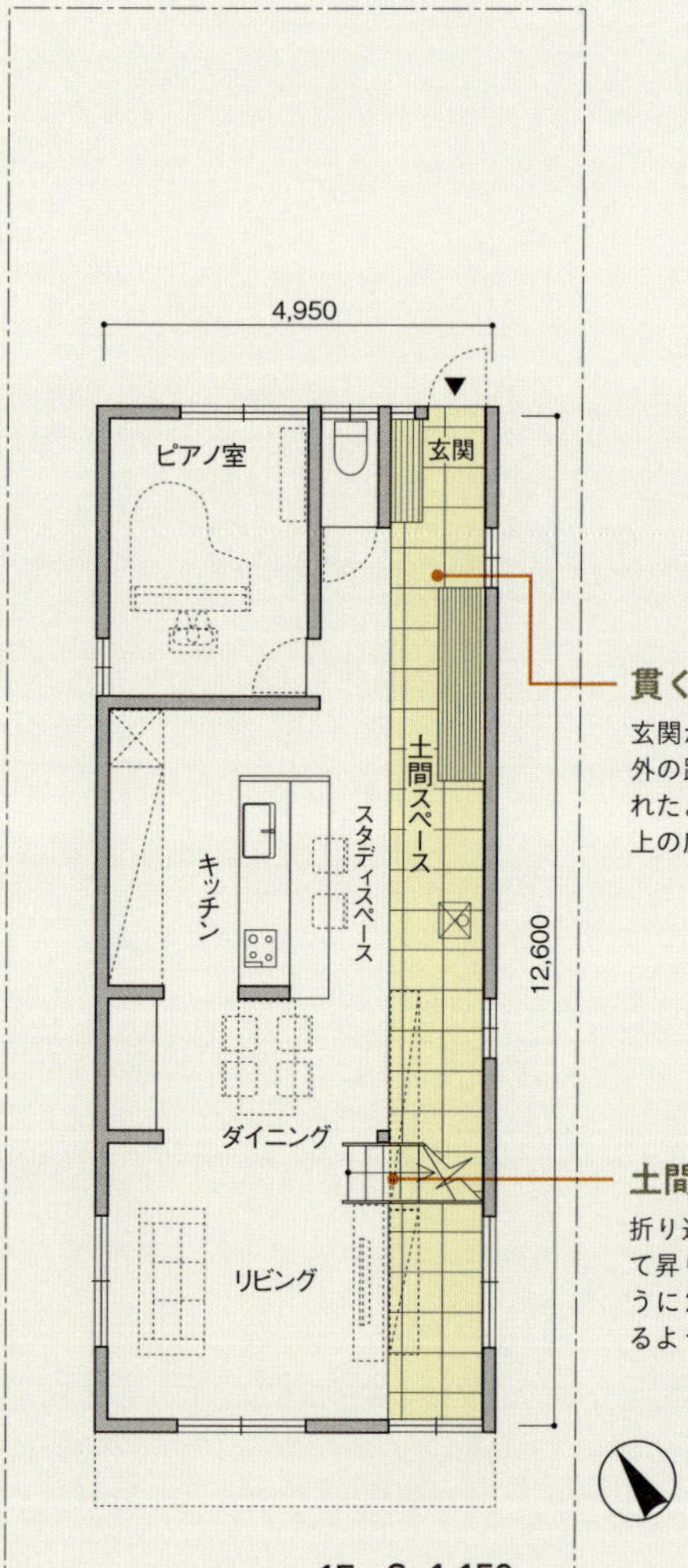

1F　S=1:150

貫く土間

玄関から一直線に延びる土間。外の路地が家の内部に引き込まれたようになり、室内に実際以上の広がりを感じさせる

土間を渡る階段

折り返し階段は、土間に向かって昇り口があり、土間を渡るように2階へと向かうワクワクするような構成

宙に浮かぶ

土間上部が一部吹抜けになっており、階段は宙に浮かぶ。玄関から進むと、先に見える吹抜けの開放感も心地いい

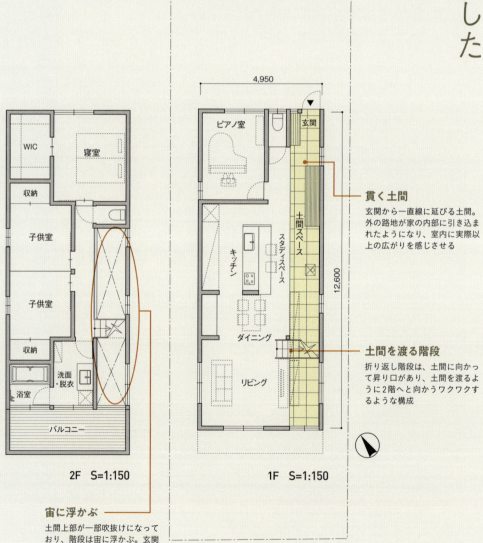

広い土間に光が射し込む開放的な玄関

南接道の南北に細長い敷地である。この形状だと、どうしても北側奥が暗くなりがちなので、中央付近にトップライトを設けて、その光を最下層まで届ける3層吹抜けの光井戸をつくった。

玄関は、2台の駐車スペースの間を抜けた先の建物中央近くにあるが、広めの土間の一部が、吹抜けとなってトップライトまで続いており、広くて明るい玄関空間となっている。

建築概要
所在地　神奈川県
家族構成　夫婦（30歳代）＋子供1人
敷地状況　変形、南道路
敷地面積　92.77㎡（28.06坪）
延床面積　137.51㎡（41.59坪）
構造・階数　地下1階地上木造2階

広い土間
吹抜けの下を広い土間とすることで、開放的な玄関空間になった

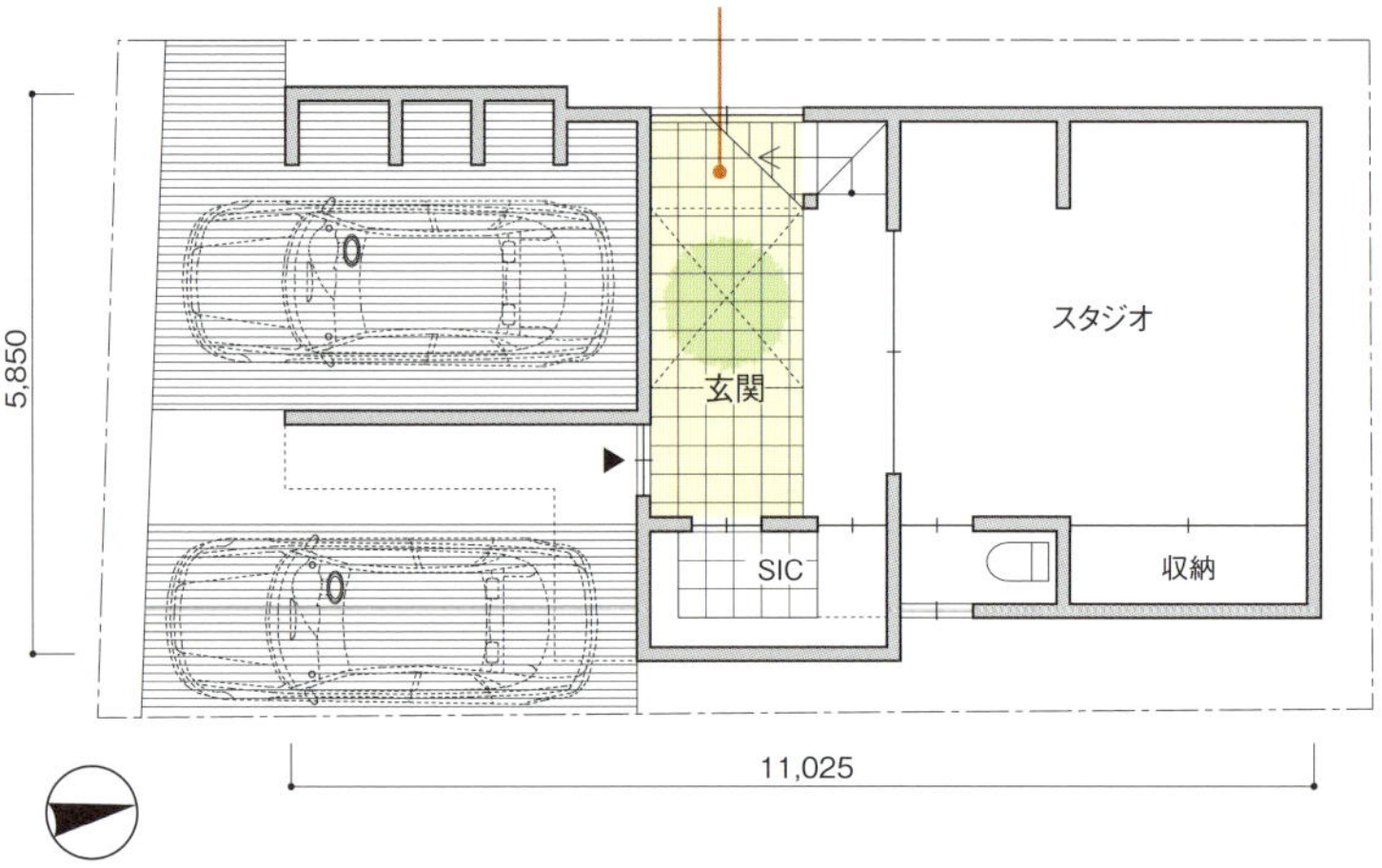

BF　S=1:150

回る気持ちよさ
リビングは玄関ホールから9段上がった高さにあり、さらにリビングから吹抜けを回り込むようにスキップで5段上がってDKに向かう

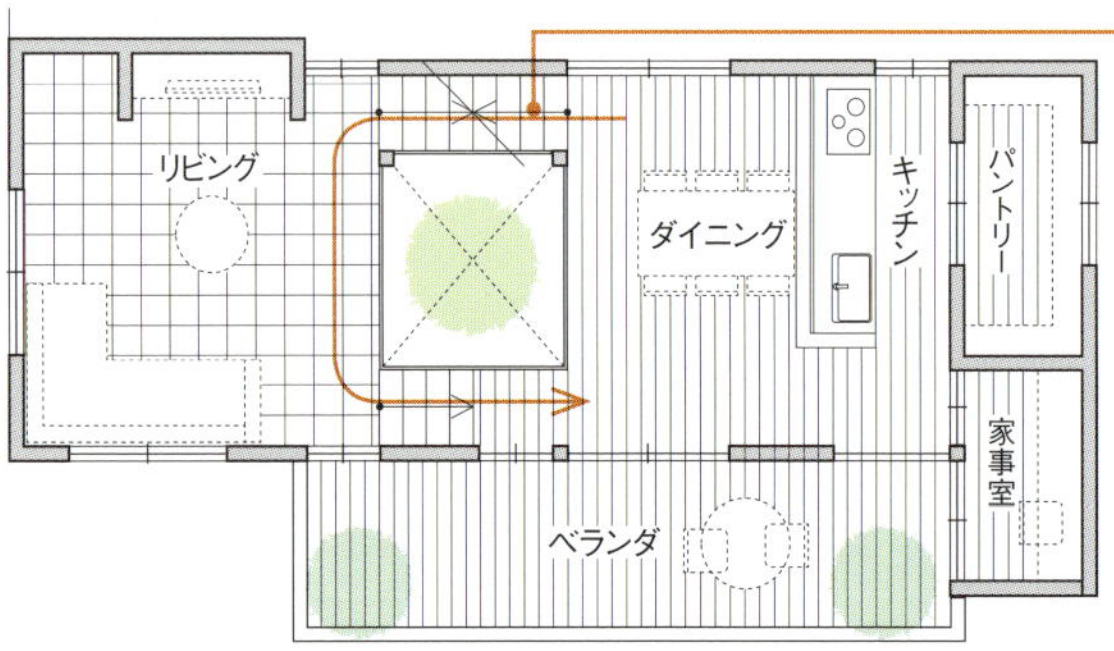

1F　S=1:150

吹抜けで光を届ける
中央付近に1坪分の吹抜けをつくり、トップライトからの光を吹抜けを通じて1階まで届ける

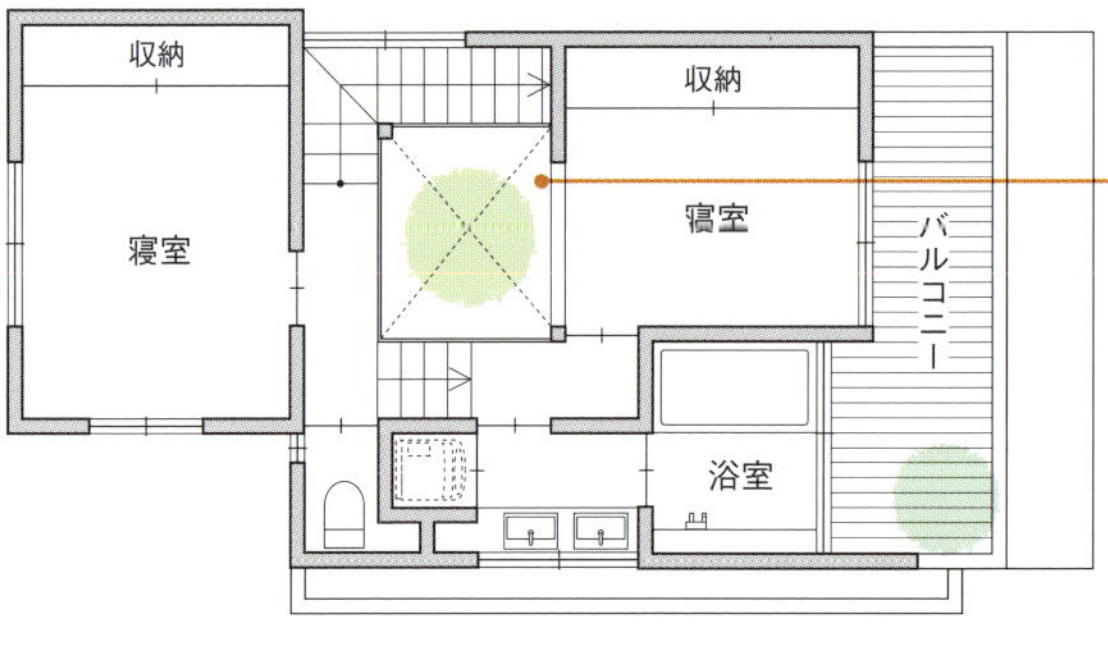

2F　S=1:150

入った瞬間に庭が広がる来客をもてなす玄関

建物をL字に置いて、広い庭をつくっている。玄関は、印象的な空間にしたいという希望があったため、玄関扉を開けてなかに入ると正面にその広い庭が見える構成とした。

エントランスから玄関、庭へと床仕上げもそろえることで、内外一体となって建物の一部を貫通するかのようなインパクトのある仕上がりとなった。

建築概要
所在地　神奈川県
家族構成　夫婦（30歳代）＋子供2人
敷地状況　整形、西道路
敷地面積　142.67㎡（43.15坪）
延床面積　92.95㎡（28.11坪）
構造・階数　木造2階

一直線に抜ける

玄関は敷地を横断する一直線の通路の一部にあるような構成。扉を開けると、そのまま前に通路が続いていくような印象を与える

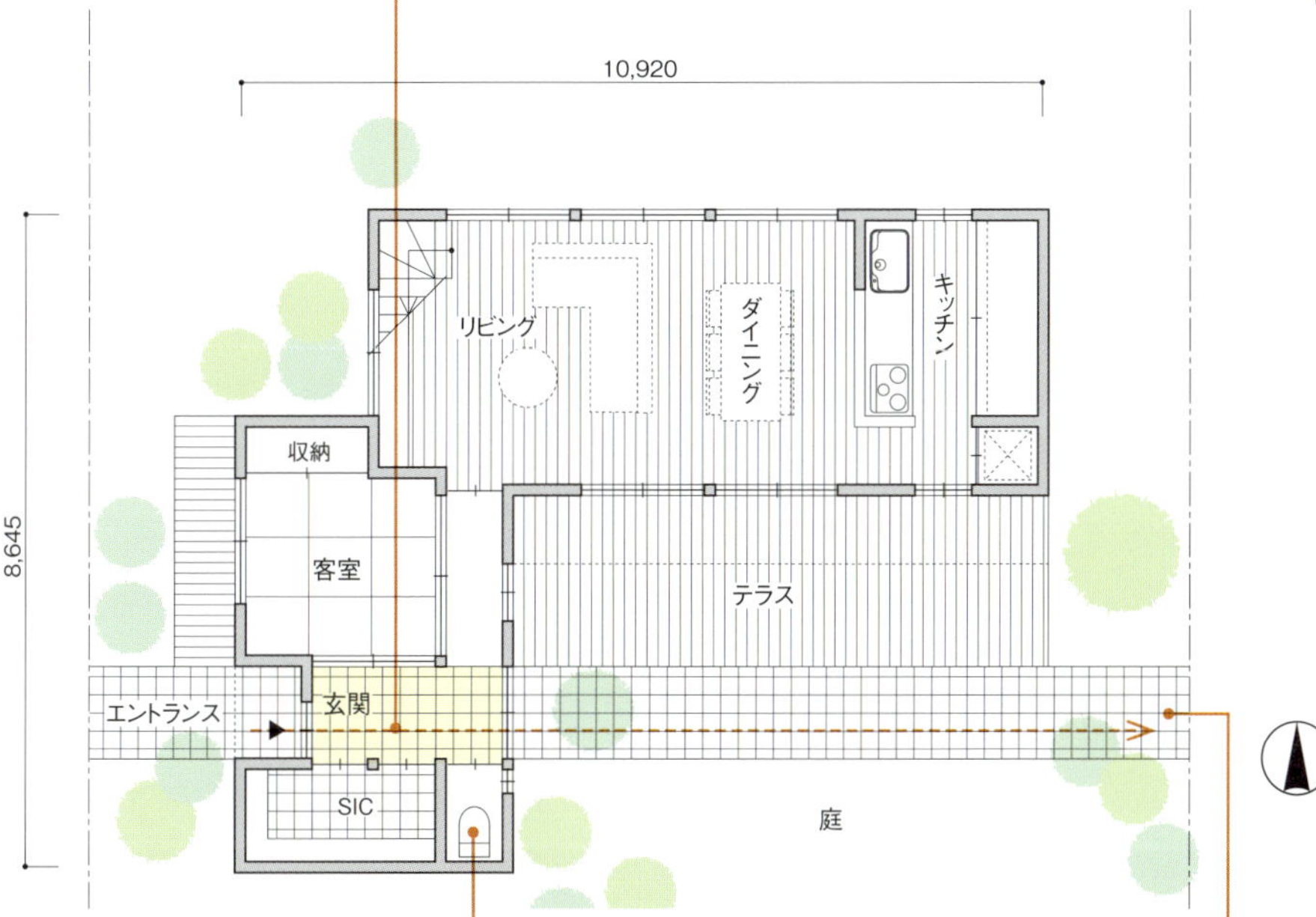

1F　S=1:150

通路を渡るトイレ

玄関脇にあるだけでなく、通路の向こうの離れにトイレがあるように感じられ、LDKから切り離された落ち着きをトイレに与えている

庭にも広がり

庭を横断する通路のような空間があるので、通路の手前と向こうに2つの庭が生まれ、実際以上の広がりを感じさせる

2F　S=1:150

中庭と広い土間が迎えてくれる明るい玄関

夫婦2人の家で、子供室などが必要なかったため、玄関もかなり広くとることができた。明るくて広い玄関という要望に対し、玄関扉の前のポーチを少し閉鎖的につくり、内部に入ったときの開放感が一層感じられるようにしている。

玄関内部は土間に飛び石を置いたような床と中庭に面したベンチによって、料亭の待合のような雰囲気をつくり、広がりを演出している。

床仕上げで遊ぶ

土間は、飛び石を置いたようなしつらえにして、住宅の玄関のイメージを払拭し、広がりを味わえるようにしている

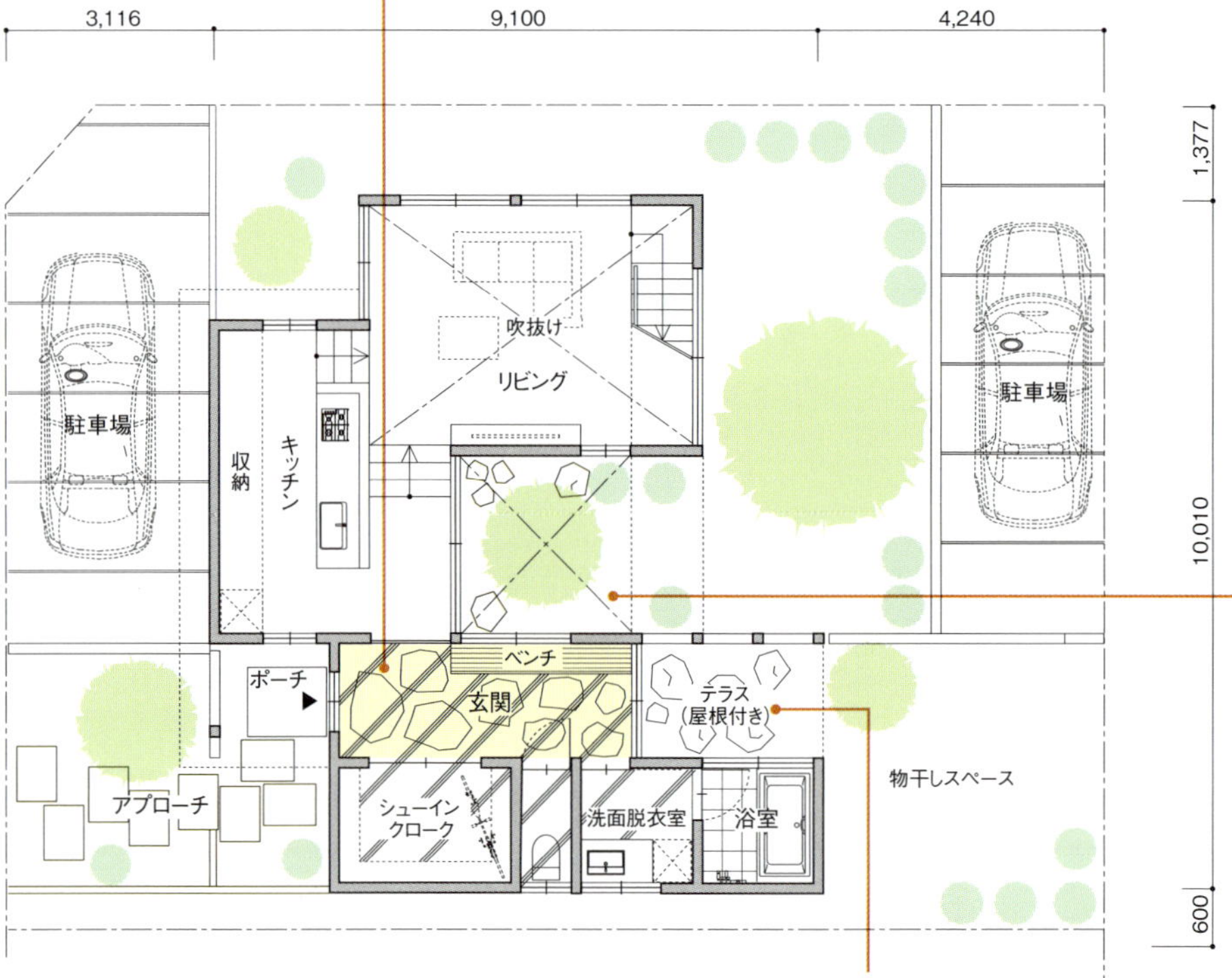

1F　S=1:150

半戸外の心地よさ

物干しスペースとなる外、浴室前の屋根付きの半戸外、そして玄関土間、と段々と外部空間が近づいてくる構成

入り込む中庭

家の中央に中庭が入り込むようになっているので、玄関はもとよりキッチンも明るくなる

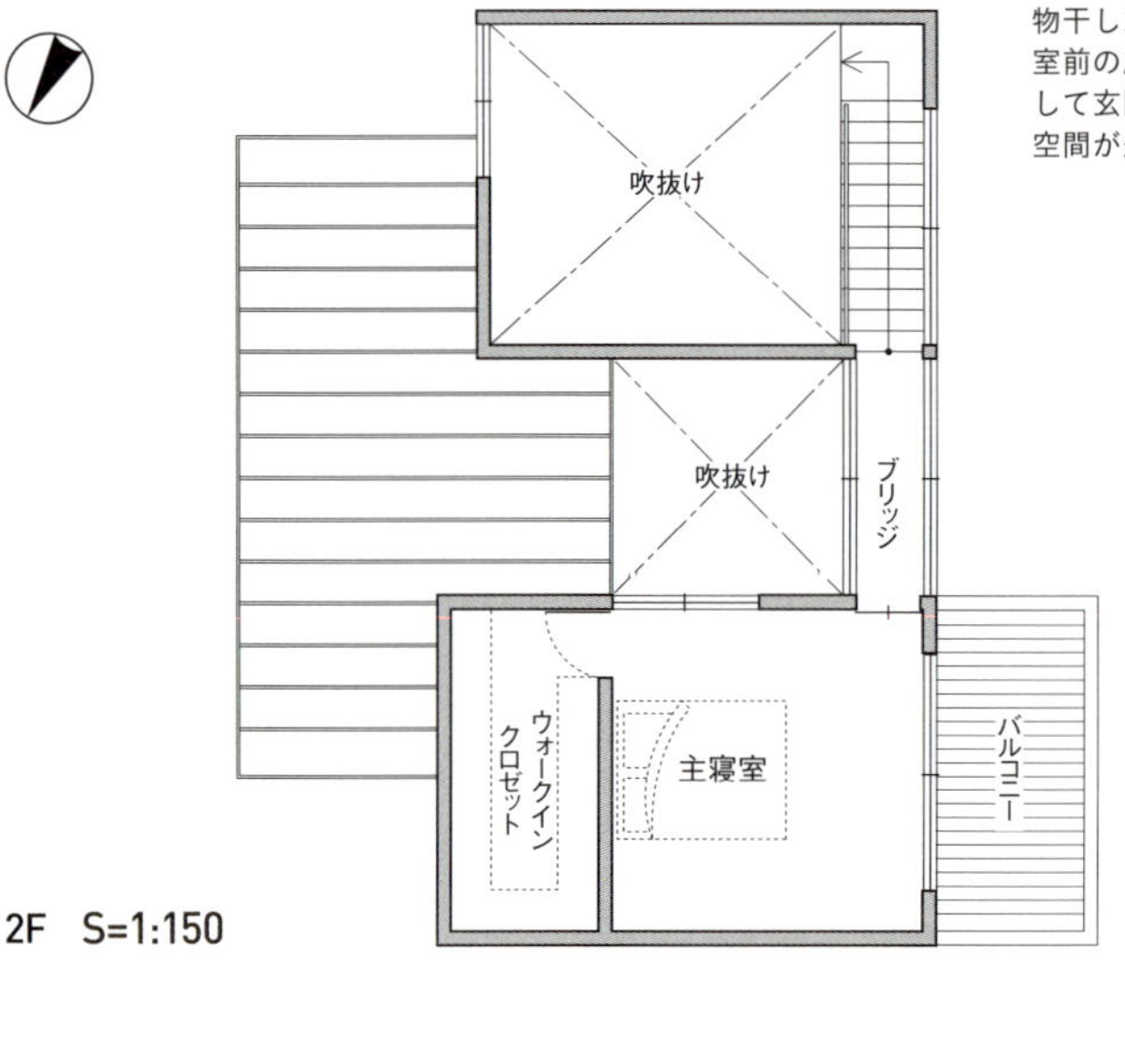

2F　S=1:150

建築概要

所在地	神奈川県
家族構成	夫婦(40歳代)
敷地状況	整形、東・南道路
敷地面積	198.44㎡(60.13坪)
延床面積	79.50㎡(24.09坪)
構造・階数	木造2階

通り土間も1つの部屋に インテリア空間としても楽しむ

高価なロードバイクを外に駐輪したくない、という要望があったので、玄関土間を広く取り、ロードバイクを置けるスペースを確保する必要があった。

敷地は南北で接道していたため、南北両方に出入り口を設け、2つの玄関をもつ家とし、2つの玄関をつなぐ一直線の土間をつくってロードバイクの置き場所としている。土間は、LDKからも見えるので、ロードバイクは土間という部屋に置かれたインテリアの一部となっている。

建築概要
所在地　東京都
家族構成　夫婦（30歳代）＋子供2人
敷地状況　整形、北・南道路
敷地面積　121.32㎡（36.70坪）
延床面積　110.97㎡（33.50坪）
構造・階数　木造2階

「土間」という部屋
2つの玄関をつなぐ通り土間。細長いLDKに寄り添うもう1つの部屋となって、暮らしにメリハリと広がりを与える

列柱で分ける
キッチンとダイニング前は、列柱を立てて土間と仕切る。見えているが別のスペースという感覚が強くなる

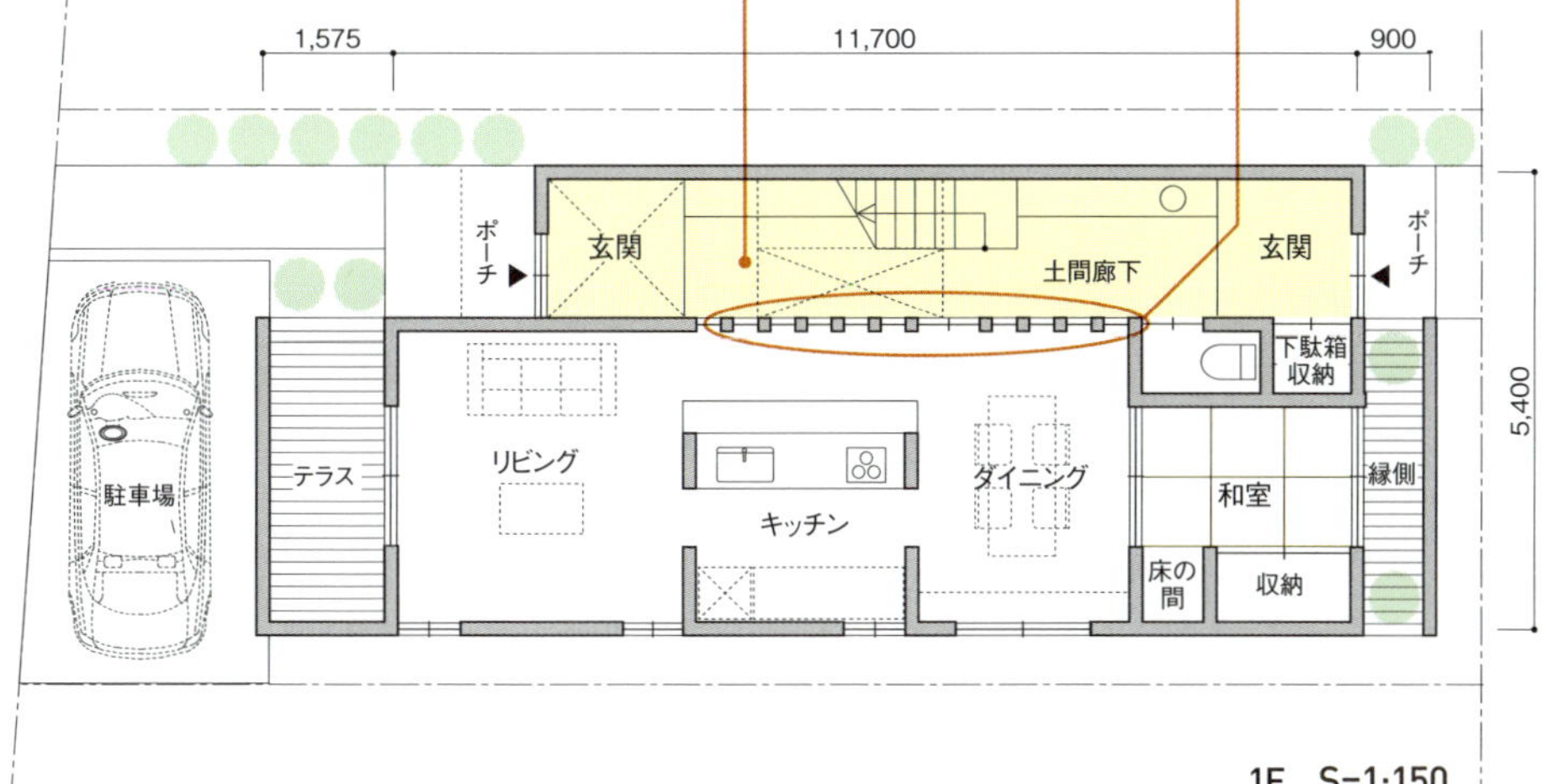

1F　S=1:150

吹抜けでつながる
子供室前は吹抜けで1階土間〜列柱を介してLDKとつながっており、1、2階で気配を感じることができる

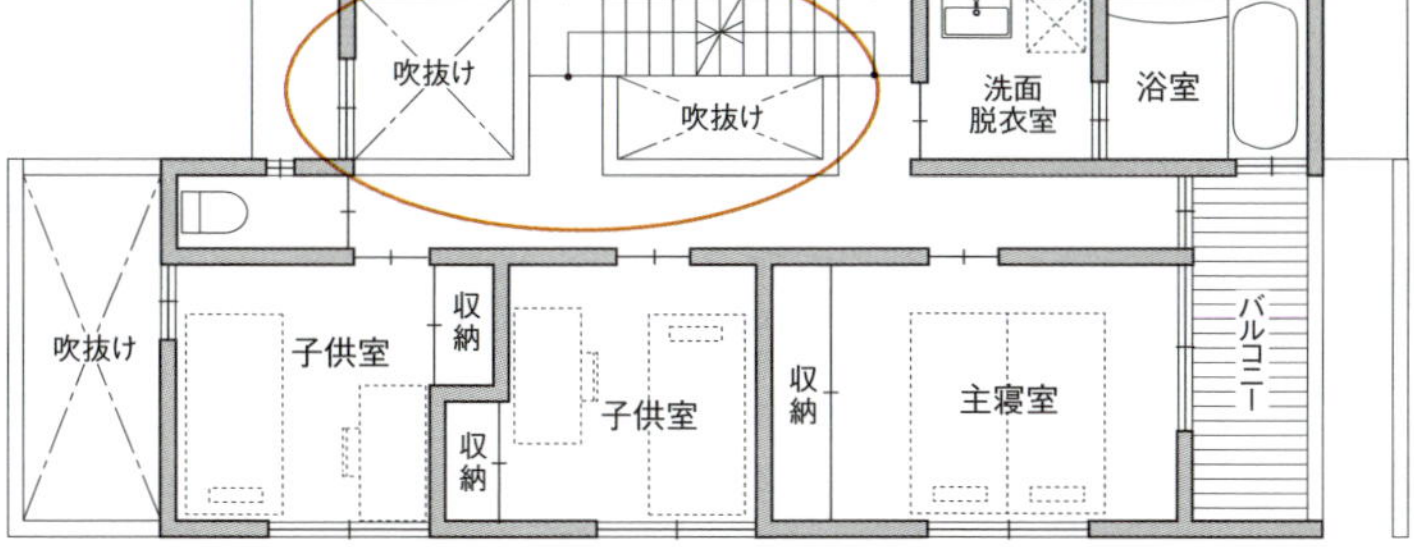

2F　S=1:150

離れをつくって路地を演出した開放的な玄関

決して敷地は広くないが、玄関には開放感がほしいとの要望だった。そこで、1階LDKと切り離した離れの和室をつくり、離れとLDKを結ぶ部分を玄関にしている。

玄関扉の前からのタイル床は、屋内に入って、そのまま玄関を抜けて外まで続くようになっており、敷地内に入り込んだ路地が建物内を抜けていく感覚となる。入って、正面に外が見えることで、明るく開放的な玄関空間にすることができた。

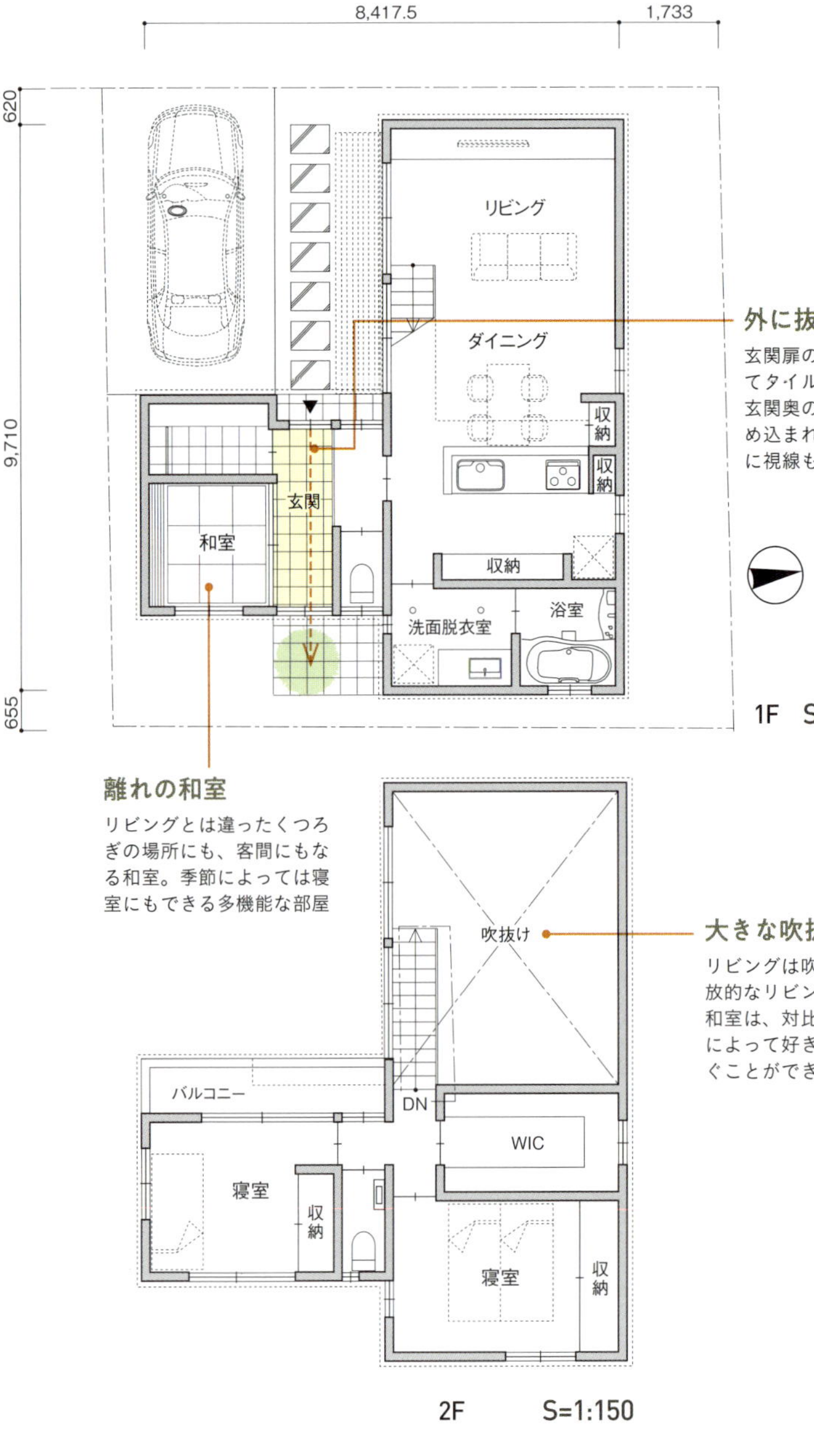

外に抜けていく
玄関扉の前から玄関を抜けてタイル床が続いていく。玄関奥の壁にはガラスがはめ込まれており、床とともに視線も外へと抜ける

離れの和室
リビングとは違ったくつろぎの場所にも、客間にもなる和室。季節によっては寝室にもできる多機能な部屋

大きな吹抜け
リビングは吹抜けの大空間。開放的なリビングと小さな離れの和室は、対比的に扱われ、気分によって好きな居場所でくつろぐことができる

建築概要

所在地	東京都
家族構成	夫婦(30歳代)+子供1人
敷地状況	整形、西道路
敷地面積	120.07㎡(36.32坪)
延床面積	91.19㎡(27.58坪)
構造・階数	木造2階

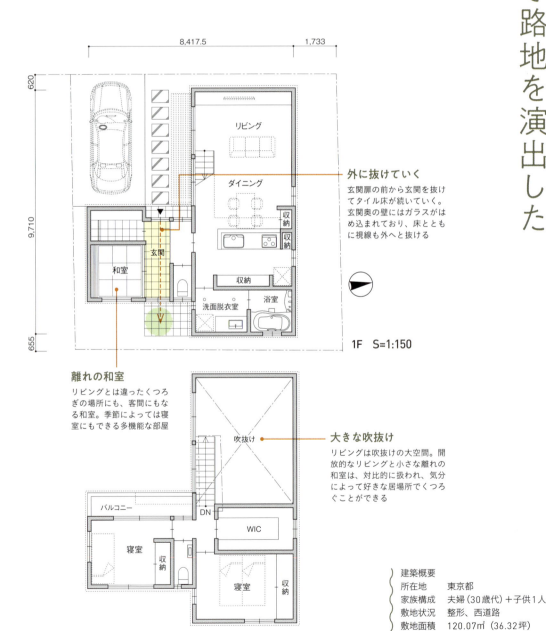

家の中央を抜ける路地に天光が射し込む不思議な玄関

玄関に入ったときに外が見えるようにしてほしいとの希望があった。これに応えるため、家の中央に南北に抜ける土間をつくり、玄関から入ると路地がそのまま向こうに抜けて外につながったようになっている。

土間には、廊下との間に窓があり、トップライトから自然光も射し込む。玄関というより、路地をそのまま屋内に貫通させた不思議なしつらえである。

正面外観。中央の玄関扉を開けると路地が続いていく

屋内の窓

2階に上がる階段前の廊下と土間は壁で仕切られ、窓がある。上部にはトップライトもあり、土間は「外」そのものとなる

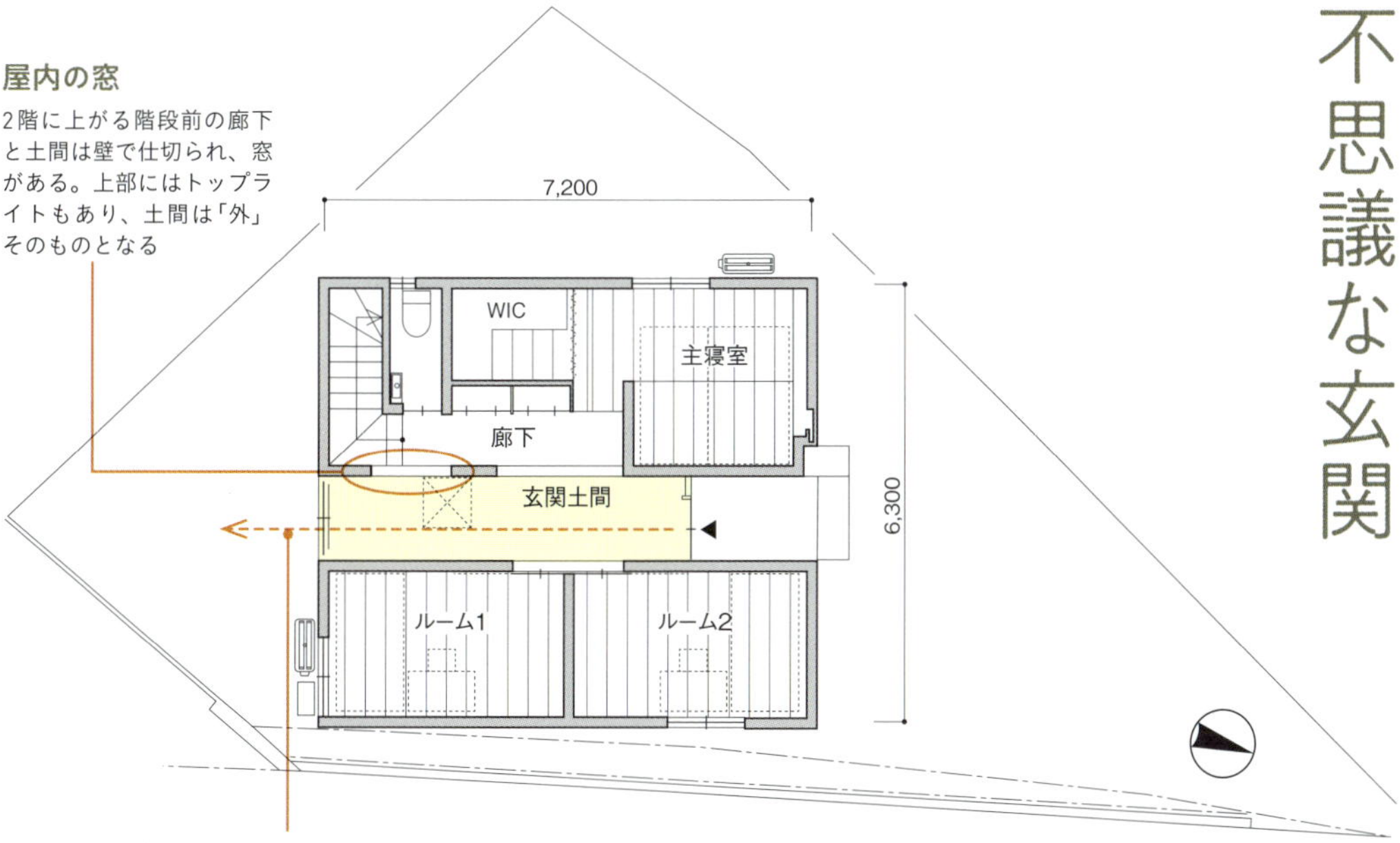

ガラスの向こうは外

土間の先にはガラスがはめ込まれ、視線はそのまま外へと向かう

1F　S=1:150

土間奥から玄関を見返す。左の「窓」の先に、2階への階段。土間は光も落ちてくる路地そのもの

光を落とす

デッキテラスの中央にガラスのトップライトを設置。1階土間に自然光を届ける

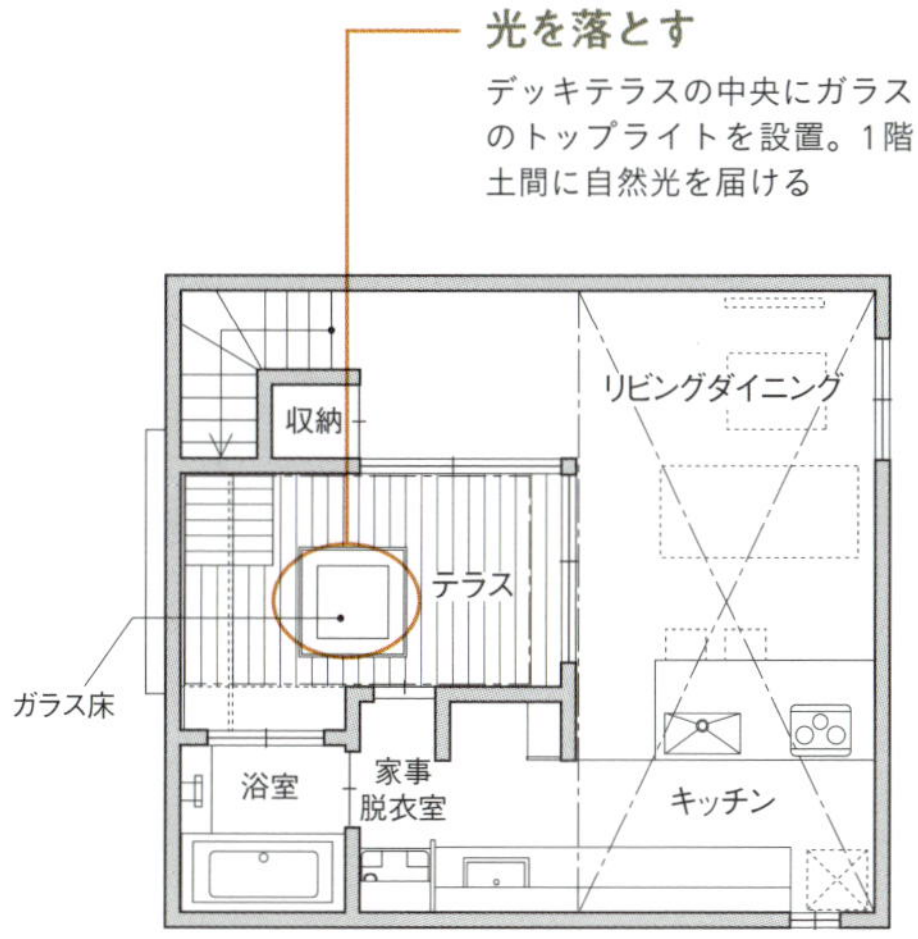

2F　S=1:150

建築概要	
所在地	兵庫県
家族構成	夫婦（30歳代）＋子供1人
敷地状況	不整形（三角で東、西道路）、西側フラット、東側は坂道で敷地より高い
敷地面積	120.90㎡（36.57坪）
延床面積	78.28㎡（23.68坪）
構造・階数	木造2階

玄関収納を部屋のように扱う

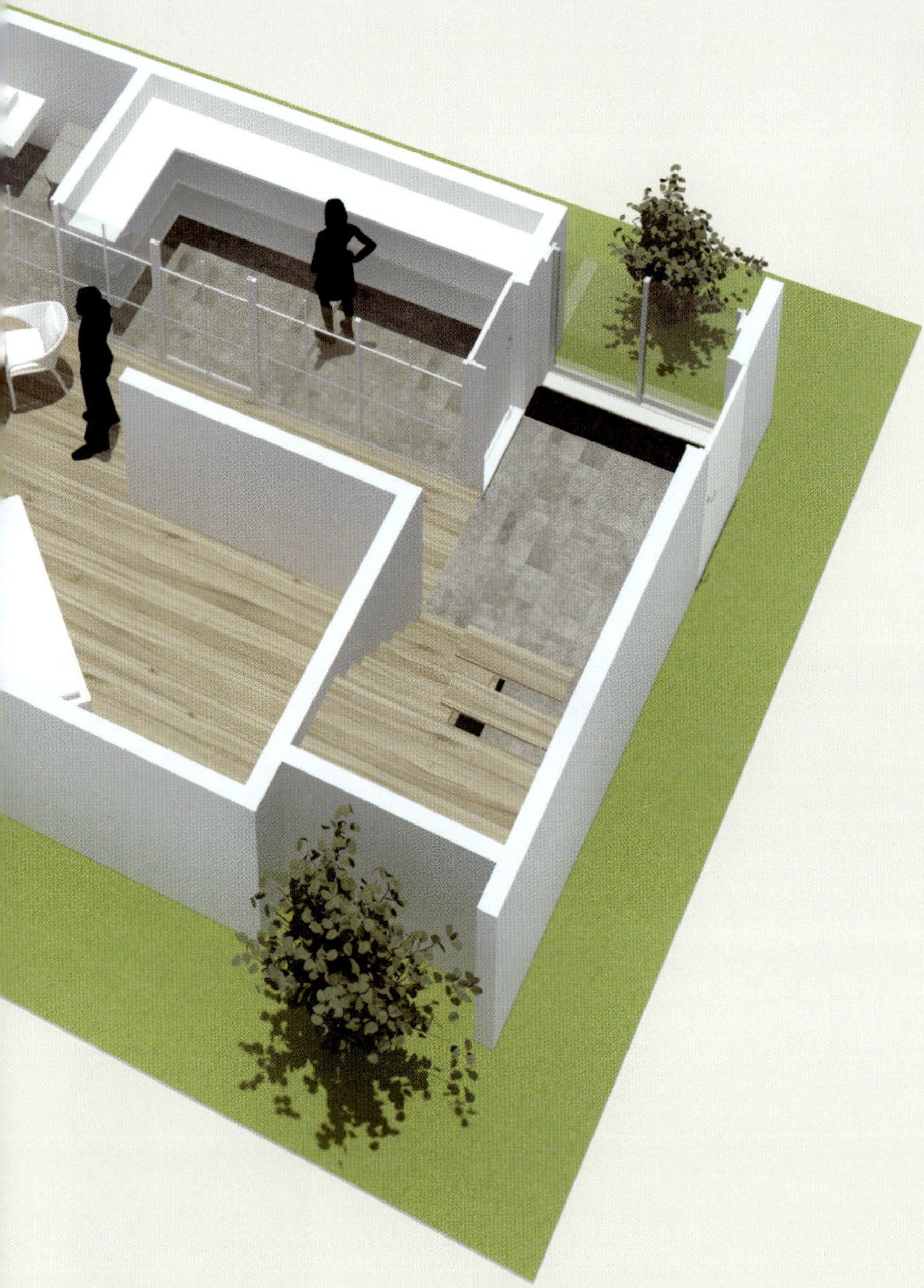

1階に個室とサニタリー、2階にLDKを置く間取り。一般的にこの間取りの1階は、廊下と個室があるだけの暗い空間になりがちだが、ここでは、廊下を「通り抜けの間」としてできる限り外を取り込み、開放的なつくりにしている。

玄関では、冬物のコートなども収納できる大きな玄関収納の希望があったので、玄関からも内部からも入れる大きな収納部屋として「通り抜けの間」側に開き、生活空間の一部に組み込んでいる。

建築概要

所在地	東京都
家族構成	夫婦（30歳代）＋子供1人
敷地状況	変形、北道路
敷地面積	198.50㎡（60.04坪）
延床面積	121.85㎡（36.85坪）
構造・階数	木造2階

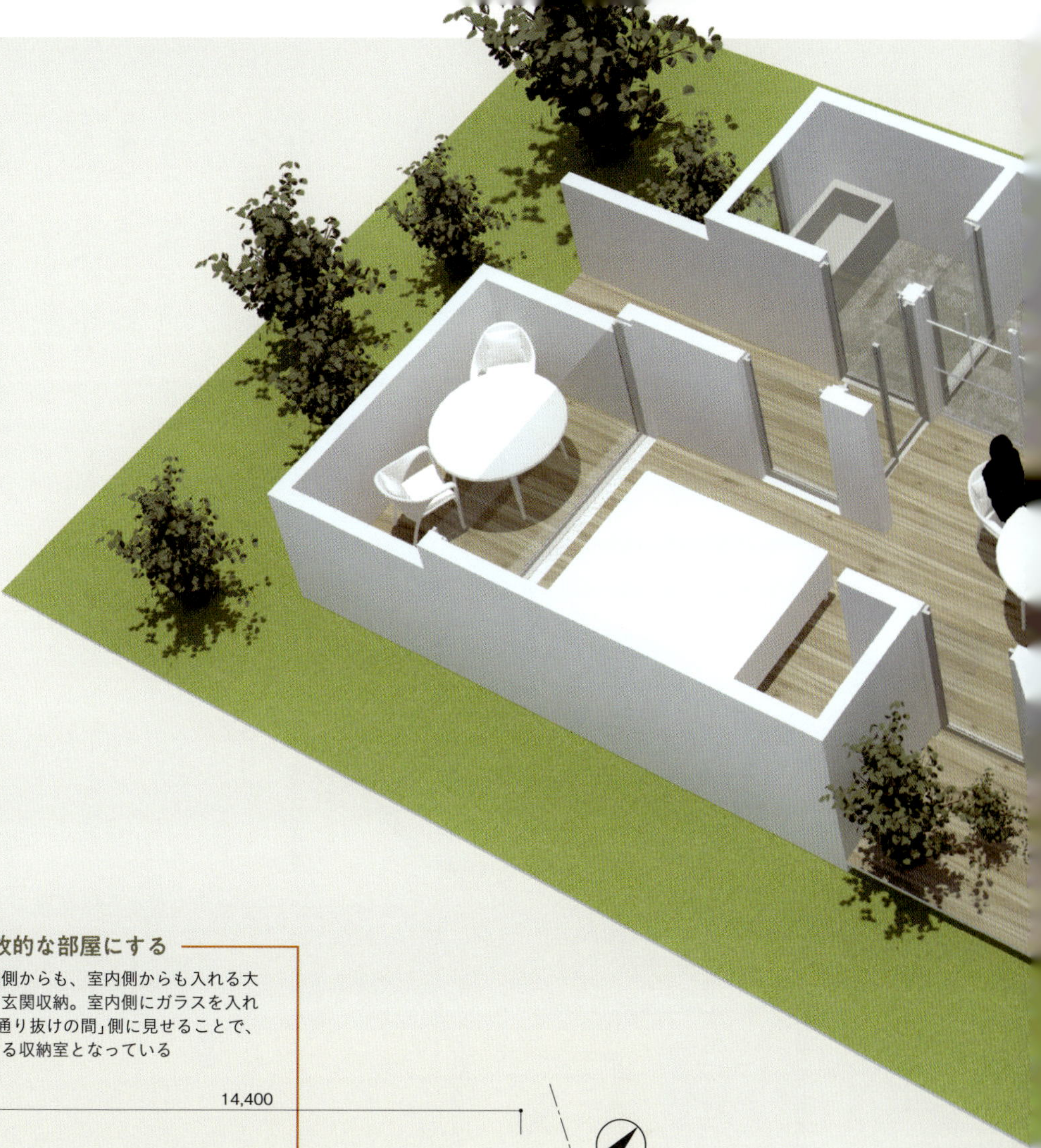

開放的な部屋にする

玄関側からも、室内側からも入れる大きな玄関収納。室内側にガラスを入れて「通り抜けの間」側に見せることで、見せる収納室となっている

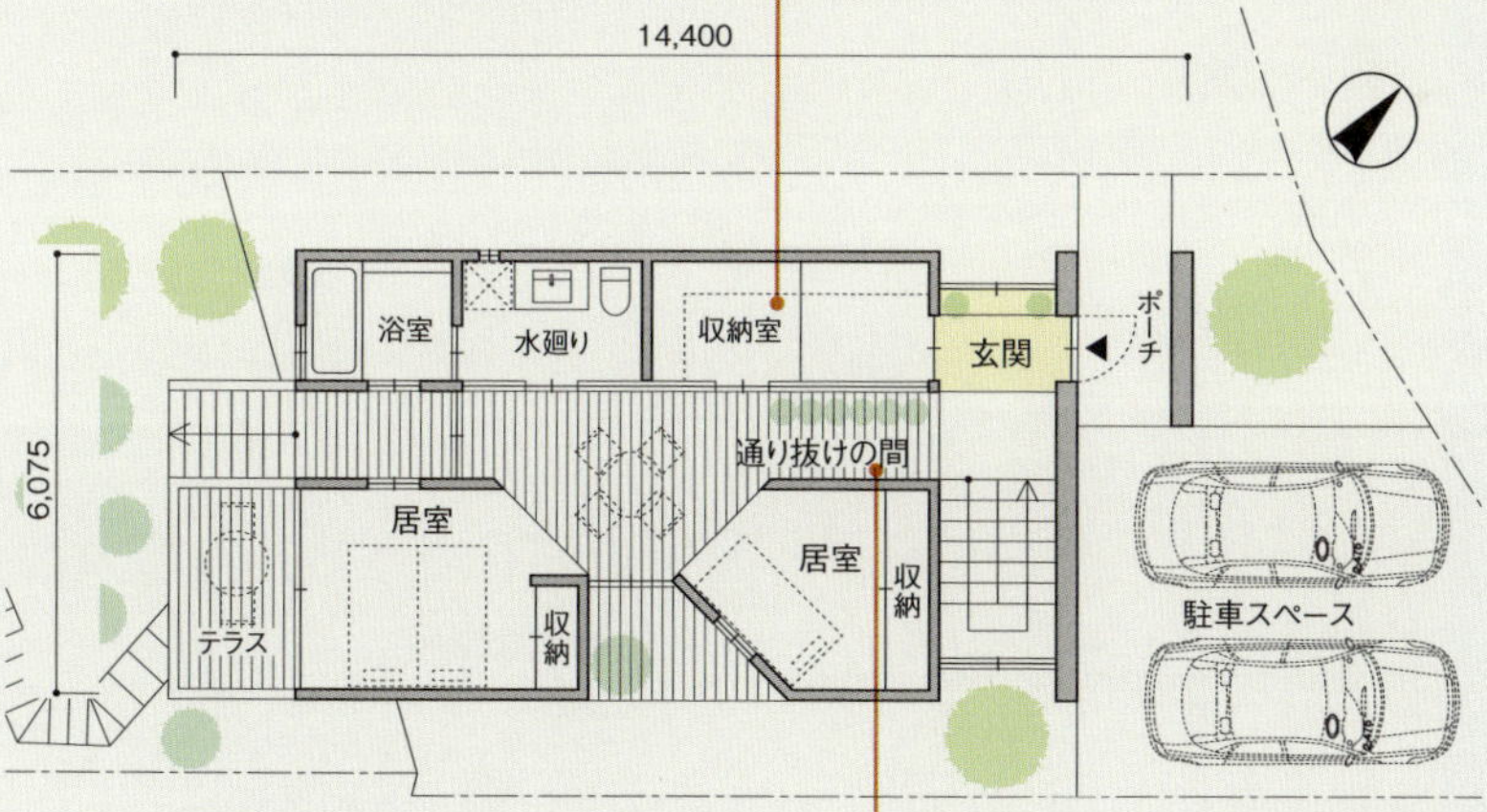

1F　S=1:200

通り抜けの間

機能的には廊下だが、路地が内部に入り込んだようなオープンな場所にして、2階のLDKとは違った居場所となるようにしている

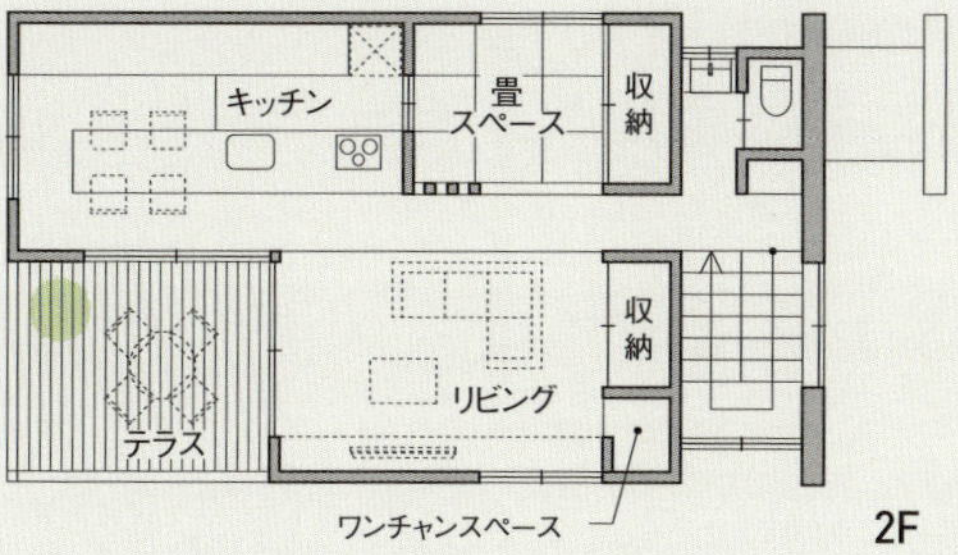

2F　S=1:200

中庭の緑とらせん階段だけが目に入る玄関

敷地は50坪弱もあるが変形地で、さらに車2台分の駐車スペースが必要だったため、十分な広さの庭を確保することは難しかった。

そこで建物を変形のコの字型にして中庭を設けている。玄関については、入ったときにインパクトがほしいという要望だったため、家の中央に置き、玄関に入ると中庭からの光のなかにオブジェのようならせん階段だけが見える、印象的な空間にしつらえた。

オブジェとしての階段

玄関に入ると見えるのは、美しいらせん階段だけ。上下階を移動する機能以外に、玄関を印象的な空間にするため、階段をオブジェのように扱っている

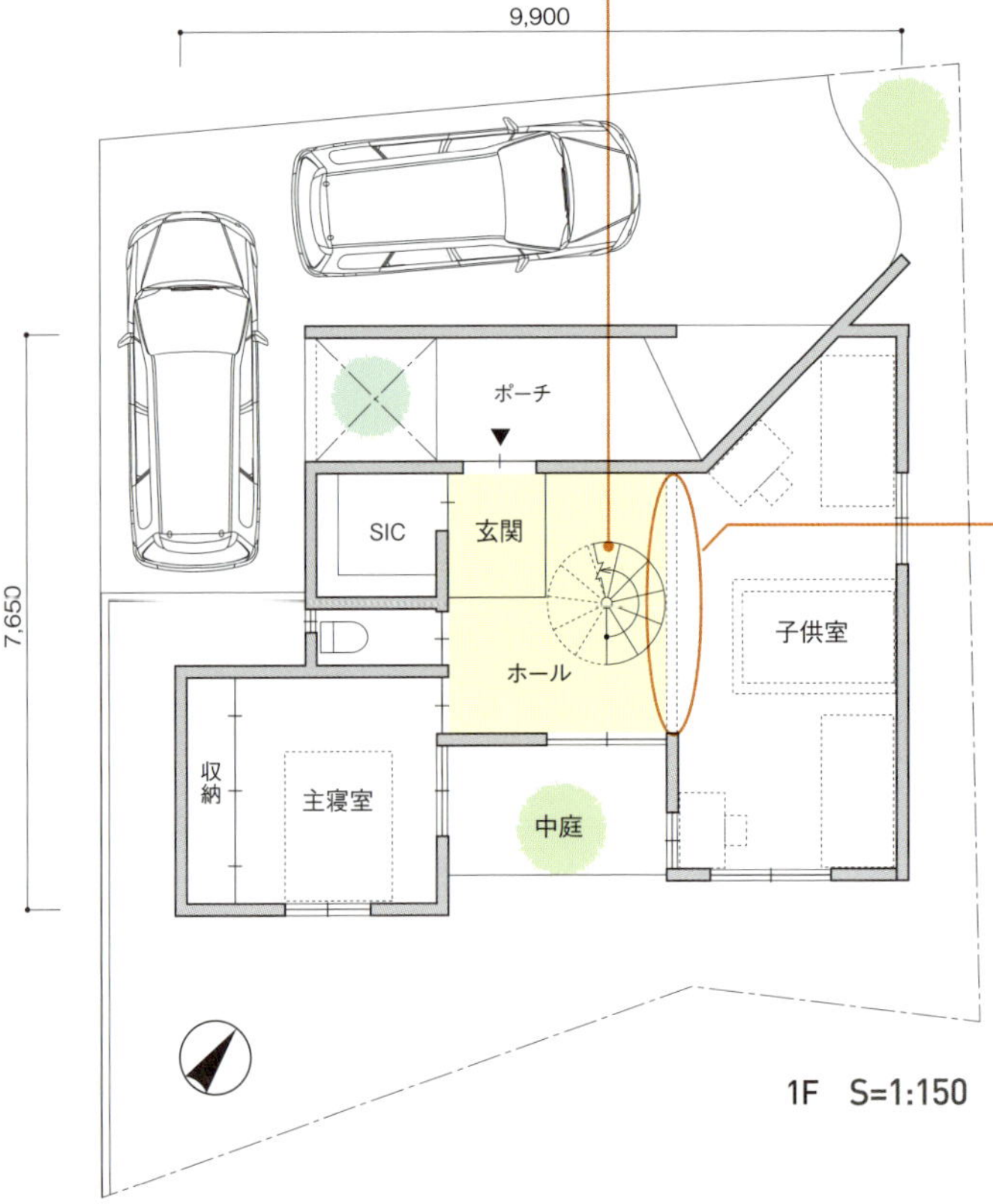

広くなる子供部屋

玄関との仕切りになる引戸を壁に引き込んで開け放つと、子供部屋は玄関ホールと一体の広い部屋になる

1F　S=1:150

南北に抜ける

中庭のある東南方向にも、前庭のある北方向にも視線が抜けるリビングは、狭さを感じさせない開放感をもつ

多機能な階段

2階LDKはワンルームだが、階段によってなんとなく場が仕切られる。階段は仕切りの役目も果たしている

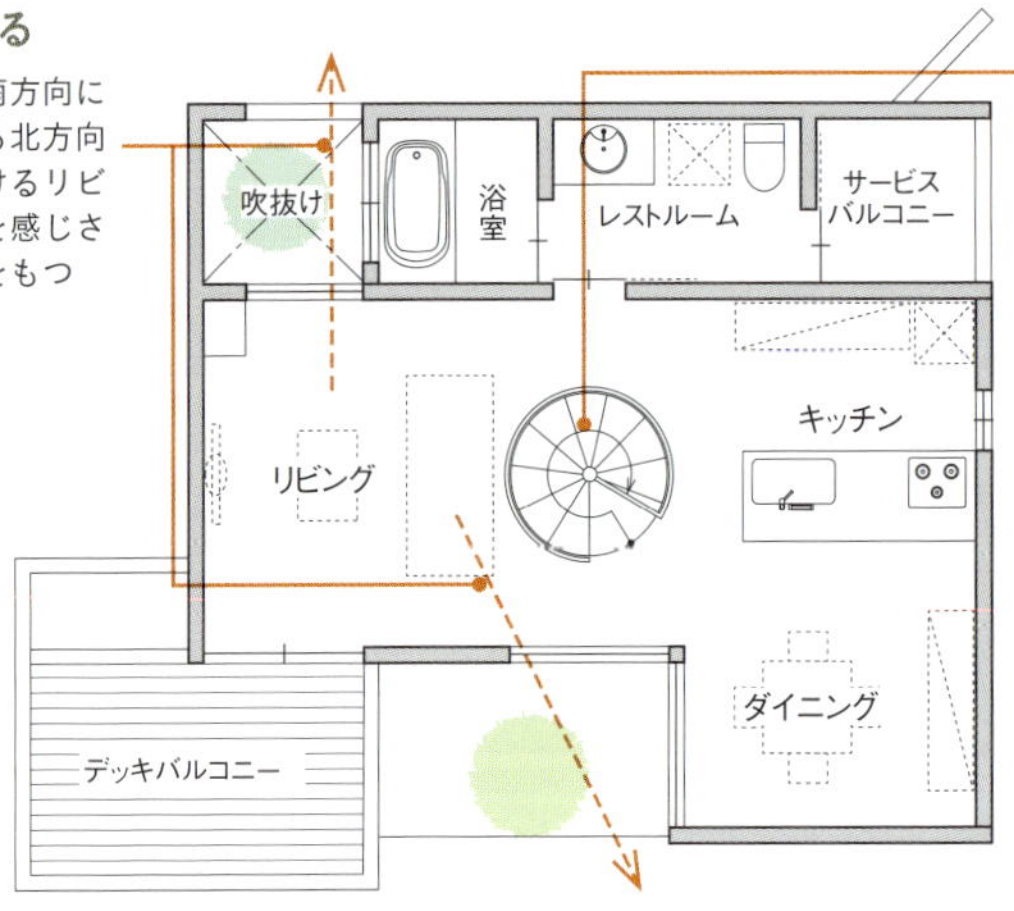

2F　S=1:150

建築概要
所在地　兵庫県
家族構成　夫婦（30歳代）＋子供2人
敷地状況　整形、北道路
敷地面積　152.10㎡（46.01坪）
延床面積　102.97㎡（31.15坪）
構造・階数　木造2階

玄関収納を広くつくって土間をディスプレイ空間にする

奥まった場所で、山に面した変形敷地である。山側から2m以上離して建物を置き、山と建物の間にアプローチ空間を滑り込ませた。

玄関にはロードバイクを置くスペースもつくってほしいという要望があったので、土間を広めにつくったうえで、隣接して広い玄関収納をつくり、ロードバイク以外のものを極力玄関から排除している。土間にポツンと置かれたロードバイクは、展示されているかのようでもあり、インテリアの1つとなっている。

建築概要

所在地	神奈川県
家族構成	夫婦（30歳代）＋子供1人
敷地状況	変形敷地（3角形）、道路との高低差1m程度、西側斜面
敷地面積	231.61㎡（70.06坪）
延床面積	105.16㎡（31.81坪）
構造・階数	木造2階

玄関収納兼パントリー

広めの玄関収納は、実はパントリーにもなっていて、そのままキッチンに入ることができる裏動線もつくっている

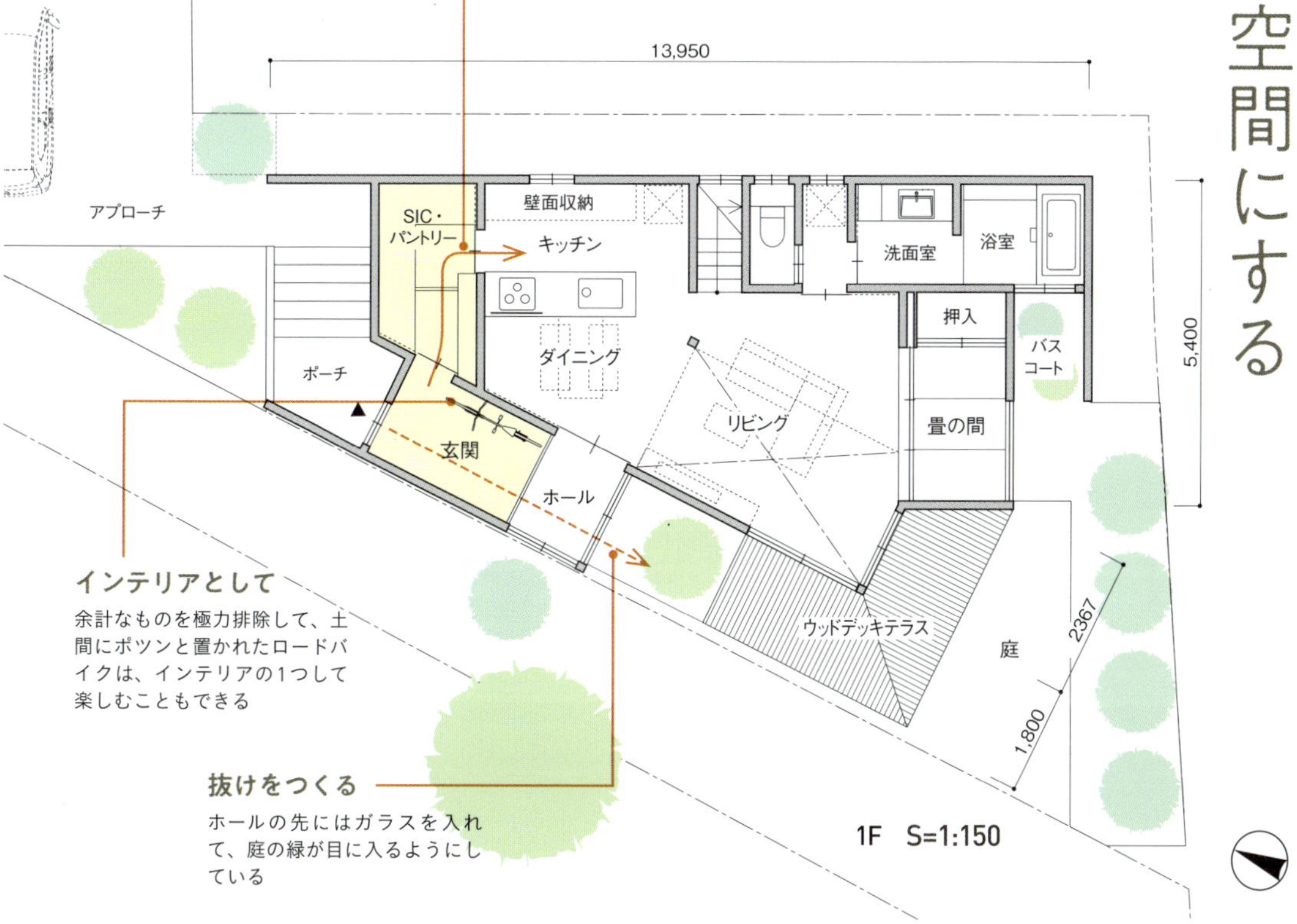

インテリアとして

余計なものを極力排除して、土間にポツンと置かれたロードバイクは、インテリアの1つして楽しむこともできる

抜けをつくる

ホールの先にはガラスを入れて、庭の緑が目に入るようにしている

1F　S=1:150

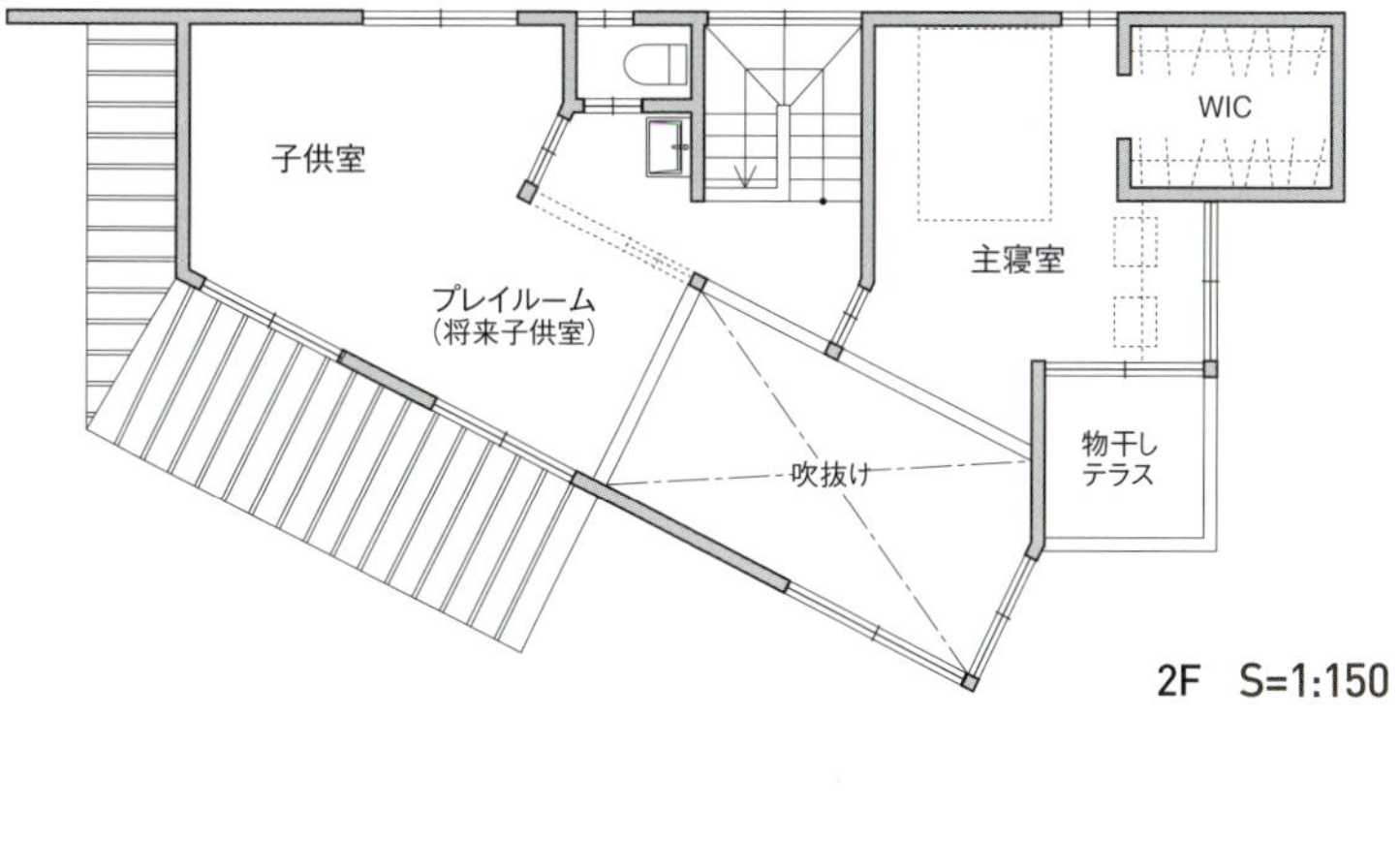

2F　S=1:150

LDKと一体の玄関土間で趣味の時間を満喫する

1階のワンルームのLDKが暮らしの中心となる。そのLDKに玄関から続く土間を添わせて、趣味である釣り道具の手入れがしたい、というのが建て主の要望だった。

玄関土間は、入って正面と左に延びており、正面に進めば納戸へ、左に進めばダイニングやキッチン前にたどりつく。LDK脇の土間は南側デッキに沿うことにもなり、外部デッキとLDKをつなぐ役割も果たしている。

建築概要	
所在地	岐阜県
家族構成	夫婦（30歳代）＋子供1人
敷地状況	整形（台形）、東道路
敷地面積	215.86㎡（65.29坪）
延床面積	105.04㎡（31.77坪）
構造・階数	木造2階

壁をつくる

玄関前のポーチは小さめにつくって、なかに入ったときにワンルームのLDKに向かって一気に視界が広がるよう演出する

半戸外空間

南向きのデッキとLDKの間にある土間は、半戸外空間として暮らしの場を広げる

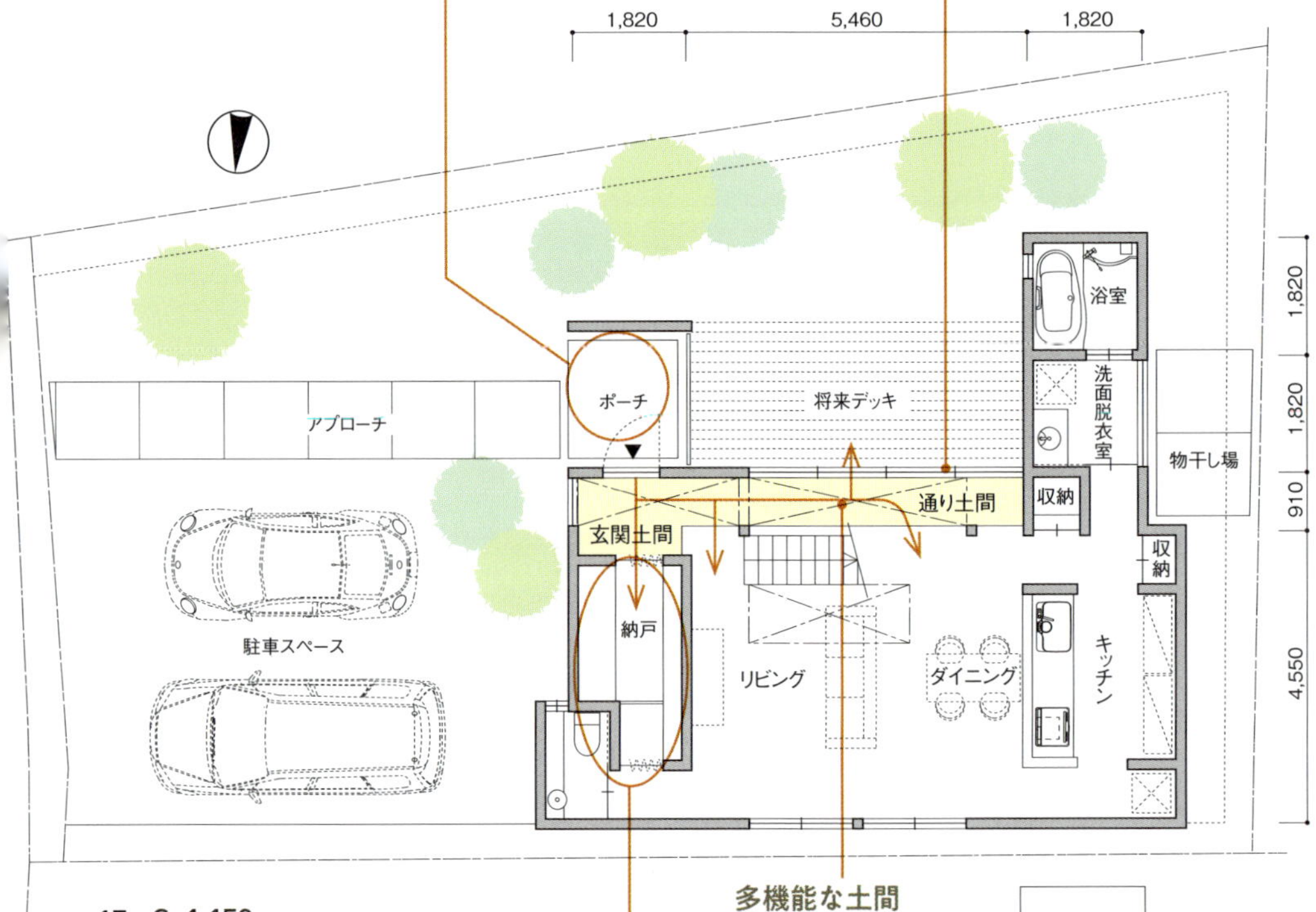

1F　S=1:150

多機能な土間

通り土間は、通路であり作業する場所であるとともにLDKとデッキをつなぐ緩衝地帯（中間領域）の役割も兼ねている

いろいろ収納

納戸は広いシュークロークも兼ねており、LDK廻りに出てくるさまざまなものの収納場所にもなっている

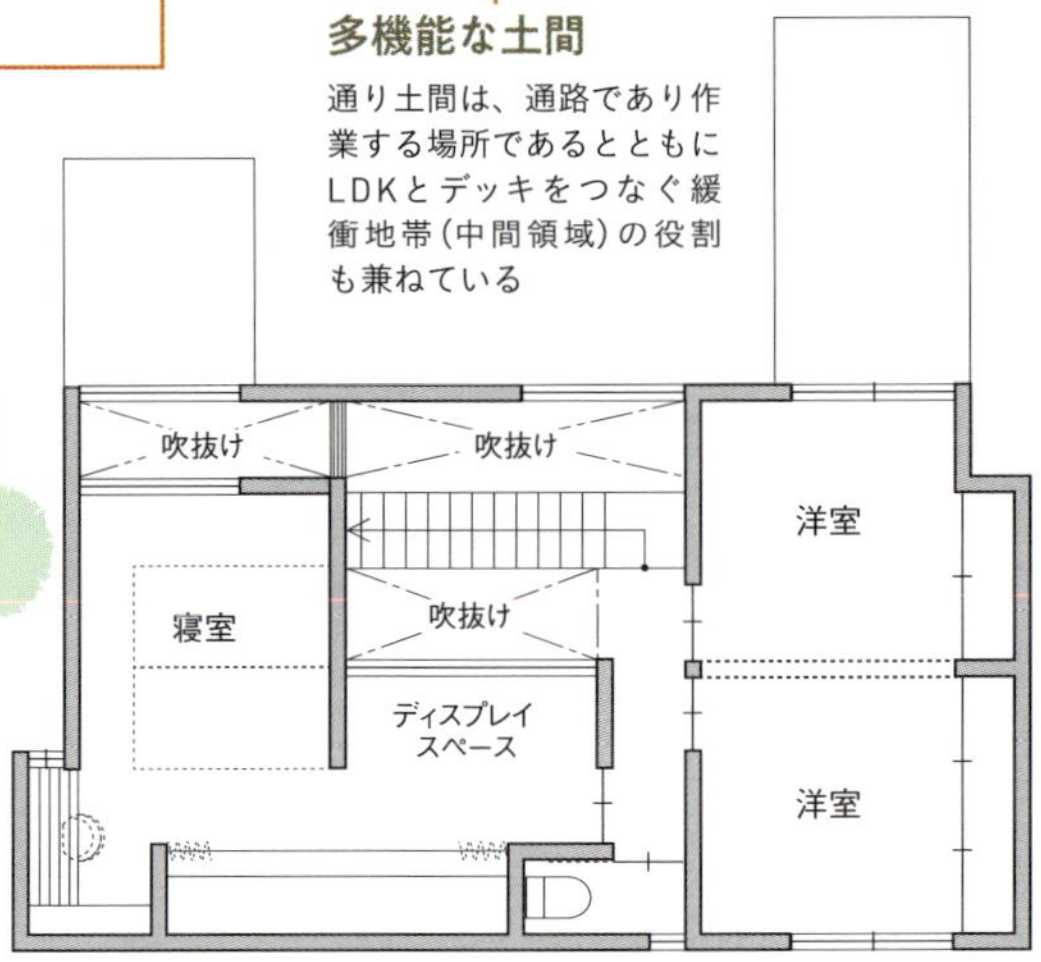

2F　S=1:150

LDKと一体の8畳の土間が玄関の役目を果たす

玄関というスペースはいらない、という少々変わった要望であった。しかし、玄関をつくらなければ外部と内部が玄関扉を挟んで直に接することになり、落ち着いた暮らしをするのは難しい。

そこで、玄関扉の前を大きく壁で囲い込んだ。その場所を本来の玄関がもつ緩衝地帯とし、さらに内部に入ったときに、そこが外なのか内部なのかわからないような曖昧な空間（土間）とすることで、内外をつなげている。

玄関扉の内側は、8畳分の広い土間で、5センチの段差でLDKと一体となっている。

1つの部屋として

8畳の広さの土間は、1つの部屋。アウトドアの作業などもゆったりとできる。LDKの延長として使ってもよい

ワンクッション

玄関扉の前のスペースを壁で囲い込んで、内部的な空間とし、内外の境目を曖昧にしている

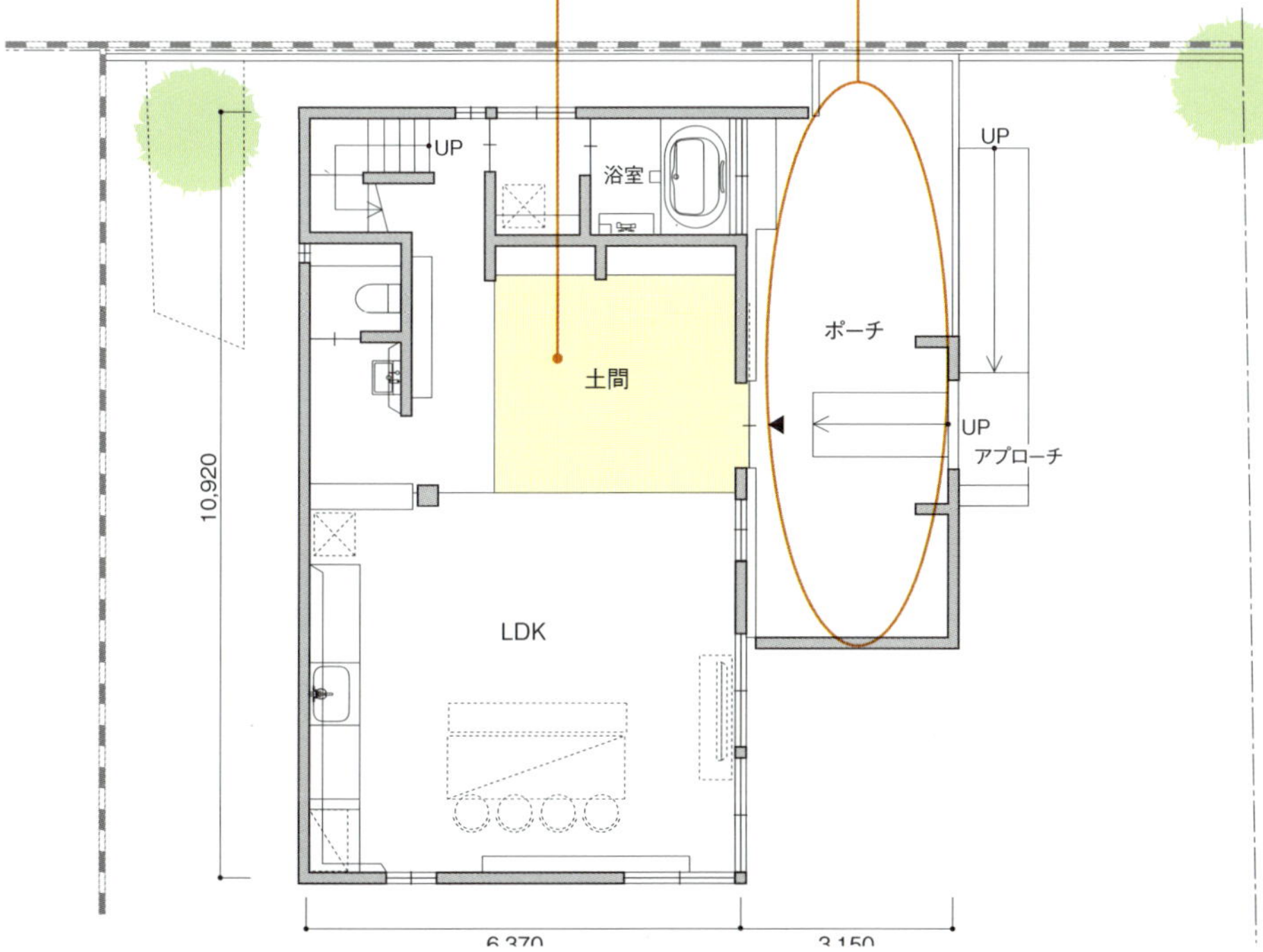

1F　S=1:150

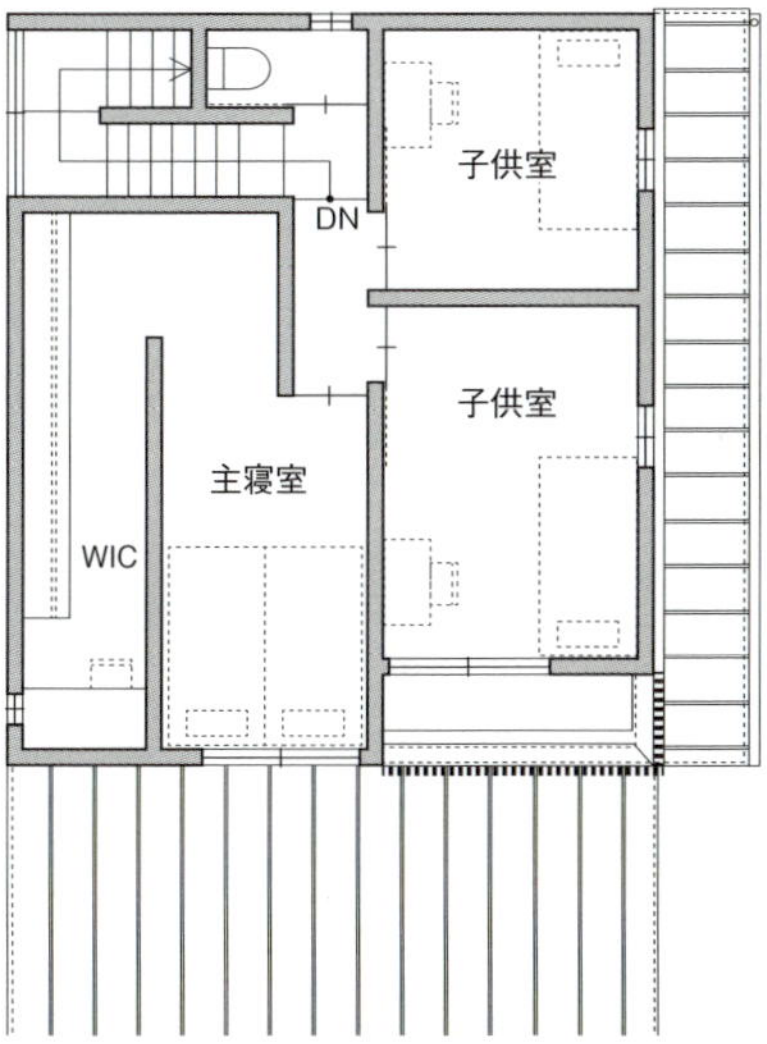

2F　S=1:150

建築概要

所在地	愛知県
家族構成	夫婦（30歳代）＋子供2人
敷地状況	整形、東道路、周辺には小さな工場が多い
敷地面積	274.30㎡（82.98坪）
延床面積	115.93㎡（35.07坪）
構造・階数	木造2階

内玄関をつくって メインの玄関をいつもきれいに

子供が靴を脱ぎ散らかしても、常にきれいさを保てる玄関を、という要望だった。

そこで、比較的余裕があった床面積を生かして、玄関土間からさらに1歩進んだ位置に家族用の内玄関をつくり、訪れた客が使うメインの玄関と分けることを提案した。ＬＤＫに付随するリビングクロゼットを回るように、家族は右側から、来客は左側からＬＤＫにアクセスする2種類の動線が用意してある。

来客が使用するメインの玄関

2種類の動線

家族は内玄関から反時計回りに、来客はメインの玄関から時計回りに、LDKにアクセスする

家族専用

玄関の土間から1歩進んだ位置に家族専用の内玄関を設けている。内玄関は引戸で仕切ることができるので、メインの玄関は常にきれいな状態が保たれる

アイキャッチ

玄関扉を開けてなかに入ると、正面の小さな庭の緑が目に入る。このアイキャッチには、内玄関の扉に意識を向けさせないという効果もある

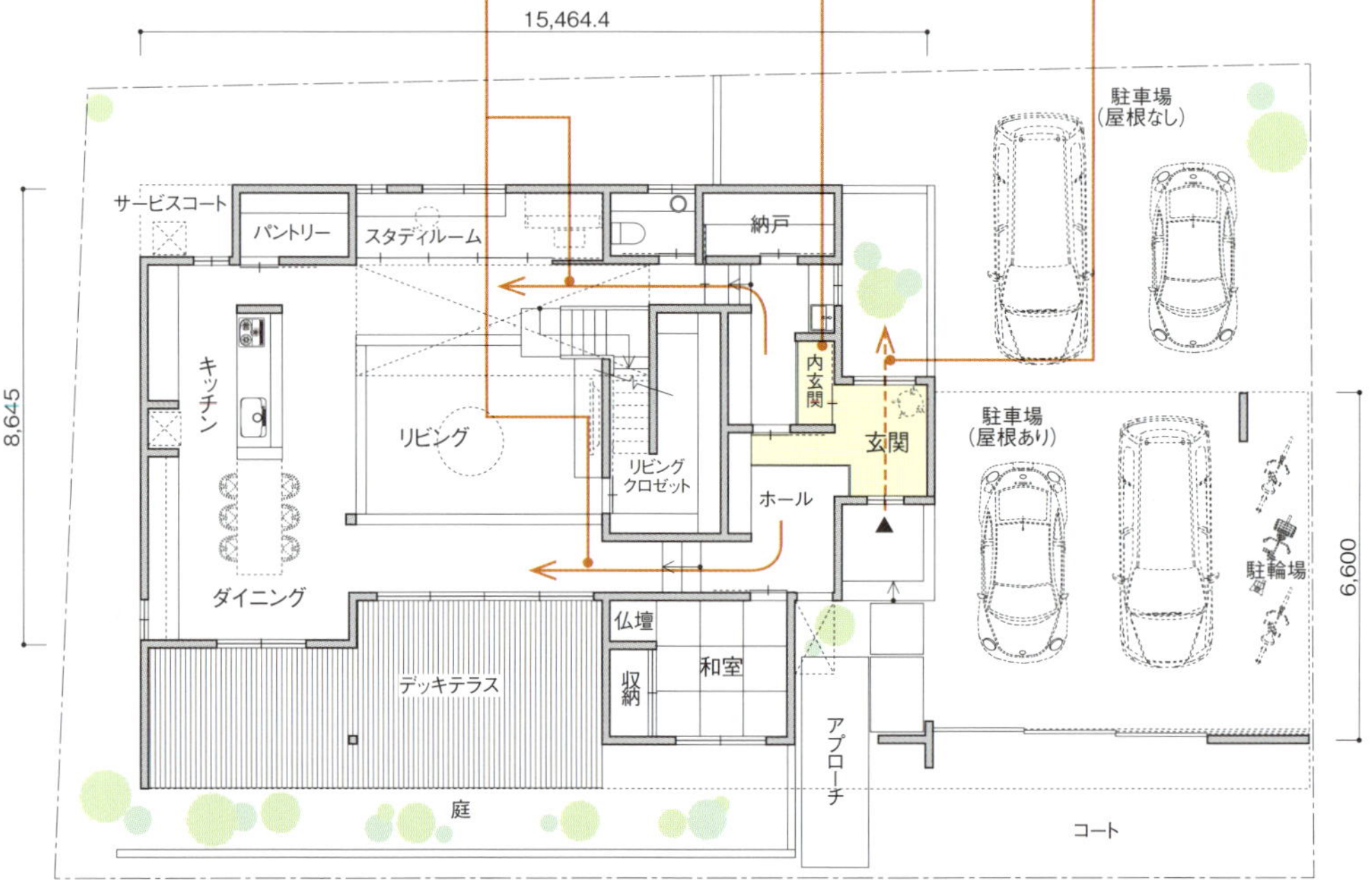

1F S=1:200

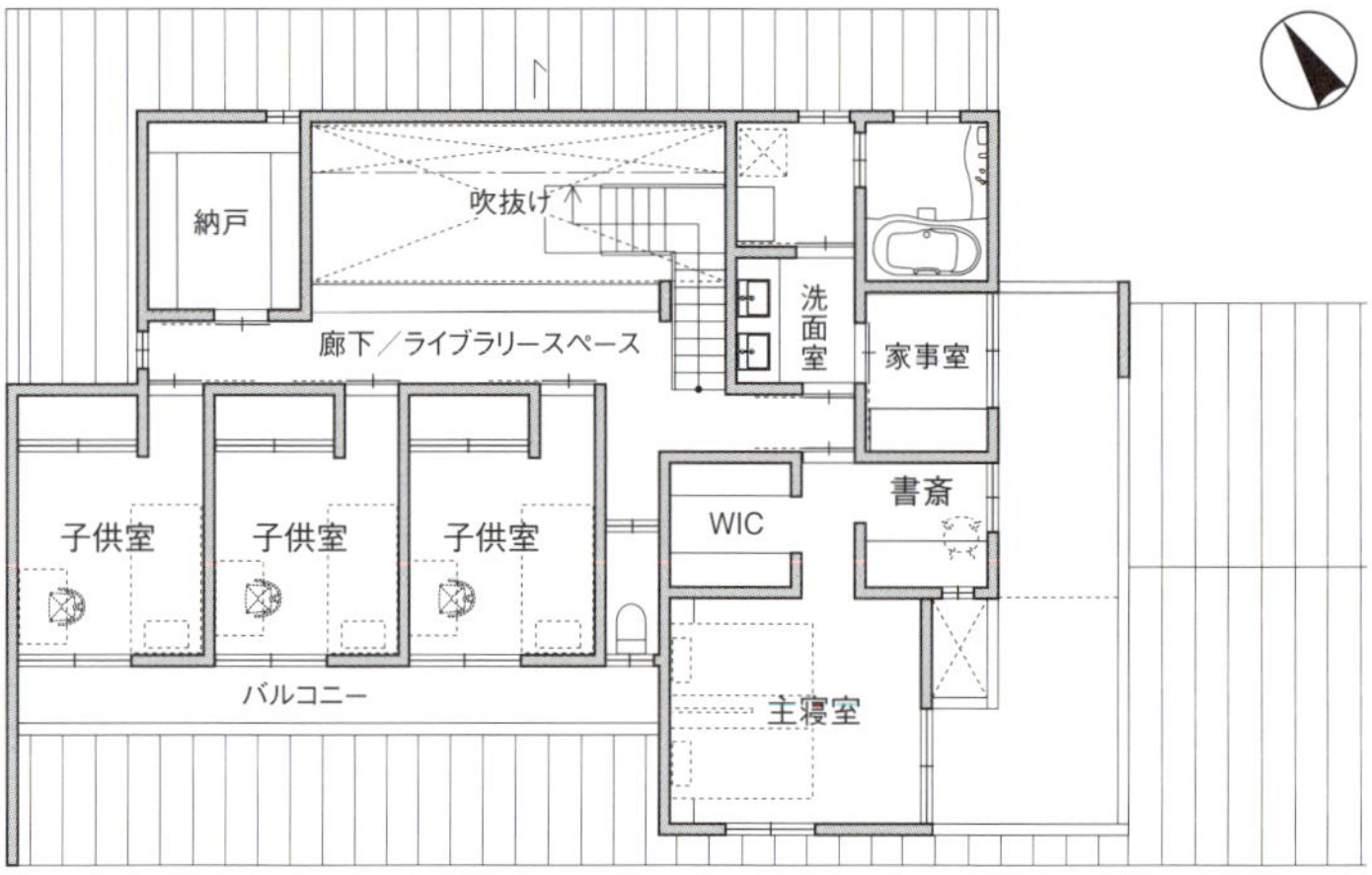

2F S=1:200

建築概要

所在地	愛知県
家族構成	夫婦（40歳代）＋子供3人
敷地状況	広い整形地、南道路、敷地内で1m程度の高低差
敷地面積	370.58㎡（112.10坪）
延床面積	233.43㎡（70.61坪）
構造・階数	木造2階（SE構法）

豪華な玄関を吹抜けと照明で演出する

来た人が圧倒されるような豪華な玄関を、というのが要望だった。敷地の高低差を生かして、道路側と敷地奥側の床レベルを変えたスキップフロアの構成だが、玄関は1階からロフトまでの縦に長い大きな吹抜けとし、凹凸のある柱型をデザインして照明がそれを強調している。上部にも豪華な照明を吊り下げることで、華やかな玄関になった。

建築概要

所在地	愛知県
家族構成	夫婦（30歳代）＋子供1人
敷地状況	整形、北道路、道路より1.5m程度下がる、南下がりの土地
敷地面積	206.41㎡（62.43坪）
延床面積	165.07㎡（49.93坪）
構造・階数	木造2階

階段上から吹抜けの玄関ホールを見る。柱型のデザインは吹抜け上部まで続き、迫力と豪華さを生み出している

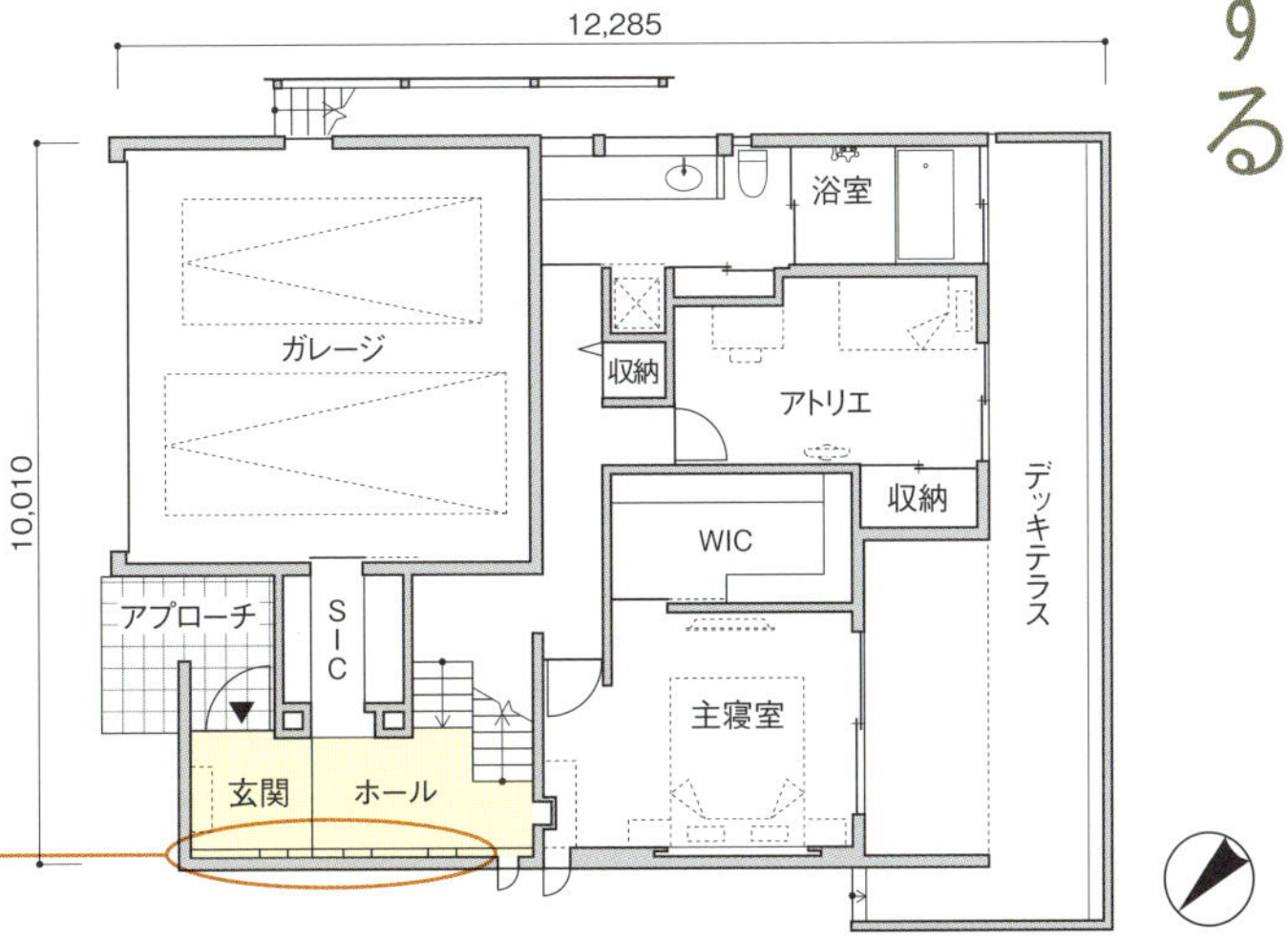

柱型をデザイン

壁面に凹凸を設けて柱型をデザイン。柱型のあいだの床面には照明が埋め込まれており、柱型をライトアップする

1-1'F　S=1:200

自然光も入る

吹抜け上部にFIXのガラスを入れて自然光も入るようにしている。玄関は北側になるので、安定したやさしい光が入ってくる

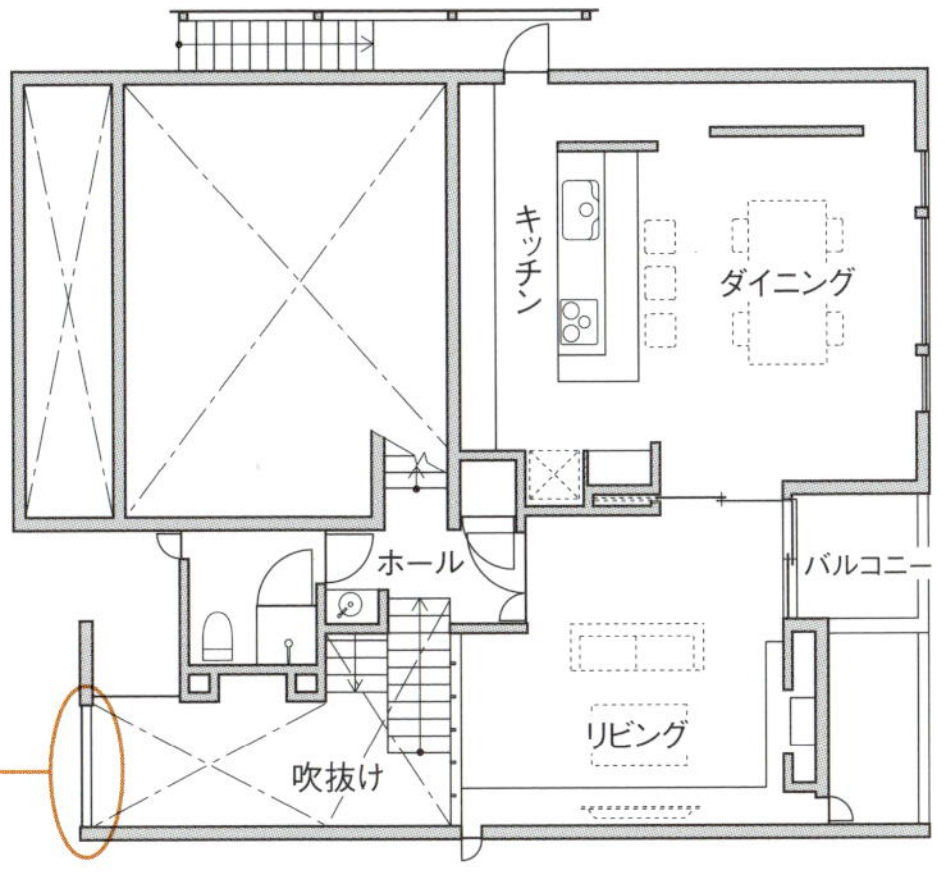

2F　S=1:200

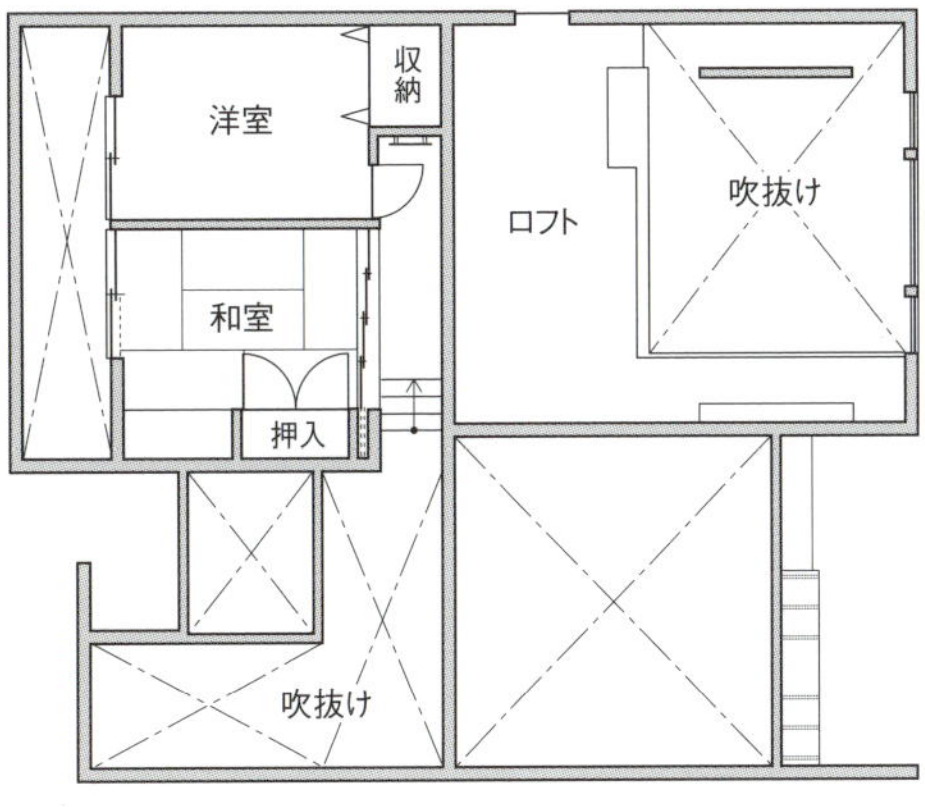

2'-LF　S=1:200

中庭からの光がまぶしいほど入る明るい玄関

明るい玄関にしたい、というのが建て主の要望。敷地はおよそ42坪で車2台分の駐車スペースも求められたため、建物は必然的に敷地奥に配置することになる。

そこでL字の建物から玄関部分を突出させて、変形のコの字型平面とし、玄関を使って中庭のウッドデッキを囲むような間取りとした。玄関は、大きな窓を通じて中庭から明るい光が届くとともに、入ってすぐに外を感じられる開放感も得られるようになった。

遠くのリビング

玄関扉を開けてなかに入ると、ガラスの向こうにはリビングが見える。だが、中庭のウッドデッキを挟んでいるので、実際以上に遠く、面積以上の広がりを感じられる

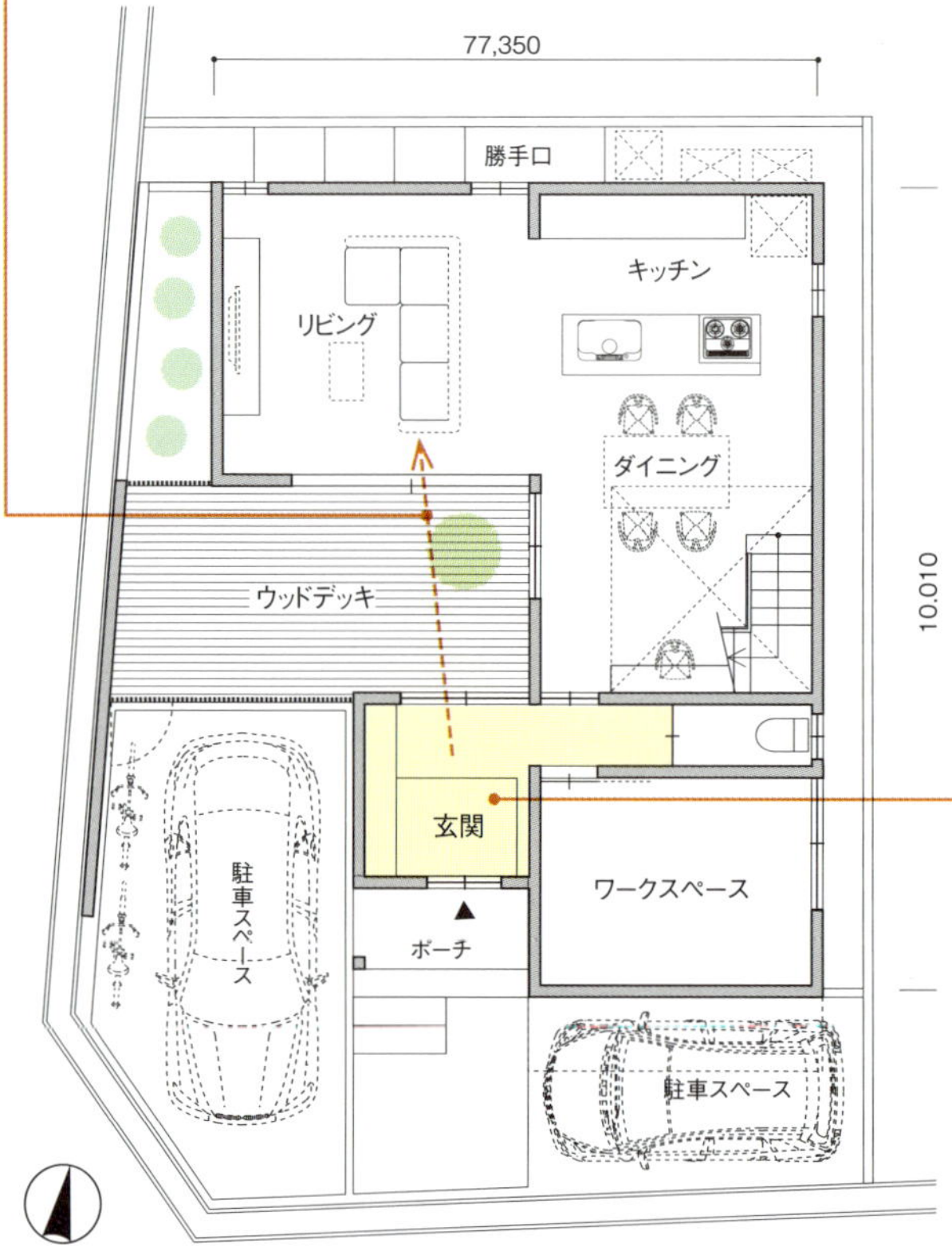

出っ張らせる

玄関部分を建物から出っ張らせて、中庭を囲い込む位置に置き、中庭からの光で玄関を明るくする

1F　S=1:150

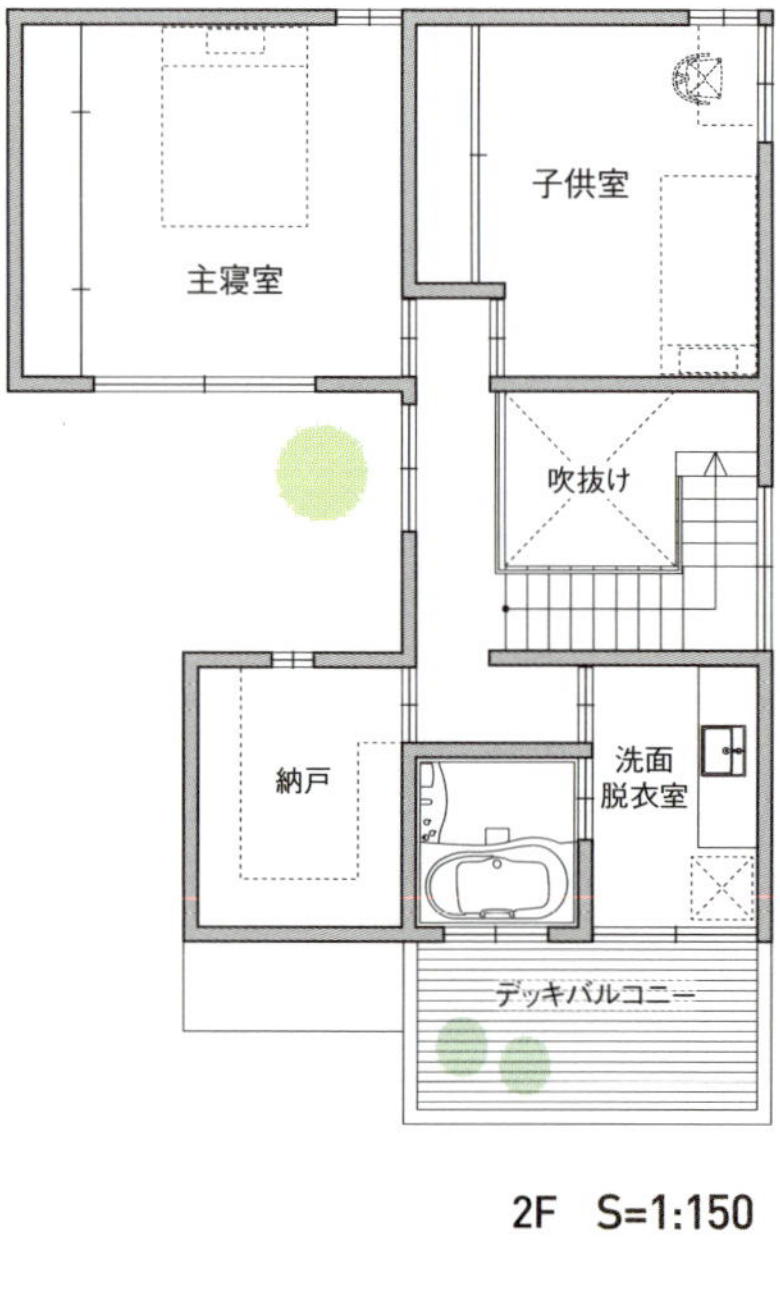

2F　S=1:150

建築概要

所在地	愛知県
家族構成	夫婦（40歳代）＋子供1人
敷地状況	整形、南・西道路、道路との高低差 0.6m
敷地面積	138.90㎡（42.02坪）
延床面積	103.35㎡（31.26坪）
構造・階数	木造2階

家の中央まで引き込み
トップライトから光を落とす玄関

道路側外観。アーケードのかかる商店街のなかに立地する。玄関は、約5m引き込まれた奥にある

敷地は商店街のなかにあり、しかもアーケードがかかる南側からアプローチする条件。隣家が迫り、道路側（南側）にも開くことはできないなかで、玄関を含めた室内の明るさと開放感が求められた。

玄関は、道路から約5m敷地の奥まで引き込み、家の中央の大きな吹抜けを通じて、トップライトからの光を落とし、明るい空間とした。玄関土間を大きくしたことで、ただの通過動線以上の広がりをもたせることができた。

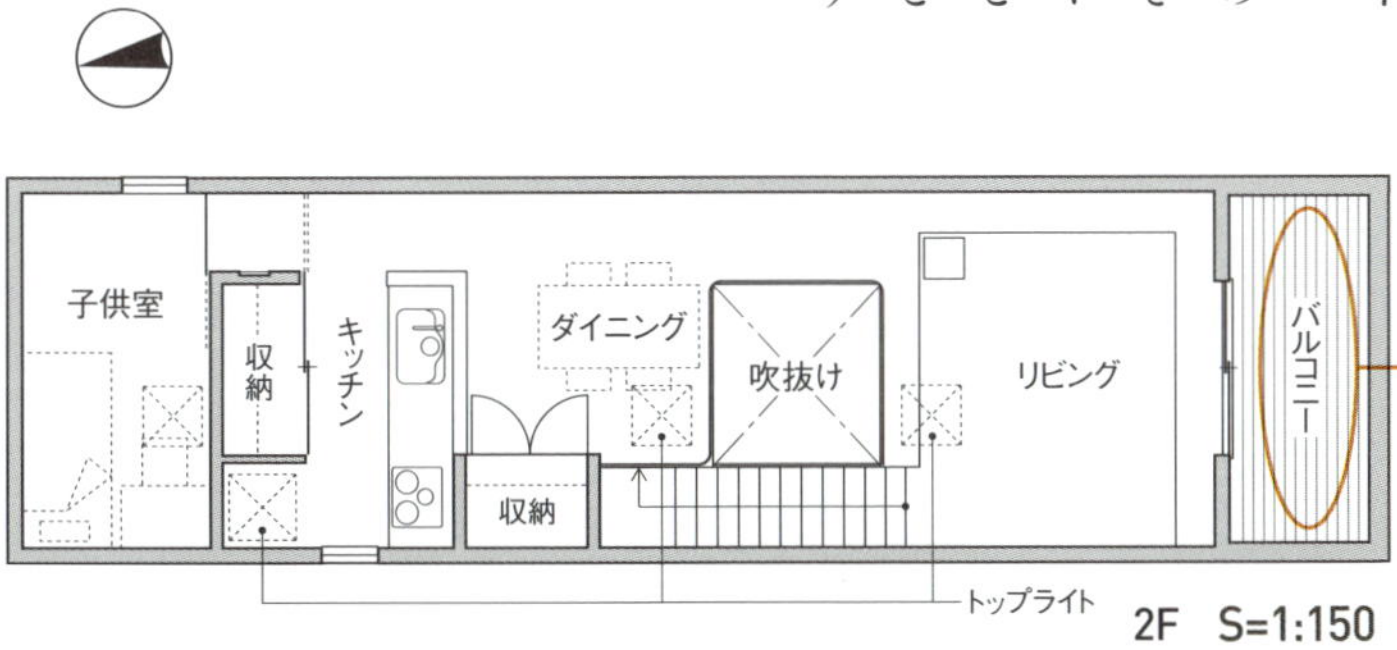

2F　S=1:150

光庭にする

商店街に面しているので2階南側も開放することはできないが、白い壁を立ち上げて光庭のようにすることで、室内に多くの光を届けてくれる

1F　S=1:150

5m引き込む

道路からおよそ5m引き込んだ位置に玄関がある。商店街から距離を取ることで、室内のプライベート感が高まる

3つのトップライト

2階の屋根には吹抜け上部も含めてトップライトを3つ設置。外壁側からは難しい採光を上から実現する

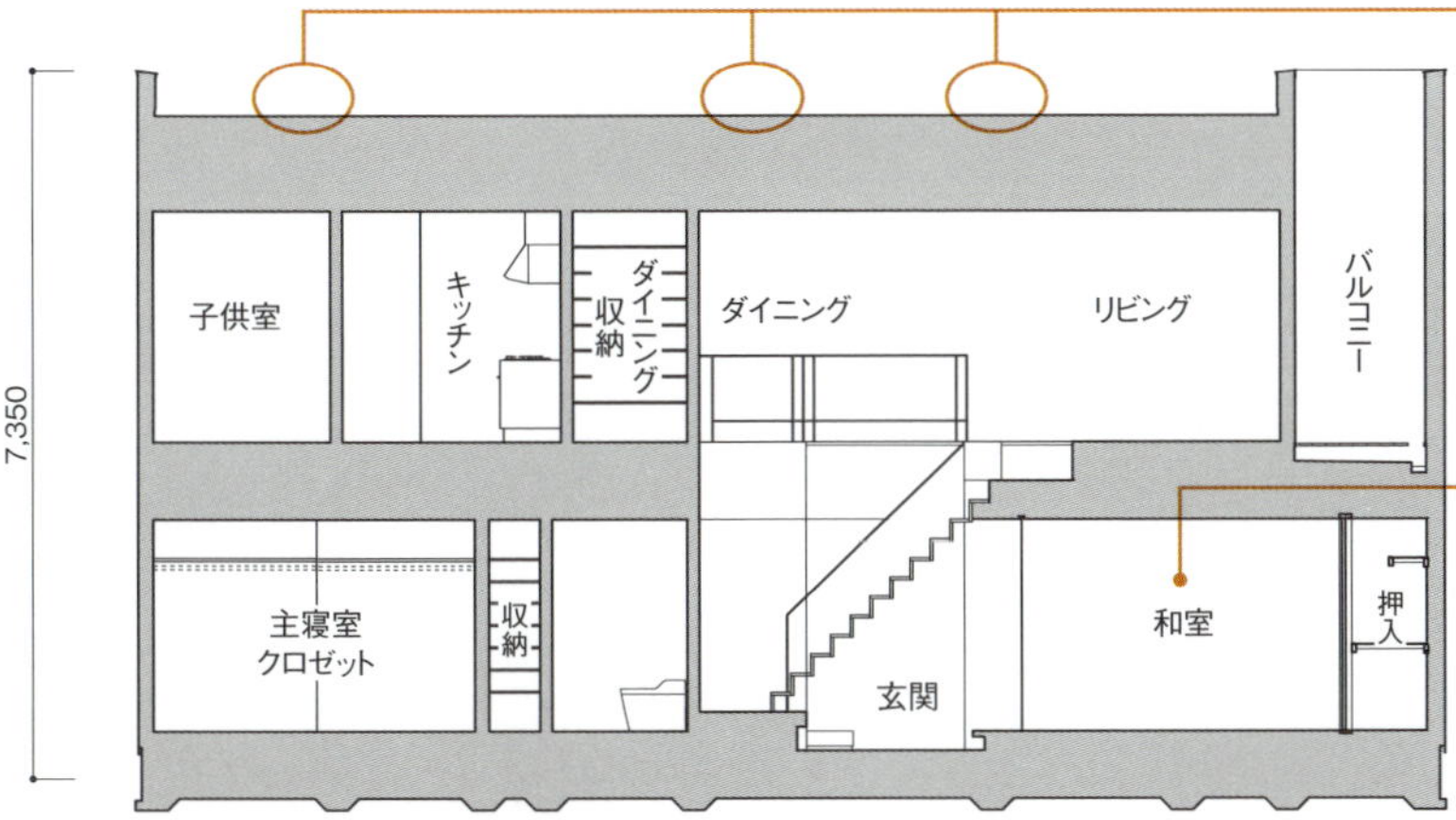

断面　S=1:150

離れになる

玄関土間を大きく取っているので、1階和室には土間を渡ってアプローチ。小さな家のなかにも離れ的な雰囲気の部屋ができた

2階DK側から見る。大きな吹抜けからトップライトの光が吹抜けを通って1階玄関に落ちる。リビングの窓の向こうは光庭的なバルコニー

建築概要

所在地	大阪府
家族構成	夫婦（30歳代）＋子供1人
敷地状況	整形、南道路、商店街のなかの土地
敷地面積	68.83㎡（20.82坪）
延床面積	89.91㎡（27.19坪）
構造・階数	木造2階

CHAPTER

6

美しく楽しい階段室

苦痛から楽しい場所に

階段は上階と下階をつなぐところ。家のなかでは唯一上下の移動が要求されます。日々の暮らしのなかでカラダを鍛えている人を除けば、毎日の上り下りに苦痛を感じるかもしれません。しかしその階段自体が美しくつくられていたり、舞台に上がるような高揚感を味わえたりするようなものであれば、その苦痛は楽しみにも変わるのです。

階段は光の通路でもある

家の中心部分は窓から距離があるため、どうしても暗くなりがちです。そこに階段を配置し、上部に天窓を設けることで、暗くなりがちな場所にも光が届けられるようになります。下階まで光が落ちるように、蹴込み板を設けないストリップ（透かし）階段にしておくのがよいでしょう。階段から落ちた光が、壁や床に美しい陰影をつくり出すのも魅力の1つですね。影が刻々と変化する様は見ていて飽きないものです。また階段を家の中心に配置することは、上階の廊下を短くすることにもつながります。つまり階段から各部屋にすぐにアクセスできるのです。部屋の面積を確保したいときにも使えるテクニックです。

舞台に上がるように 階段を昇ってブリッジを渡る

1階に個室、2階にLDKと水廻りを配置する間取り。玄関に入ったとき、すぐに家の構成を把握できないようなおもしろい空間にしてほしいという要望を受けて、中庭と吹抜けを組み合わせた少し変わった階段にしている。

階段は折り返し階段とし、中間の踊り場にトイレと趣味室を配置。さらに2階は、吹抜けに架かるブリッジを渡ってLDKにアクセスする。ブリッジを渡ることで、LDKがステージのように感じられる演出となっている。

ブリッジを渡る

いよいよ2階のLDKへ、と気分を高揚させてくれるブリッジ。わずかな距離でも、ここが結界となって、2階を特別な場所にしてくれる

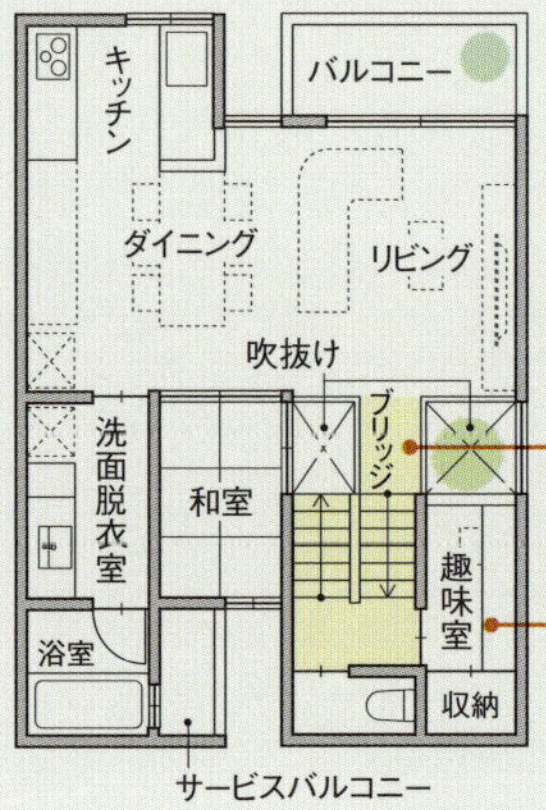

2F S=1:200

中2階の居場所

階段の踊り場のレベルにトイレと趣味室を配置。トイレは、1、2階どちらからも近くなり、また中2階があることで、階段の昇降が苦にならない

屋内の緑

土間を一部はつって屋内の植栽空間をつくっている。脇の縦長の窓から光が入り、玄関に入ると明るく美しい緑が見える

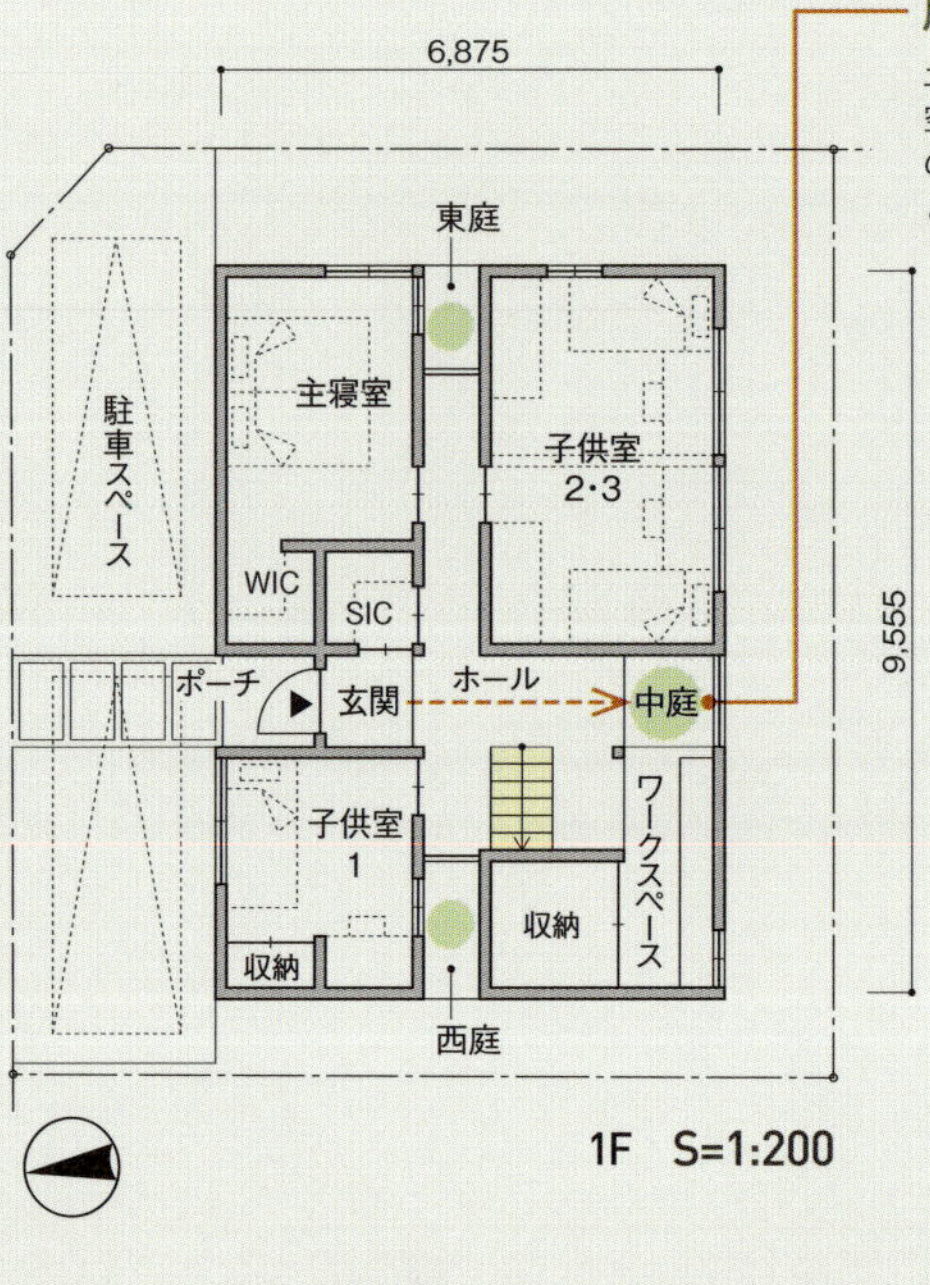

1F S=1:200

建築概要	
所在地	神奈川県
家族構成	夫婦(30歳代)+子供2人
敷地状況	整形、北・東道路
敷地面積	137.16㎡(41.50坪)
延床面積	116.76㎡(35.25坪)
構造・階数	木造2階

土間から2階へ軽やかにつなぐストリップ階段

小さな床面積のなかでメリハリをつけるため、1階に大きな土間を設けている。広い土間の先にある浮かんだようなLDKは、床上というまとまりのなかで空間の一体感が強調される。一方、LDKから土間を挟んで和室があり、こちらは離れ的な存在となっている。

階段は、この土間に置いてある。木製のストリップ階段で2階に進むと、吹抜けに浮かぶスノコの上に出るようになっており、浮遊感たっぷり。2階と1階、そして土間と床上を軽やかにつなぐ階段になっている。

建築概要
所在地　神奈川県
家族構成　夫婦（40歳代）＋子供2人
敷地状況　整形、南・西道路
敷地面積　122.70㎡（37.11）坪
延床面積　96.05㎡（29.05）坪
構造・階数　木造2階

土間の効用

LDK脇を広い土間とすることで、LDKとは異なる場がすぐ横に広がり、LDKをより広く感じさせてくれる

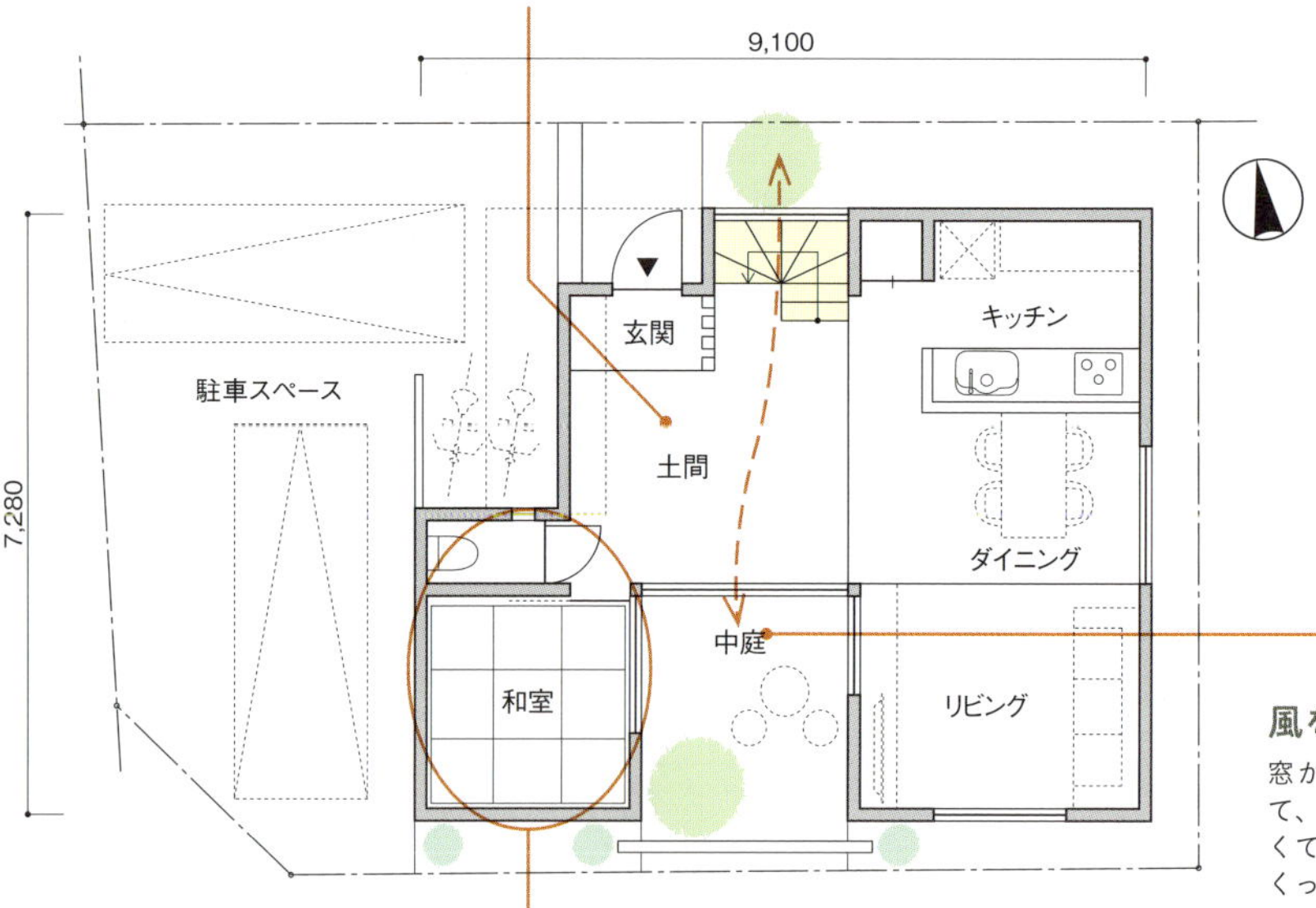

風を抜く

窓からストリップ階段を抜けて、中庭まで風が抜ける。明るくて気持ちのよい階段空間をつくっている

1F　S=1:150

土間の向こうに

トイレと和室は、LDKから土間を渡って向かう。離れに向かうような感覚は、室内をより広く感じさせてくれる

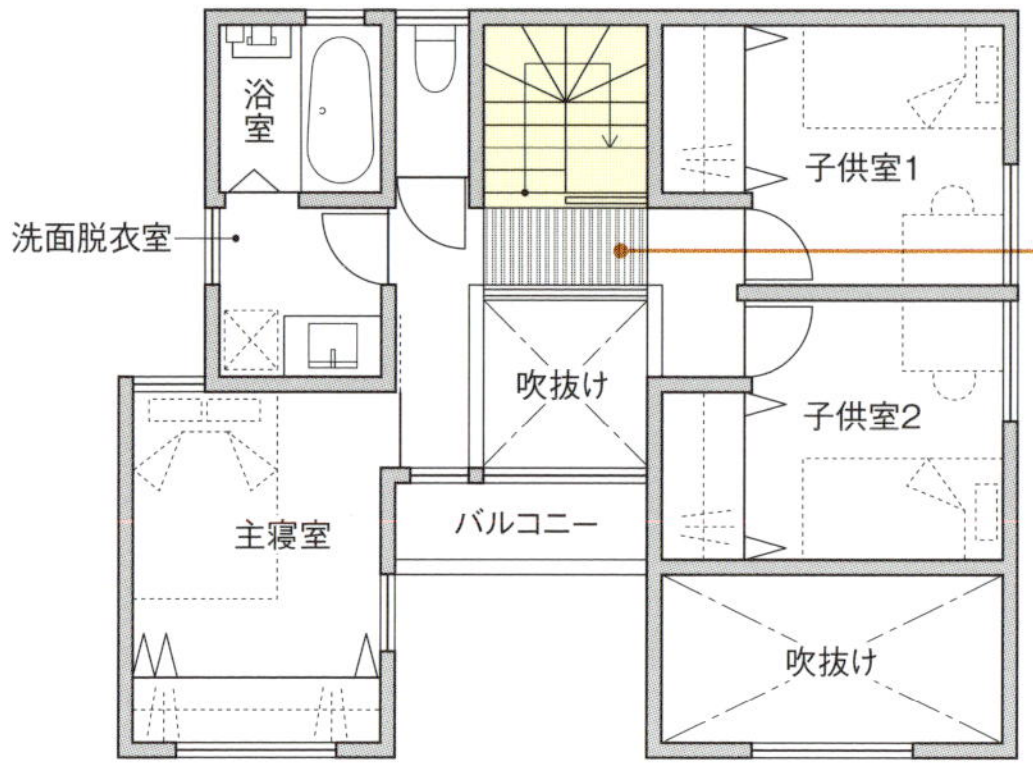

吹抜けの抜け

土間の上部は吹抜けになっており、階段を上がると視線が抜ける。上がり切った部分はスノコ状で、吹抜けに浮遊しているかのような不思議な感覚になる

2F　S=1:150

庭に抜ける視線を邪魔しないシースルーの階段

玄関のみ共有する2世帯住宅である。玄関を入ると、テラス越しに庭が見えるホールとなる。2階の子世帯へは、このホールから階段を上がっていくが、視線の先のホール、テラス、庭で1階両親の気配を感じる。そのため、階段も視線や気配を邪魔しないよう蹴込みのないシースルーの階段とした。

建築概要
- 所在地　神奈川県
- 家族構成　2世帯
- 敷地状況　変形、北道路
- 敷地面積　365.80㎡（110.65坪）
- 延床面積　243.46㎡（73.64坪）
- 構造・階数　木造2階

気配を感じられるように

玄関から見えるホール、テラス、庭で1階両親の気配を感じる。この視線を邪魔しないように蹴込み板のないすっきりした階段としている

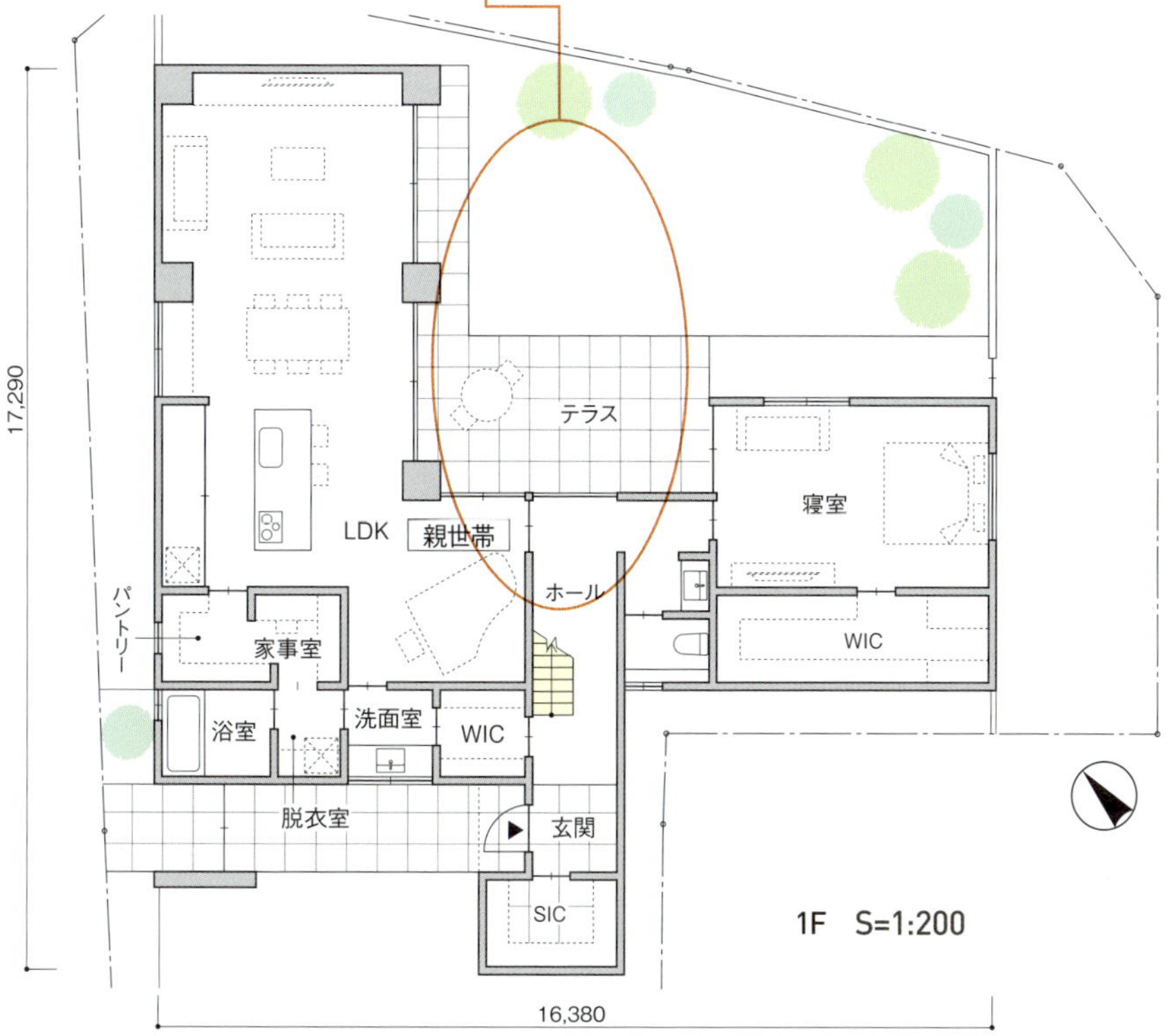

1F　S=1:200

吹抜けで一体化

階段は大きな吹抜けのなかにあるので、2階に上がっても1階ホールと一体化されて、2世帯の共有空間のように感じられる

2F　S=1:200

家族の距離が近くなるリビングに置かれた階段

1階にLDKと水廻り、2階に個室というオーソドックスなプラン。要望として、家族の気配を感じられるようにしたいということがあったので、上下階をつなぐ階段はあえてリビングに置いた。

これにより、2階に向かうには必ずリビングを経由することになり、リビングが動線の中心となる。さらにリビングを大きな吹抜け空間としたことで、上下階の気配を伝えあえるようになっている。

リビング経由の階段

LDKの奥に階段の登り口を設けて、上下階の行き来の際には必ずリビングを経由する動線をつくっている

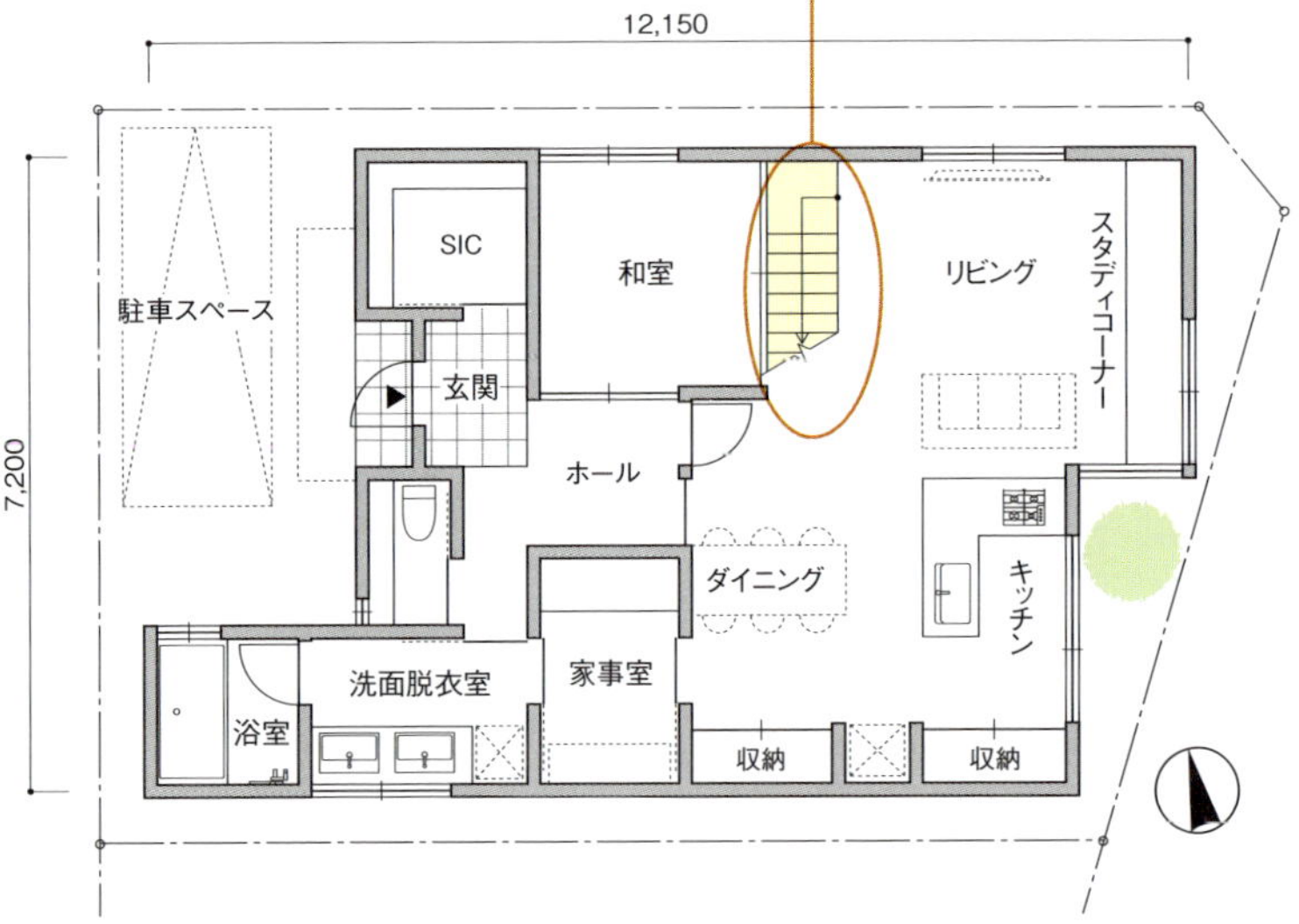

1F　S=1:150

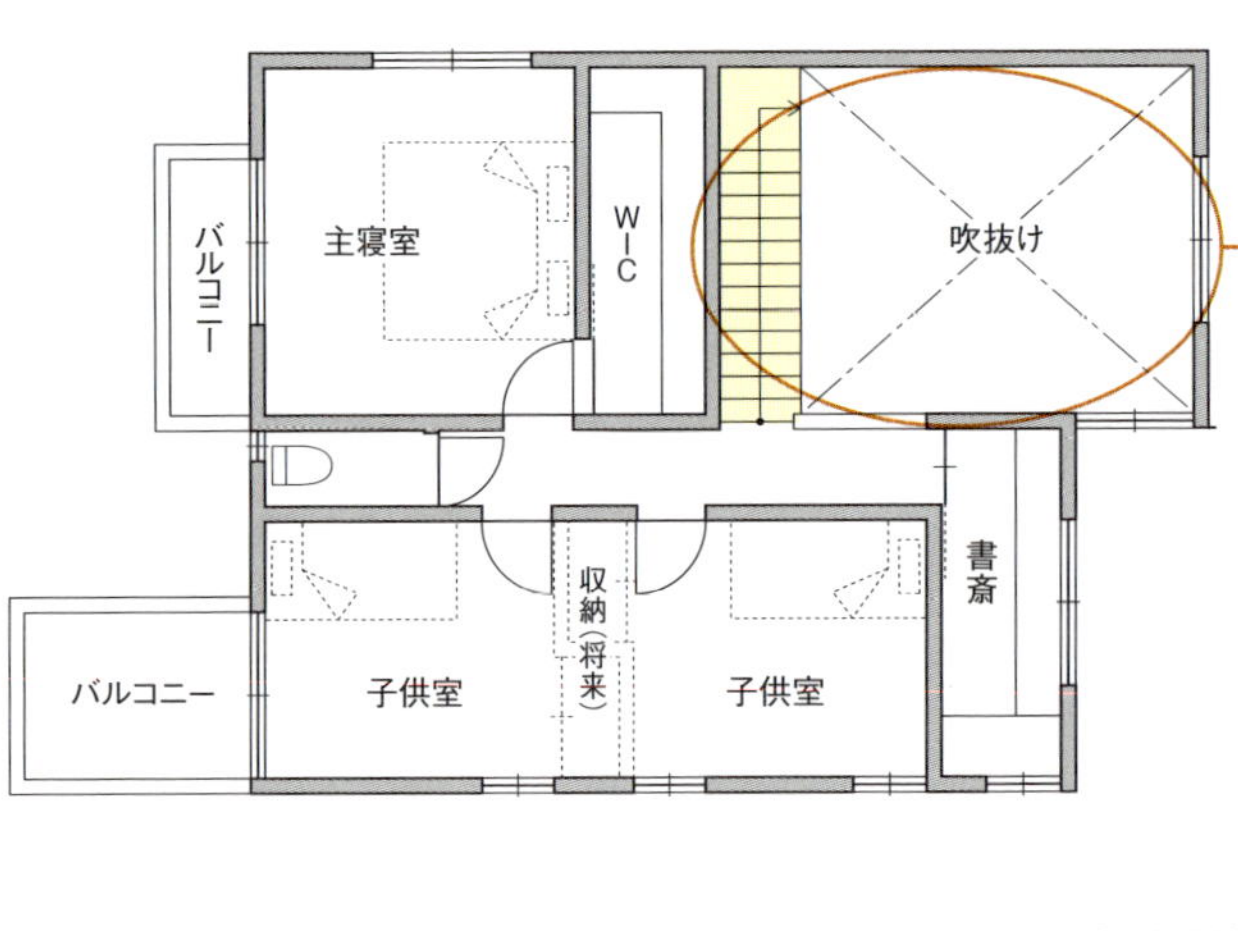

2F　S=1:150

1､2階をつなぐ吹抜け

リビングの上部を大きな吹抜けにして、上下階の気配をつなぐ。リビングにはスタディコーナーも設けて、家族が集まりやすくしている

建築概要

所在地	東京都
家族構成	夫婦（30歳代）＋子供（これから）
敷地状況	整形、北・東道路
敷地面積	107.30㎡（32.51坪）
延床面積	116.23㎡（35.22坪）
構造・階数	木造2階

玄関を入ると目に飛び込むイナズマ階段

玄関扉を開けると、目の前に見えるイナズマ階段。玄関ホールと中2階をつないでいる

道路面から5段上がって玄関に入ると、目の前に階段が見える構成になっている。この階段で2階LDKへと向かうのだが、来客には一番先に見えるものとなるため、「かっこいい、イナズマ（ささら桁）階段にしてほしい」との要望だった。中2階まで9段の階段は、シャープなイナズマ型の桁に支えられ、玄関土間をまたぐオブジェのように置かれている。

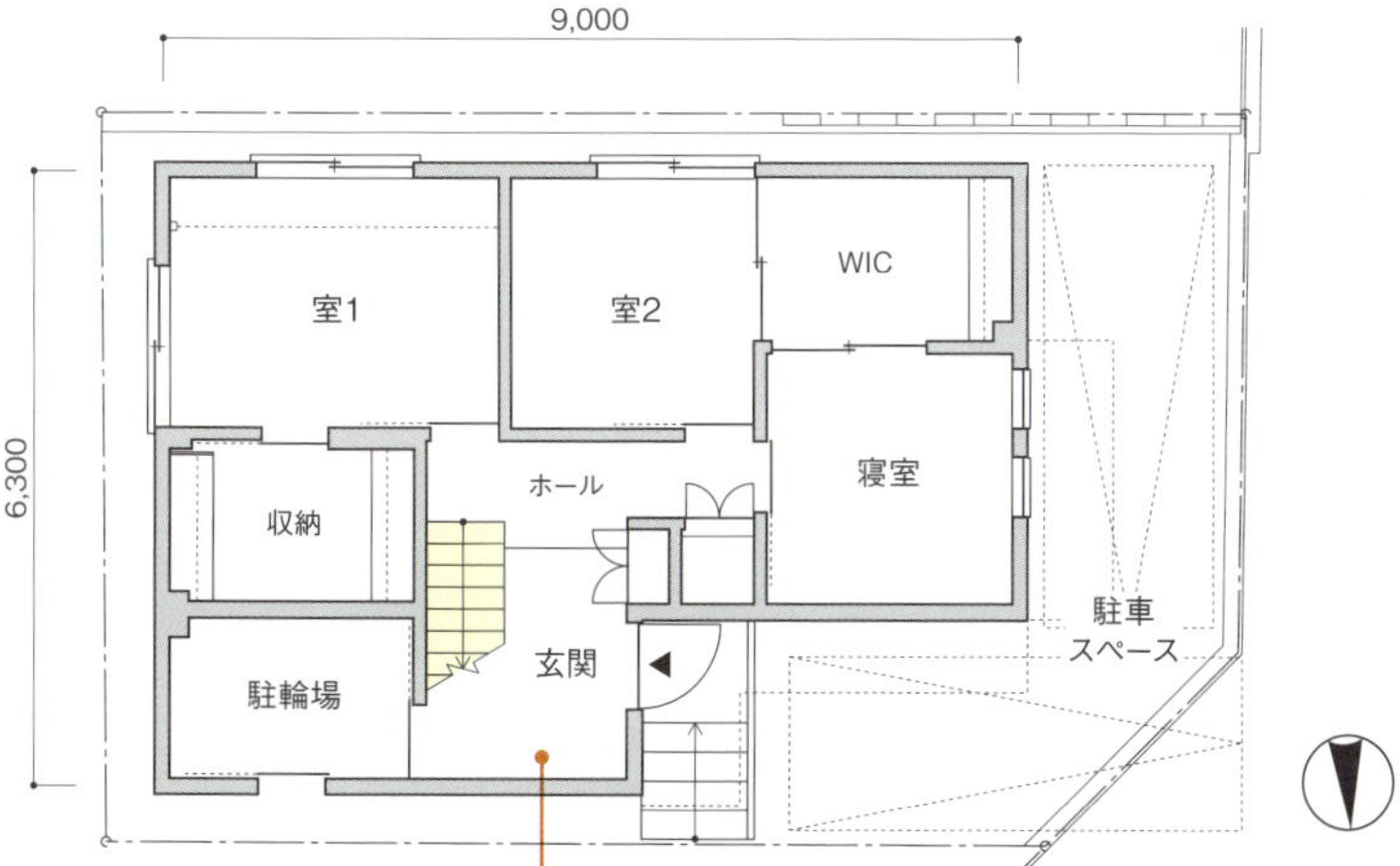

玄関土間を越えて

メイン空間のLDKに向かって、玄関ホールから玄関土間を越えて昇っていく

1F　S=1:150

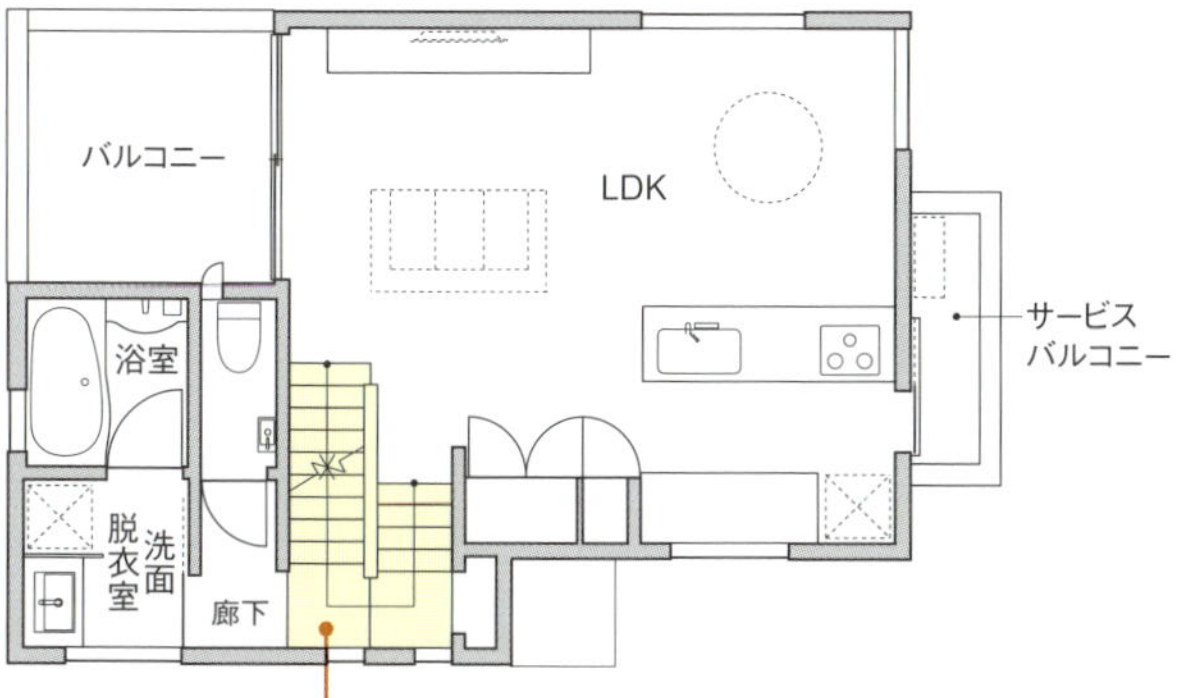

中2階で休憩

1階に自転車置き場などの階高の低い部屋を置き、中2階をつくって水廻りを配置している。階段は、ここで折り返すので、昇り降りの負担は軽減される

2F　S=1:150

建築概要	
所在地	大阪府
家族構成	夫婦（30歳代）＋子供1人
敷地状況	整形、北・西道路、坂の途中で敷地内高低差1.1m
敷地面積	87.73㎡（26.54坪）
延床面積	94.57㎡（28.61坪）
構造・階数	木造2階

リビング脇の階段から吹抜けに浮かぶブリッジへ

階段はリビングのなかにほしいけど、上がった先が狭い廊下などになっているのはちょっと寂しい、という要望。

そこで、1階に置いたＬＤＫのリビング上部を大きな吹抜けとして、リビング内の階段をあがって、吹抜けにかかるブリッジを渡る構成とした。吹抜けに浮かぶブリッジはリビングのアクセントにもなり、廊下のような狭さも感じさせない。階段を昇るときのワクワク感も生み出している。

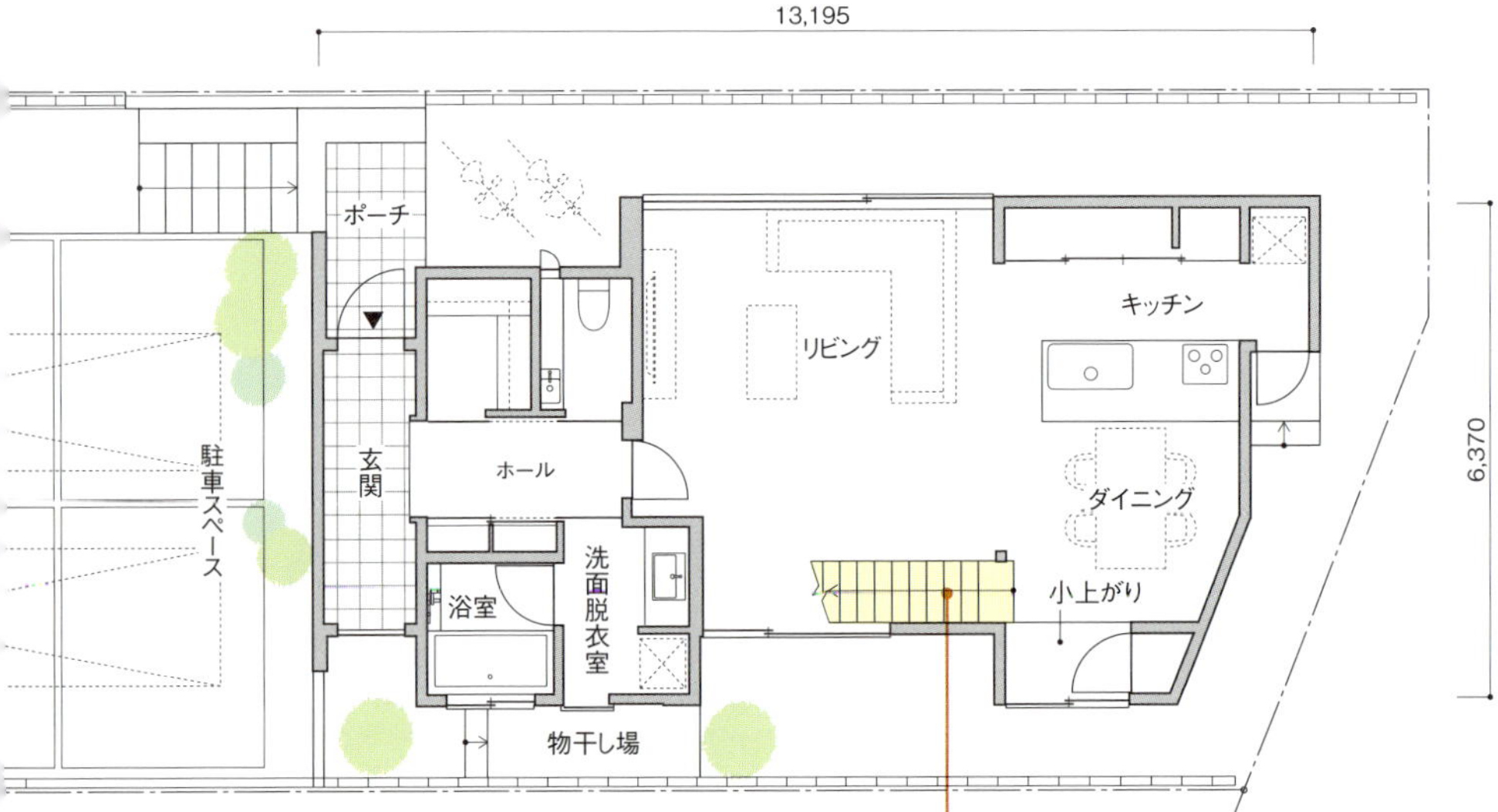

1F　S=1:150

階段を壁際に置く

ブリッジをダイナミックに見せるために階段は壁際に配置。ストリップ階段なので、視覚的にリビングの開放感も損なわない

浮かぶブリッジ

吹抜けを横断するダイナミックなブリッジ。階段を昇っていくのが楽しくなる仕掛け

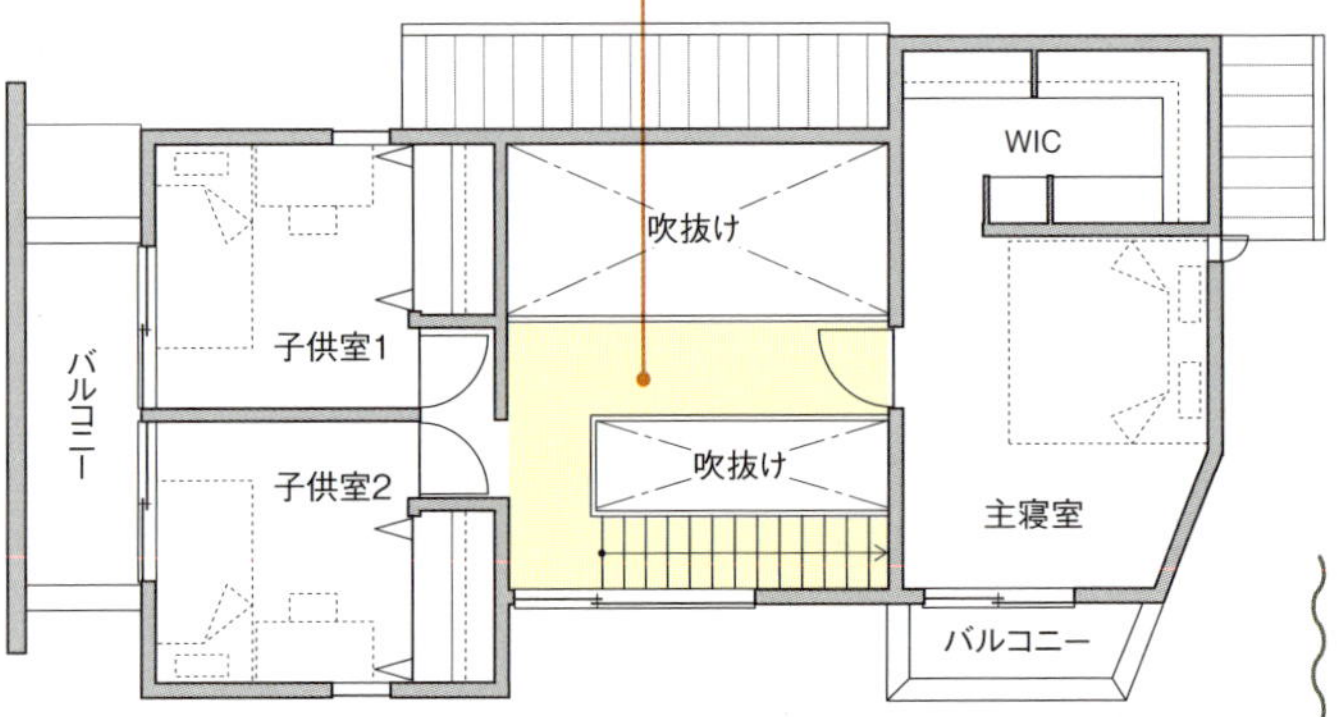

2F　S=1:150

建築概要

所在地	愛知県
家族構成	夫婦（30歳代）＋子供2人
敷地状況	整形、西道路、道路との高低差1.0m
敷地面積	181.87㎡（55.01坪）
延床面積	121.07㎡（36.62坪）
構造・階数	木造2階

南寄せのストリップ階段で1階ＬＤＫも明るく軽やかに

ワンルームのＬＤＫのなかに置かれた階段である。圧迫感のない階段にしたいとの要望もあったので、ストリップ階段にして軽やかな印象にしている。

あえて南面する庭とデッキに向けた大きな開口の前に置くことで、階段の軽やかさは増幅される。階段部分は必然的に吹抜けとなるため、南側に置くと1階だけでなく2階の窓からの光も吹抜けから1階に届けられるので、光を採り込む装置として階段を使うこともある。

窓に面して配置

階段を、南側の大きな窓前にあえて配置。ストリップ階段の向こうから光が入ることで、階段が軽やかに感じられる

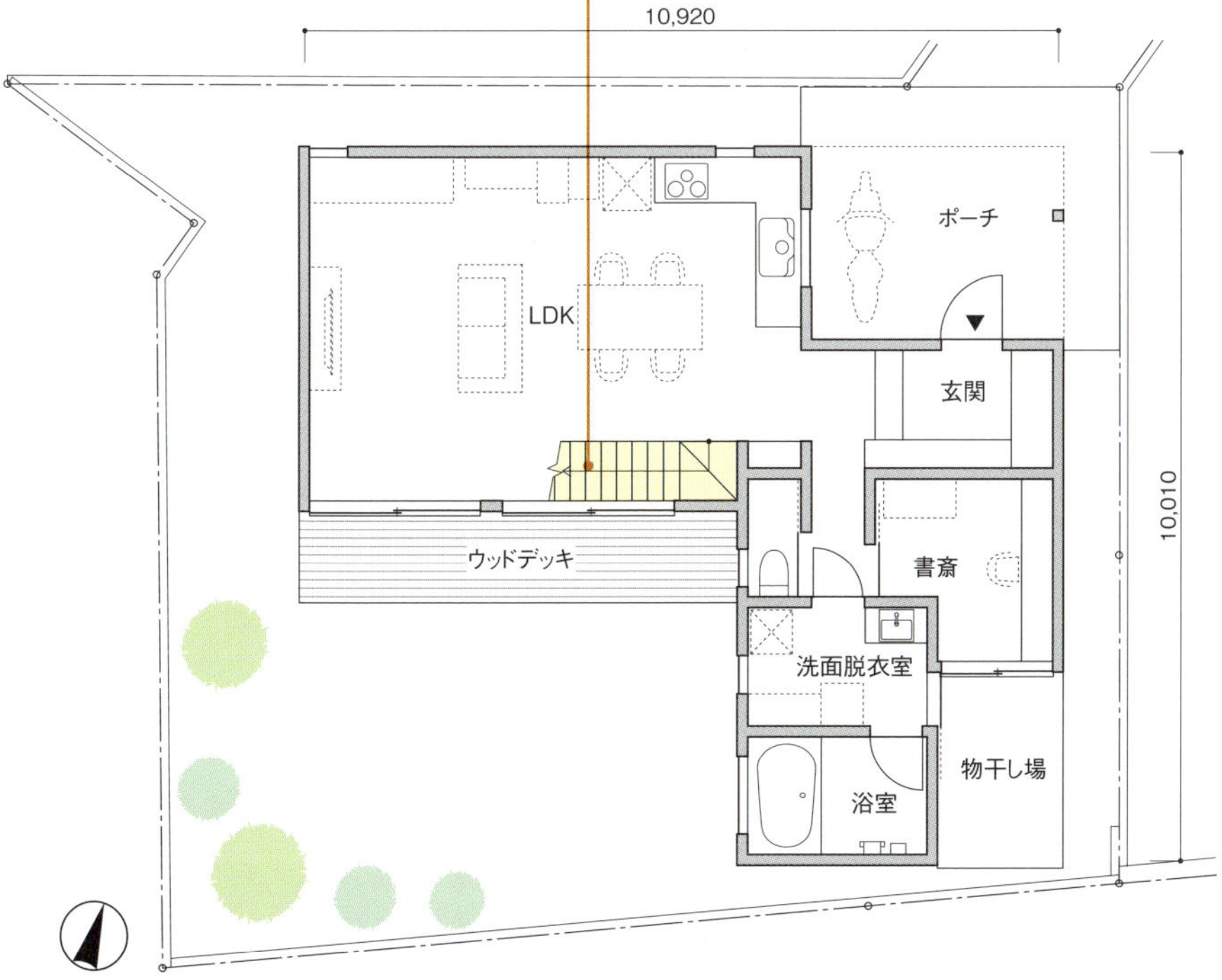

1F　S=1:150

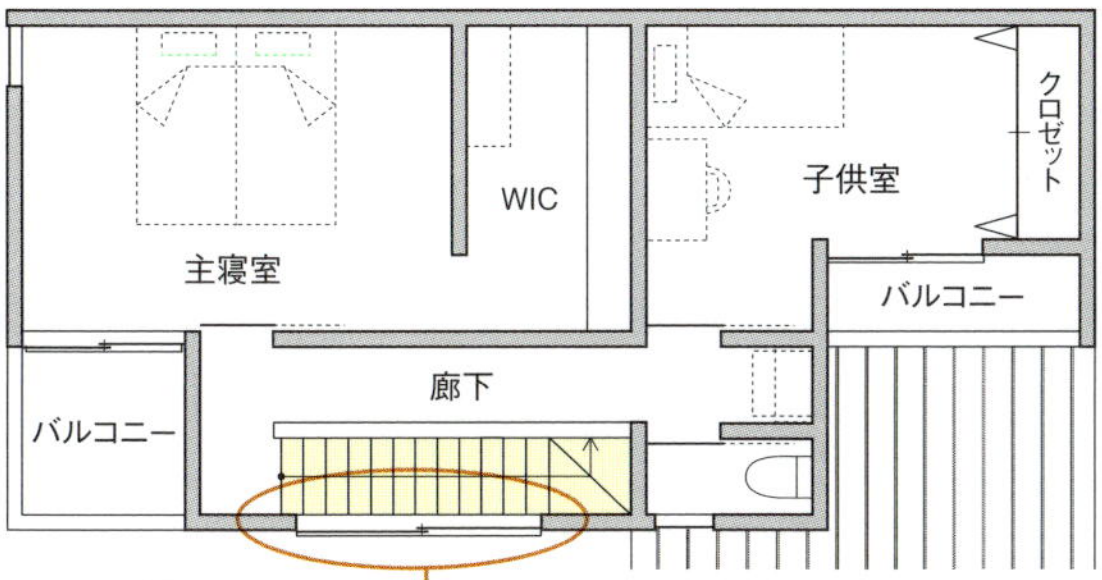

2F　S=1:150

2階の光も1階へ

階段を南面させることで吹抜けができるので、2階の窓から入った光も、吹抜けを通じて1階ＬＤＫに届く

建築概要

所在地	愛知県
家族構成	夫婦（40歳代）＋子供1人
敷地状況	旗竿敷地、道路との高低差0.4m
敷地面積	226.05㎡（95.40坪）
延床面積	103.09㎡（31.18坪）
構造・階数	木造2階

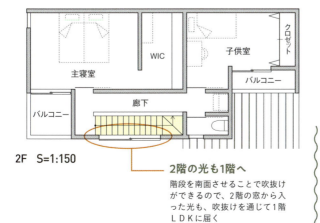

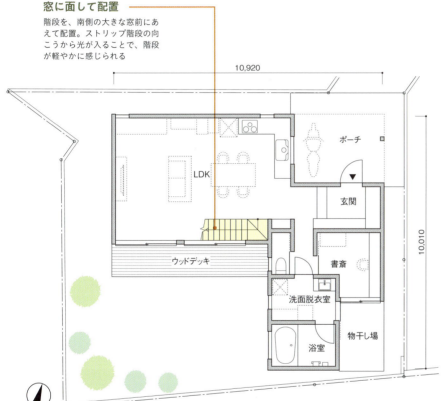

子供と自然に触れ合えるLDKのなかの階段

子供室のみ2階に置いた間取り。学校から帰ってきた子供たちは、カバンを置きに、あるいは着替えに自分の部屋に直行するが、その際にも顔を合わせられるよう、ＬＤＫの中央に階段の昇り口を設けている。

玄関ホールから直接ＬＤＫに入ることになるが、ホールからＬＤＫまで6段の階段を上がるスキップ構成なので、玄関からＬＤＫまで一定の距離感は保たれている。

建築概要
所在地　愛知県
家族構成　夫婦（40歳代）＋子供2人
敷地状況　整形（台形）、西道路、道路との高低差3〜4m
敷地面積　378.66㎡（114.54坪）
延床面積　137.05㎡（41.45坪）
構造・階数　木造2階（一部スキップ）

6段の距離感

玄関から直接LDKに入ることになるが、玄関ホールから6段階段を上がるスキップの構成になっているので、玄関の来客にLDKをのぞかれることもない

LDKの中央に

階段の昇り口をLDKの中央に配置することで、子供たちは自分の部屋に行くときに必ずここを通ることになる

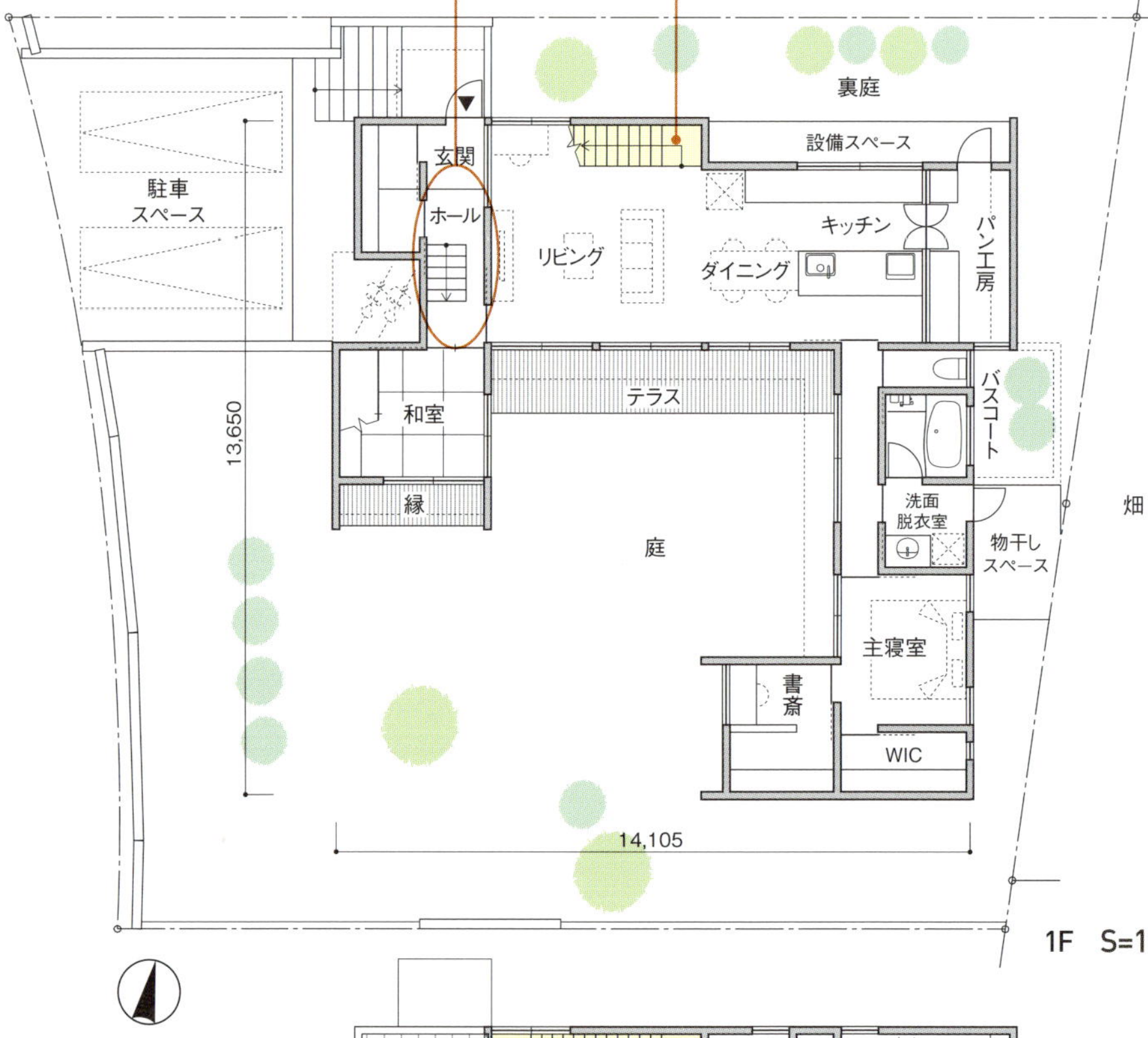

1F　S=1:200

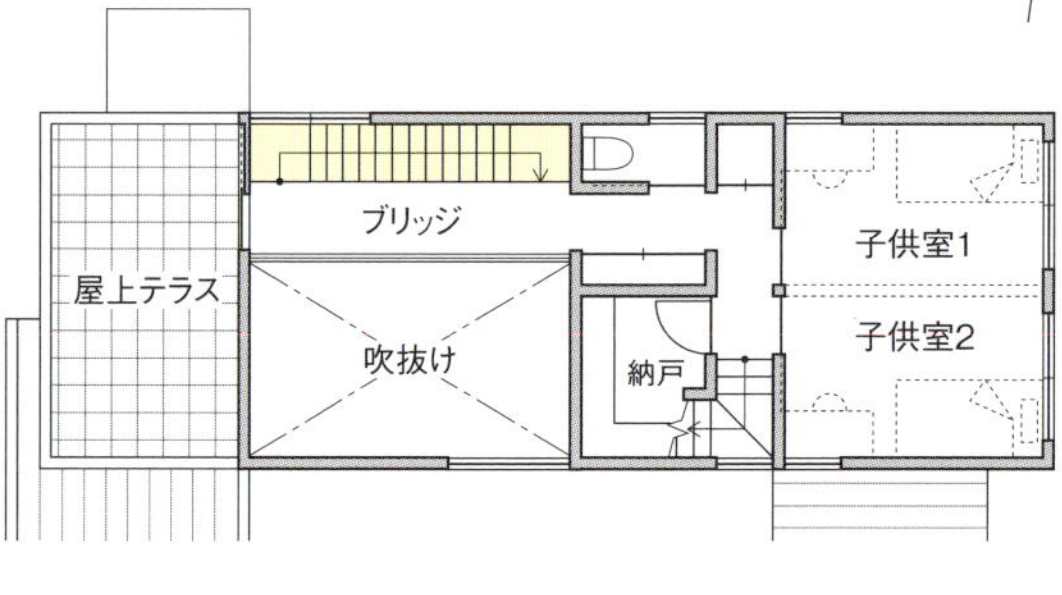

2F　S=1:200

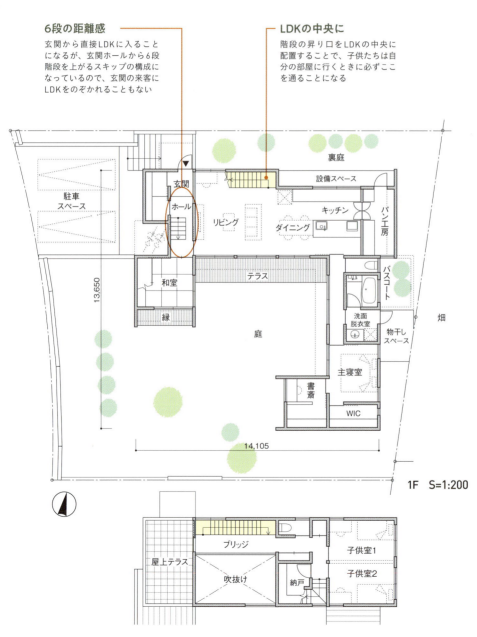

大屋根の下に配された5つの箱をつなぐ階段たち

敷地は間口5m、奥行き約20mの細長い形状。隣家が迫るが、前面道路の向かいに緑豊かな旧家があり、そちらとどのような関係をつくれるかがテーマとなった。

建物は、ほぼ総2階の家型のなかに5つの箱を想定。2階の2つの箱は上から吊られている。屋根の長手方向に走るトップライトは、真っ直ぐに向かいの旧家に向かい、箱と箱の隙間を通じて、さまざまな場所からその緑を感じられる。階段は、上下階の移動装置というより、家中の場をつなぐブリッジのような役割を果たしている。

建築概要

所在地	大阪府
家族構成	夫婦＋子供1人
敷地状況	整形、北東道路、間口約5m×奥行約20mの細長い敷地
敷地面積	110.09㎡（33.30坪）
延床面積	106.51㎡（32.21坪）
構造・階数	木造2階

道路側外観

吊られたDK

もっともアクティビティの高いDKは上から吊った箱のなかに。スペース3へ向かう動線にもなっており、室内の要の場所

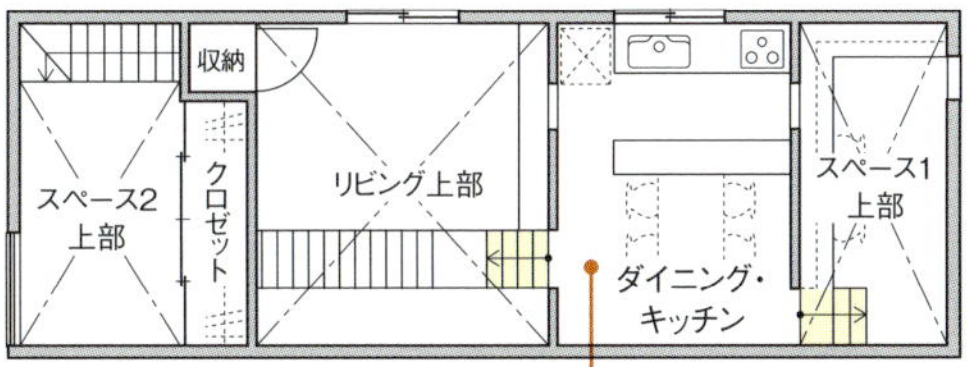

2bF S=1:200

上部を使う

DKの箱に向かう階段の途中にリビング。ここは1階水廻りの箱の上部になる

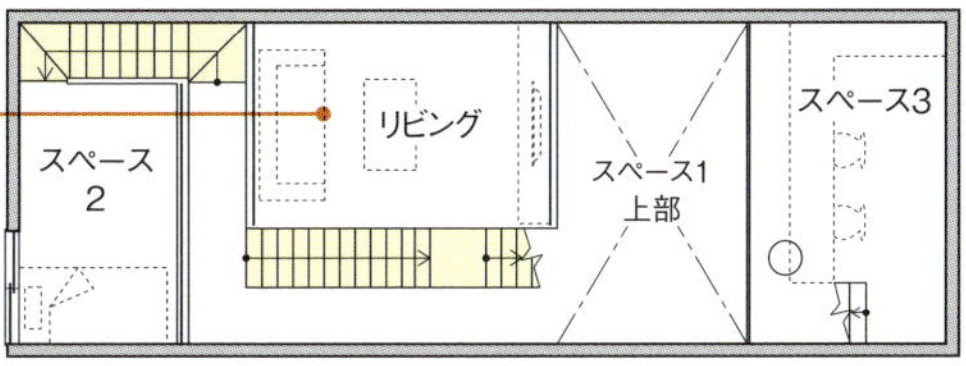

2aF S=1:200

隙間をつくる

1階では3つの箱を離して配置。その隙間スペースも動線や居場所となる

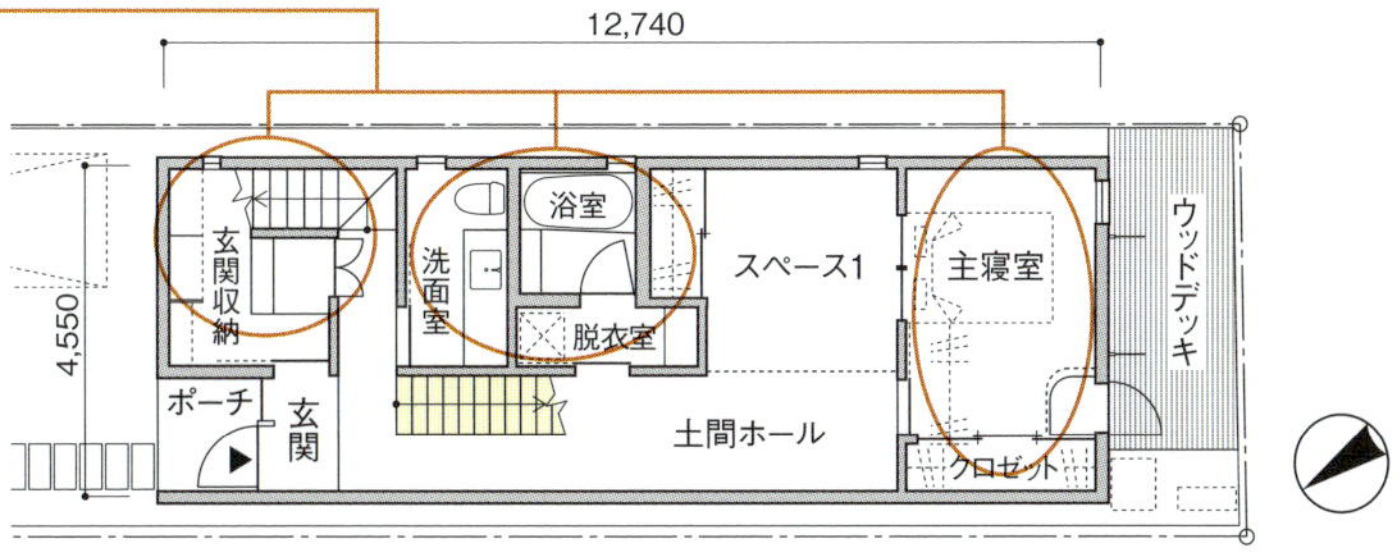

1F S=1:200

DKの箱に向かう階段。長手方向に一直線の伸びる。左側に見える壁は水廻りの箱。上部がリビングになっている

暗示される方向性

箱と箱の隙間は長手方向に抜けていく。DKに向かう階段や一直線のトップライトなど、長手方向への方向性が暗示され、意識が自然と向かいの緑へと向かう

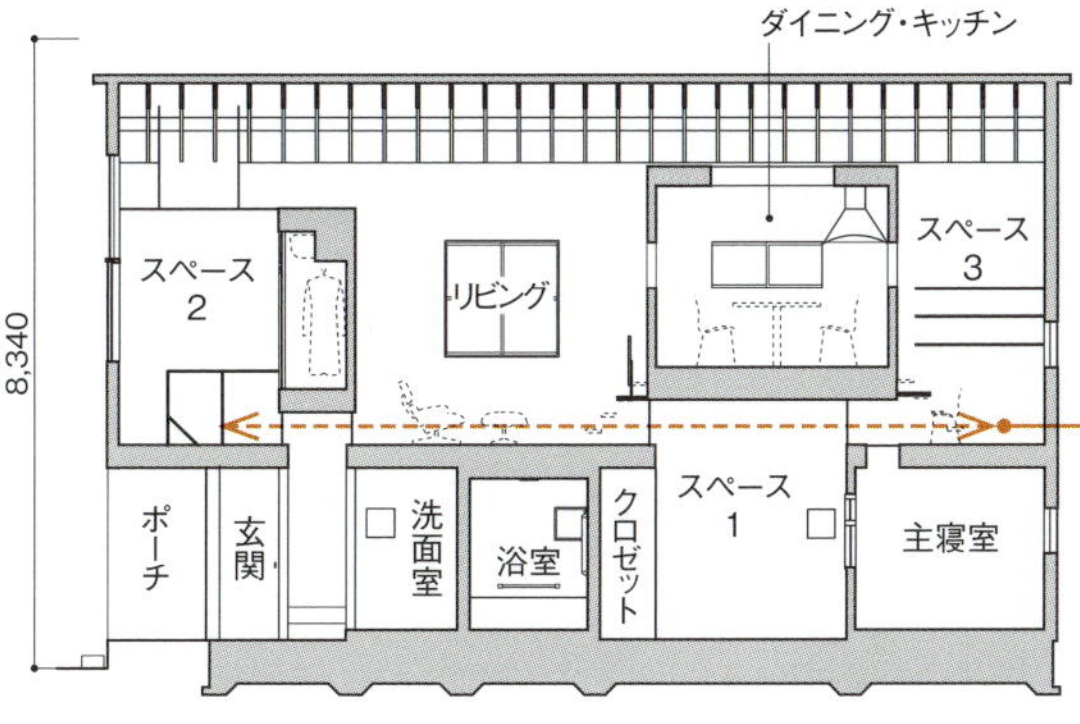

断面 S=1:200

CHAPTER

7

寝室は就寝前のリビング

寝る前の気分を整える

快眠のためにも、寝る前には仕事・家事のストレスなどによって過敏になった神経を落ち着かせる必要があります。読書や晩酌をしたり、音楽を聴いたり、リラックスする方法は人それぞれですが、いずれも寝室のような「落ち着いた、ほの暗い空間」で行うとより効果的。疲れを癒しリラックスする場所として、寝室に書斎や

LDK的な役割を持たせることで、寝室はぐっと魅力的で、機能的な空間になります。

もちろん通常の寝室よりもスペースが必要になるので、寝るためだけの場所と割り切ってコンパクトにつくるのも1つの手ではあります。

より静寂な空間を目指して

寝室ではすべてのことを忘れたい、気持ちを切り替えたい——そんな人には、中庭を挟むなどして「離れ」のようにつくった寝室もオススメです。ほかの家族が起きていてもそこは別世界、存分に眠りを満喫できます。

部屋のしつらえはぐっすり眠れるような落ち着いたものとし、プライバシーはしっかり確保しながらも、朝には日光を浴びてすっきり目覚められるようにするとより健康的ですね。

サブリビングを設けて半パブリックな寝室をつくる

寝室にもくつろげるスペースがほしいという要望を受けて考えたプランである。1階にLDKと水廻りを置いているので2階はプライベートな個室となるが、寝室はあえて吹抜けで1階リビングとつなぎ、さらに雁行させるかたちでサブリビングを設けている。

　吹抜けとクロゼットを利用して雁行させることで、一室でありながらベッドスペースとサブリビングは適度な距離感を保ち、サブリビングは1階リビングとは異なるくつろぎのスペースに。家のなかに、もう1つの家があるような心地よいい寝室となっている。

建築概要

所在地	栃木県
家族構成	夫婦(30歳代)＋子供2人
敷地状況	整形、南道路
敷地面積	300.00㎡（90.75坪）
延床面積	145.34m2(43.96坪)
構造・階数	木造2階

吹抜けとつなぐ

ベッドスペースもサブリビングも吹抜けに面し、1階リビングとつながる。閉じた個室ではない、広がりのある寝室となる

雁行させる

広めのクロゼットをつくることで、ベッドスペースとサブリビングの接点をあえて絞り、一室空間でありながら違う空間のように感じさせる

サブリビングの役割

1階のパブリックスペースとは異なるサブリビングは、よりリラックスできるくつろぎの場となる

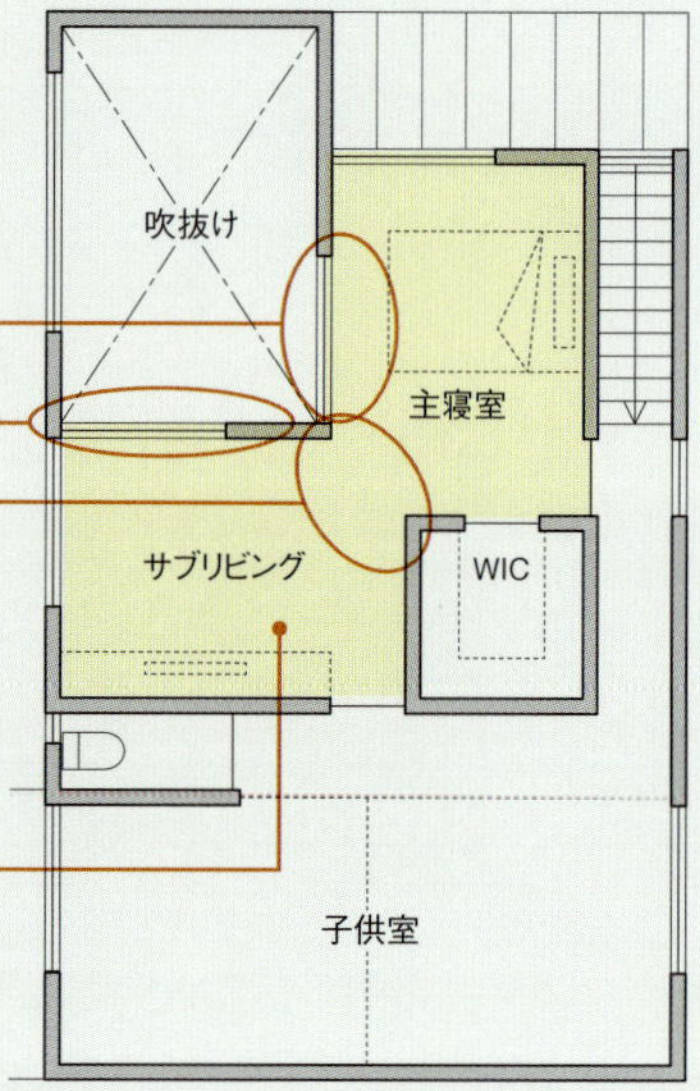

2F　S=1:150

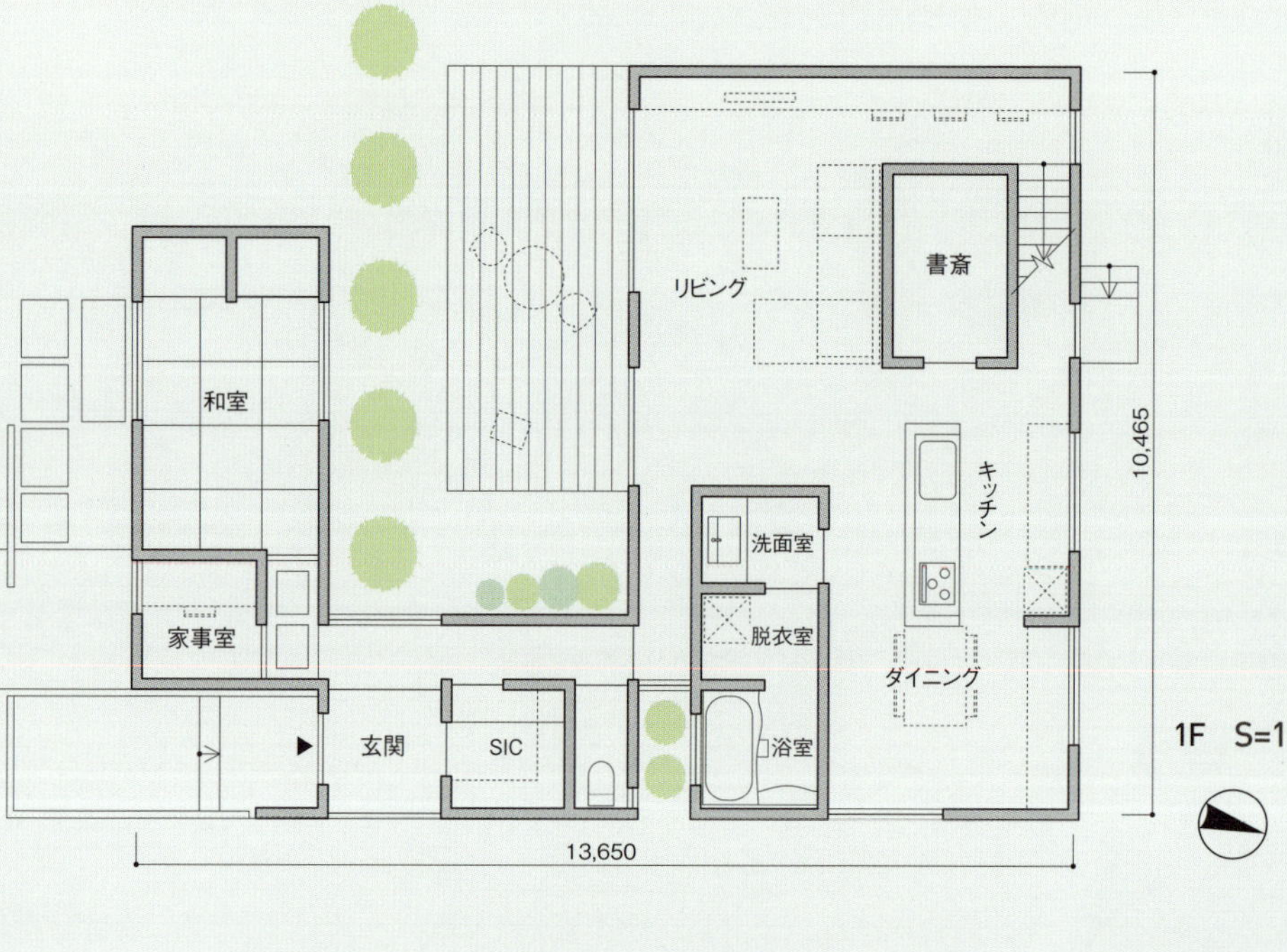

1F　S=1:150

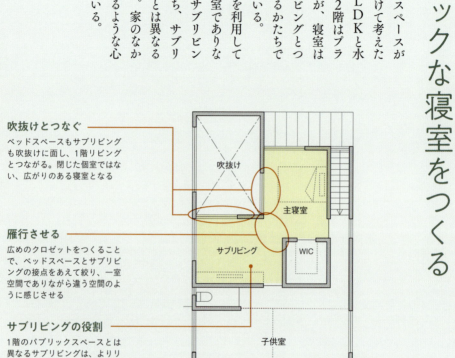

生活空間から切り離された
ゆったりと楽しめる寝室

建築概要	
所在地	栃木県
家族構成	夫婦（30歳代）＋子供
敷地状況	整形、北・東道路
敷地面積	389.85㎡（117.92坪）
延床面積	190.05㎡（57.49坪）
構造・階数	木造2階

寝室は、ちょっとしたホテルの部屋のようにしたいという要望を受けて、広めの空間をつくっている。

子供たちの個室は2階に置き、夫婦寝室は1階へ。しかもＬＤＫとは玄関ホールを挟んで棟を分けた。洗面・浴室は家族の共用となるが、玄関ホールとの間の引戸を閉めれば、中庭を挟んで、洗面・浴室までが寝室と一体となる。東側を除く3方向に窓があり、風通しのよい、気持ちのいい寝室となっている。

生活空間と切り離す

玄関ホールを挟んで、LDKとは別棟のように寝室を切り離し、プライベート性を高めている

十分な広さを確保

ソファやテーブルも置けるほどの広さ。寝るだけの寝室ではなく、眠る前のひとときをゆったりと過ごせる

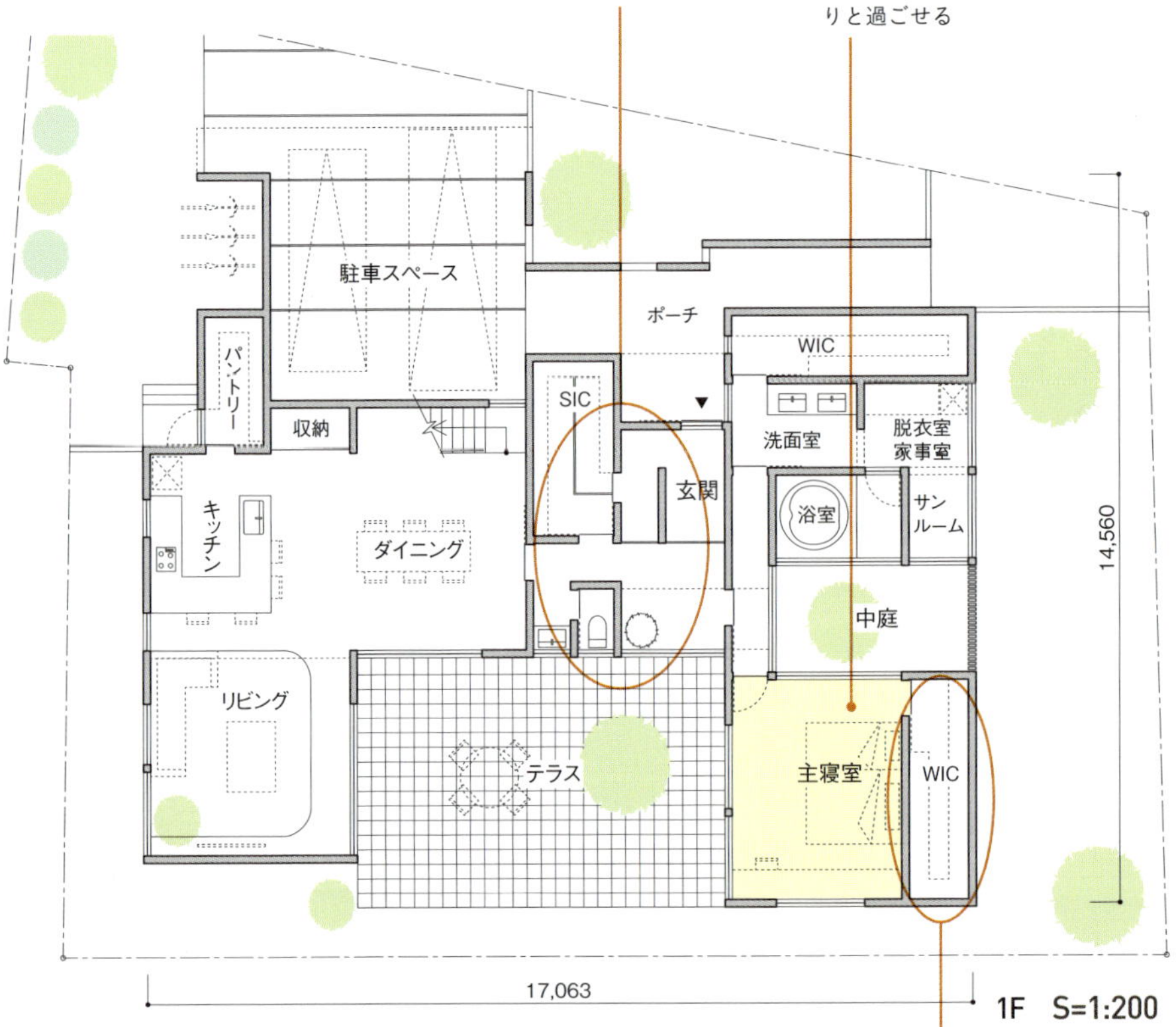

1F　S=1:200

道路側だけ閉じる

道路に面する東側だけ閉じて、その他の3方向に開口部を設置して明るく風通しのよい寝室に。東側にはウォークインクロゼットをつくり、防音と道路との距離感をとる機能を兼ねさせている

2F　S=1:200

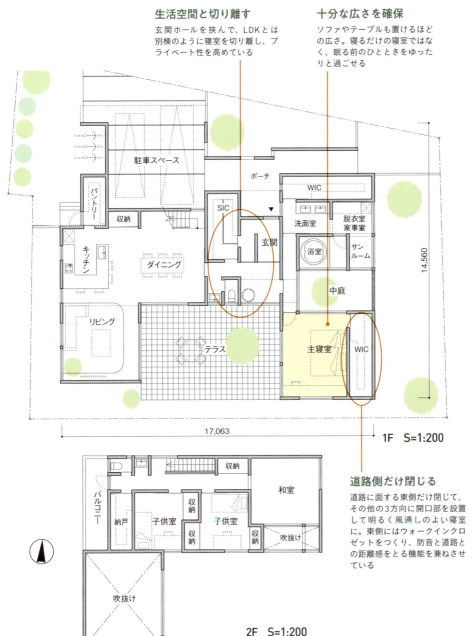

眠る前に落ち着いて過ごす書斎スペースを用意する

2階にLDKと子供部屋、客間スペースを置き、1階は寝室と洗面浴室のみのシンプルな構成。主寝室とつながった仕事ができるスペースという要望は、家族ですごすパブリックなスペースとは別に、落ち着ける場をつくりたいという要望でもあると解釈した。

そこで、寝室スペースを広めに確保し、ベッドのヘッドボートを立ち上げて簡易な間仕切りとして、寝室とゆるやかにつなげる書斎としている。眠る前のひとときはもちろん、日中でも庭が眺められる落ち着けるスペースとなった。

建築概要
所在地　東京都
家族構成　夫婦(40歳代)＋子供1人
敷地状況　整形、北・南道路
敷地面積　130.89㎡(39.59坪)
延床面積　106.01㎡(32.06坪)
構造・階数　木造2階

簡易な間仕切り

ヘッドボードを立ち上げた間仕切りは、部屋を分断することなく、書斎側とベッド側をつなげながら仕切る

プライベートガーデン

1階庭は、寝室の前に広がる、いわばプライベートガーデン。日中は庭までの広がりのある書斎となる

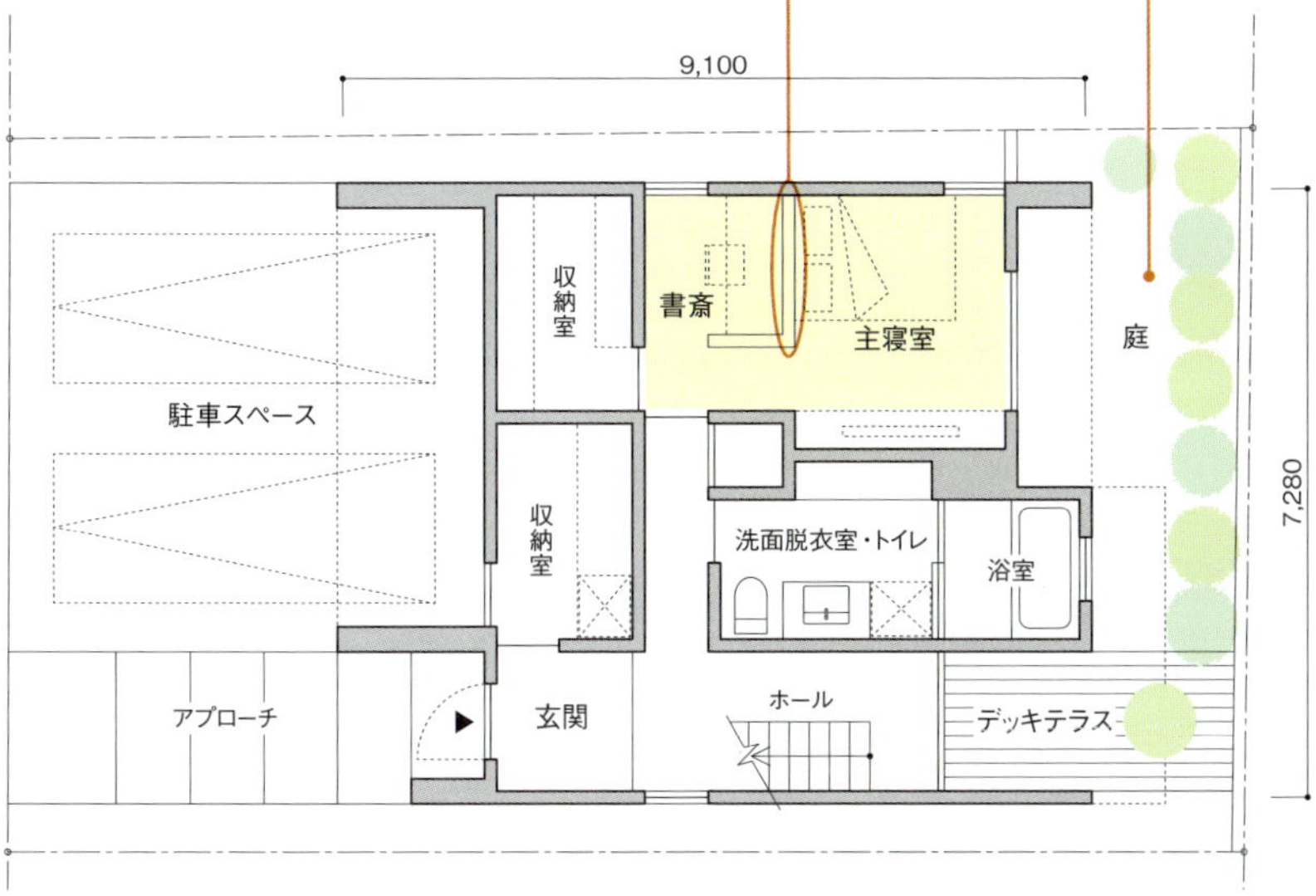

1F S=1:150

2階の庭をつくる

DKから2段高くしたリビングとつながるデッキをつくり、2階の庭のような外部空間とした

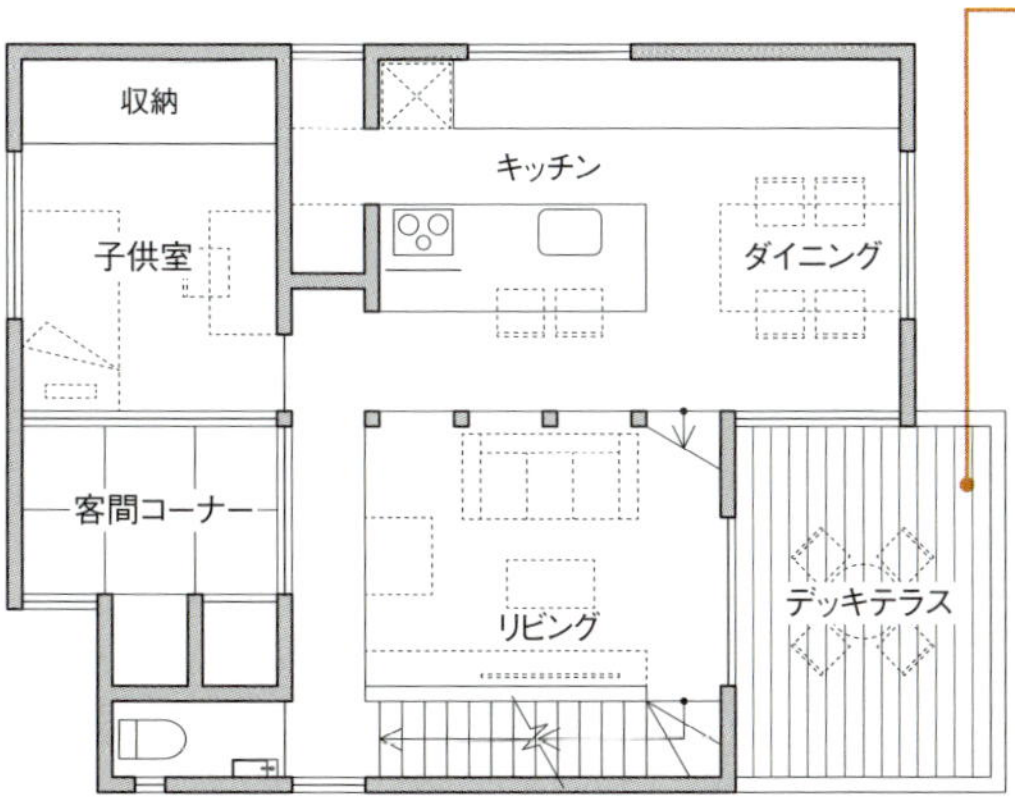

2F S=1:150

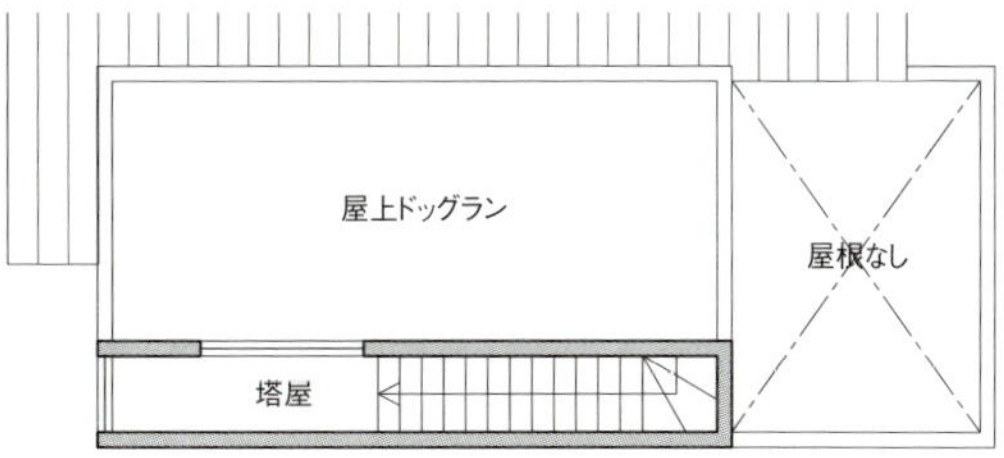

RF S=1:150

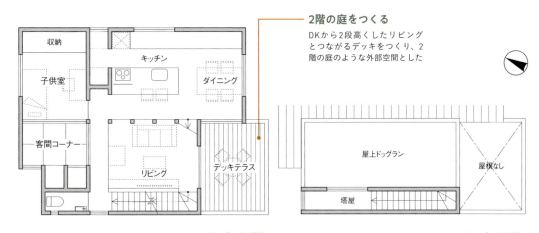

プライベートバルコニーをもつリラックスできる寝室

1階にLDKと水廻りを置いたため、2階は完全にプライベート空間となる間取りである。夫婦で晩酌ができるバルコニーを希望されたので、寝室からのみ使えるバルコニーを用意し、袖壁を少し出すことでバルコニーのプライベート感を強めている。

プライベートバルコニーの要望は、大人2人でゆっくりとした時間を過ごしたいということでもあるので、十分な収納も備えたうえで寝室は広めにとり、リラックスできる雰囲気をつくりだしている。

建築概要
所在地　埼玉県
家族構成　夫婦(30歳代)＋子供(これから)
敷地状況　整形、南・西道路
敷地面積　99.19㎡(30.00坪)
延床面積　87.89㎡(26.58坪)
構造・階数　木造2階

吹抜けで切り離す
2階には子供室もあるが、吹抜けを挟むことで切り離し、寝室の独立性を高めている

余計なものを出さない
寝室に付随する収納室を大きめにとって、余計なものがベッド側に出ないように配慮。ホテルの一室のような雰囲気になっている

囲われたバルコニー
袖壁を少し出すことでバルコニーに囲われ感が生まれ、プライベート性が強くなる。夫婦2人だけの外部空間

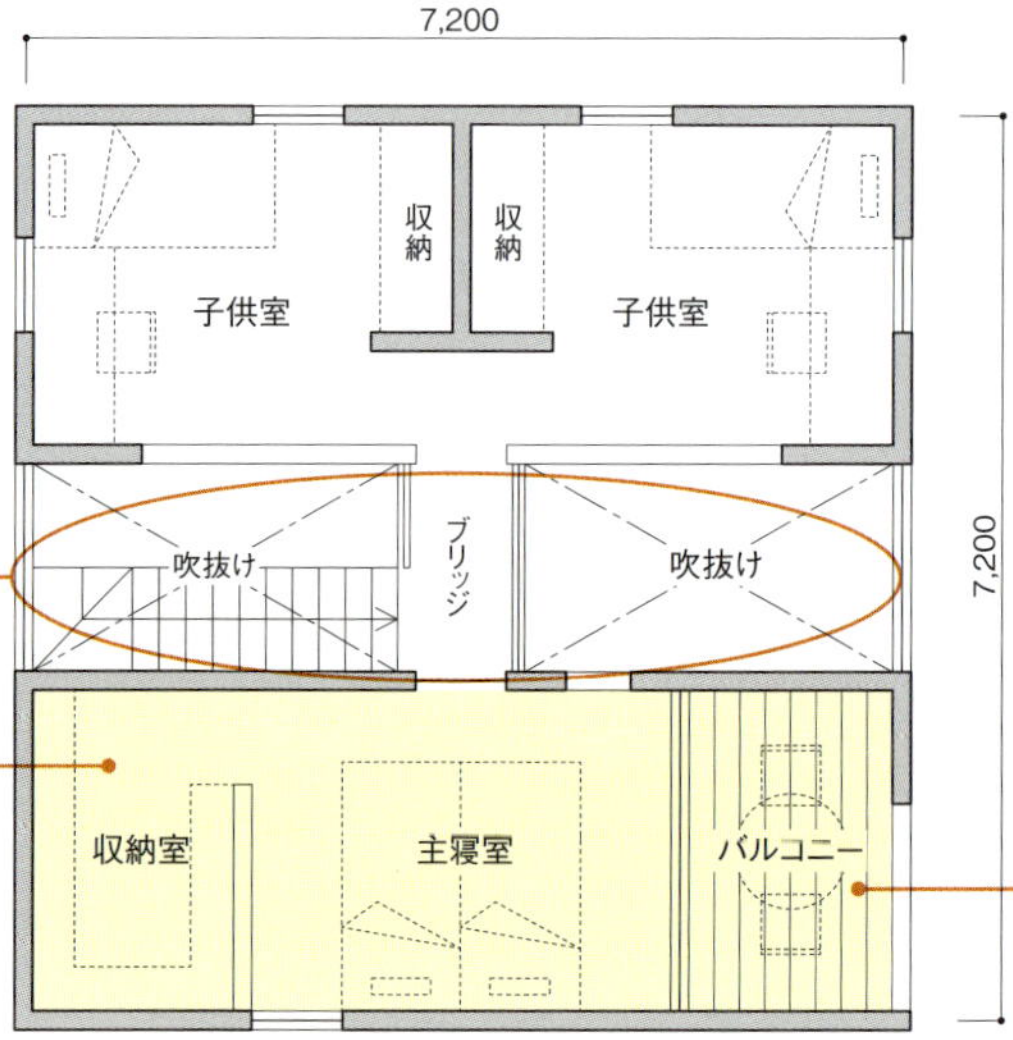

2F　S=1:120

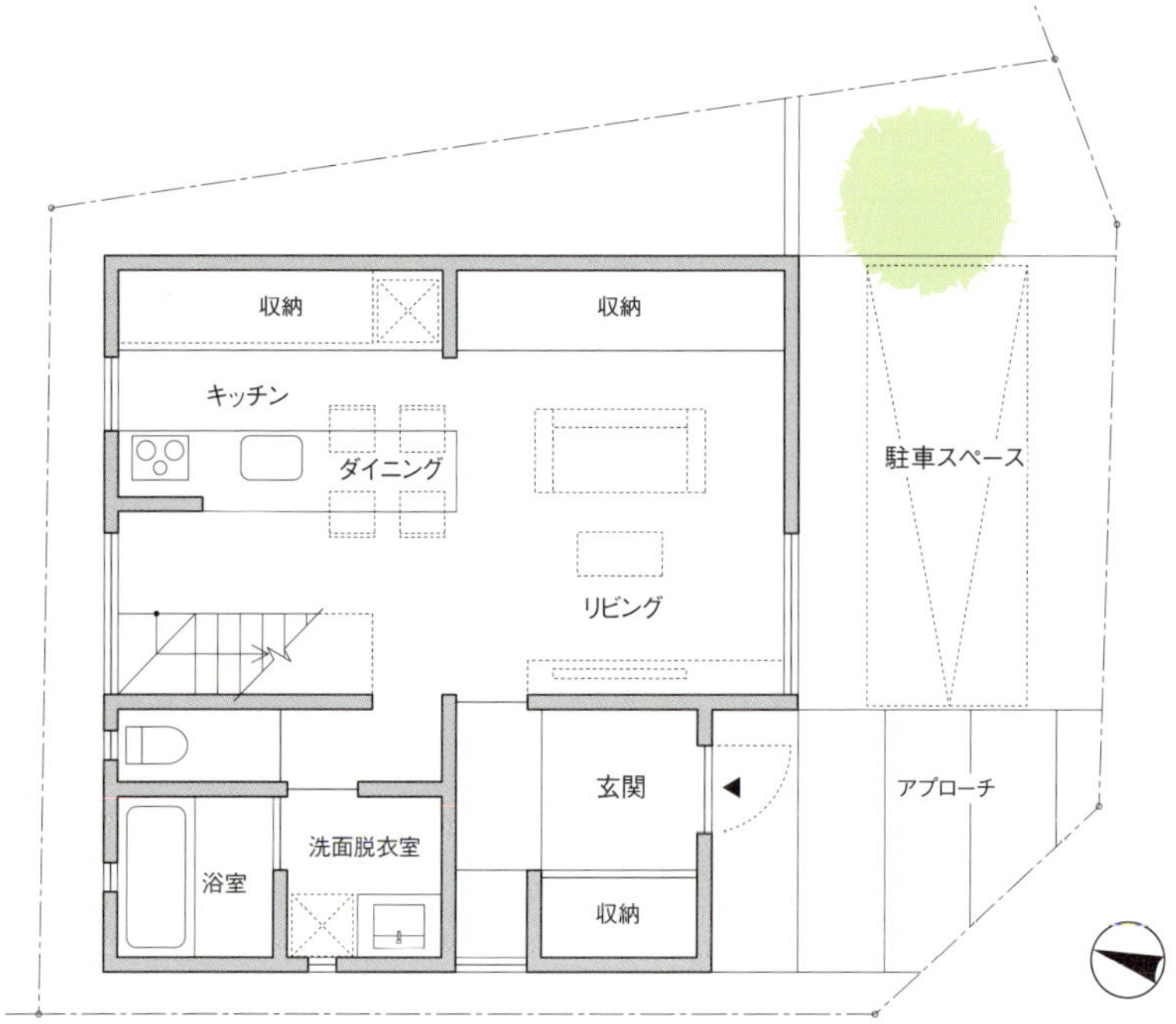

1F　S=1:120

寝室は「寝る場所」と割り切りほかのスペースを豊かに

2階にLDKと水廻りを置いた3階建て住居である。一般的な間取りであれば1階に主寝室を置くところだが、「寝室はベッドマットが入ればいい」という要望だったので、1階には将来的に親を呼び寄せることもできる客室と広めの納戸をつくったほか、さまざまな使い方が可能な広い土間を設けている。寝室を「寝るだけのスペース」と割り切って、限られた面積の配分を工夫した好例。

予備室を確保する

寝室を最小限にとどめた分、1階には予備室となる客間を用意。将来、親と同居する場合にも対応できるようにした

さまざまな使い方

1階は客室のほかに、広めの収納と広い土間をつくった。広い土間には洗い場も用意して、さまざまな使い方ができるようになっている

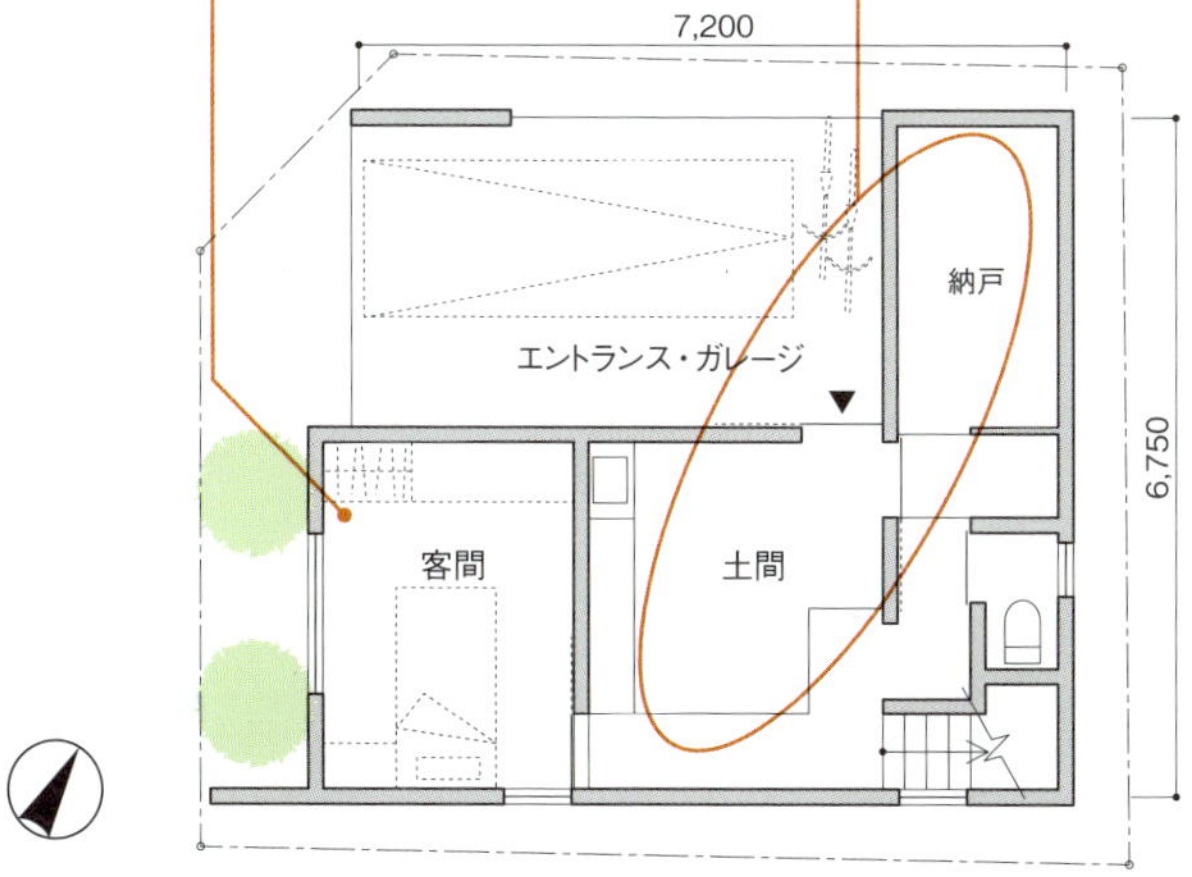

1F　S=1:150

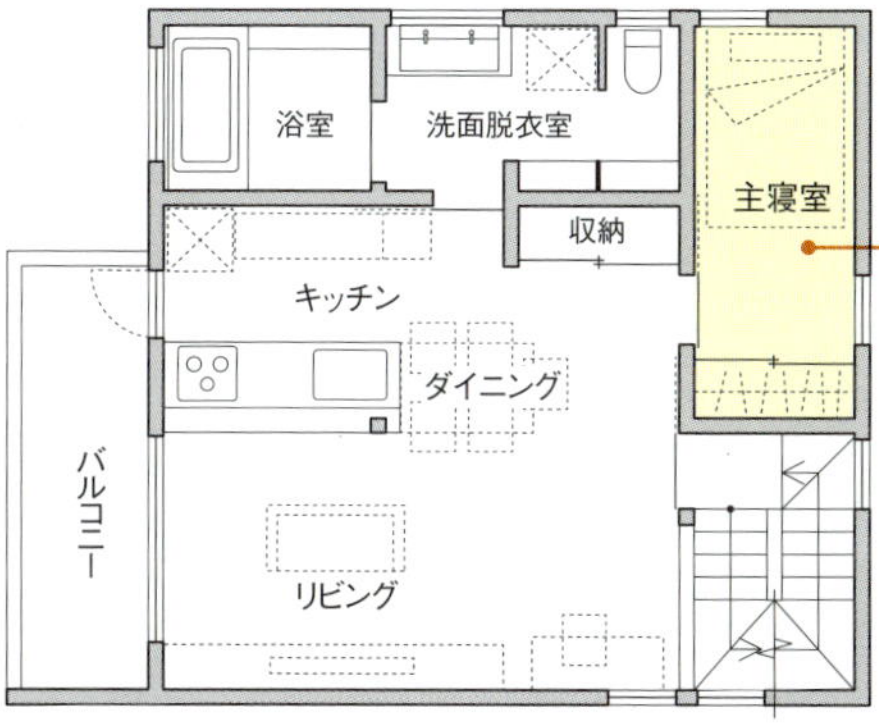

2F　S=1:150

必要最小限

寝室は4.5畳。ベッドマットが入ればいいという要望に沿った必要最小限の寝るためだけの部屋としている

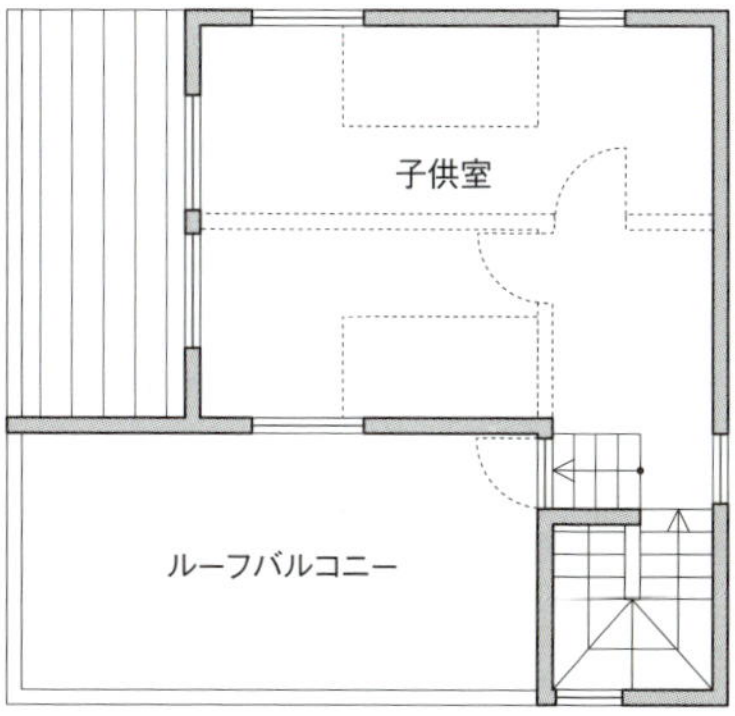

3F　S=1:150

建築概要

所在地	東京都
家族構成	夫婦（30歳代）＋子供1人
敷地状況	整形、西道路
敷地面積	72.41㎡（21.90坪）
延床面積	103.69㎡（31.36坪）
構造・階数	木造3階

寝室の横に隠れ家のような落ち着ける「晩酌部屋」

1階にLDKと水廻り、2階に個室のシンプルな間取りである。2階は階段を昇ったところから放射状に各部屋にアクセスできるようにして、無駄な廊下を極力減らしている。寝室は、2階西側に配置しているが、庭にも面する西側は眺めがよいことから、晩酌を楽しめるようなスペースがほしいと要望された。

そこでベッドルームとは別にスキップで5段上がったところに晩酌部屋を設けている。寝る場所とも、リビングとも異なる、隠れ家のような落ち着けるスペースとなった。

建築概要
所在地　愛知県
家族構成　夫婦（30歳代）＋子供（これから）
敷地状況　整形、東道路、高台で敷地の約2/5が傾斜地
敷地面積　159.00㎡（48.09坪）
延床面積　99.37㎡（30.05坪）
構造・階数　木造2階

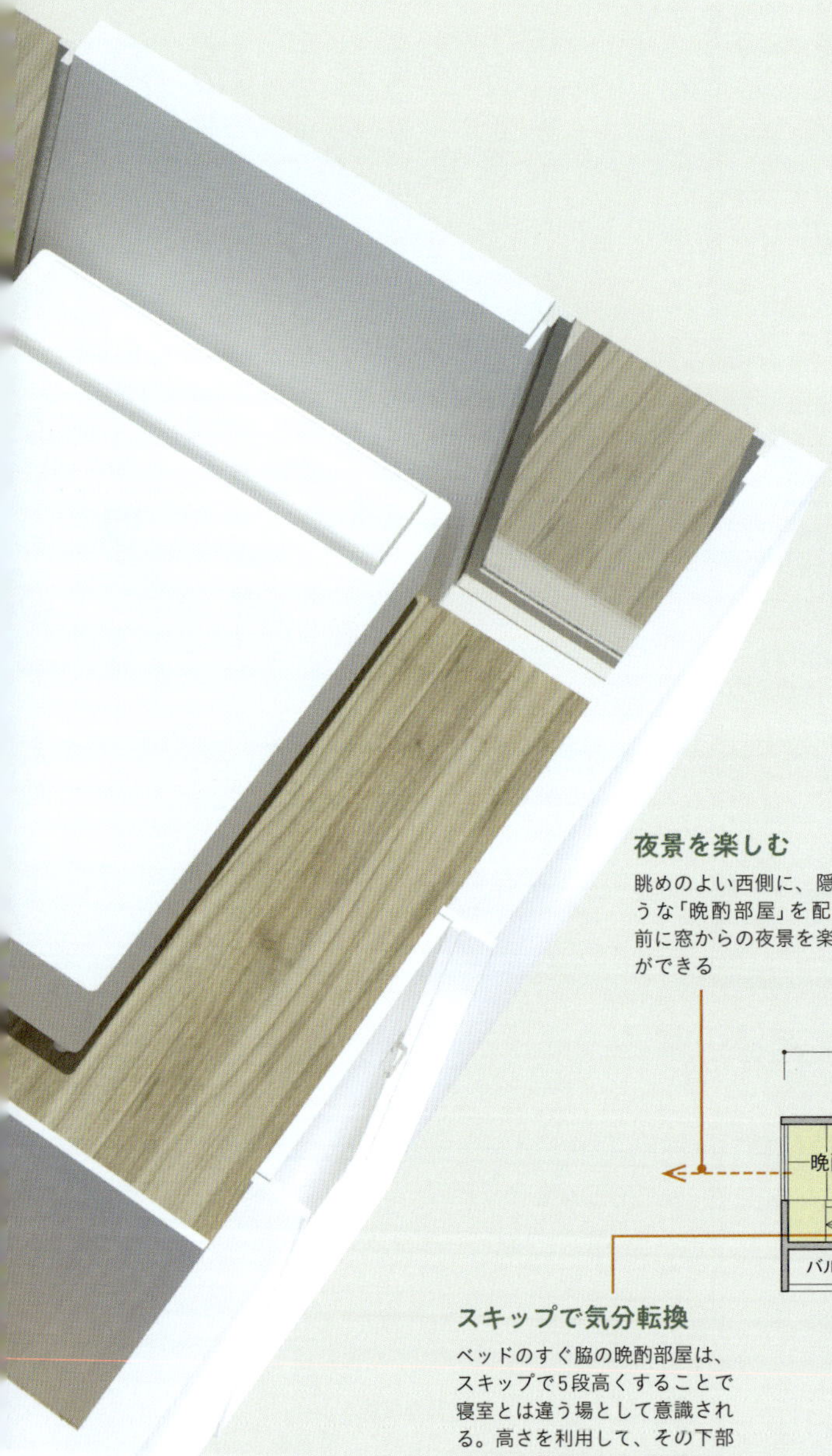

夜景を楽しむ

眺めのよい西側に、隠れ家のような「晩酌部屋」を配置。寝る前に窓からの夜景を楽しむことができる

無駄を省く

階段を昇り切ったところから放射状に各部屋にアクセス。無駄な廊下をつくらないことで、各部屋に十分な収納スペースが確保できる

スキップで気分転換

ベッドのすぐ脇の晩酌部屋は、スキップで5段高くすることで寝室とは違う場として意識される。高さを利用して、その下部は大きな収納になっている

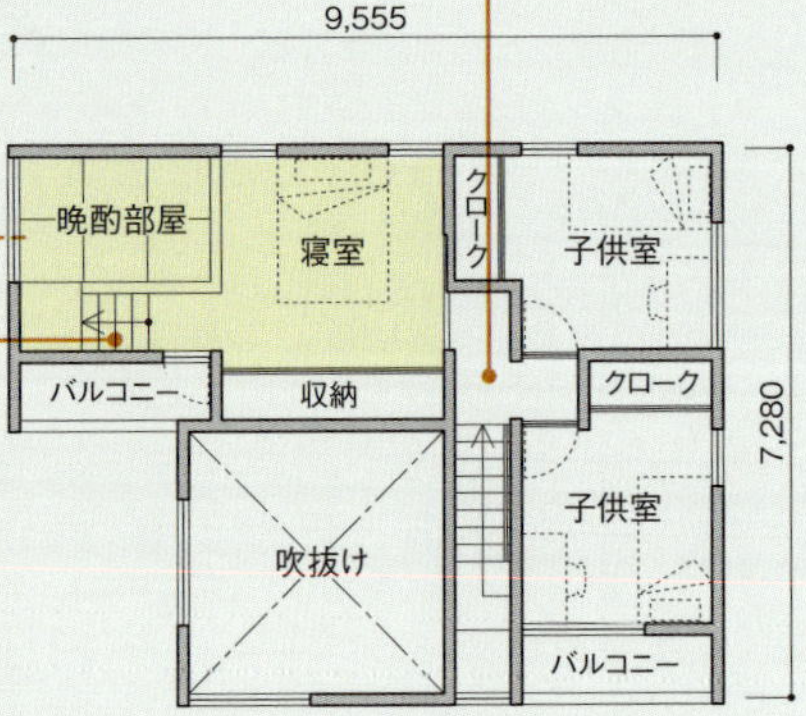

2F　S=1:200

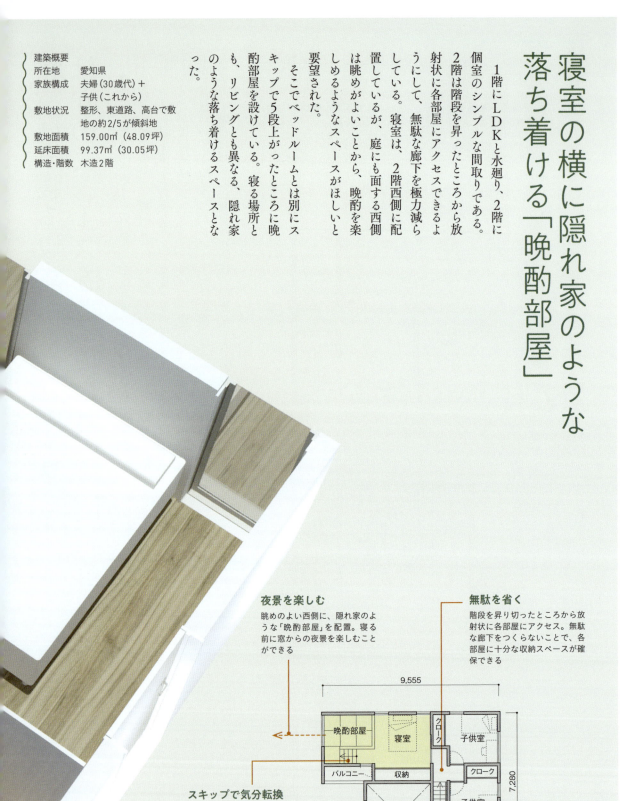

個室と切り離す

リビングの吹抜けは、2階とは完全に縁を切り、1階を豊かにすることに徹している。家族間でも、プライベートとパブリックをきっちり分ける

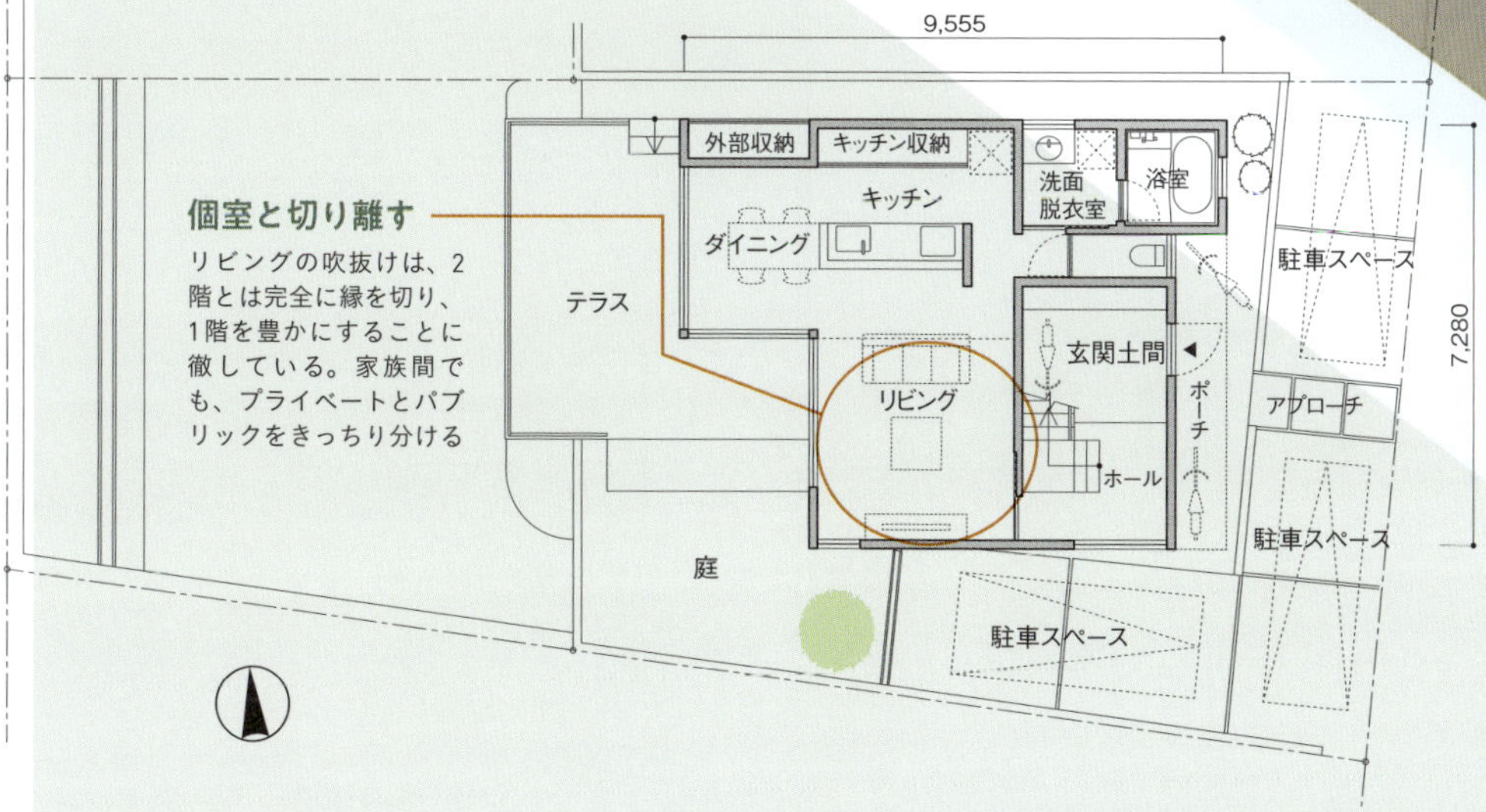

1F　S=1:200

大きなクロゼットを併設して寝室をすっきり開放的に

生活空間に、必要以上のモノがあふれださないようにしたいとの要望があり、大きなウォークインクロゼットを用意している。

間取りとしては1階に生活空間を集約して、2階はプライベート空間である。特に広めの寝室から続く8.5畳分のクロゼットは、衣類収納だけでなく納戸としても利用する。現状では廊下からは入れないが、出入り口を設ければファミリークロゼットとしても使える十分な大きさが確保されている。

建築概要
所在地　千葉県
家族構成　夫婦（30歳代）＋子供1人
敷地状況　整形、西道路
敷地面積　500㎡（151.25坪）
延床面積　112.19㎡（33.93坪坪）
構造・階数　木造2階

広めにとる
寝室は8畳の広さを確保し、ベッドを置いても余裕のある、ゆったりとした空間。余分なものはクロゼットに入れ、すっきりと過ごせる

吹抜けでつながる
寝室と子供室は吹抜けを挟んで配置。気配を伝え合うとともに、個室の閉塞感を吹抜けが払拭してくれる

寝室より広く
寝室より広い8.5畳分の広さをもつクロゼット。衣類だけでなく、普段使わないものなどをしまっておく納戸としても使える

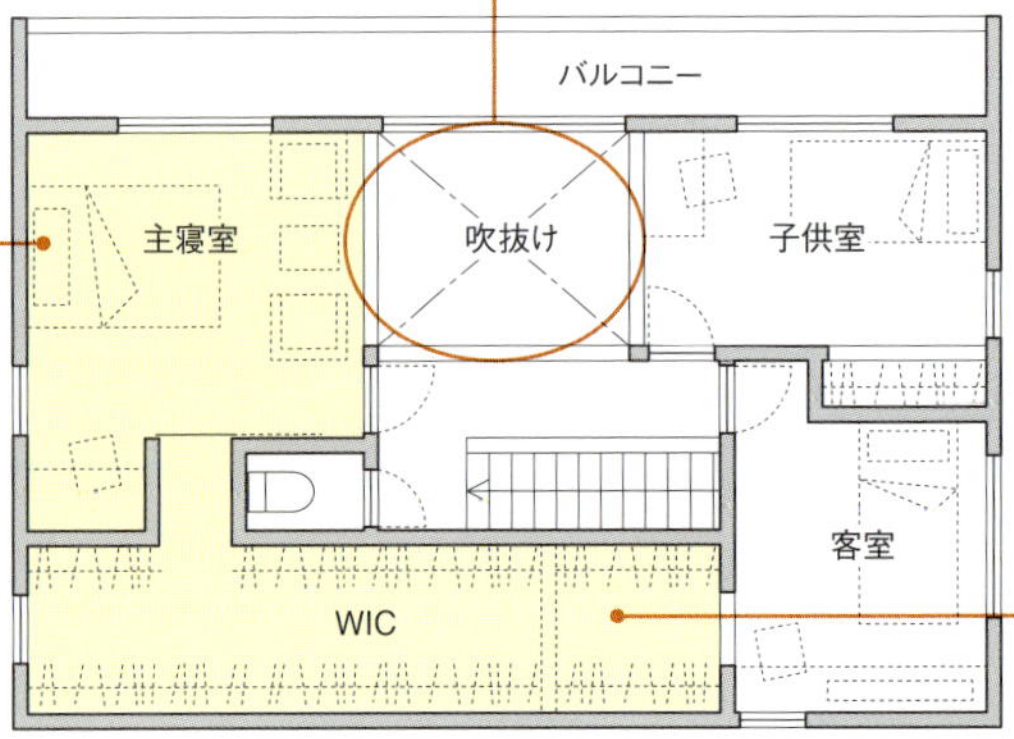

2F　S=1:150

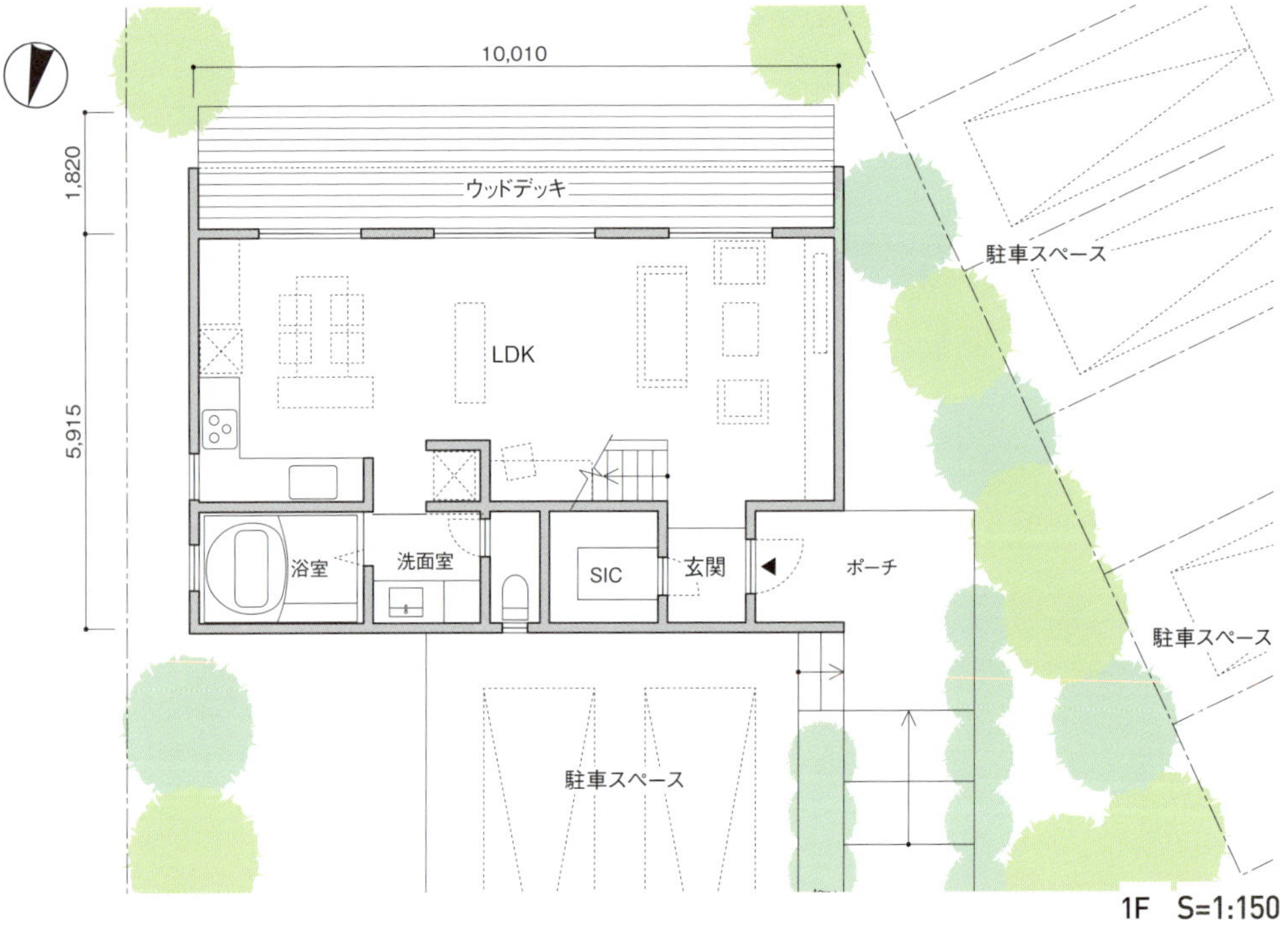

1F　S=1:150

快適な庭・LDKのために寝室で外からの視線をカット

3方向で道路に面する変形地での平屋の計画。朝起きて、デッキに出て体操するところから一日を始めたいという要望だったので、寝室を母屋から飛び出させるように配置してL字をつくり、その内側にデッキを計画している。L字とすることで、デッキを含めた庭が道路からの視線にさらされず、プライベートな外部空間となる。このほか、個室群、LDK、水廻りなど、明快なゾーニングで使いやすく快適な間取りを実現している。

建築概要
所在地　愛知県
家族構成　夫婦（30歳代）＋子供1人
敷地状況　変形、南・西道路
敷地面積　408.02㎡（123.42坪）
延床面積　85.95㎡（25.99坪）
構造・階数　木造1階

視線をさえぎる
寝室を北道路側に飛び出させてデッキスペースのプライベート性を高める。寝室の道路側は収納とすることで防音対策にもなる

寝室に守られた外部空間
建物でL字に囲まれたデッキは、寝室にもLDKにも近く、室内の延長として外部空間を楽しむことができる

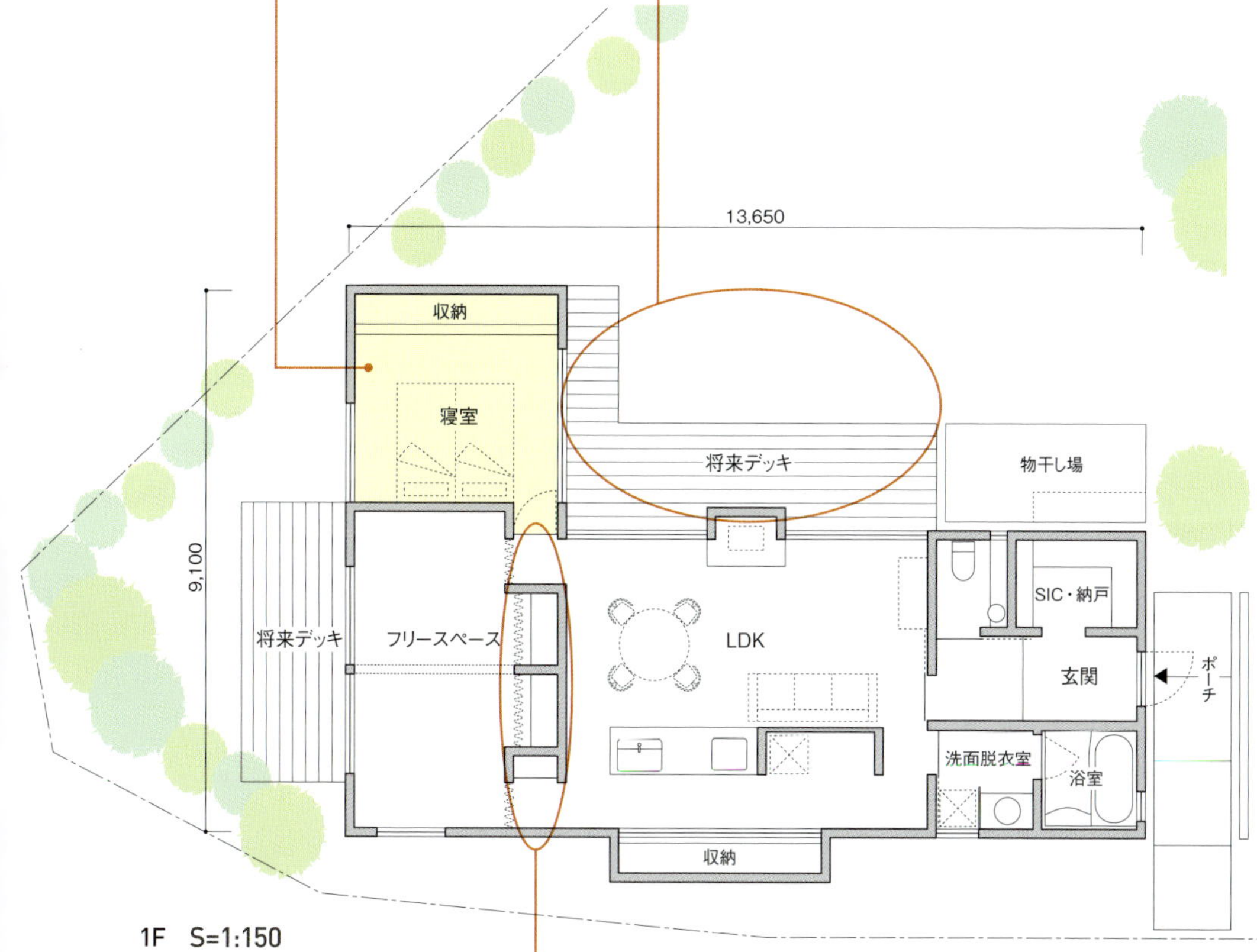

1F　S=1:150

収納で分ける
個室ゾーンとLDKの間に収納を配置し、いずれの部屋に行くにもLDKから1歩踏み込んでアクセス。この1歩で気分の切り替えが行われる

トイレも洗面台も備えた朝の身支度が完結できる寝室

朝、起床してから出かける支度をするまでの一連の行動を、すべて一室で行えるようにした寝室。

1階にLDKと水廻りを置き、2階には居室にもなる予備室と寝室だけを置いた。寝室内にはクロゼットのほか、トイレとパウダーコーナーを用意し、パウダーコーナーには洗面台も設置している。起きてから、身支度を整えて出かける準備を済ませ、寝室を出たときから気持ちよく一日がスタートする。

建築概要
所在地　愛知県
家族構成　1人（70歳代）
敷地状況　整形、西道路、道路との高低差1m
敷地面積　145.80㎡（44.10坪）
延床面積　119.48㎡（36.14坪）
構造・階数　木造2階

パウダーコーナー
顔も洗えるパウダーコーナー。目の前に窓をもうけて、明るい状態で身支度を整えることができる

寝室内にトイレ
寝室内のトイレは、クロゼット経由にすることで、同じ室内にありながらベッドとの距離感を確保している

吹抜け経由
階段を昇り切り、吹抜けを見ながら通路を渡って寝室にアクセス。ブリッジを渡るように吹抜けを経由することで、LDKからの独立性を高めている

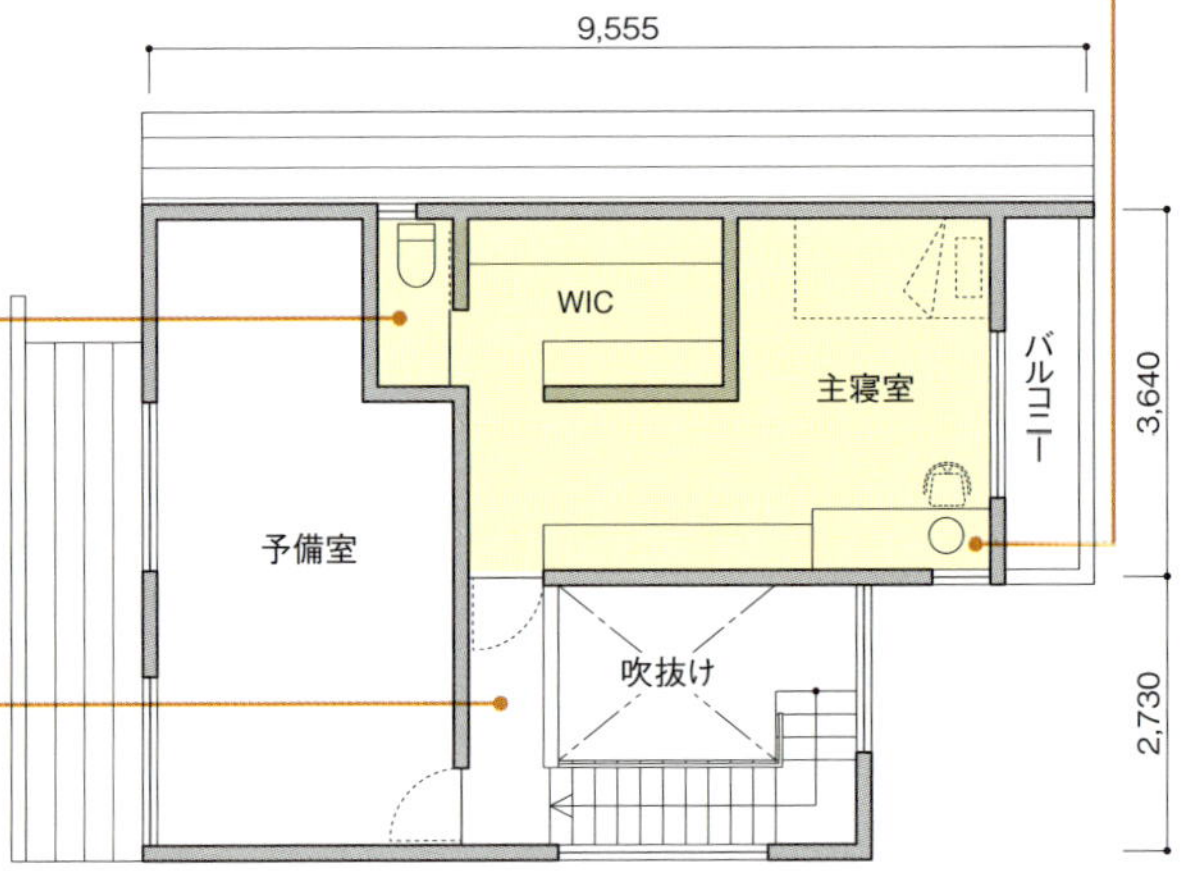

2F S=1:150

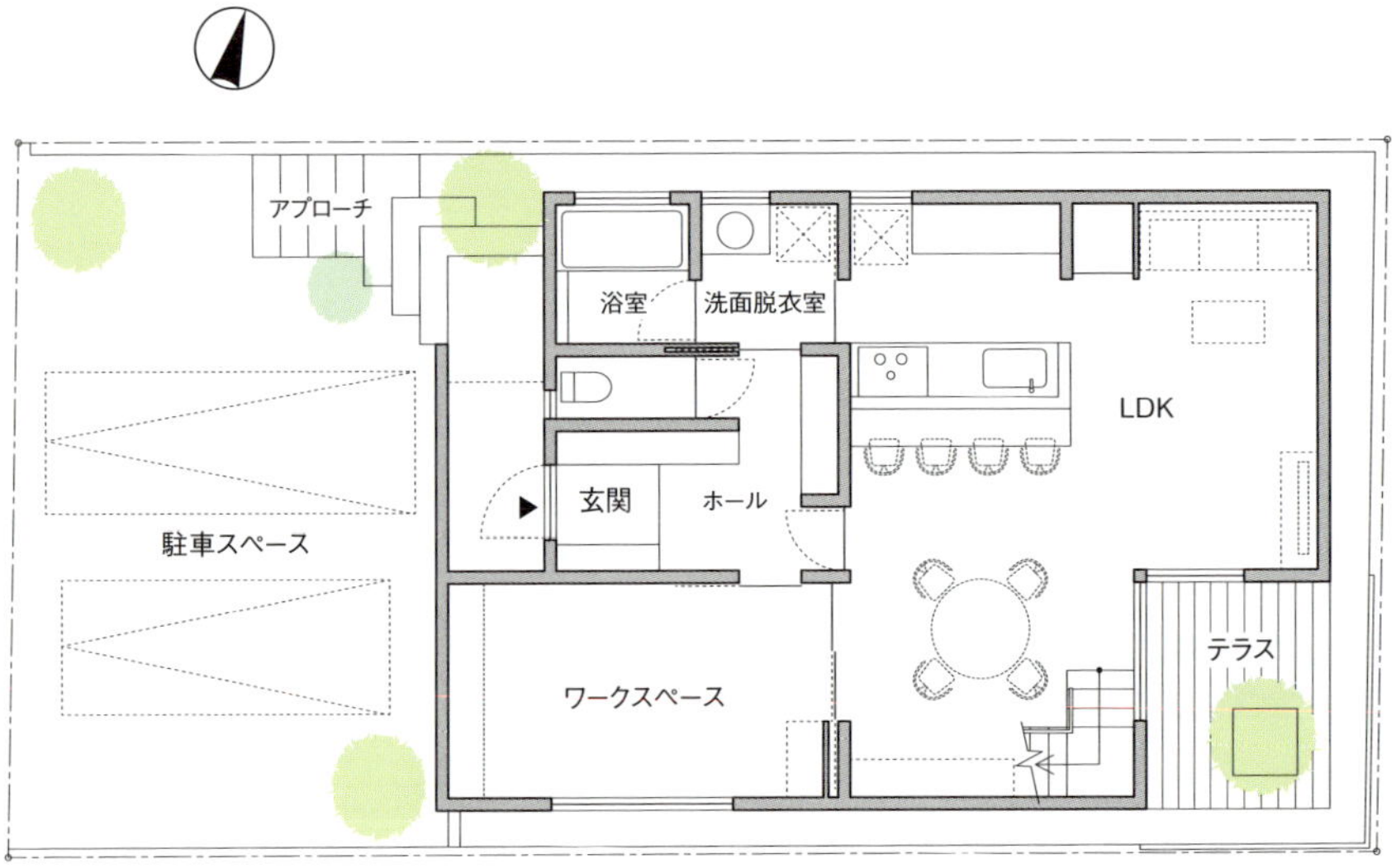

1F S=1:150

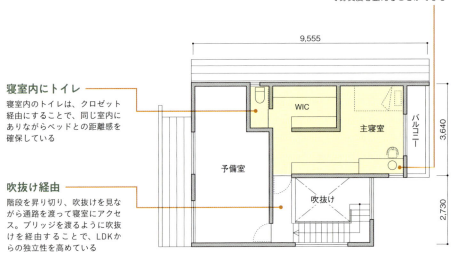

リビングがすぐでも離れのような寝室

ほぼ正方形の建物平面だが、1階には外からのみアクセスできるワークスペースを西北隅に設けている。このため、北東隅は、南側のLDKから見ると少し距離のある離れのような位置付けとなり、ここに寝室を置いている。これは、LDKにすぐに行けるようにしてほしいという要望を受けたもので、寝室とLDKは、廊下と畳コーナーのどちらからでも出入りできるようになっている。

防音対策

北側道路に面するため、道路側は壁一面クロゼットとして、道路からの音が直接室内に入らないようにしている

多用途の畳コーナー

客間、仏間、居間の延長など、さまざまな使い方が可能な3畳の畳コーナーは、寝室への動線にもなっている

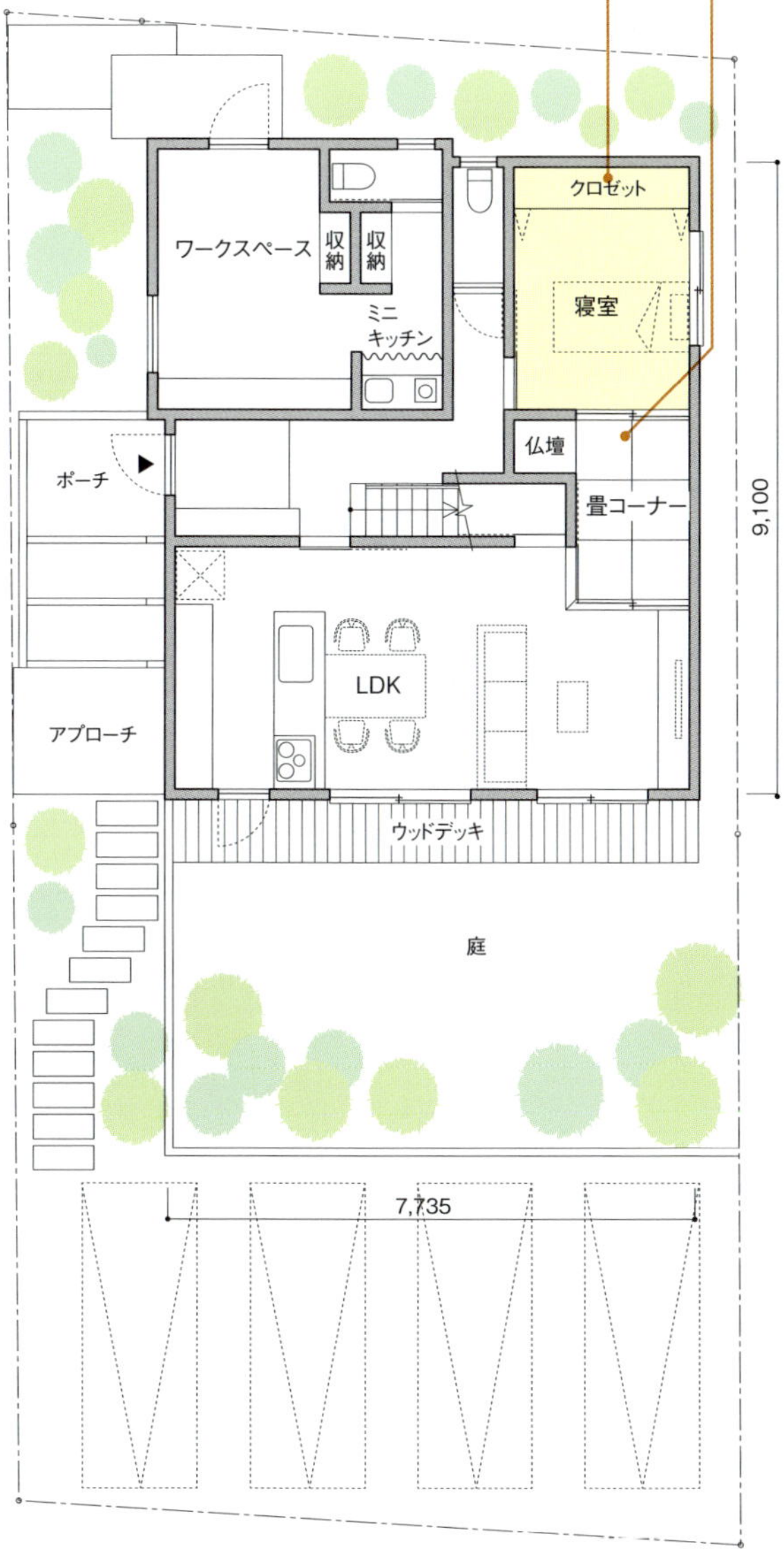

1F　S=1:150

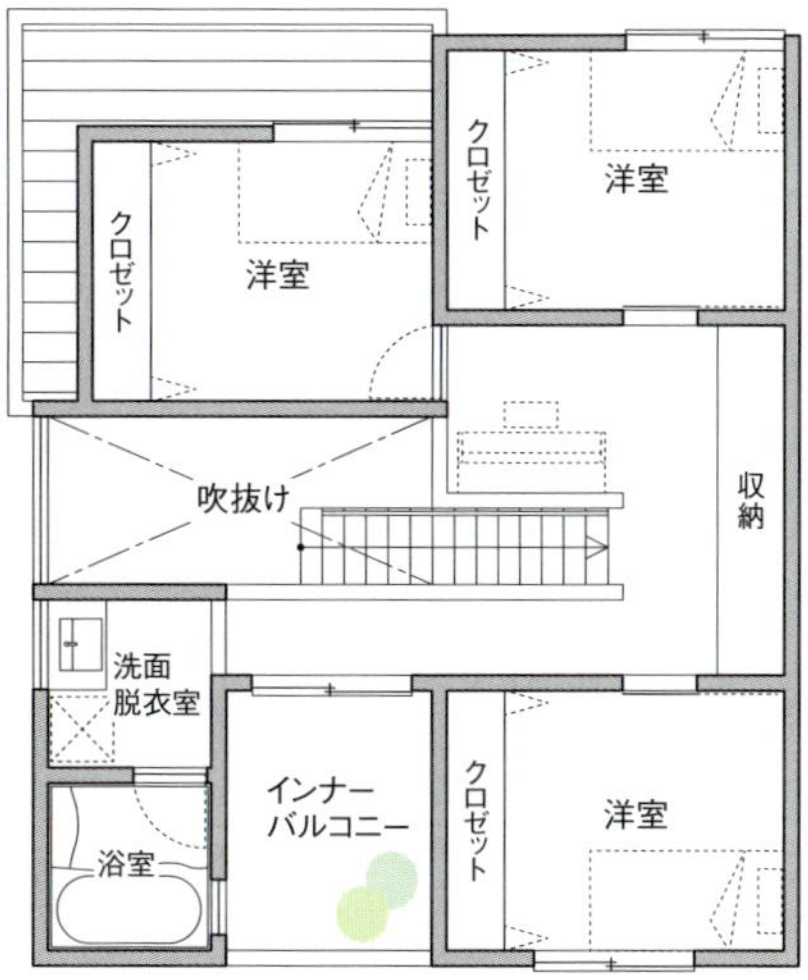

2F　S=1:150

建築概要

所在地	愛知県
家族構成	2世帯：夫婦（40歳代）＋姉・母
敷地状況	整形、北・西・南道路、道路との高低差 0.2m
敷地面積	122.32㎡（37.00坪）
延床面積	122.61㎡（37.08坪）
構造・階数	木造2階

CHAPTER

8

子供の部屋は閉じすぎない

子供部屋はいる？ いらない？

子供部屋が必要な期間は実は意外に短く、8～18歳までの10年間程度と言われています。それでも子供の自立を促すためには必要なものです。

子供部屋は、部屋の広さにかかわらず、その後の利用方法も考えてつくるとよいでしょう。将来的に子供が増えることも想定して大きめにつくり、部屋をいくつか仕

切れるようにしておくという方法もあります。子供が独立した後には仕切りを取り払い、大空間を趣味室などとして利用することができます。

完全に個室化しない

子供が成長するにつれ、部屋から出てこなくなるのではと心配されるなら、壁やドアなどで完全に仕切るのをやめてみては。もしくは、子供部屋の機能の1つをパブリック空間に出してしまうのも手です。完全に仕切られた子供部屋にはベッドのみ設置し、勉強机などは家族で使用するスタディルームなどに設けるのです。親と一緒に勉強できることは子供に安心感を与えることにもなります。

衣類収納のみをウォークインクロゼットなどパブリックなスペースに設置にするという手もあります。この場合は洗濯した衣類を部屋まで届ける必要がないので、家事の効率化が図れます。

LDKの気配を感じられる吹抜けに面したスタディコーナー

子供は、個室にこもらないようにしたいが、リビングに子供のものが散らかるのも困る、という要望。

そこで将来的に個室にできるような大きな子供部屋をまずつくり、勉強などはスタディコーナーでする習慣をつけることを提案した。スタディコーナーは、大きな吹抜けに面した気持ちのいい場所に置き、1階LDKの気配を常に感じながら作業できるようにしている。

建築概要

所在地	神奈川県
家族構成	夫婦(30歳代)+子供2人
敷地状況	整形、北道路、道路と敷地との高低差1m
敷地面積	165.19㎡(49.96坪)
延床面積	107.44㎡(32.50坪)
構造・階数	木造2階

将来に備える

まだ個室は必要ないので、大きめの子供部屋をつくっている。出入り口を2か所つくり、必要になれば各5畳程度の2つの個室にすることができる

気持ちいい場所で

スタディコーナーは、吹抜けに面していて、開放的で気持ちのいい場所に。吹抜け越しに窓の外も見える

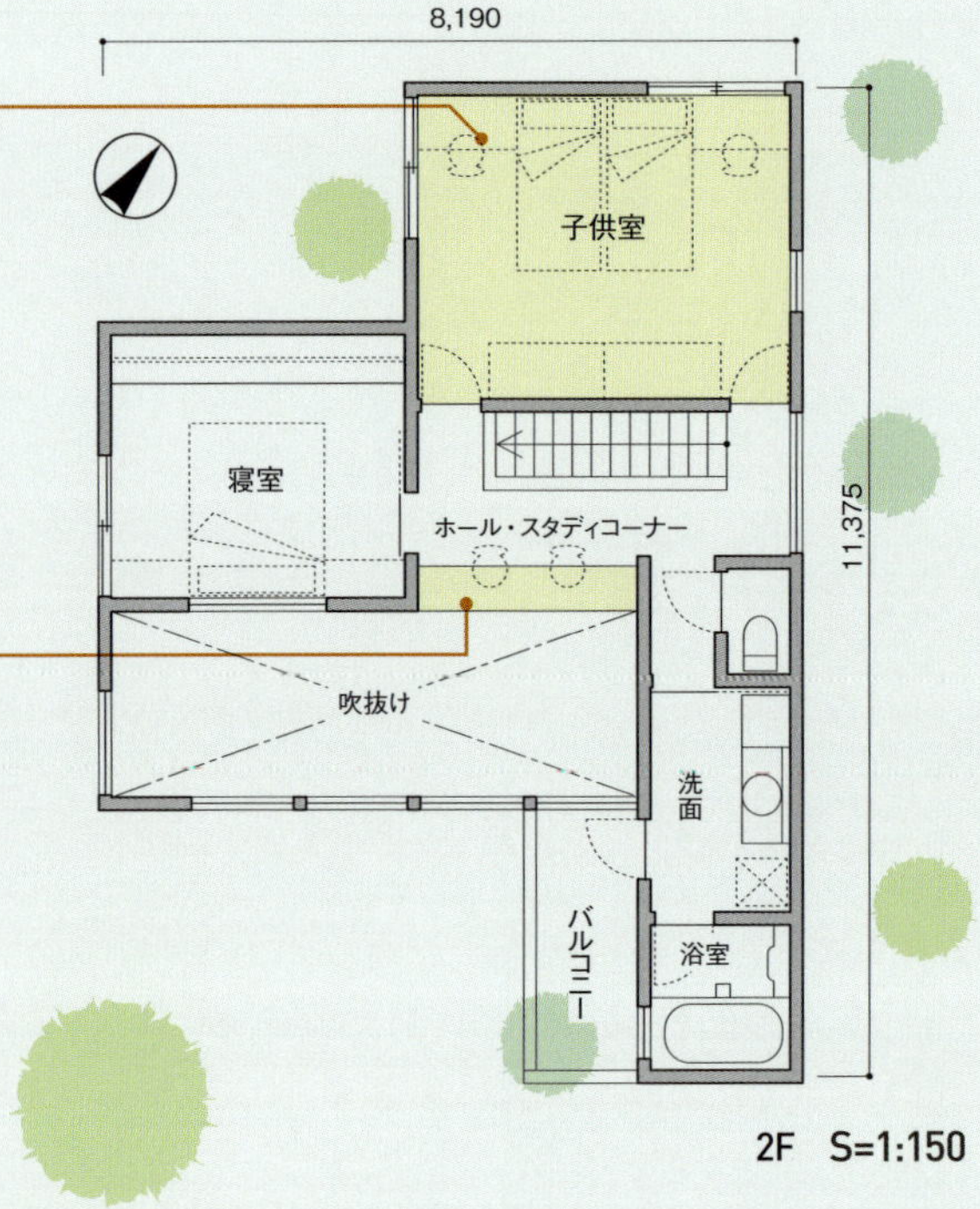

2F S=1:150

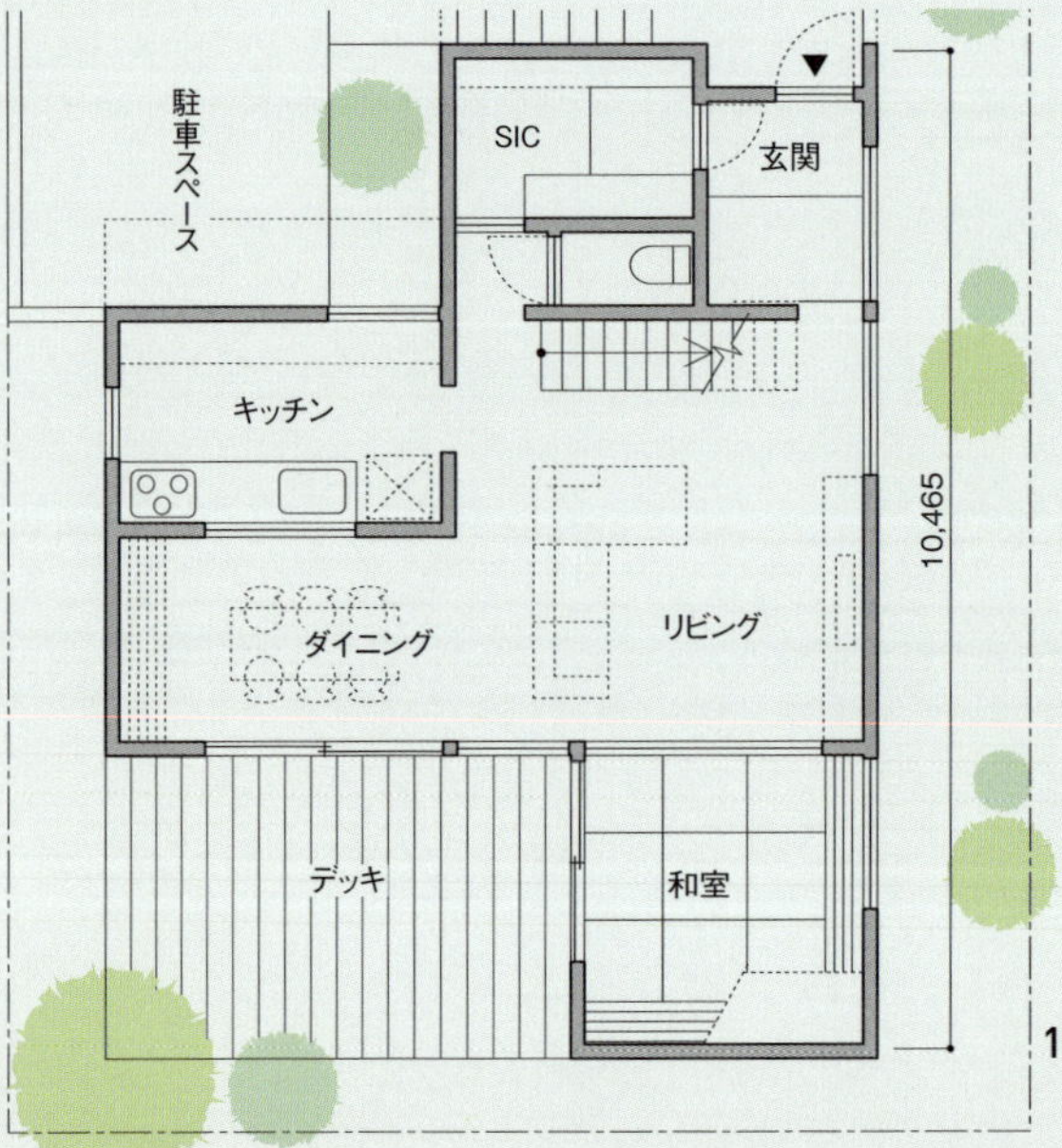

1F S=1:150

LDKにハシゴで上がれる吹抜けを工夫した勉強スペース

子供がワクワクするような部屋にしてください、という要望を受けて、1階子供室と2階のDKを吹抜けでつなぎ、階段とは別に、吹抜けからも行き来できるように考えた。

子供室の壁側に高さ1.4mの中間階をつくって勉強スペースとし、そこからハシゴで2階に上がれる仕掛けになっている。DKにいても子供の気配が感じられて、家族が一体になれる縦の回遊性が生み出されている。

勉強スペース。ハシゴで上がった先が2階のDKになる

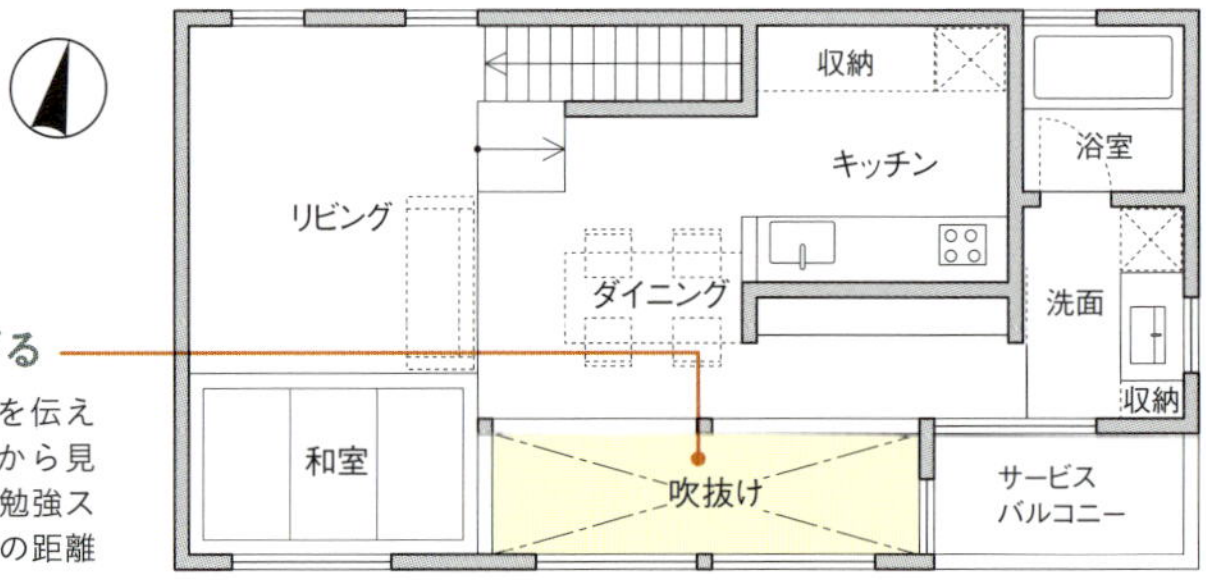

吹抜けでつながる

1階子供部屋の気配を伝える吹抜け空間。2階から見ても半階分の高さに勉強スペースがあり、親子の距離はおのずと近くなる

2F S=1:150

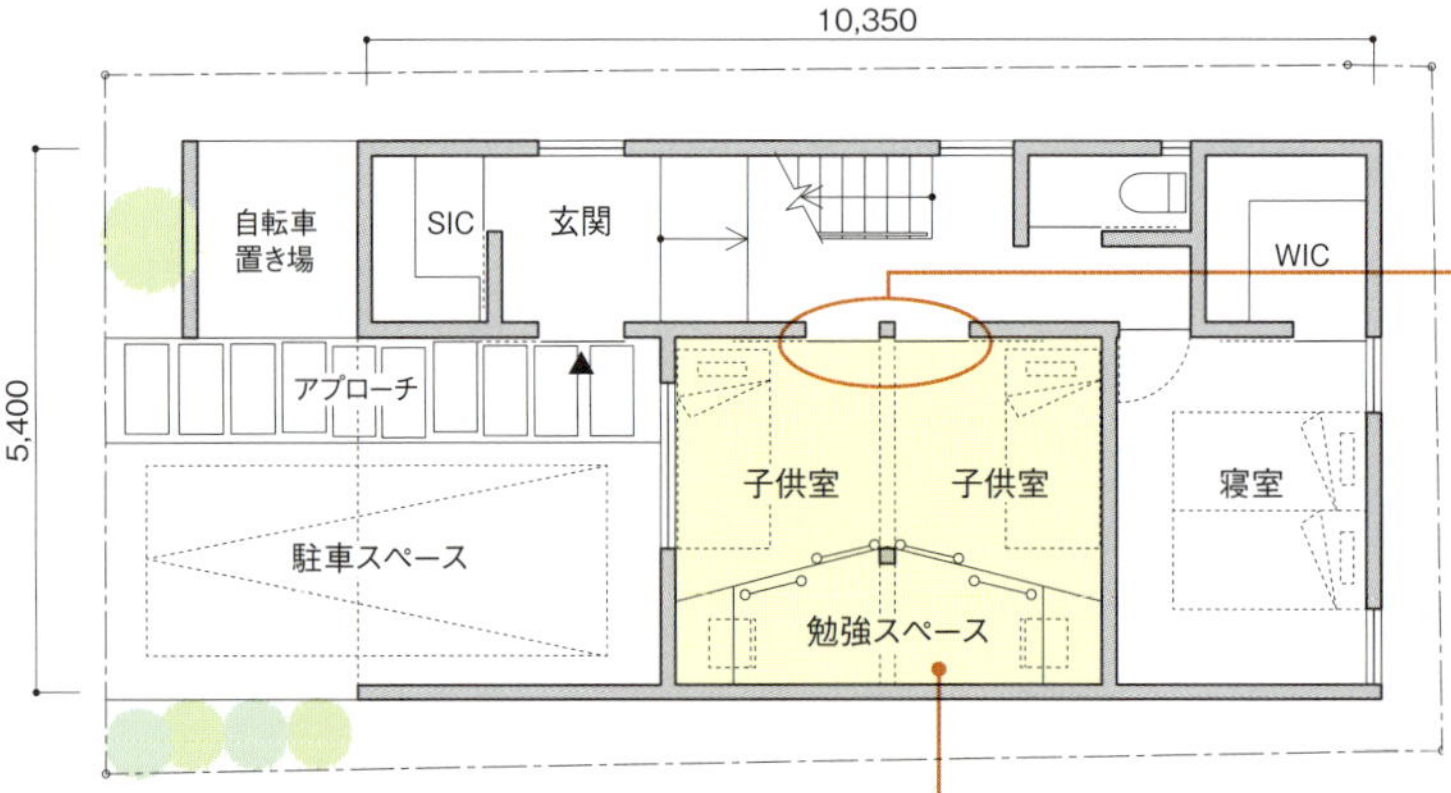

将来の備え

子供たちが大きくなって、個室にしたいといったときにも対応できるよう出入り口は2つ用意してある

1F S=1:150

スキップする楽しさ

部屋のなかに異なる高さの床面があることで、同じ広さでも広がりが感じられる。勉強スペースの上は吹抜けになっているので、開放感も高い

1階の子供部屋。勉強スペースの下は大きな収納スペースに

建築概要

所在地	埼玉県
家族構成	夫婦(30歳代)+子供2人
敷地状況	整形、西道路
敷地面積	94.10㎡(28.52坪)
延床面積	90.72㎡(27.49坪)
構造・階数	木造2階+ロフト

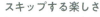

両側の吹抜けで、2階子供部屋の気配を感じる

見えなくてもいいが、子供の存在が感じられるような間取りを要望。2階に子供室を置いたが、1階LDKとどのように関係づけるかが課題であった。

まず、西側壁際に吹抜けを設けて1階と結ぶ。さらに1階の玄関土間を大きく取って土間リビングとすることで、階段の昇り口をキッチンの前に絞り込んだ。これにより階段を昇り降りする子供たちの気配は、DKにいてもしっかり感じられる。

建築概要
所在地　神奈川県
家族構成　夫婦（30歳代）＋子供2人
敷地状況　整形（台形）、北道路、敷地内高低差1.5m
敷地面積　126.76㎡（38.30坪）
延床面積　94.80（28.60坪）
構造・階数　木造2階

吹抜けでつなぐ

西側壁際に吹抜けをつくり、1階のLDKとつないでいる。階段側とこの吹抜けにより、縦の回遊性が生まれ、気配はより伝わりやすくなる

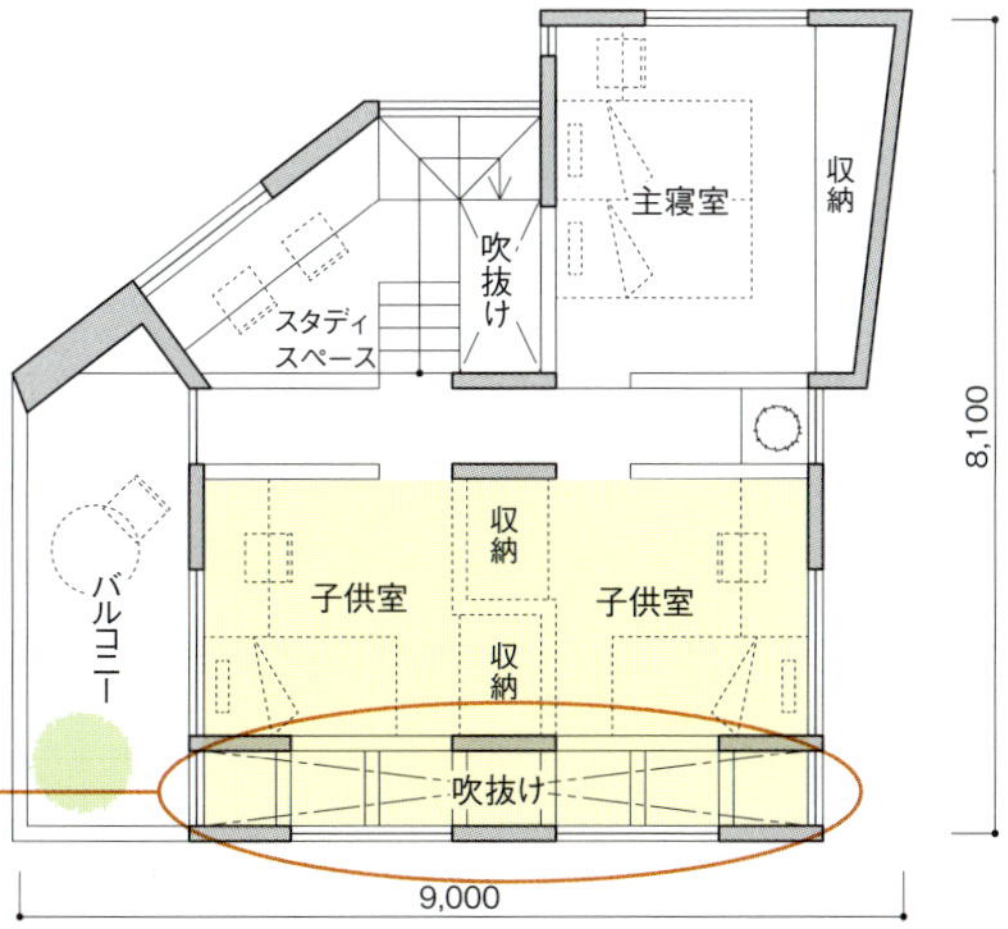

2F　S=1:150

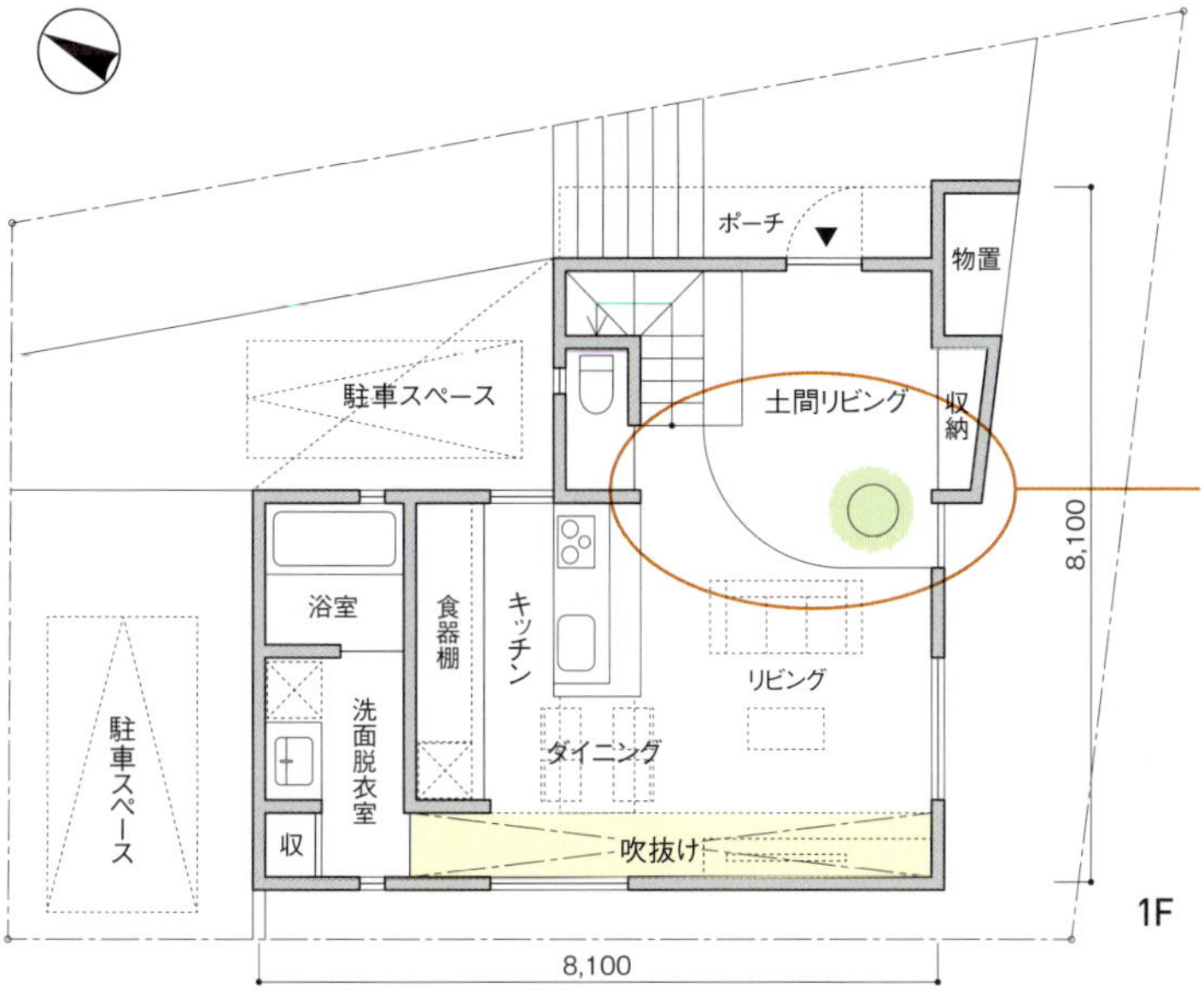

1F　S=1:150

土間リビングの効果

玄関も兼ねる土間リビングは、暮らしに変化を与えるとともに階段昇り口へのルートを限定するので、階段を使う子供たちの動きが奥にあるDKからわかりやすくなる

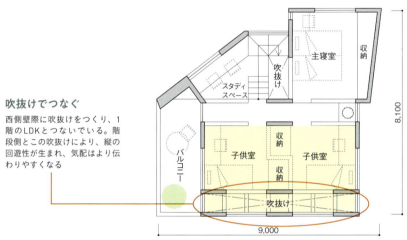

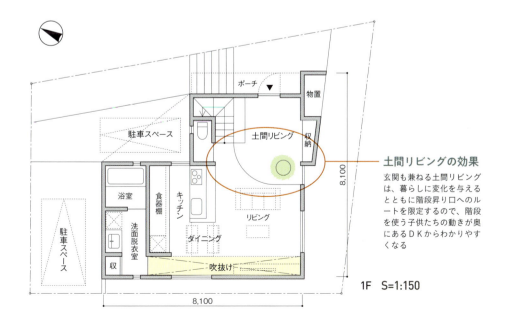

カーテンでゆるやかに仕切る個室にしない子供部屋

子供たちにはできるだけ自分の部屋にこもらず、ＬＤＫですごしてほしいという両親の思いを受けて、2階のＬＤＫは6畳の広さのルーフバルコニーと一体になる、ワンルームの気持ちのいい空間としている。

必然的に子供部屋は1階となるが、庭に面した縁側廊下に沿ってスペースをつくり、陽当たりのよい大きな部屋としてしつらえている。将来、部屋を仕切る必要が出てきたときには、カーテンなどでゆるやかに仕切る。こもるための部屋ではなく、それぞれの居場所をつくるように考えている。

建築概要

所在地	神奈川県
家族構成	夫婦（30歳代）＋子供（これから）
敷地状況	整形、南道路、道路との高低差3.0m
敷地面積	161.43㎡（48.84坪）
延床面積	122.61㎡（37.00坪）
構造・階数	木造2階

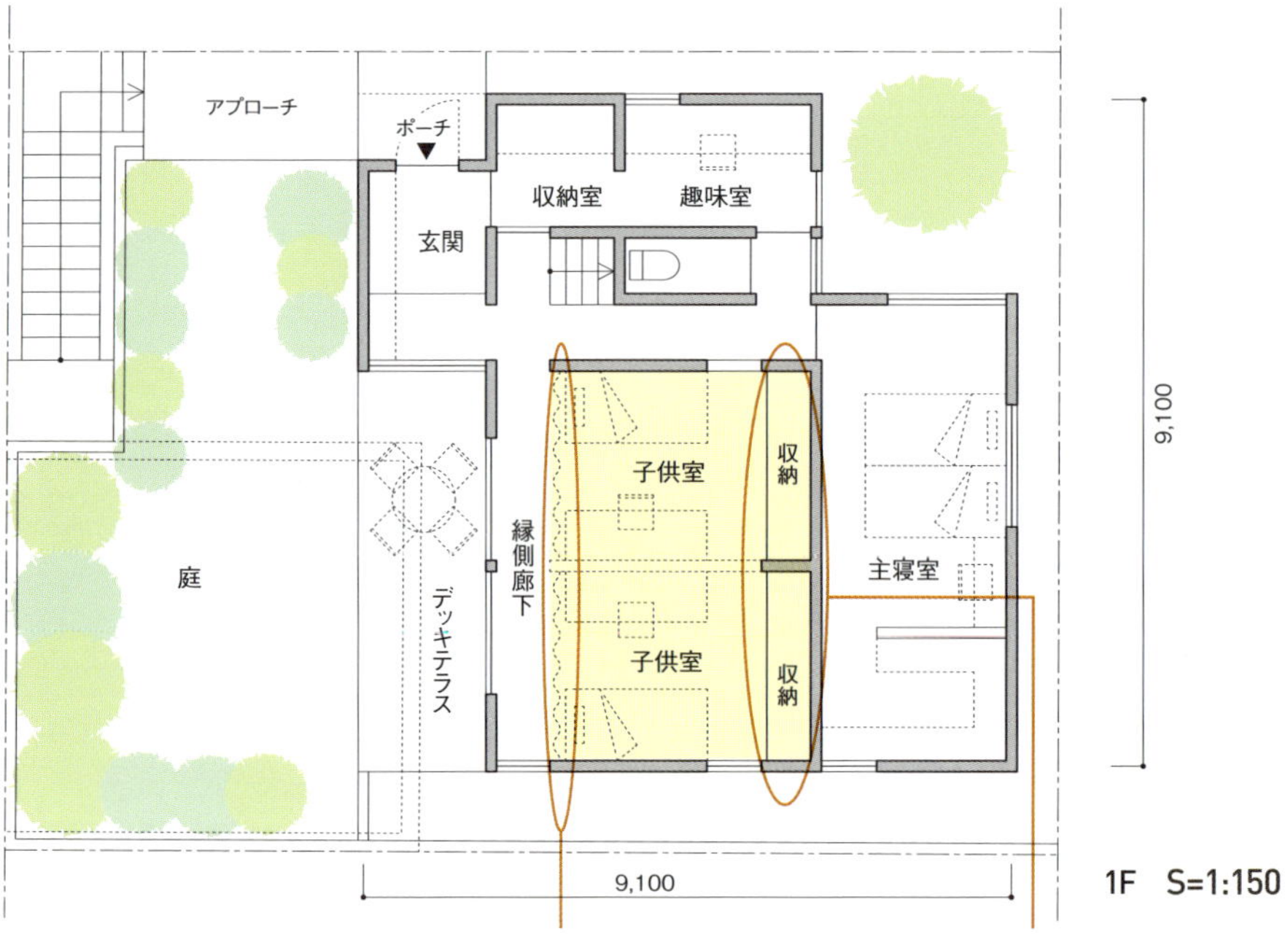

1F　S=1:150

将来的にも壁はなし

庭に面する南側は、将来的にも壁や扉はつけず、必要があればカーテンなどで仕切る。庭やデッキテラスは親も使うので、家族がいつも一緒にいられる

大きな収納

子供部屋には、それぞれ幅1間半の大きな収納を用意している。たっぷりある収納を自分なりに工夫して使うことも大切なこと

内外一体

1階の庭とは別に、壁に囲まれたプライベートなルーフバルコニーをつくって、内部と一体化して使える気持ちのいいLDKをつくる。家族で一緒にいたくなる場所があれば子供も個室にこもることはない

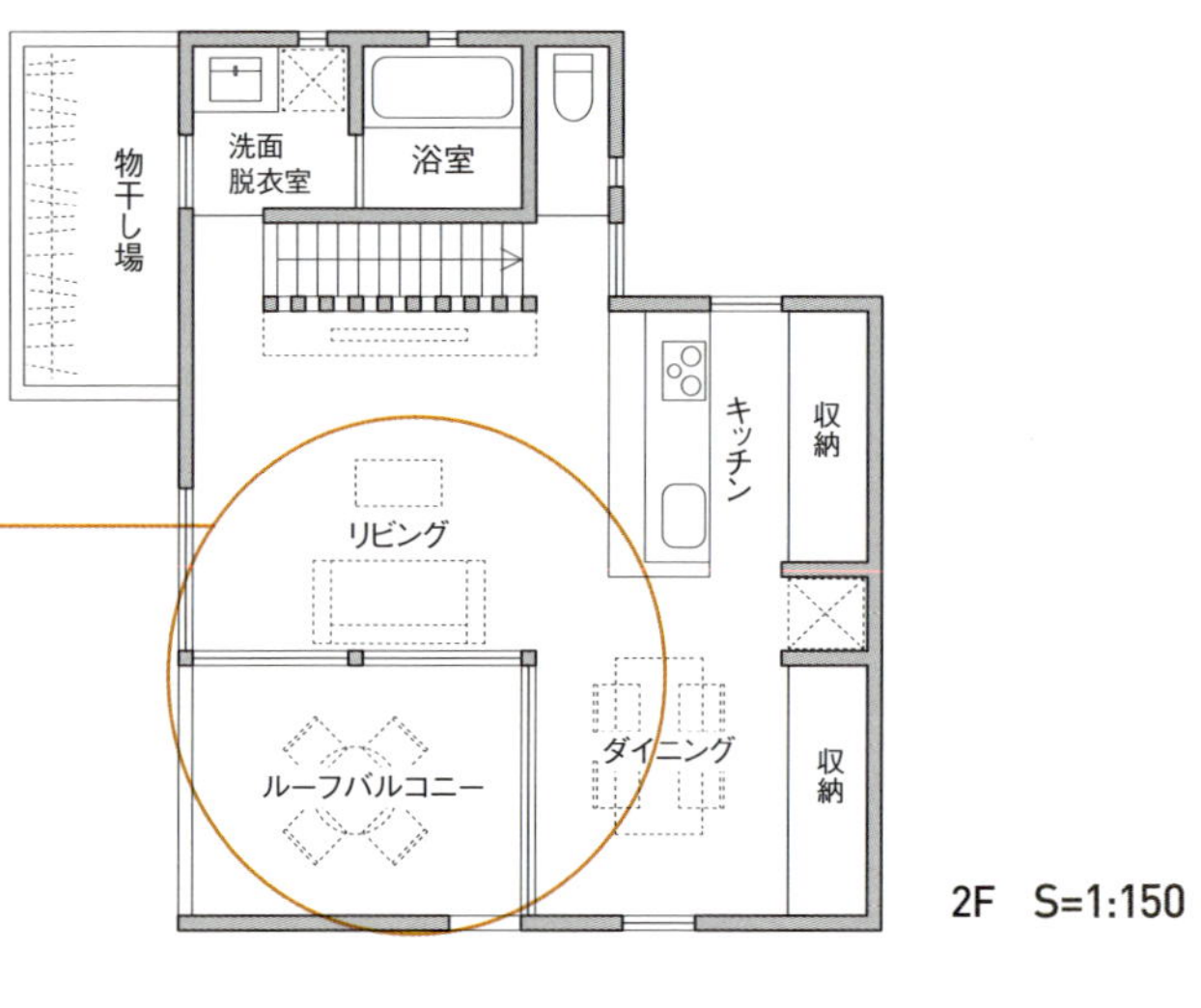

2F　S=1:150

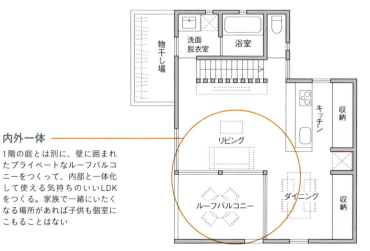

引きこもらず、リビングに出て行きたくなる子供部屋

あまり快適になりすぎず、部屋に入ってもリビングの気配が感じられるような子供部屋にしてほしいという要望だった。

そこで、スキップさせたDKの上、リビングから半階上がった3階に子供部屋を配置している。リビングから距離が近く、子供部屋の窓や引戸を開けておけば、リビングの様子がいつもわかるようになっている。

小さくつくる

広い部屋で5.8畳、狭い部屋は4.1畳。引戸やリビング側の窓を開けておきたくなる広さにしている

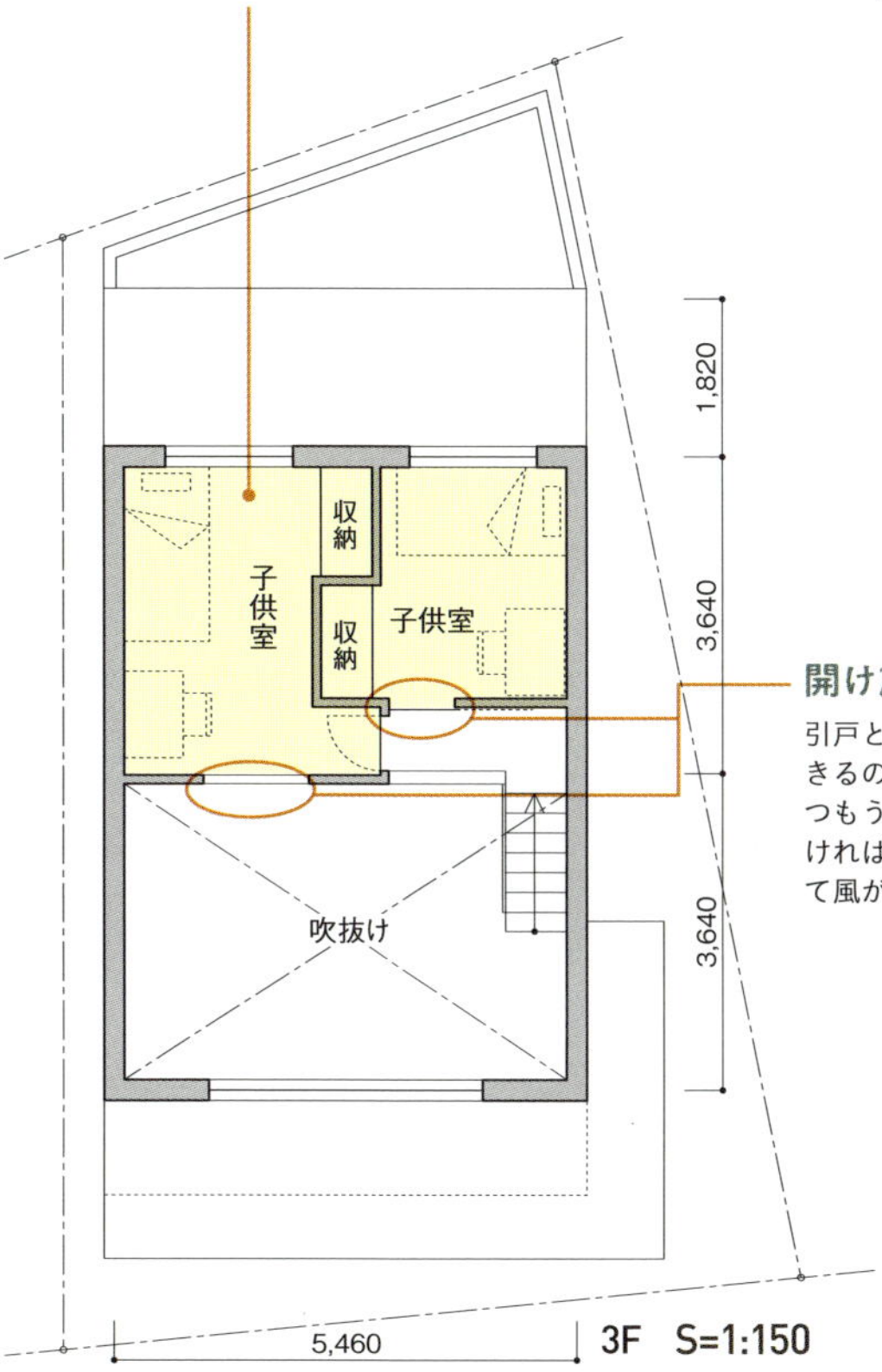

開け放してつながる

引戸と窓を開け放した状態にできるので、リビングの様子がいつもうかがえる。北側の窓も開ければ、リビングの窓に向かって風が抜け、家の通風にもよい

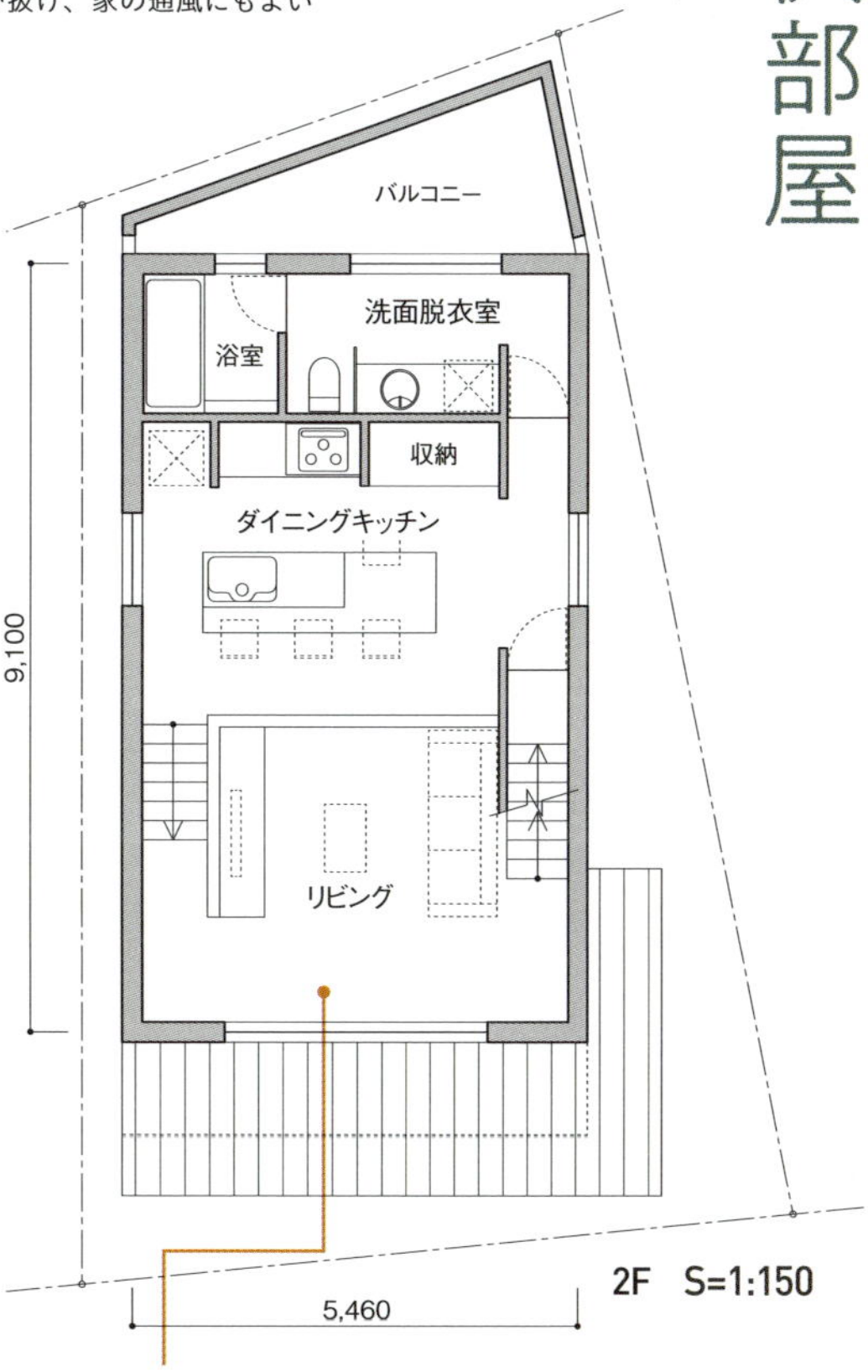

すぐ近く

リビングと子供部屋は、半階分8段で行ける近さ。狭い子供部屋にいるより、リビングに出て行きたくなる距離感にしている

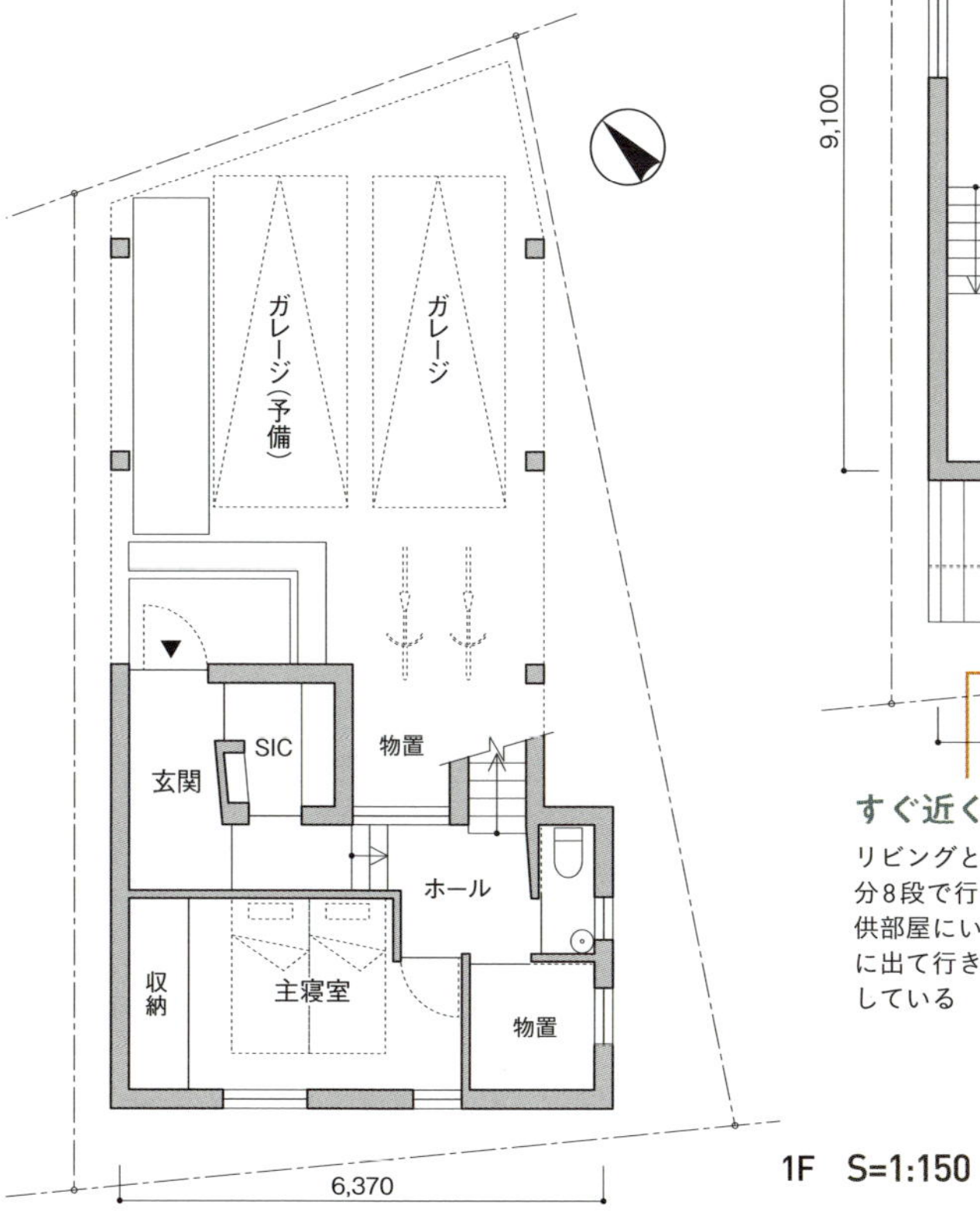

建築概要

所在地	愛知県
家族構成	夫婦(30歳代)+子供2人
敷地状況	整形(台形)、北道路
敷地面積	99.25㎡(30.02坪)
延床面積	101.10㎡(30.58坪)
構造・階数	S造3階

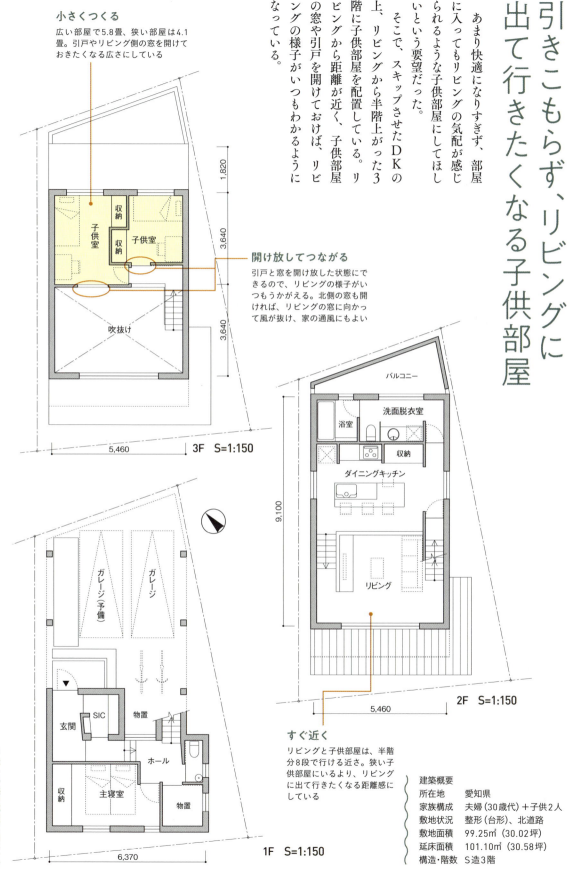

20坪の敷地の3階に2つの子供部屋をつくる

敷地はおよそ20坪。必要なLDKや水廻りなどを配置していくと、子供部屋は3階にしか置けない状況だった。3階は斜線制限により斜めに切り取られるため、人が立てない高さの部分も出てきてしまう。

そこで、東西に細長い形状も考慮し、最低限の広さを確保した5畳前後の個室を東西両脇につくり、それらをつなぐ廊下にアルコーブ状のスペースをつくってスタディコーナーとした。立てない高さの部分も収納として利用し、無駄なく有効活用している。

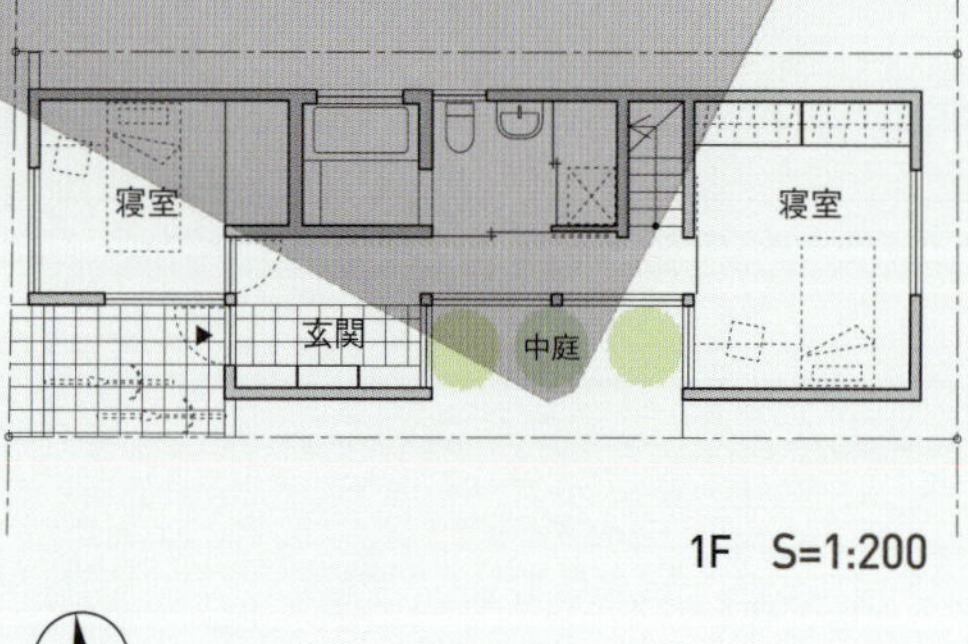

1F　S=1:200

建築概要
所在地　東京都
家族構成　夫婦（30歳代）＋子供2人
敷地状況　整形、西道路
敷地面積　66.64㎡（20.15坪）
延床面積　109.02㎡（32.98坪）
構造・階数　木造3階

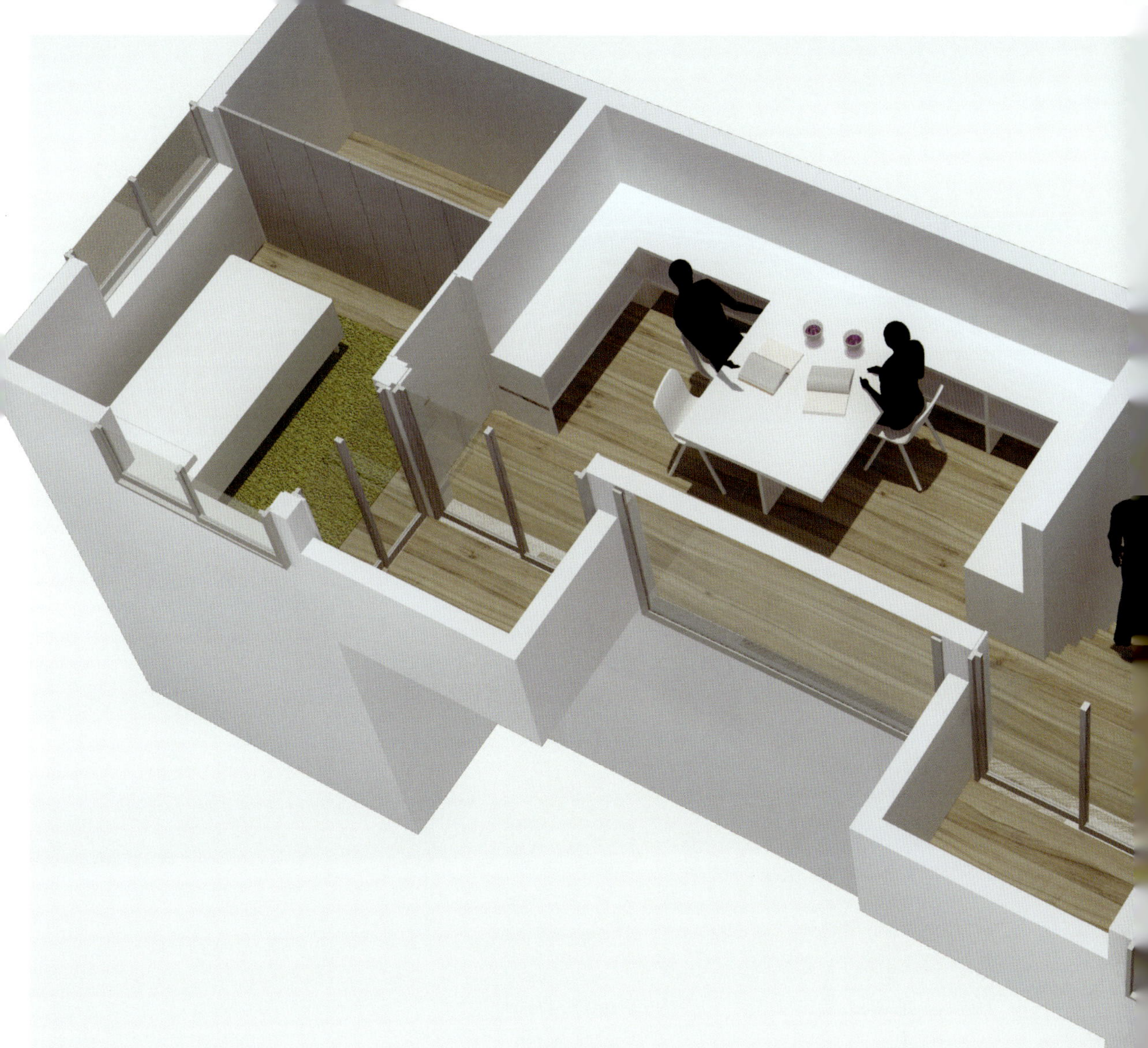

できるだけ活用

斜線制限により切り取られ、デッドスペースになりがちな部分も、収納スペースとしてできる限り活用する

3F　S=1:200

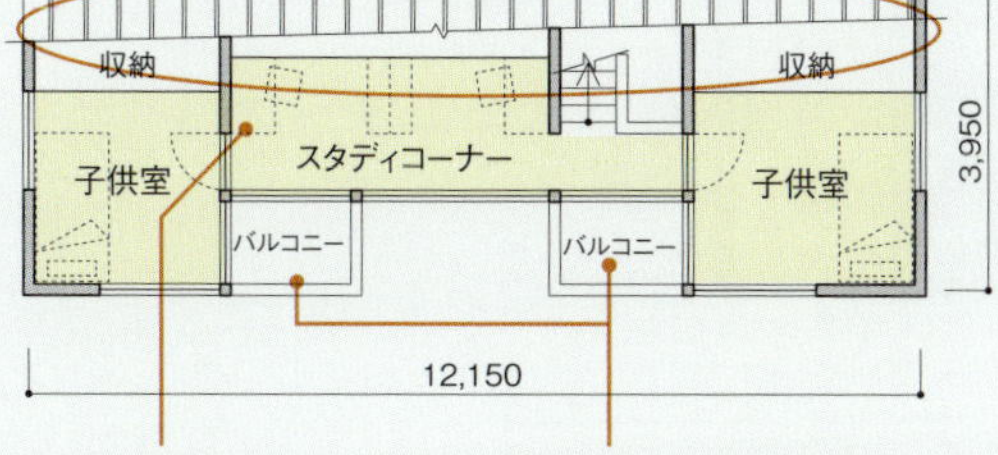

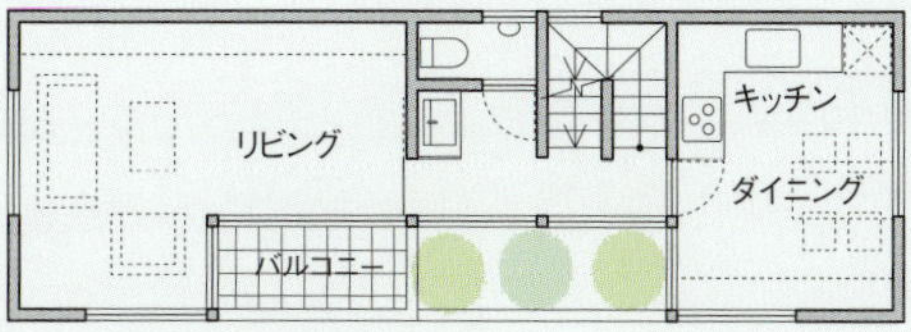

2F　S=1:200

廊下の勉強スペース

勉強スペースは個室の外に出し、廊下の一部をあてている。どこまでが自分の部屋かわからない曖昧さにより、個室の狭さを感じさせない

息抜きの外部空間

それぞれ小さなバルコニーを付属させて、少しでも部屋を開放的にする。すぐ横に外があると、閉塞感は格段に軽減する

スタディコーナーを南側吹抜けに面してつくる

子供室は南に面した大きな窓をつけてほしい、という要望だったが、敷地が南北に細長く、3つの子供室すべてを南面させることは難しかった。

そこで、14畳を超える広さの子供室は寝室と割り切って、スタディコーナーを南側吹抜けに面してつくることにした。子供たちは、1階LDKの気配を感じながら、明るいデスクで勉強や作業をすることができる。

建築概要
家族構成　夫婦（30歳代）＋子供1人（竣工時）
敷地状況　整形、北道路、道路との高低差 0.8m
敷地面積　183.54㎡（55.52坪）
延床面積　119.36㎡（36.11坪）
構造・階数　木造2階

南向きの特等席

吹抜けに面した南向きの場所にスタディコーナーをつくった。1階リビングの気配を感じながら、気持ちのいい場所で勉強することができる

大きな部屋

子供が小さいうちはワンルームの大きな部屋として使う。将来、必要な場合には3つの個室に分割できるよう、扉や窓は3つずつ用意している

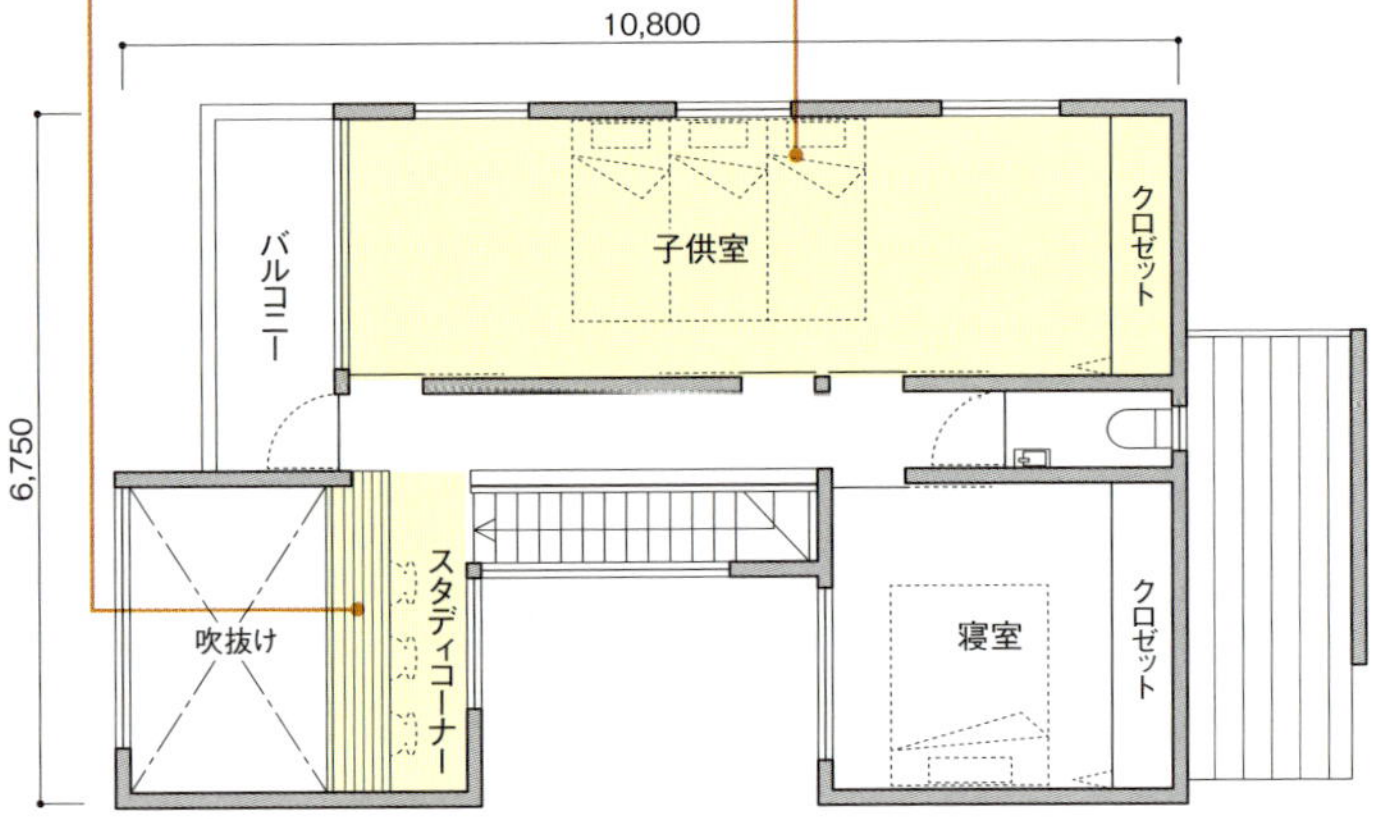

2F　S=1:150

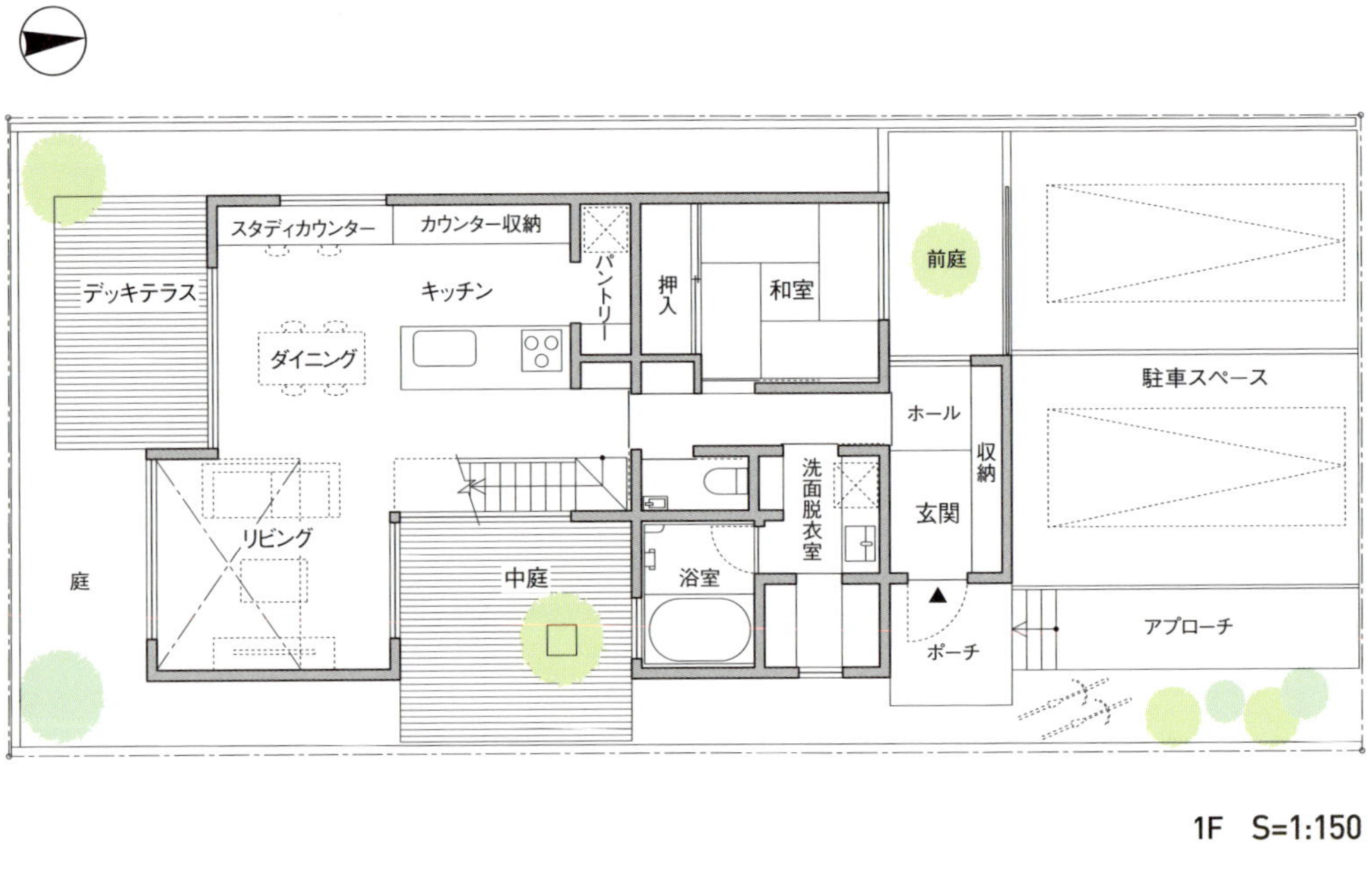

1F　S=1:150

ヌックとスタディコーナーで子供の居場所をつくる

子供室は、勉強して寝るだけの場所ではない。子供たちは、音楽を聴いたり雑誌を眺めたり、さまざまなことをしているはず。スタディコーナーをつくっても、勉強が済んだ後、子供室にこもってしまうのでは家族の触れ合いは減るばかりである。それなら部屋の外にヌックスペースのような、くつろげる場所をつくればいい。ということで、子供室とは別に、ヌックとスタディコーナーをつくった。

ヌックは、吹抜けに面しており、1階LDKからも気配を感じることができるようになっている。

建築概要

所在地	愛知県
家族構成	夫婦（30歳代）＋子供2人（これから）
敷地状況	旗竿敷地、西道路、道路との高低差2.5m
敷地面積	239.72㎡（72.51坪）
延床面積	106.83㎡（32.31坪）
構造・階数	木造2階

寝るための部屋

子供室の広さは4.5畳。寝ることと着替えること以外は、部屋から出て行うことになる

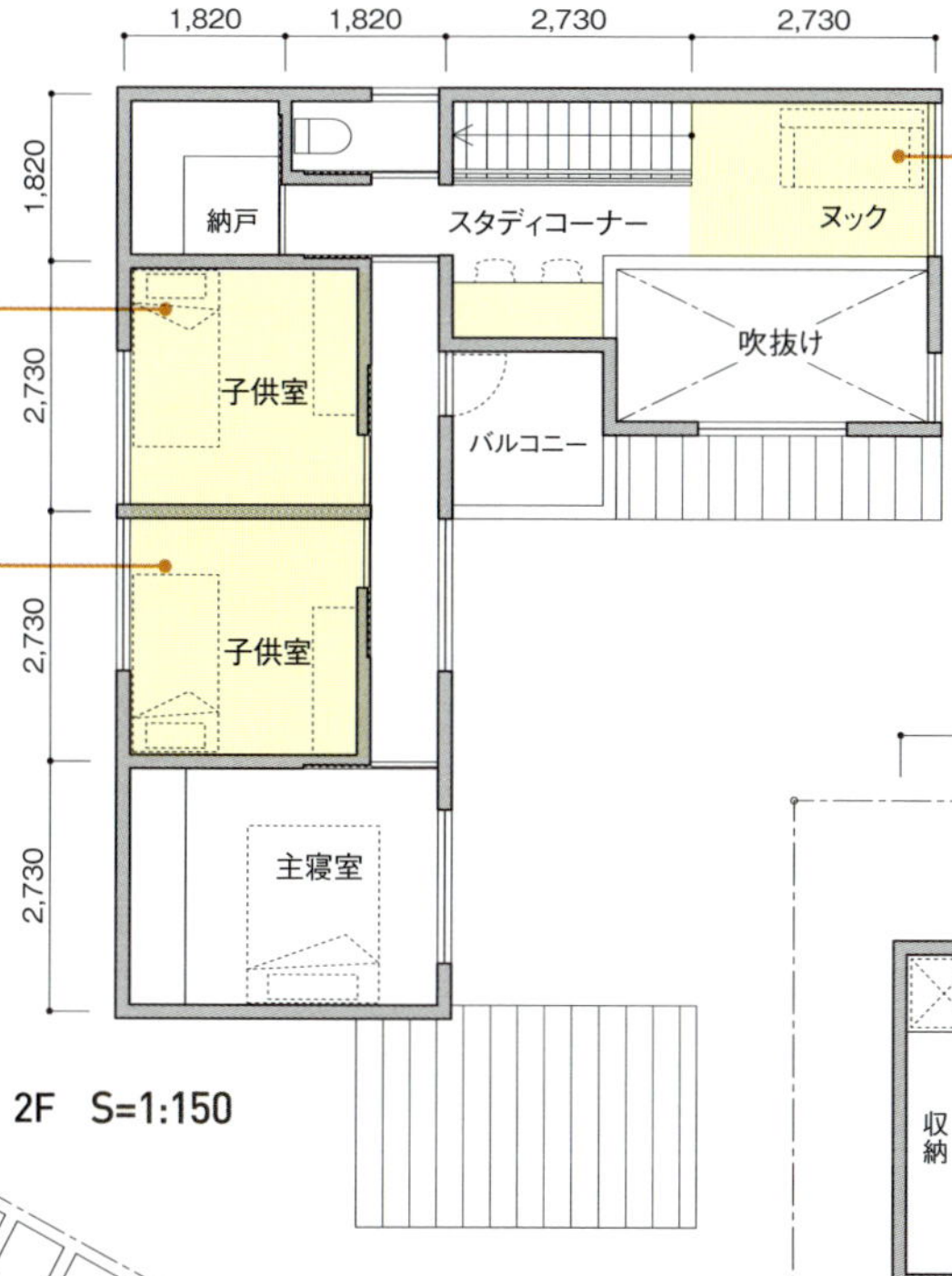

2F S=1:150

ちょっとした居場所

階段の先を少しだけ広めにつくってヌックスペースに。ヌックとは、暖かくて心地のいい場所のこと。リビングとは違った、くつろぎの場所は、子供たちだけでなく大人も楽しめる居場所となる

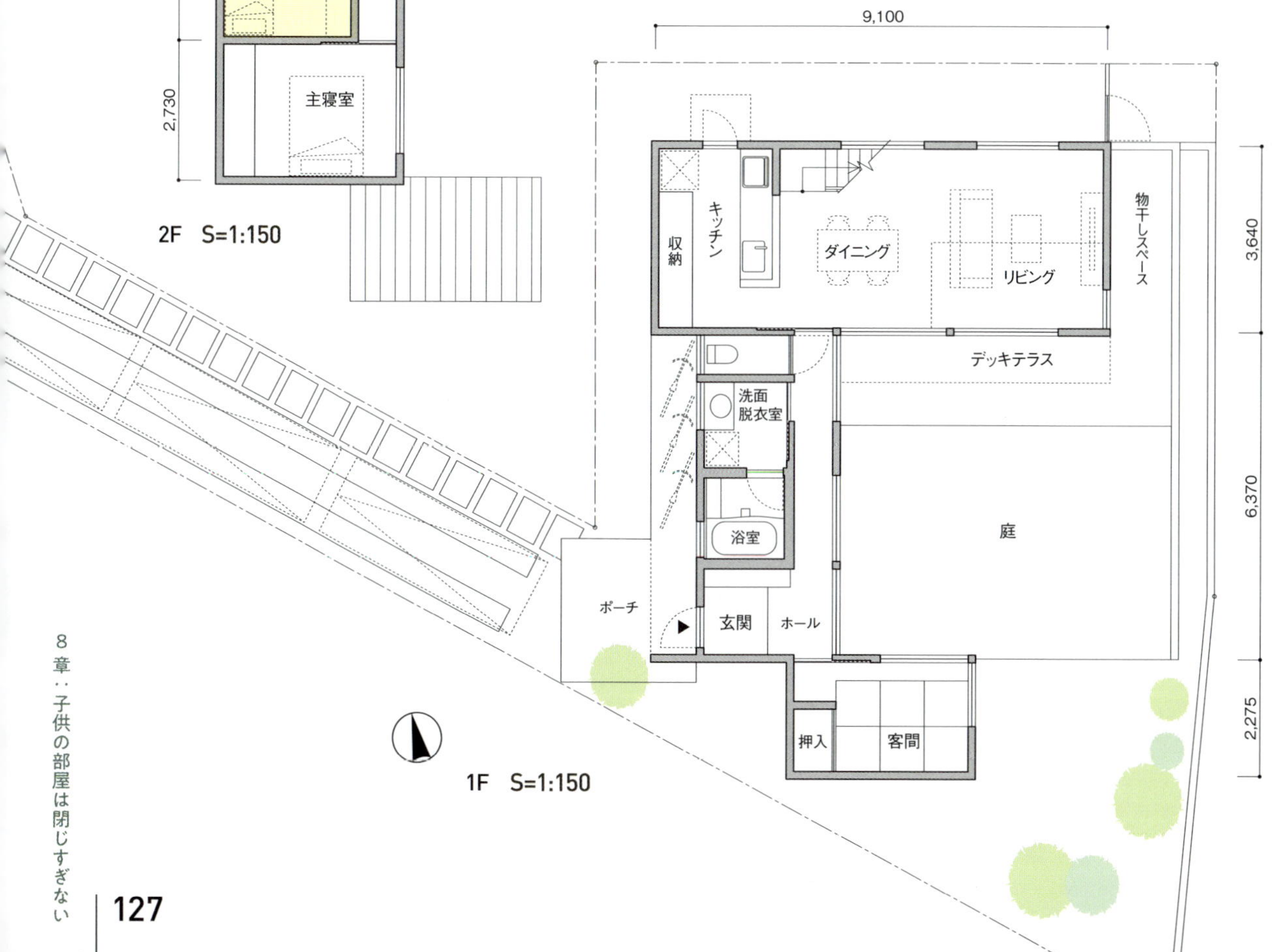

1F S=1:150

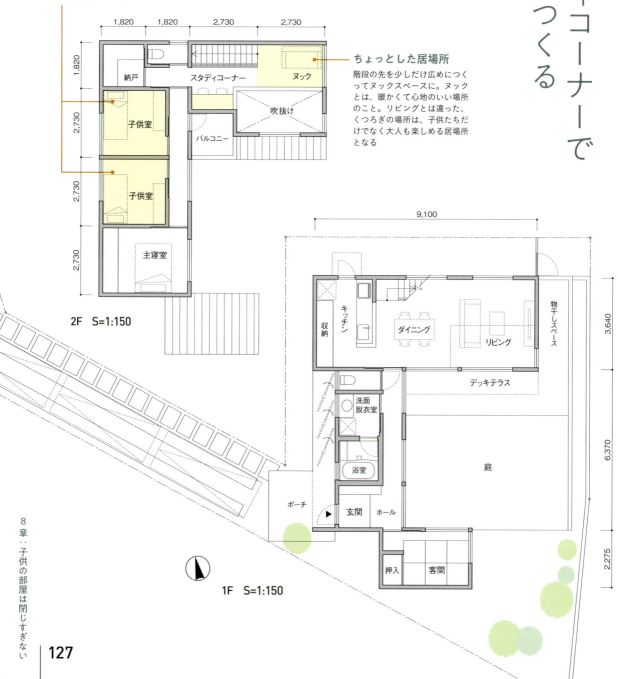

CHAPTER

9

書斎は孤立させない

父の居場所だけじゃない

書斎と言えばお父さんの居場所というイメージがありますが、それだけではもったいない。家族みんなが使える書斎とすれば、そこは第2のリビングとしても使えます。また書斎というと、壁に囲まれた小さな部屋を想像しがちですが、リビングの一角や階段の途中といったスペースの一部であっても、そこで読書をしたり書き物

をしたりできれば、立派な書斎となります。このようなオープンな書斎スペースであれば、ほかの場所にいる家族とも気配を感じ合えるのです。

窮屈な場所にしないで

趣味に没頭できる、こもれる書斎をつくる場合でも、庭を眺められる窓をつけるなど、明るい健康的な場所を目指しましょう。一番日当たりのよい場所を書斎にすれば、そこが家のなかの特等席になるかもしれません。

シアタールームやオーディオルームなどとする場合は、床、壁、天井を防音、吸音ができる特殊な仕様にするなどの配慮が必要になります。

2階に行く途中で立ち寄る家族みんなが使える書斎

家族誰もが使えるオープンな書斎がいい、という要望を受けて考えたもの。リビングの天井高さを高くして、階段の途中に中2階をつくって書斎とし、階段の昇り降りの際に気軽に立ち寄れるようにしている。

2人並んで作業できる広さがあるので、子供どうしでも、親子でも、もちろん夫婦で使うこともできる。ここにいれば、階段を使う家族と自然に触れ合いが生まれ、家族の会話が増えるというメリットもある。

吹抜けにする

中2階の天井高を十分に確保するために、リビングの天井高を上げて吹抜けにしている。天井高さの違いにより、リビングはDKと異なる開放的な場として意識される

通り道に置く

みんなが気軽に使えるように、1階と2階を行き来する途中に場所を設定。通りかかる子供や親との間で自然に会話も生まれる

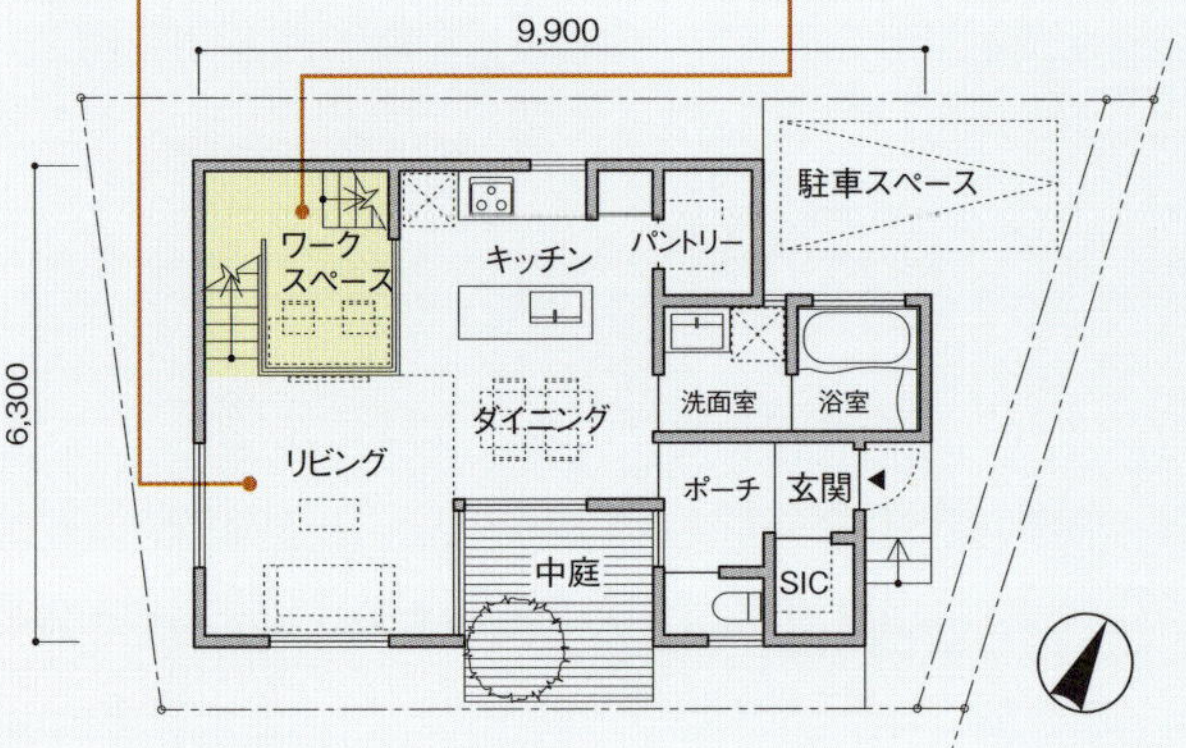

1F　S=1:200

親子の違い

リビングで天井高を高くした分、主寝室は子供部屋よりも高い床レベルにある。床レベルの違いによって、寝室のプライバシー性が高まる

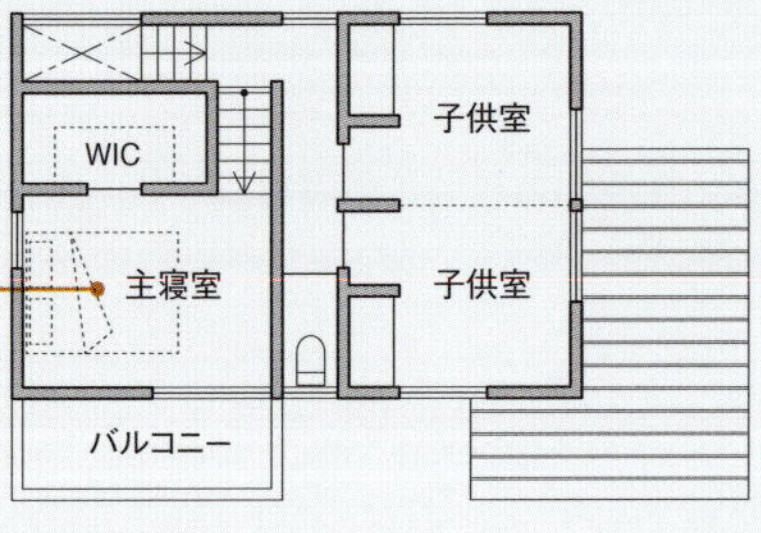

2F　S=1:200

建築概要

所在地	東京都
家族構成	夫婦（30歳代）＋子供2人
敷地状況	整形、東道路
敷地面積	98.10㎡（29.67坪）
延床面積	88.87㎡（26.88坪）
構造・階数	木造2階

家のなかの静かな場所に落ち着ける個室をつくる

ほかの部屋から独立した空間にしてほしい、というのが書斎に対する要望だった。ときには誰にも邪魔されない自分だけの時間が過ごしたいこともあるだろう。そこで、家のなかでも死角になるようなスペースを見つけて、個室にしてみた。

2階の客間は、子供部屋や寝室のあるフロアから5段上がった高さにあり、少し奥まった印象を与える。この客間に向かう動線の突き当たりのスペースに扉をつけて個室化した。わずか1坪の小さな書斎だが、人の気配を感じない、静かで落ち着ける部屋になっている。

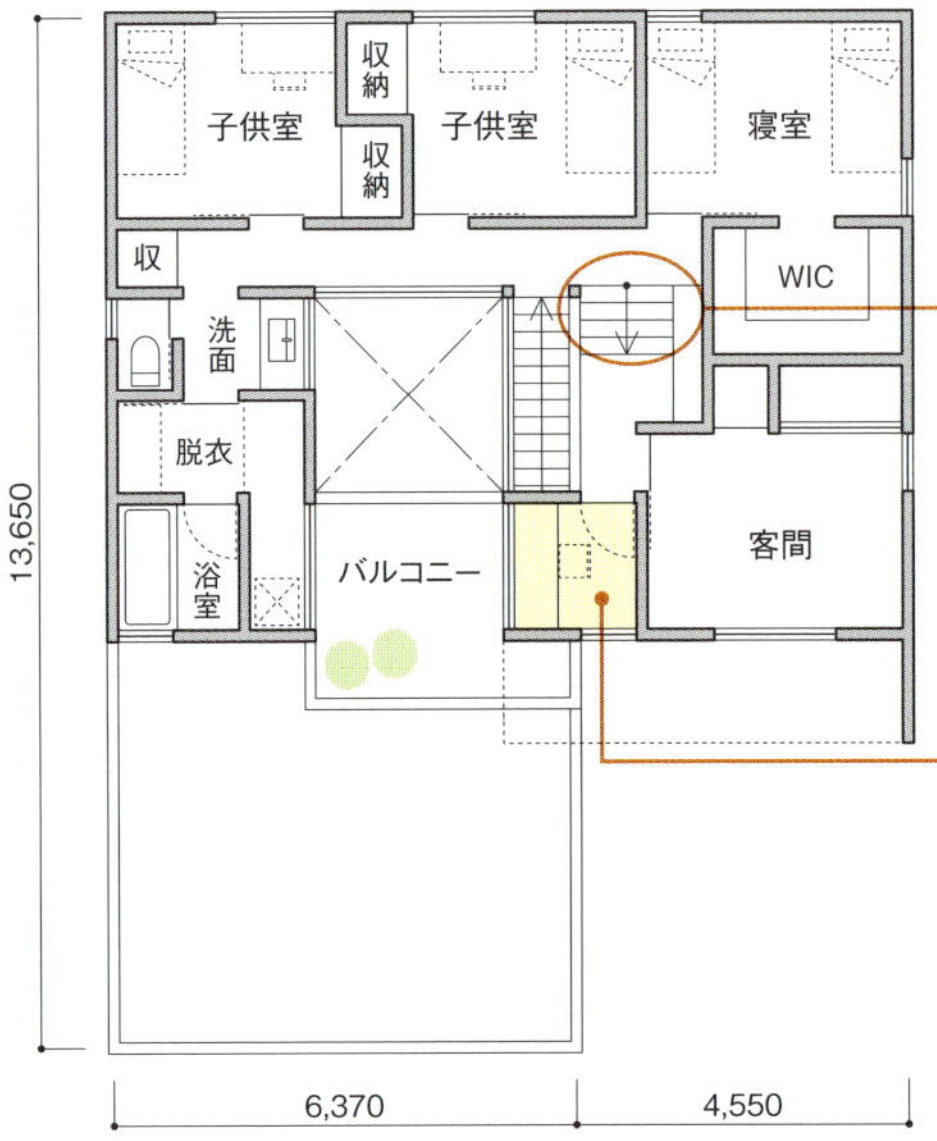

高さを変える

2階フロアから1mほど床レベルが上がっており、わずかだが「わざわざ行く」気分になり、書斎には家族も気軽には近づいてこない

外が見える

一番奥まった場所だが、目の前のバルコニーに面しているので明るく、窓からの風も感じることができる

2F S=1:200

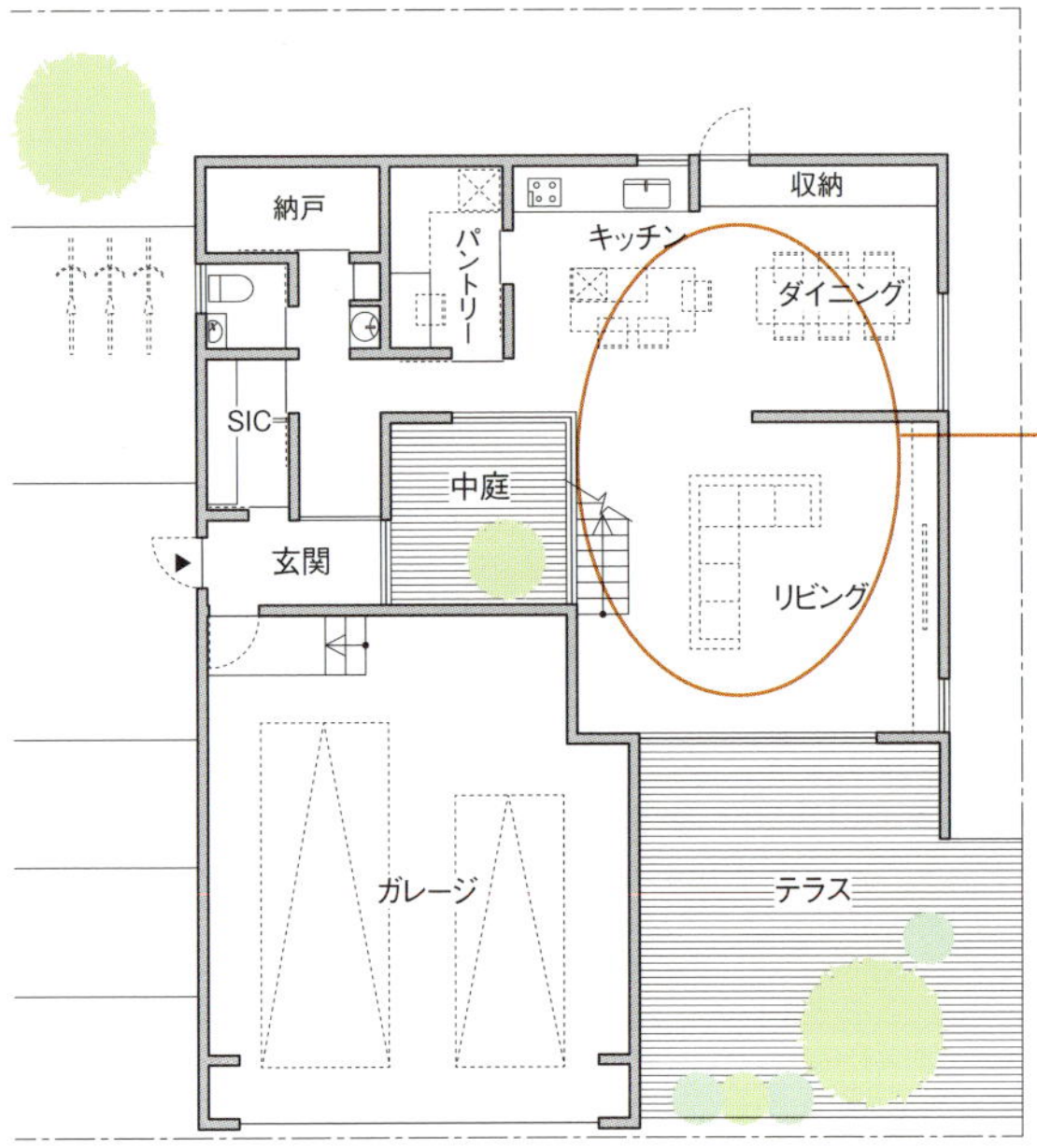

天井高さを変える

ダイニングとリビングはつながっているが、壁を出すことと天井高さを変えることで別の場として意識される。リビングの天井高を上げた分、2階書斎と客間の床レベルが高くなっている

1F S=1:200

建築概要

所在地	東京都
家族構成	夫婦(40歳代)+子供2人
敷地状況	整形、南道路
敷地面積	239.99㎡(72.59坪)
延床面積	239.99㎡(72.59坪)
構造・階数	木造2階

ダイニングのすぐ脇で ごろ寝もできる書斎スペース

小さくてもいいのでごろごろできる場所がほしい、という要望があったので、ダイニングの横に小上がりをつくって、書斎スペースも兼ねることにした。

小上がりなので、床に座ったときにはダイニングのイスに座っている人と目線が同じとなり、空間としての一体感も増す。また、3階に上がる途中にあるので、気軽に立ち寄ることもできる。リビングのソファもいいが、小上がりでごろごろするとさらにリラックスできそうだ。

建築概要

所在地	東京都
家族構成	夫婦（30歳代）＋子供（これから）
敷地状況	整形、東道路
敷地面積	80.00㎡（24.20坪）
延床面積	119.26㎡（36.07坪）
構造・階数	木造3階

ダイニングのすぐ脇

ダイニングとわずかな距離にあり、食後、くつろぐこともできる書斎。3階に上がる途中の大きな踊り場ともいえ、家族だれでも気軽に使える

目線高さがそろう

小上がりなので、床に座るとダイニングで座っている人と同じ目の高さになる。場所は異なっても、一体感が生まれる

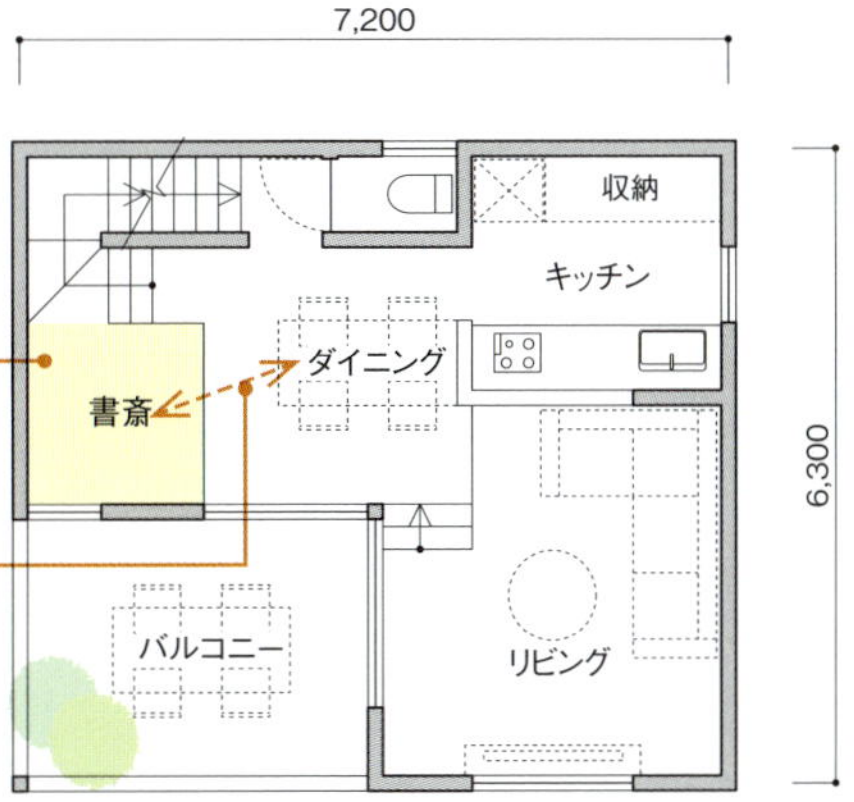

2F S=1:150

吹抜けの下

書斎の上は吹抜けの大きな空間になっている。3階のフリースペースで作業する子供たちとも吹抜けを通じてつながる

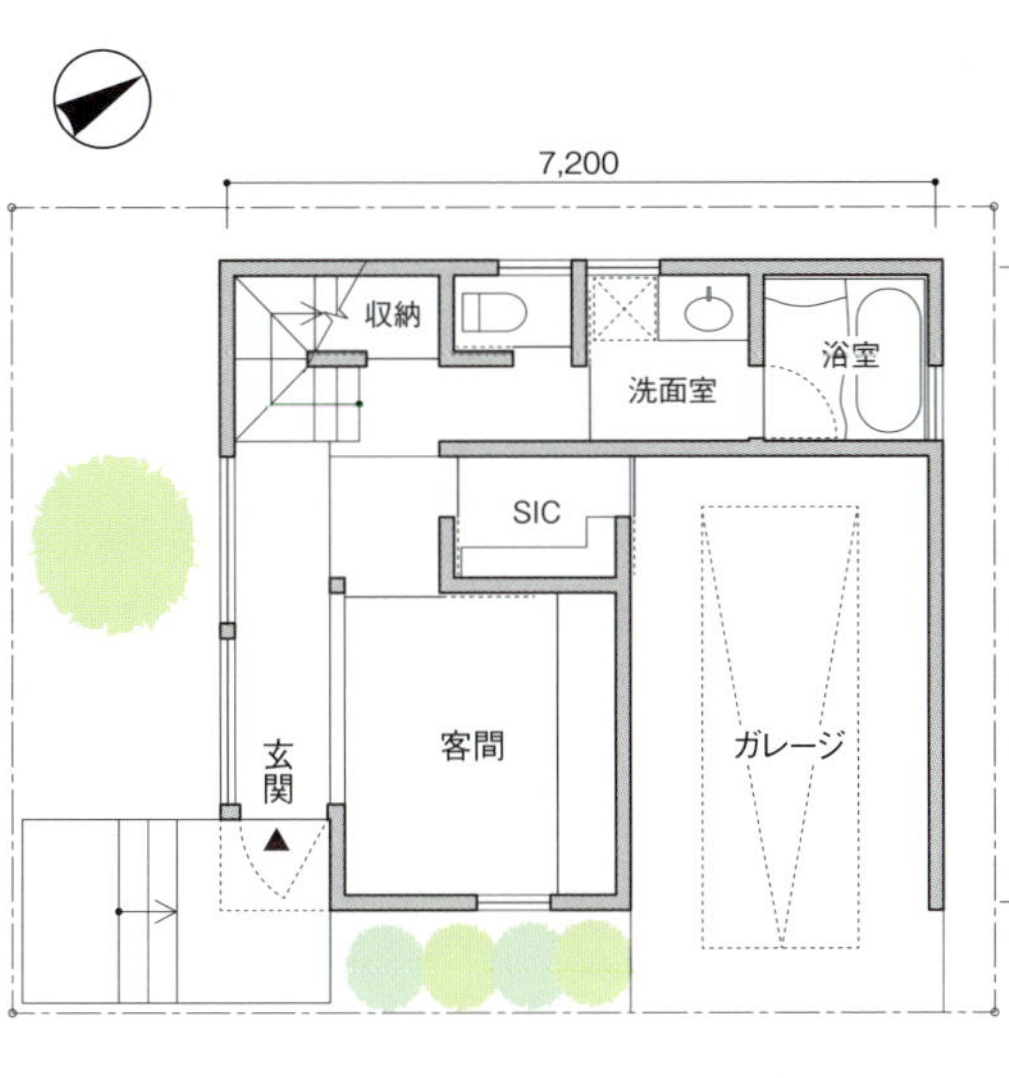

1F S=1:150

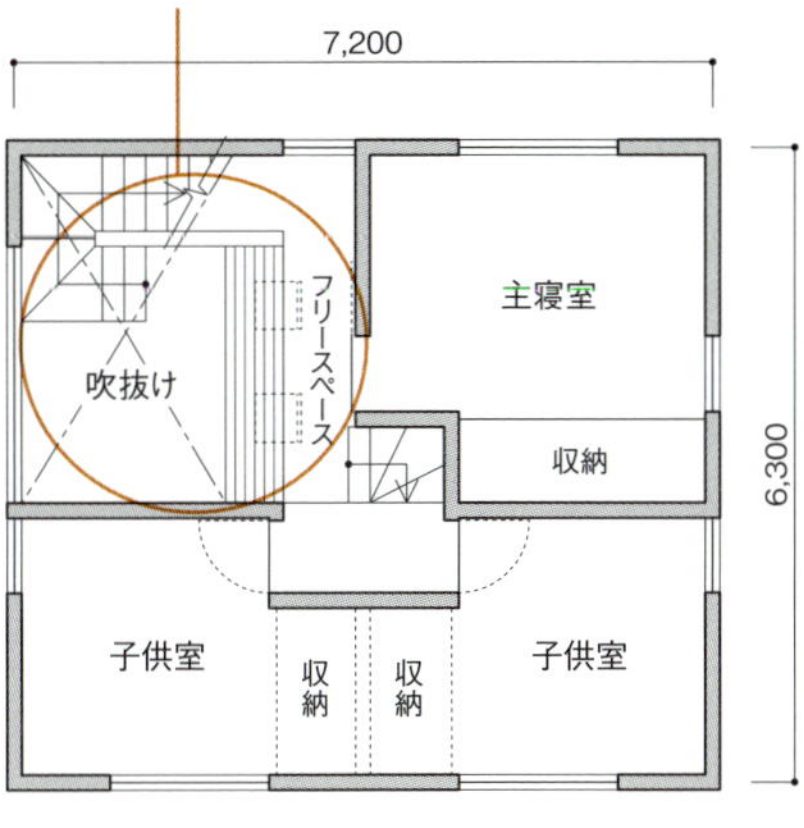

3F S=1:150

テレビの後ろに秘密の隠れ家的書斎をつくる

読書家で、たくさんの本を収める本棚がほしいが、リビングや生活空間にそれを出したくないという要望があった。本棚に囲まれた書斎がつくれればよいのだが、面積的にそれほどの余裕はない。そこで、リビングのテレビの後ろに1m少々の余裕をもたせてフリースペースとし、そこに本棚とデスクを造り付けて隠れ家的な書斎として使えるようにしている。LDKの一角にあるので、いつでも気軽に好きな本を読むことができる書斎になっている。

建築概要
所在地　東京都
家族構成　夫婦（40歳代）＋子供
敷地状況　旗竿状、南道路
敷地面積　192.00㎡（58.08坪）
延床面積　149.89㎡（45.34坪）
構造・階数　木造2階

テレビの後ろ側

テレビ画面はさまざまなシーンが映し出されるため、人はその後ろ側をあまり意識しない。つまりテレビ自体が1つの壁になるので、その後ろ側の書斎は隠れ家的な存在となる

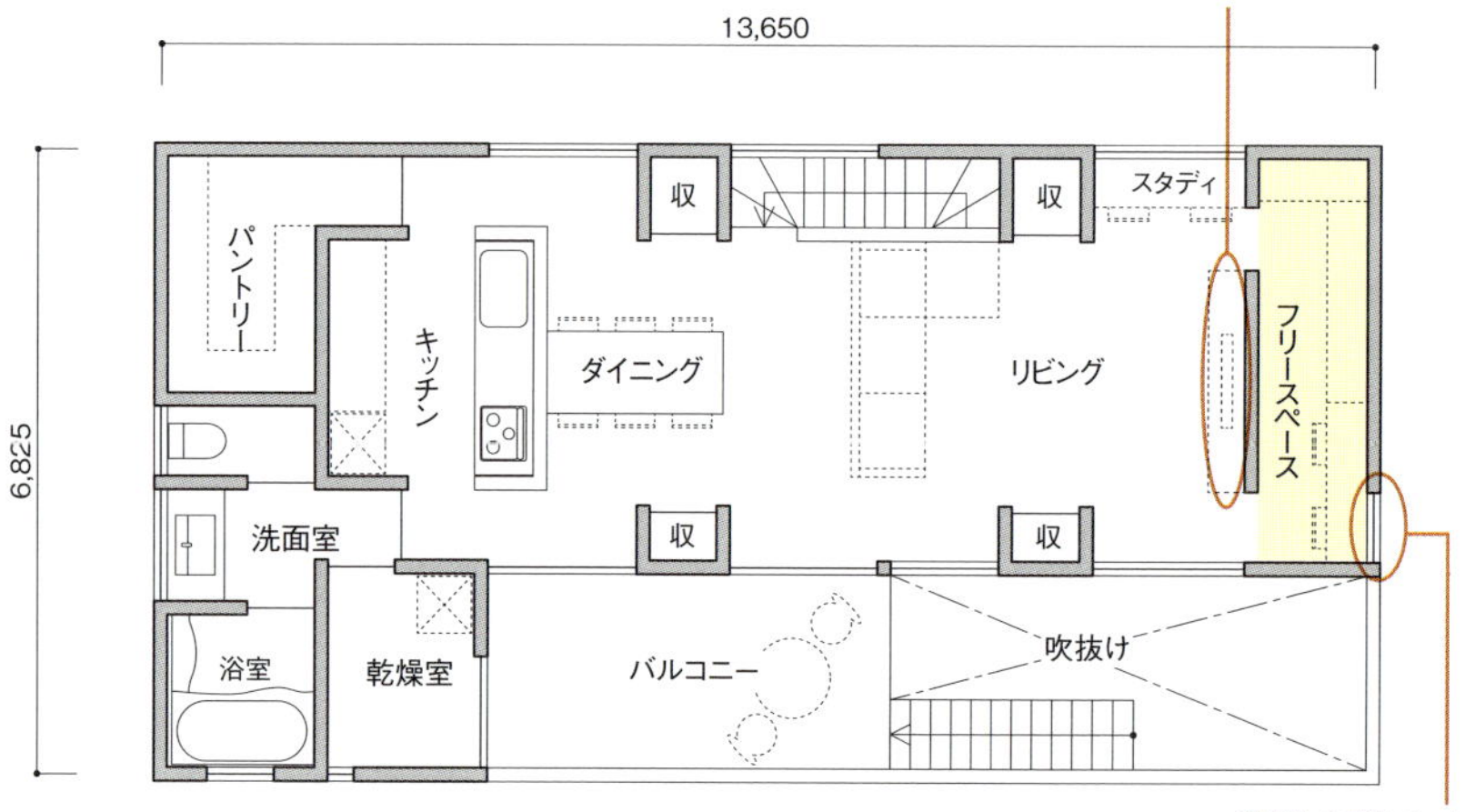

手元を明るく

スリット的に窓を設けているので、本を読むときも外の光が入ってくる。本に囲まれながらも、この窓のおかげで閉塞感はない

2F　S=1:150

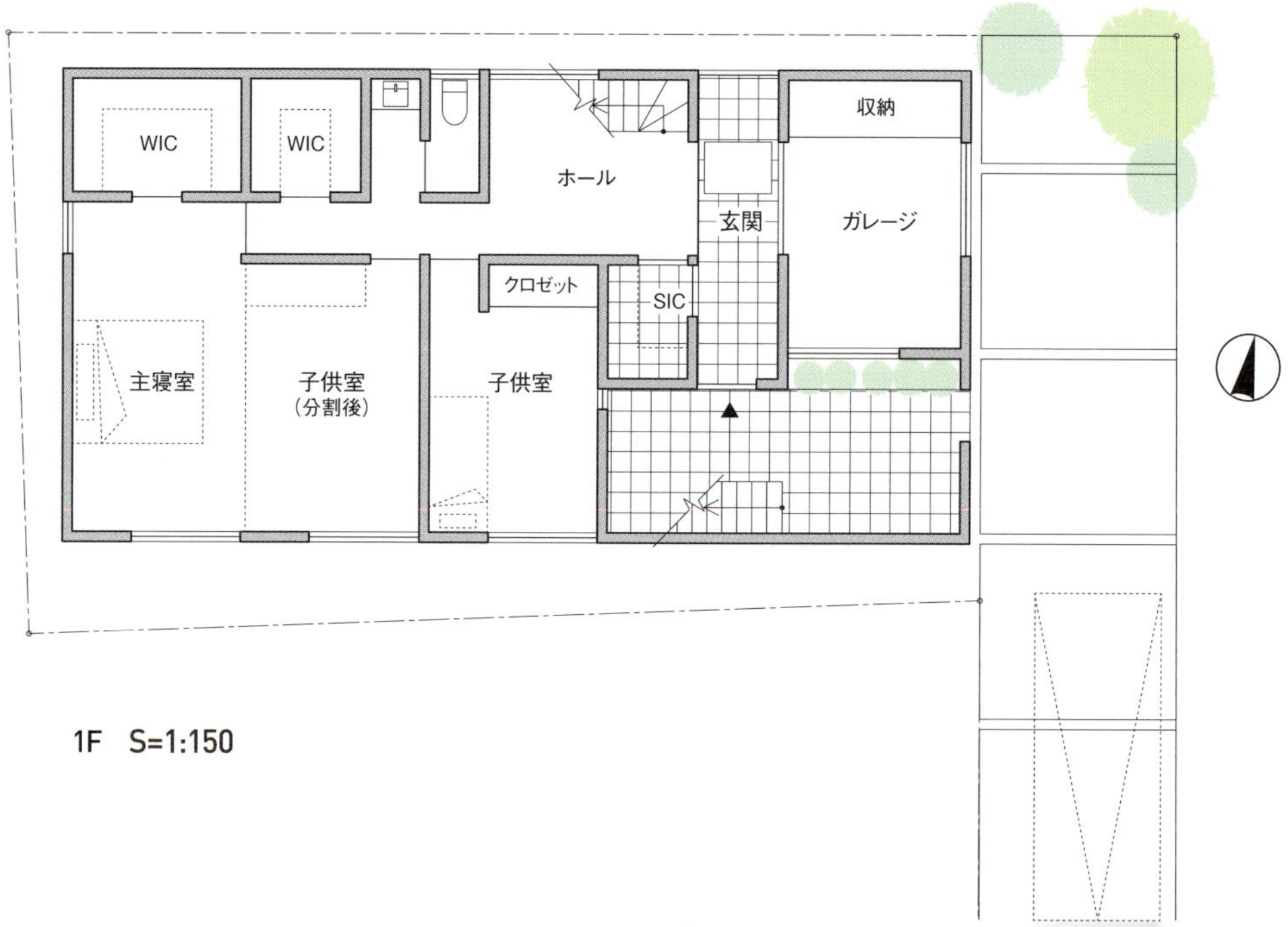

1F　S=1:150

吹抜けから見降ろすＤＪブース仲間と楽しめる趣味の部屋

趣味でＤＪをやっており、たくさんのレコードがあるのでＤＪブースがほしい、という少し変わった要望があった。ＤＪをやるなら、仲間も多く集まるに違いない。

そこで吹抜けのあるおよそ20畳の大きなＬＤＫをつくり、その吹抜けから階下を見降ろす放送席のようなかたちで2階にＤＪブースをつくっている。ＤＪブースは寝室に至る途中にあるので、仲間が集まるときでなくても、趣味の部屋として落ち着いて籠れる場所となる。

建築概要
所在地　東京都
家族構成　夫婦（30歳代）
敷地状況　変形、道路との高低差 1.5m
敷地面積　124.20㎡（37.57坪）
延床面積　96.79㎡（29.27坪）
構造・階数　木造2階

吹抜けに面して

ＤＪブースは、キャットウォークを挟んで吹抜けに面している。1階に集まった仲間たちから見上げられるかたちで、ＤＪに注目が集まる櫓舞台のような場所

プライベートな部屋

ＤＪブースは、寝室の一部のような位置に置かれており、プライベート性の高いしつらえ。普段から趣味の部屋として楽しめるようになっている

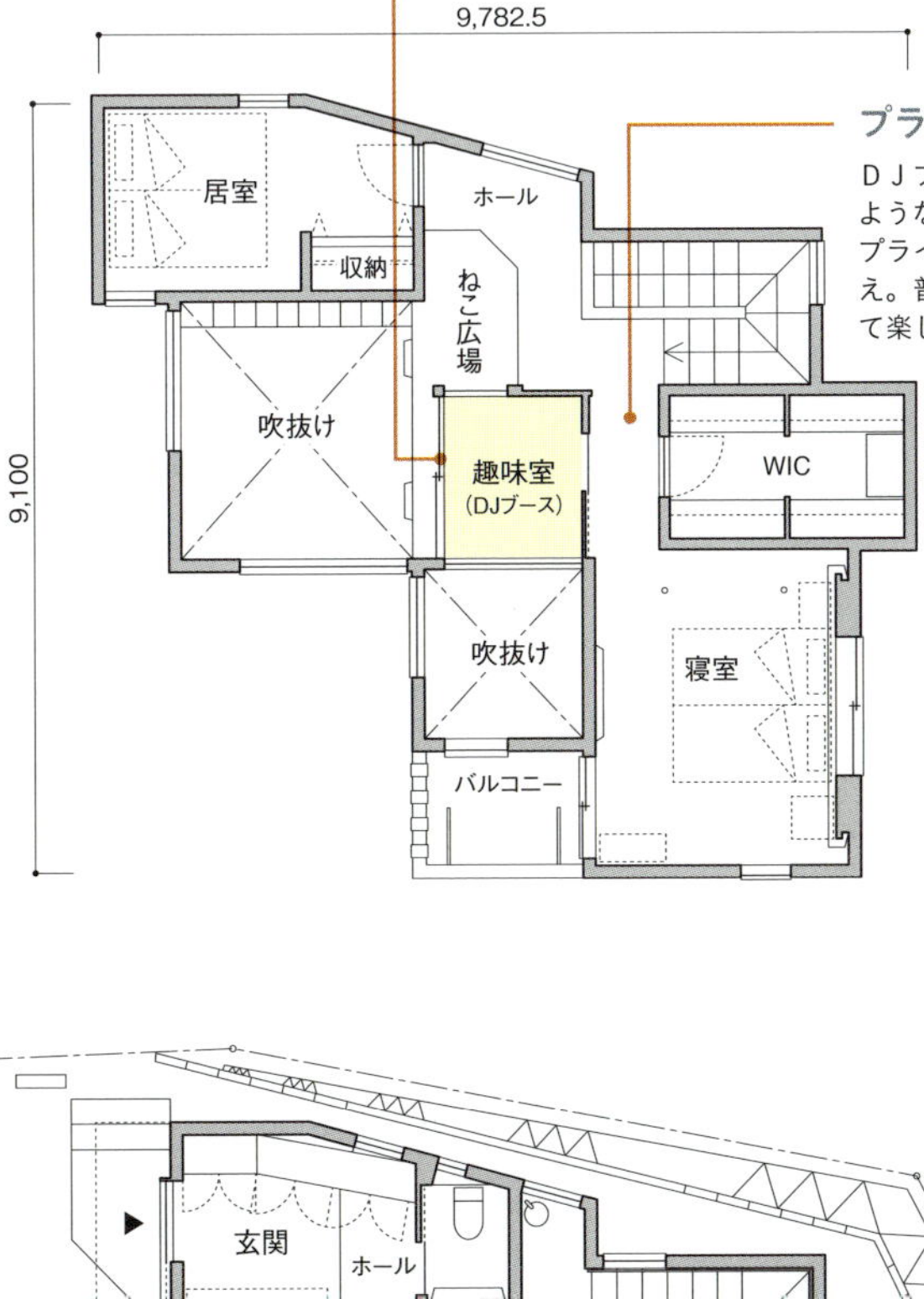

2F S=1:150

集まれる広場

キッチンとダイニングを東側に固め、広いリビングとする。仲間たちはＤＪブースを見上げながら、広場のようなリビングで楽しむ

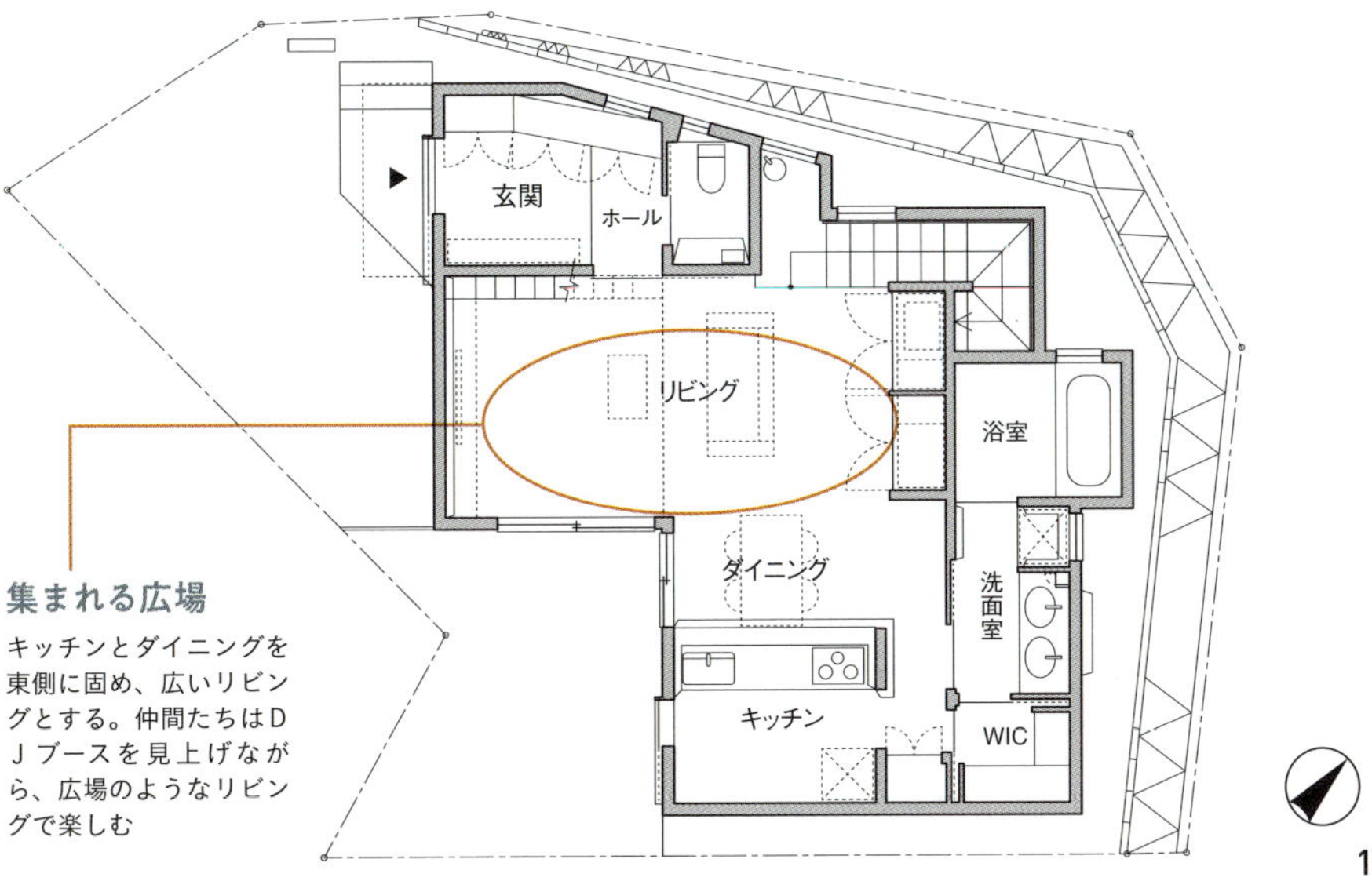

1F S=1:150

自宅のオフィスとなる緑を背にした開放的な書斎

在宅で仕事をすることも多いので、環境のいい書斎にしてほしいという希望があった。敷地条件から、広いまとまった庭をつくることは難しかったので、坪庭や囲い込んだデッキテラスなどを効果的に分散配置しているが、書斎はそのデッキテラスに隣接させてつくっている。リビングから2段降りることと大開口で外部に接することにより、気持ちよく仕事に集中できる書斎となっている。

建築概要

所在地	東京都
家族構成	夫婦（40歳代）＋子供1人
敷地状況	整形、東道路
敷地面積	119.39㎡（36.11坪）
延床面積	94.77㎡（28.66坪）
構造・階数	木造2階

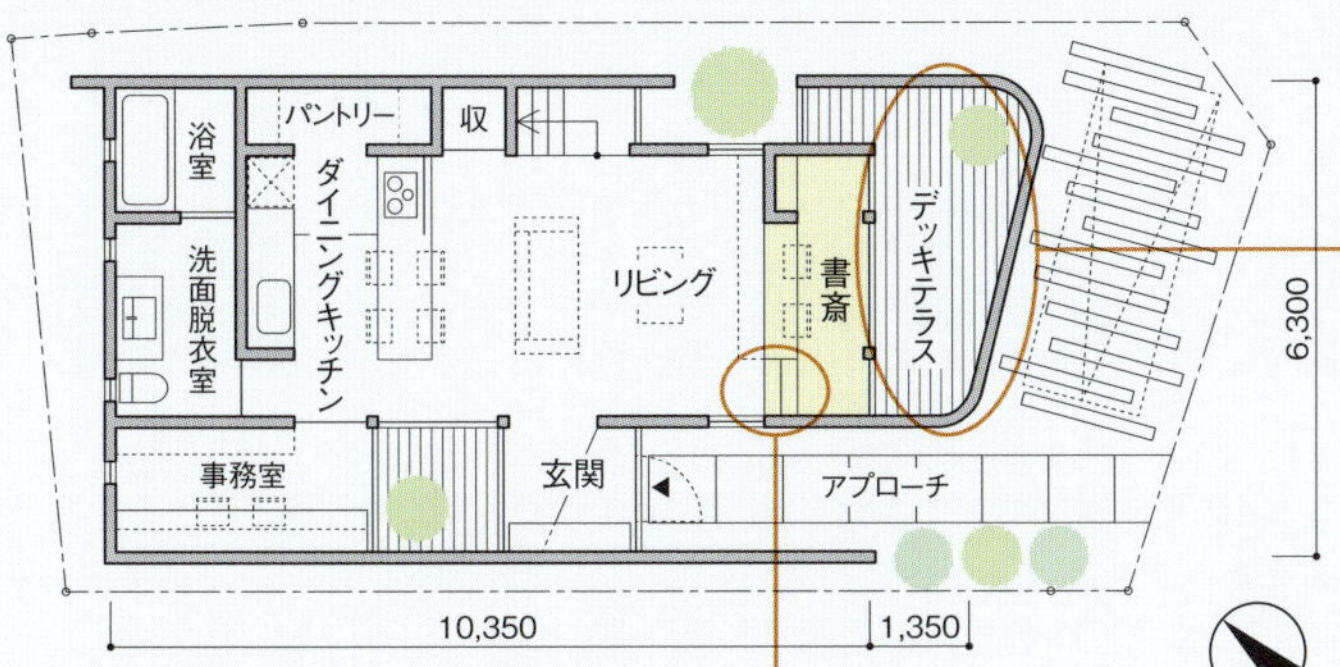

1F　S=1:200

近くにある外部

壁で囲い込んだデッキテラスと隣接しており、明るく開放的な環境に。数歩で外に出ることもできるので気分転換にもなる

2段で気分転換

リビングと床レベルを変えて、2段、階段を降りて「出勤」。この2歩で気分を新たにして仕事モードに切り替える

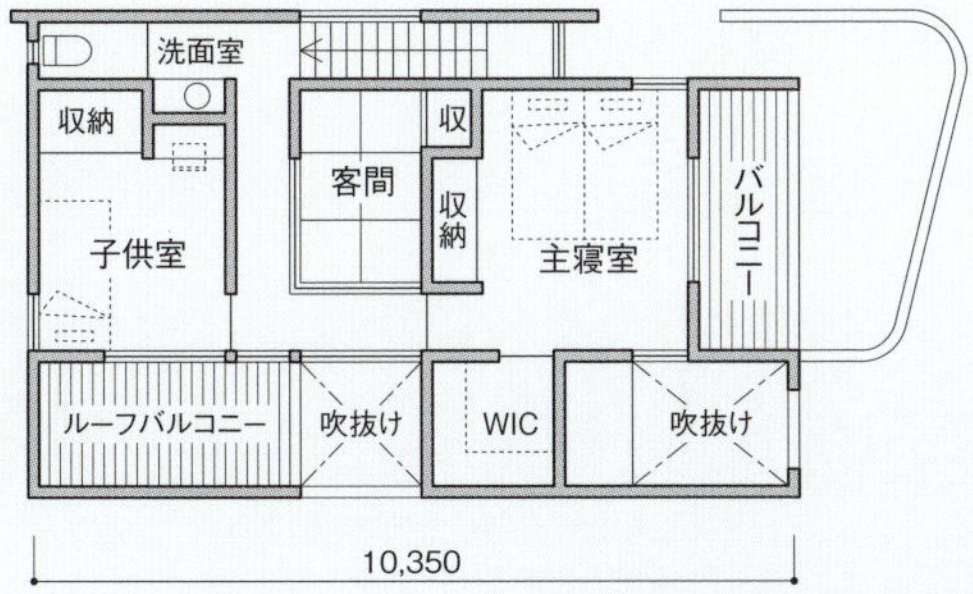

2F　S=1:200

見晴らしのよい場所に日常使いの書斎を置く

当初から、書斎は仕事でも趣味でも使うので使用頻度が高いと聞いており、できるだけ環境のよい場所に置こうと計画を進めた。

敷地は若干東西に長く、建物は西側に寄せて配置したので東側に向けて引きが取れる状況だった。そこで、2階の主寝室と子供部屋に挟まれた東側に書斎を置き、庭が眺められる明るい部屋としてつくっている。広さは3畳程度だが、引戸を開けると廊下の先の窓まで一直線に視線が抜け、開放感も得られる書斎である。

建築概要
所在地　愛知県
家族構成　夫婦（30歳代）＋子供（これから）
敷地状況　変形、南道路
敷地面積　233.26㎡（70.56坪）
延床面積　129.17㎡（39.07坪）
構造・階数　木造2階

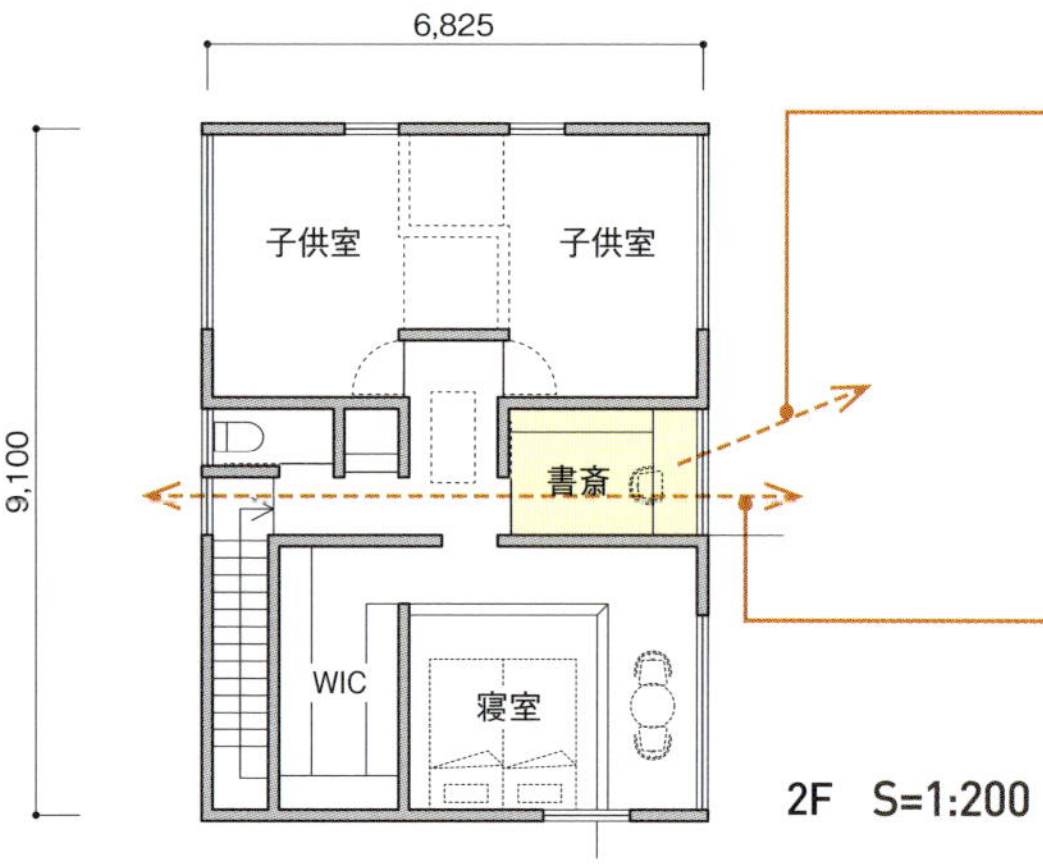

庭への視線
建物を西側に寄せているので、窓の外には庭が広がる。外を眺めながら、仕事や趣味に打ち込める環境をつくっている

抜ける視線
出入り口の引戸を開け放てば、西側の窓まで一直線に視線が抜ける

2F　S=1:200

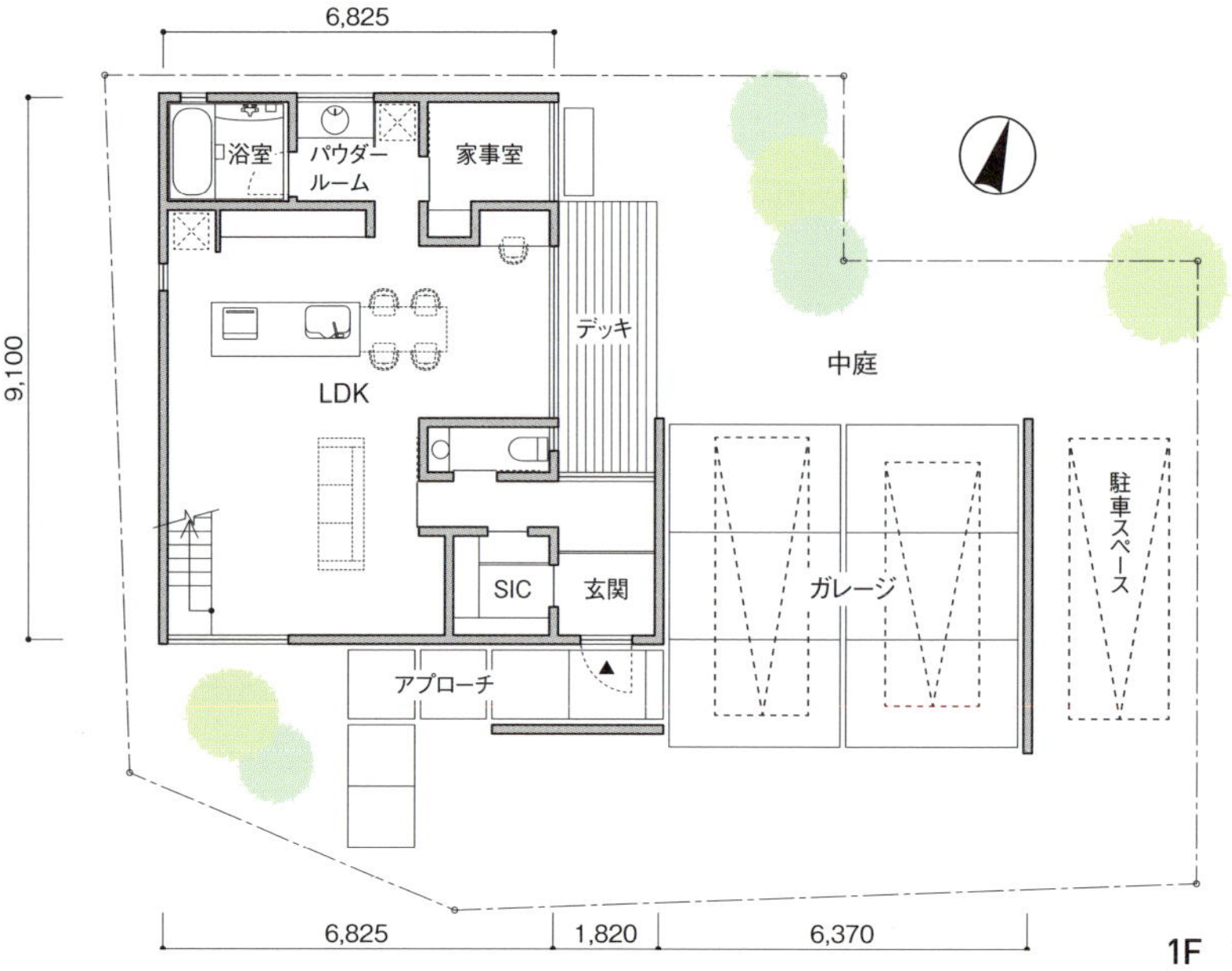

1F　S=1:200

家族の書斎と個人の書斎
2種類の書斎で満足度アップ

この家では、家族みんなで使える書斎と個人の書斎の2つを用意している。家族の書斎はリビングに隣接したスタディルームで、4枚の引戸で仕切ることができる。引戸を開け放てばリビングと一体化するので、家事に関わることや子供たちの宿題などをする場所として気軽に使うことができる。

個人の書斎は寝室の脇に置いて、ゆっくりと落ち着いて作業ができる環境としている。

リビング全景。左側に見えるのが家族の書斎

みんなの書斎はオープンに

家族で使う書斎は、リビング脇にオープンに配置。来客時などは4枚の引戸で仕切ることができるので、散らかしたままでも困らない

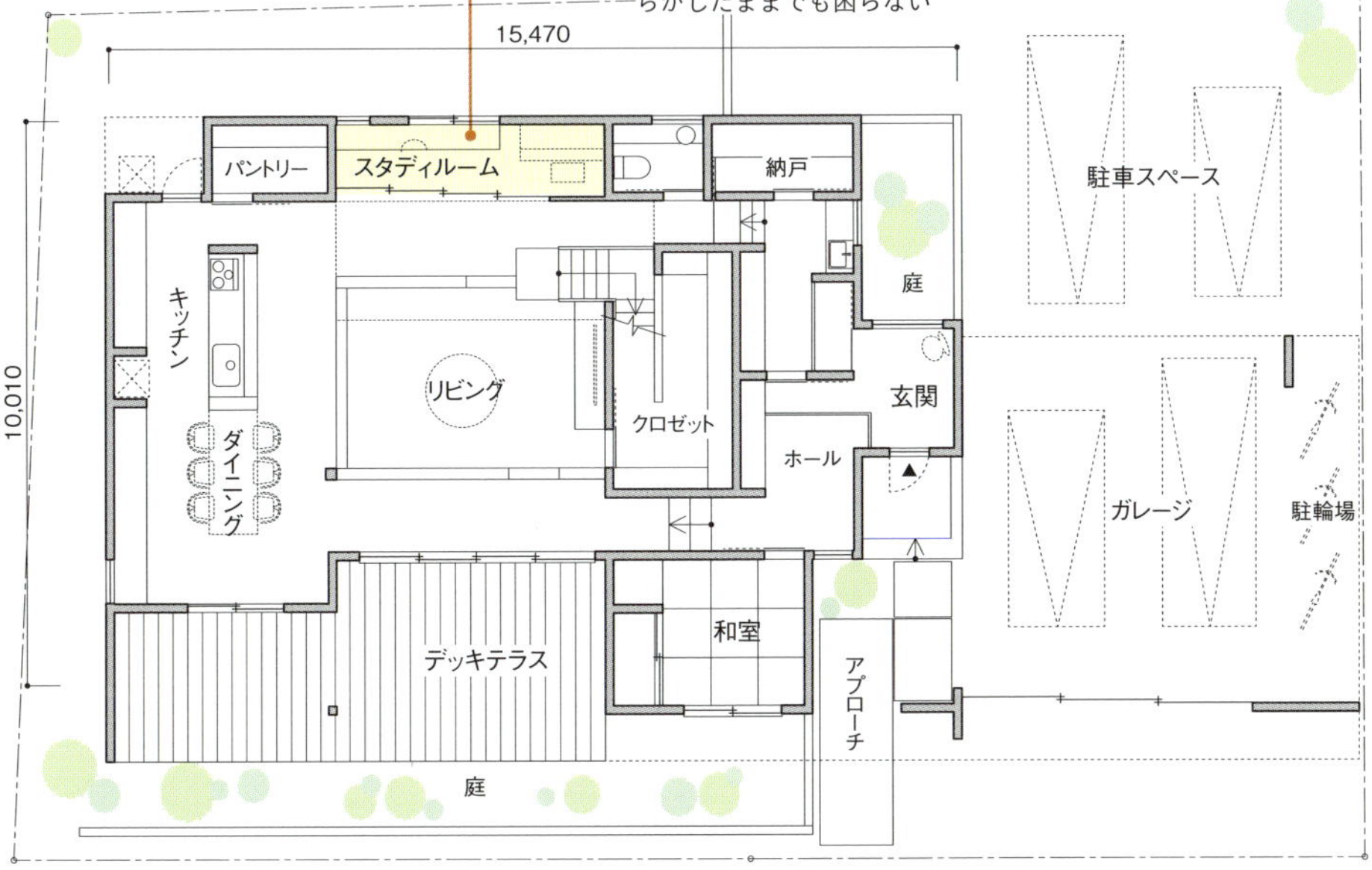

1F　S=1:200

落ち着ける場所

個人の書斎は、寝室脇の落ち着ける場所に。子供たちに個室があるように、家事室は母の、書斎は父の部屋になる

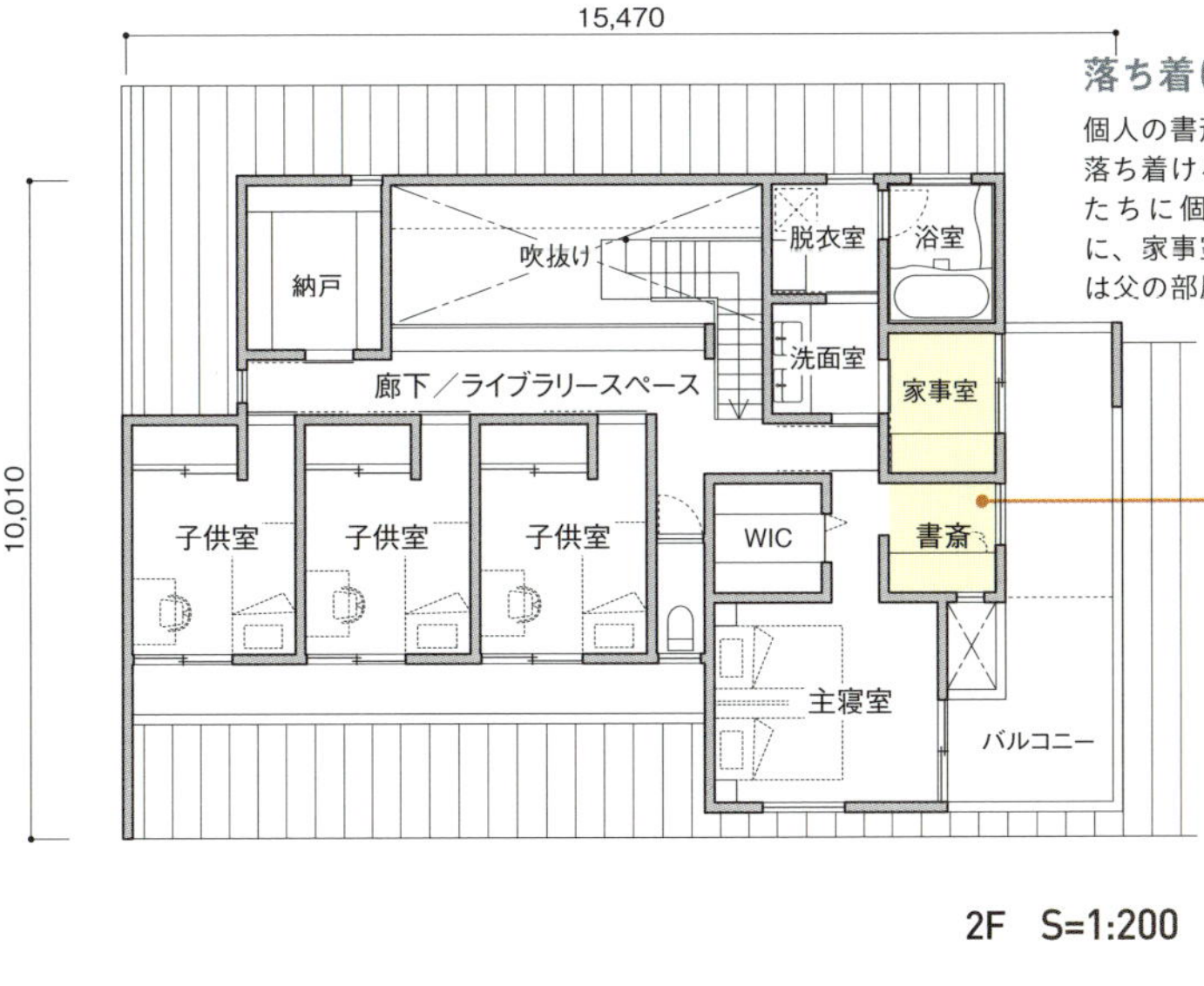

2F　S=1:200

寝室の脇につくった父の書斎

建築概要

所在地	愛知県
家族構成	夫婦（40歳代）＋子供3人
敷地状況	整形、南道路、道路と敷地との高低差 0.8m
敷地面積	370.58㎡（112.10坪）
延床面積	276.31㎡（83.58坪）
構造・階数	木造2階

リビング脇に設けた壁面収納のある明るい書斎

蔵書が多く、壁面いっぱいに本棚のある落ち着いた書斎がほしい、という要望だった。そこで1階リビングから突出させるかたちで小部屋をつくり、壁面収納のある書斎としている。

リビング・ダイニングを避けるように前庭の脇に窓を設けているので、明るいだけでなくプライベート感が高く、またリビングに近いため空いた時間に気軽に立ち寄ることができる。小さな部屋だが、昼間でも夜でも、リビングや寝室とは異なる、もう1つの居場所として重宝されている。

リビングから書斎を見る。正面が本が並ぶ壁面収納

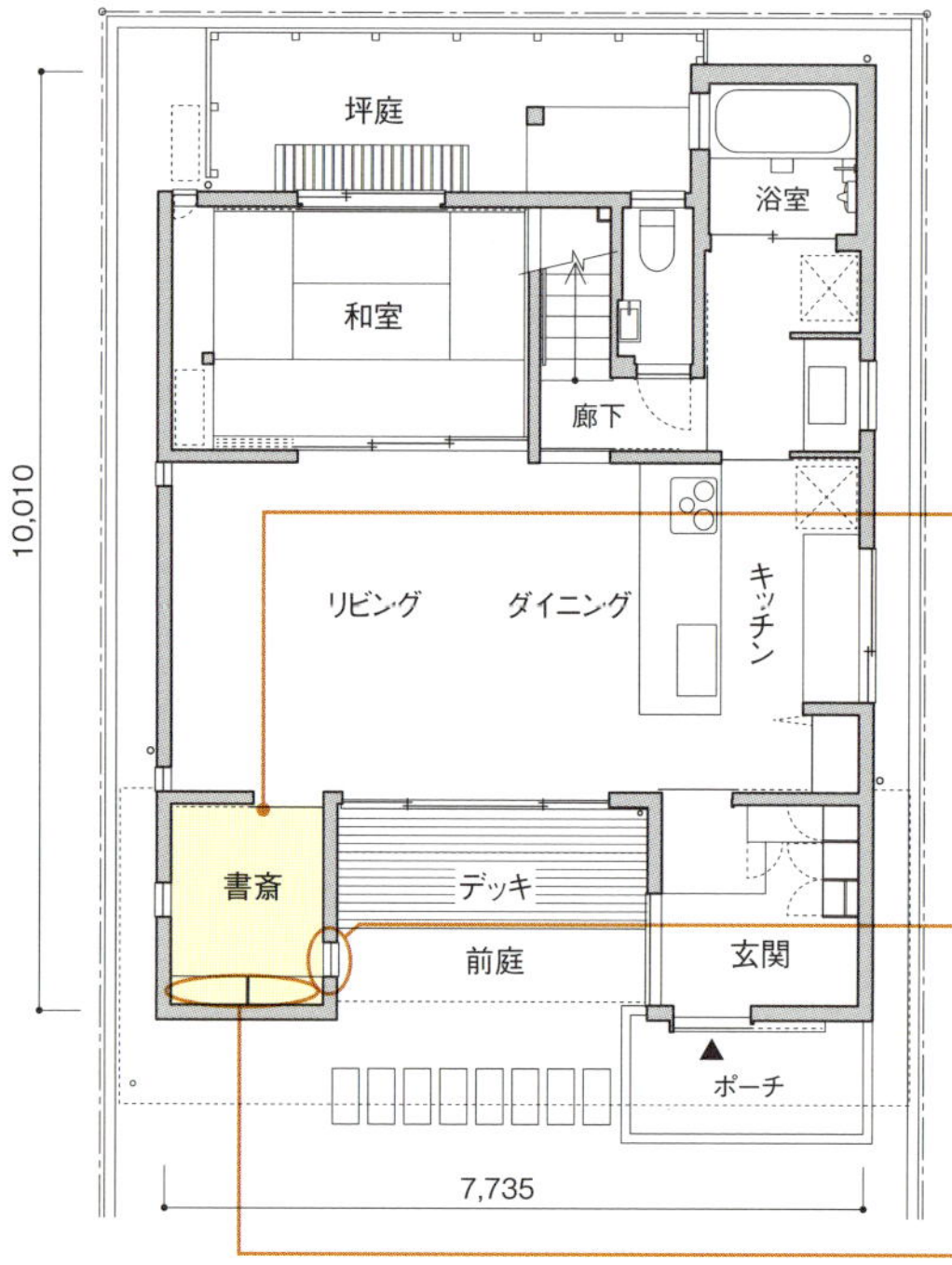

1F　S=1:150

リビング脇

日常生活を送るＬＤＫのすぐ脇にあるので、いつでも気軽に使うことが可能。引戸を閉めれば個室になるのでこもることもできる

邪魔しない窓

デッキと隣接する書斎では、デッキとずらして小さな窓を設置する。書斎の通風と採光に配慮しながら、書斎もデッキも独立させる

壁いっぱいの本

要望のあった壁面いっぱいの本棚。本に囲まれているだけでも落ち着いた雰囲気になり、集中力も増す

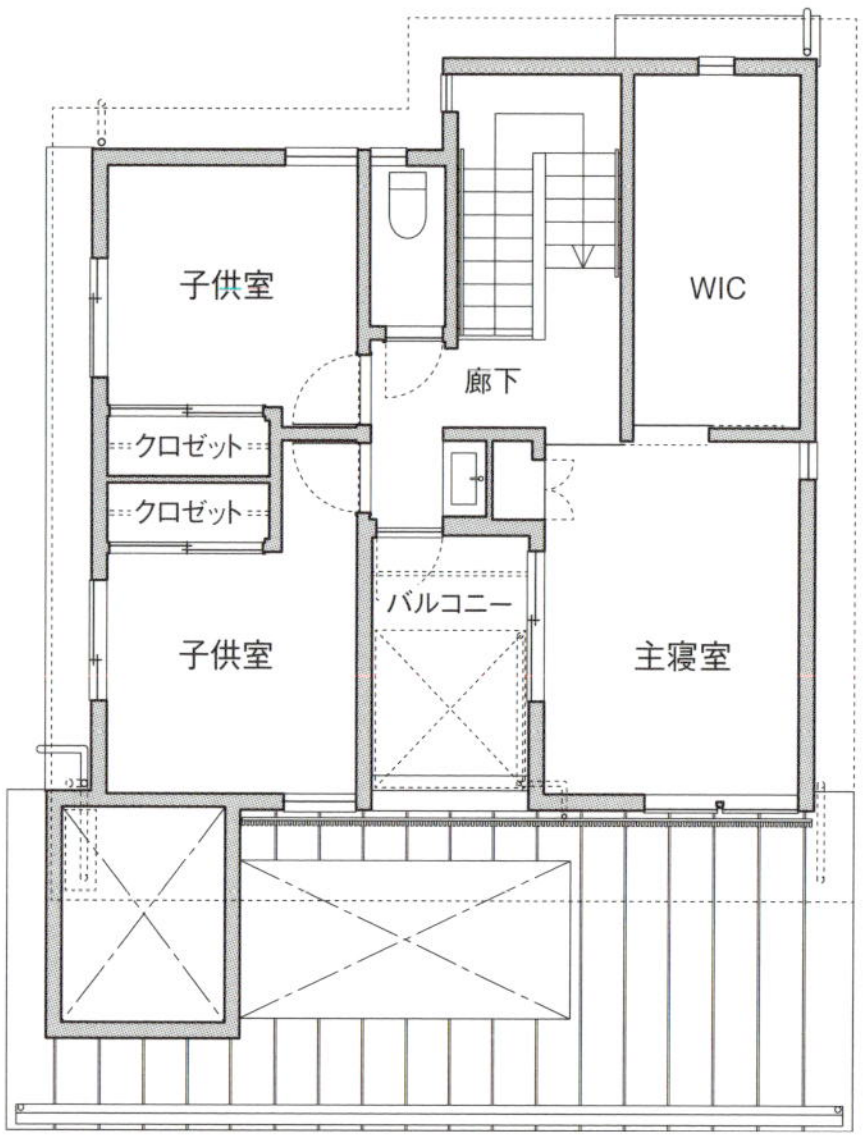

2F　S=1:150

建築概要

所在地	愛知県
家族構成	夫婦（40歳代）＋子供2人
敷地状況	整形、南道路
敷地面積	137.00㎡（41.44坪）
延床面積	108.68㎡（32.87坪）
構造・階数	木造2階

離れのようにつくった庭が見える落ち着く書斎

眺めのよい書斎にしたい、というのが要望だったため、庭に面してつくるのは決まっていた。問題は、どういった配置で書斎を置くかだったが、ここでは1人で落ち着いて過ごせる場所を欲していると感じたため、LDKと距離をとって、離れのような位置に置いている。

LDKからは玄関ホールを通って向かうため、意識の切り替えができ、また書斎の窓からはLDKとは違う角度から庭を眺めることができるので、家族といるときとは違った気分で書斎での時間を楽しめる。

奥まらせる

LDKから玄関ホールを通って向かうが、書斎の入り口前をトイレと玄関収納で挟み込み、短い廊下にすることで奥まった感じをつくり出す

LDKとは違う見え方

LDKでは主庭を西方向に見るが、書斎からは南方向に見ることになるので、見え方が異なり、LDKとは一味違う庭を楽しめる

1F　S=1:150

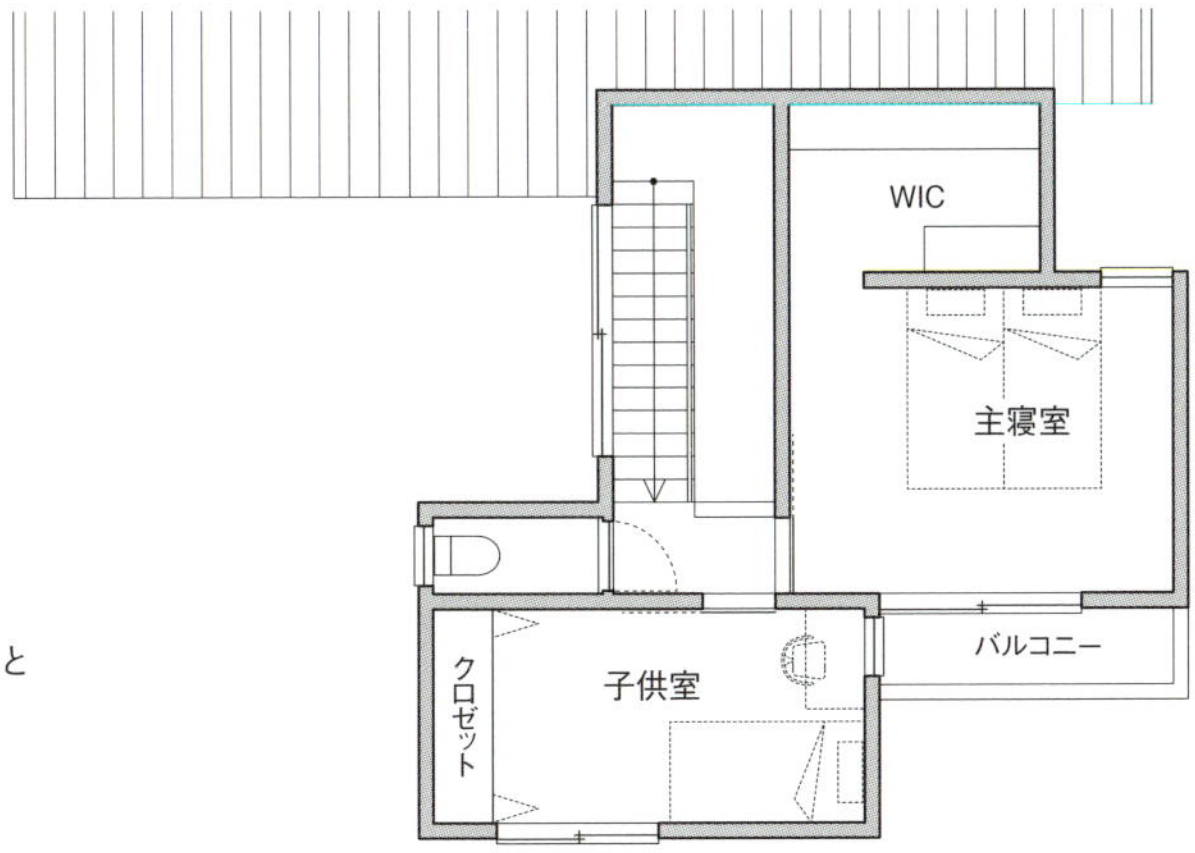

2F　S=1:150

建築概要

所在地	愛知県
家族構成	夫婦(40歳代)+子供
敷地状況	旗竿状、北道路、道路と敷地との高低差0.4m
敷地面積	226.05㎡(63.38坪)
延床面積	95.26㎡(28.81坪)
構造・階数	木造2階

家族みんなで使うライブラリーは庭に面した静かな場所に

LDKとは別に、家族が集まって勉強したり作業したりできる部屋があるといい、という要望を受けて、6畳のライブラリーをつくった例。

日常的に使うLDKには、スタディコーナーをつくっているので、家族と一緒の場所で、ガヤガヤしながらでもできる普段の宿題などはそちらでやり、少し落ち着いて本を読んだり集中して勉強したいときには1階ライブラリーを使う。隣の和室とともに、ライブラリーには広めのテラスをつくり、庭を眺めたりちょっと外に出て気分転換できるようにしている。

建築概要
所在地　愛知県
家族構成　夫婦(40歳代)+子供1人
敷地状況　台形状、西道路、道路との高低差3.4〜4.1m
敷地面積　378.66㎡(114.54坪)
延床面積　137.05㎡(41.45坪)
構造・階数　木造2階

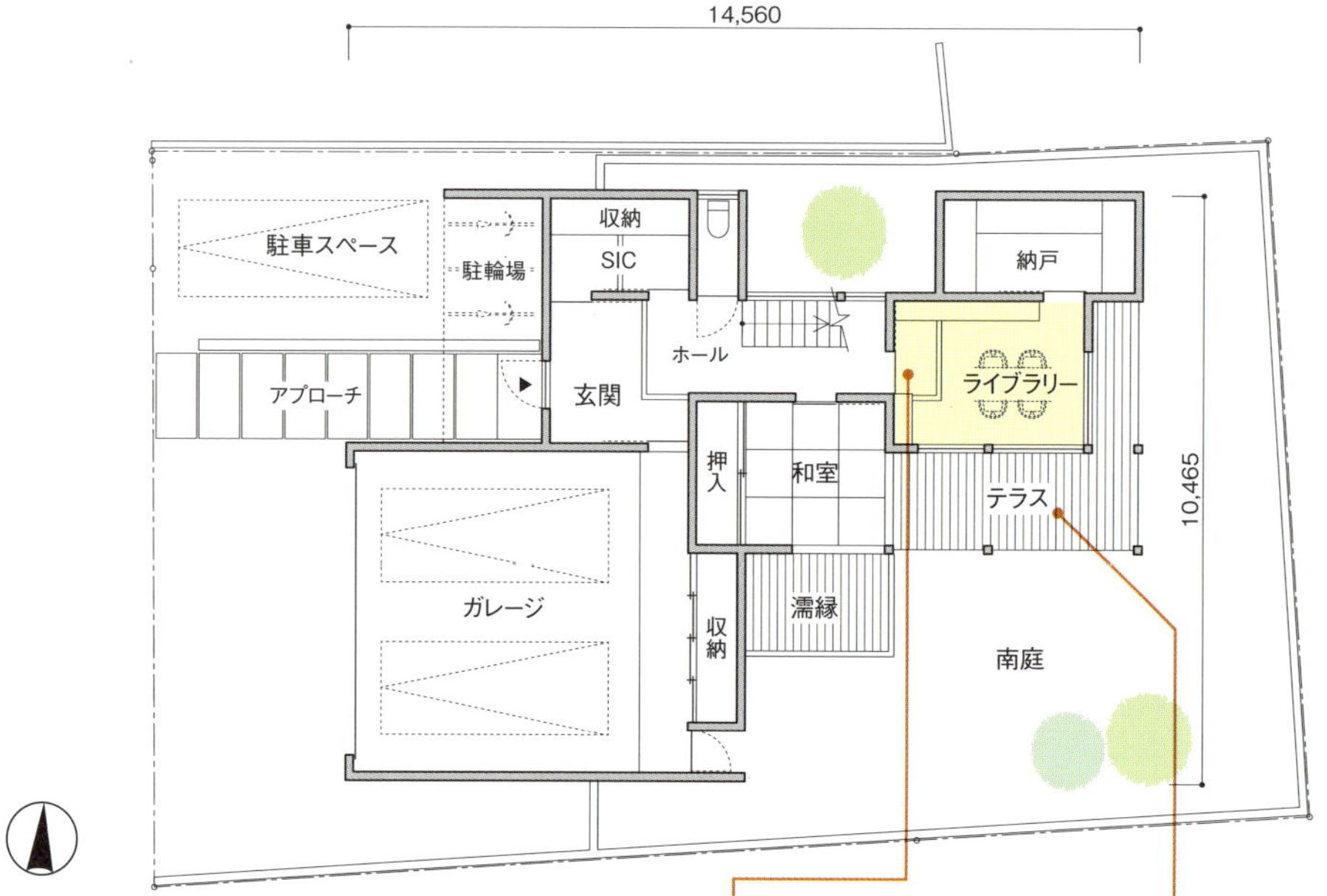

1F　S=1:200

立体的な離れ

個室は3階に、LDKは2階にあり、1階のライブラリーは「わざわざ」行く場所として意識される。その分、作業の集中力も高まることになる

広いテラス

庭の手前には広めのテラスがあり、気軽に出られる。集中して勉強や作業をしたあとは、ここに出てちょっと休憩

普段はここで

家事に関わることやちょっとした宿題などは、家族が集うLDK脇のスタディコーナーで。自室、LDK、ライブラリーと場所を選べることで、作業の内容もそれぞれが考えるようになる

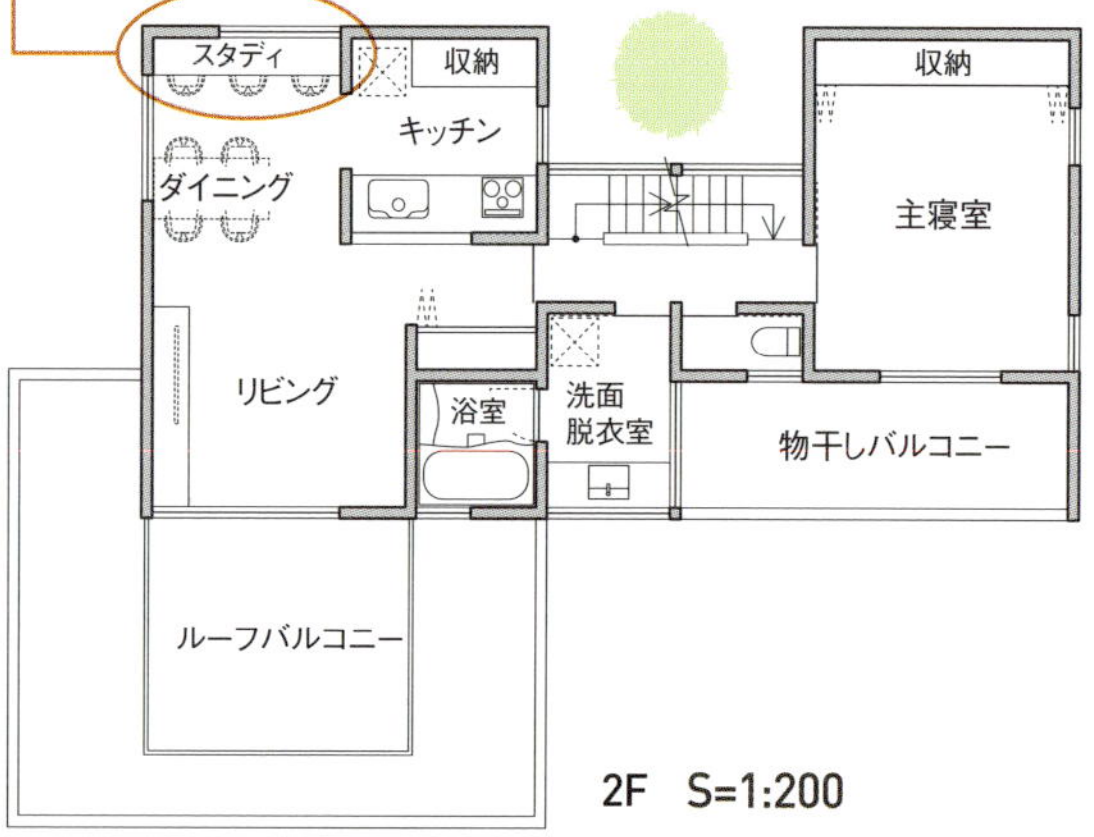

2F　S=1:200

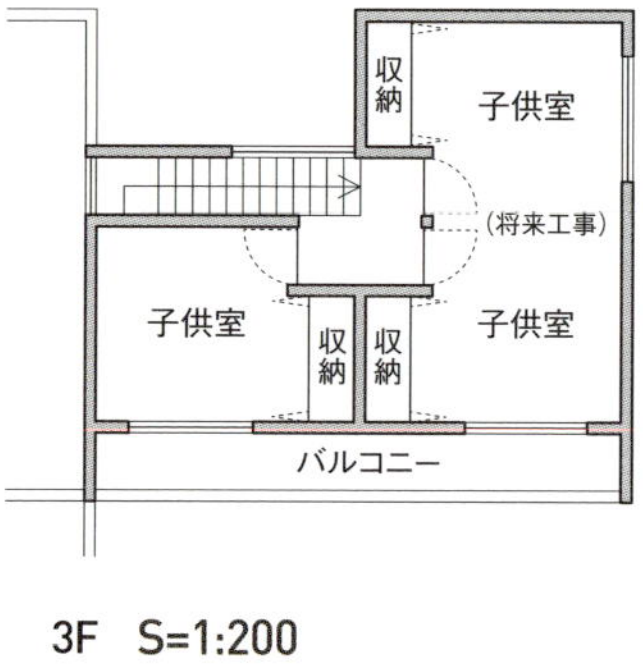

3F　S=1:200

日常から仕事へ自然にオンとオフを切り替える家

クライアントは、自営業で終日自宅でデスクワークをする。一般的な会社仕事のように時間が決まっているわけでもない。そのため、単に仕事部屋をつくるのではなく、暮らしの場とどのような距離感をもつ仕事場（アトリエ）をしつらえるかが問われた。

敷地は広く、計画は最初から平屋で進んだ。建物は、敷地を横断するように東西に長く配置し、西側寄りの部分に外廊下を差し込んで分割。東側に居住スペースを置き、西側の道路寄りにアトリエを配置した。居住スペースとアトリエの間にある半戸外を緩衝帯として、オンとオフの切り替えが自然にできるようになっている。

道路側外観。右側に突出している部分がアトリエになっている

切り離す

アトリエは生活空間と切り離し、かつ道路側に置いて窓から見える風景も住居部分とは違ったものにしている。一度、外廊下に出ることでオンオフを切り替える

曖昧な外を差し込む

空間的には「外」だが、屋根のかかった土間は半戸外的な曖昧な場所。完全な「外」ではないが、生活空間からアトリエへのグラデーションをつけることになる

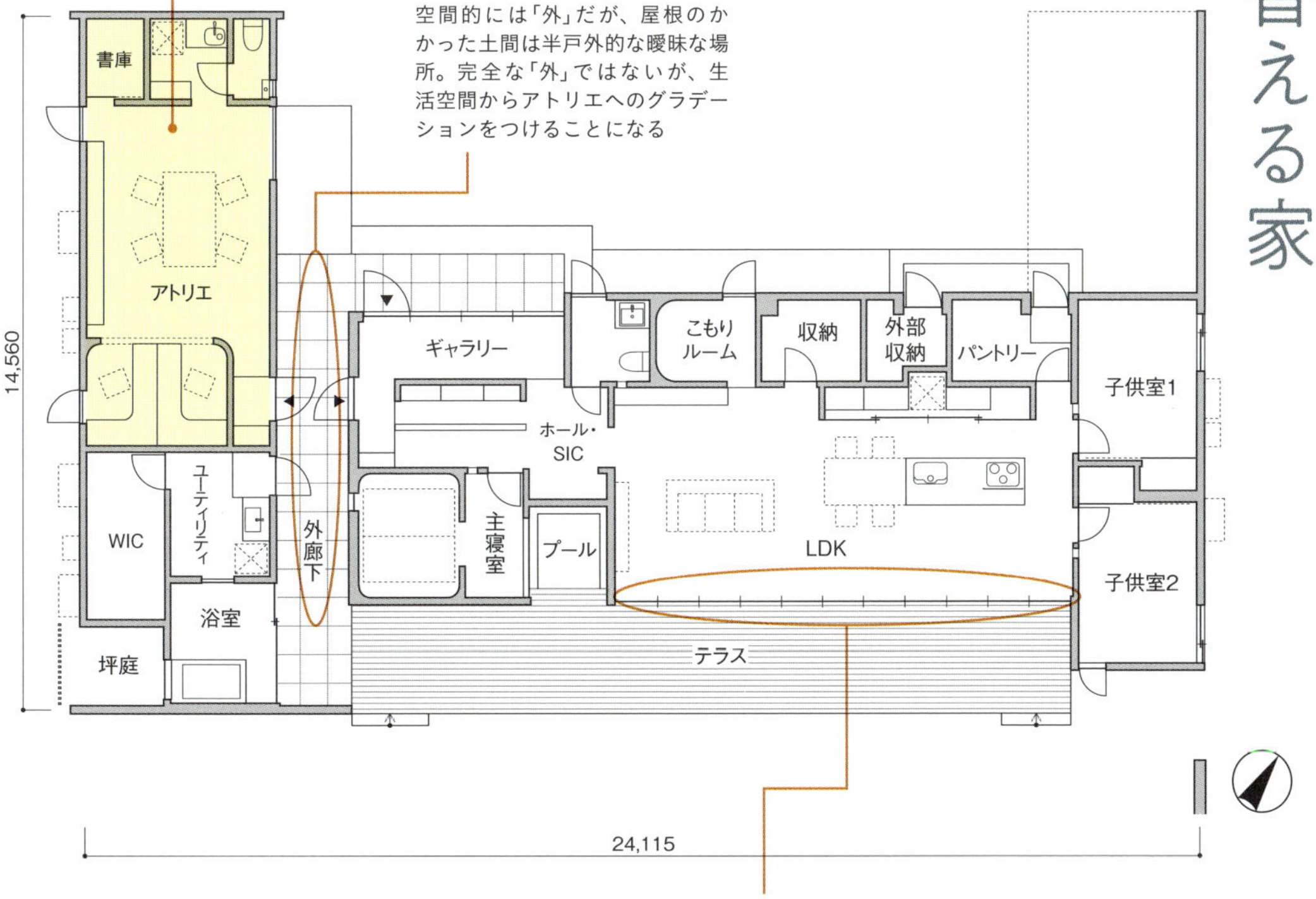

外を楽しむ

居住スペースでは、道路側を閉じ、南の庭に大きく開放して、アトリエ内部にいるときとまったく異なる空間とする

1F　S=1:200

リビングから庭方向を見る。大きく庭に開放された生活スペース

建築概要

所在地	埼玉県
家族構成	夫婦（30歳代）＋猫2匹
敷地状況	整形、北道路
敷地面積	698.63㎡（211.33坪）
延床面積	180.94㎡（54.73坪）
構造・階数	木造1階

CHAPTER 10

和室があると何かと便利

畳コーナーは家事に便利

今、和室の使い勝手のよさが見直されています。リビングの一角を小上がりにして畳を敷けば、ちょっとごろ寝したり、小さな子供を寝かし付けたり、取り込んだ洗濯物をたたんだりと、ユーティリティスペースとして大活躍します。玄関の横に畳スペースを設ければ、散らかりがちなリビングまで来客を招き入れることなく、応

対することもできます。立ち話しですますよりは、おもてなしの気持ちが相手に伝わるでしょう。

もっと積極的に畳を利用する

ダイニングセットとソファセット、どちらかしか置けない狭小住宅では、ソファをやめ、リビング部分を畳敷きの小上がりにするという手もあります。小上がりを少し高めに設定すれば椅子の役割を果たしますし、食事がおわればそのままごろ寝もできます。昔の茶の間を現代に再現したものですが、使い勝手は格段に高いといえるでしょう。

中庭の向こうにあっても
すぐにいける和室

ロの字平面のコートハウスである。客間となる和室がご希望としてあったのだが、頻繁に来客が宿泊するほどでもないということで、完全な離れではなく、できるだけ日常生活に溶け込む和室を考えた。

和室は、日常生活の場となるＬＤＫと中庭を挟む位置に置かれている。ＬＤＫから距離としては遠いのだが、中庭を巡る回遊動線の一部に位置しているので、実際には右回りでも左回りでもすぐに行き来できる。来客がないときには、ごろりと横になってくつろぐ場所にもなる。

回遊動線の一部

あえて廊下とせず、和室を中庭を巡る回遊動線の一部としている。こうすることで、日常的に和室も頻繁に通り抜けることになり、普段から使う部屋となる

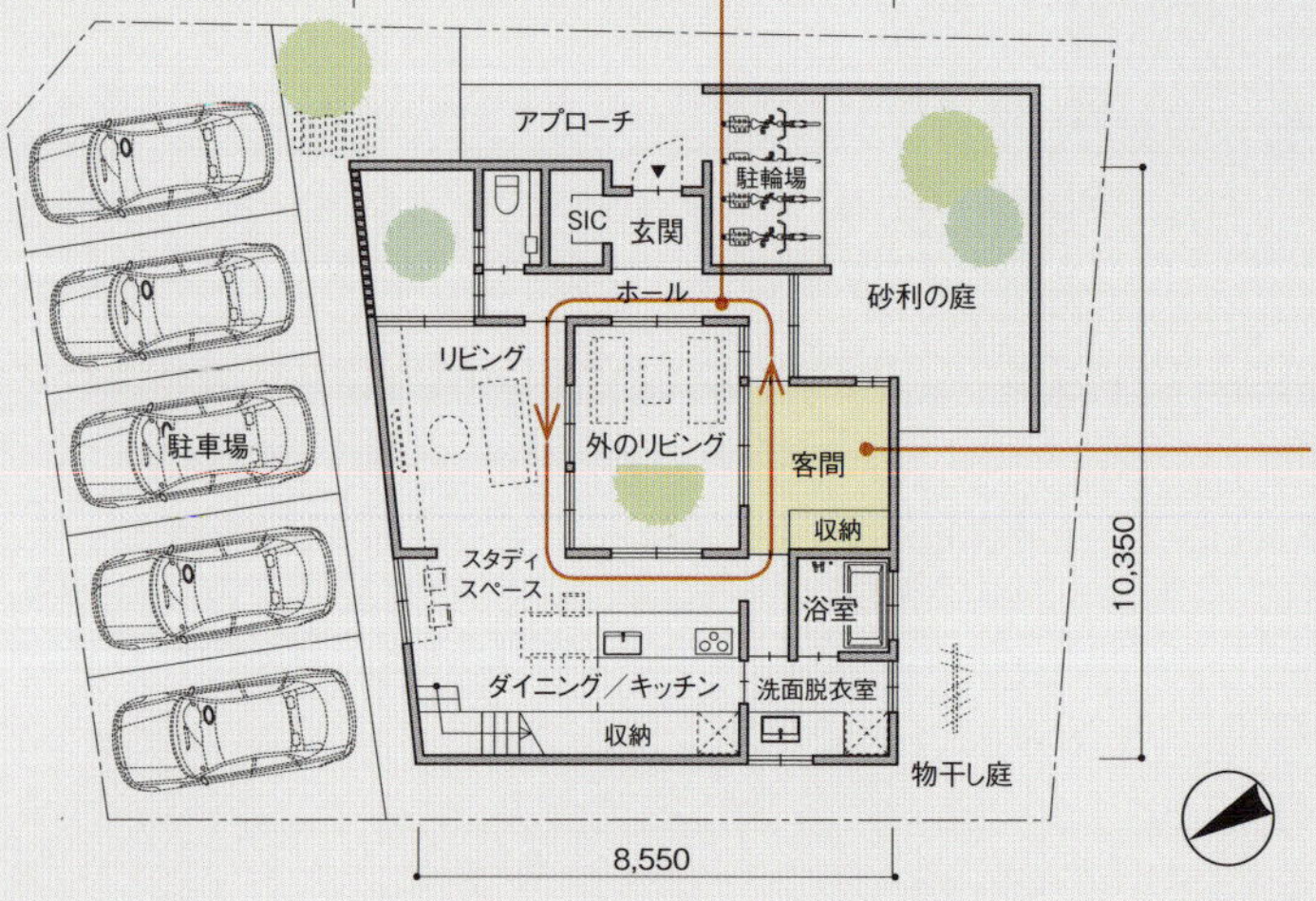

落ち着ける客間

玄関から直接行ける位置で、サニタリーにも近い。休むときには家人のいるLDKから一定の距離もとれる。扉を閉めると、回遊動線から切り離されて落ち着ける客間となる

1F　S=1:250

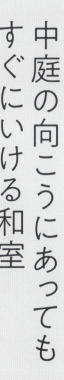

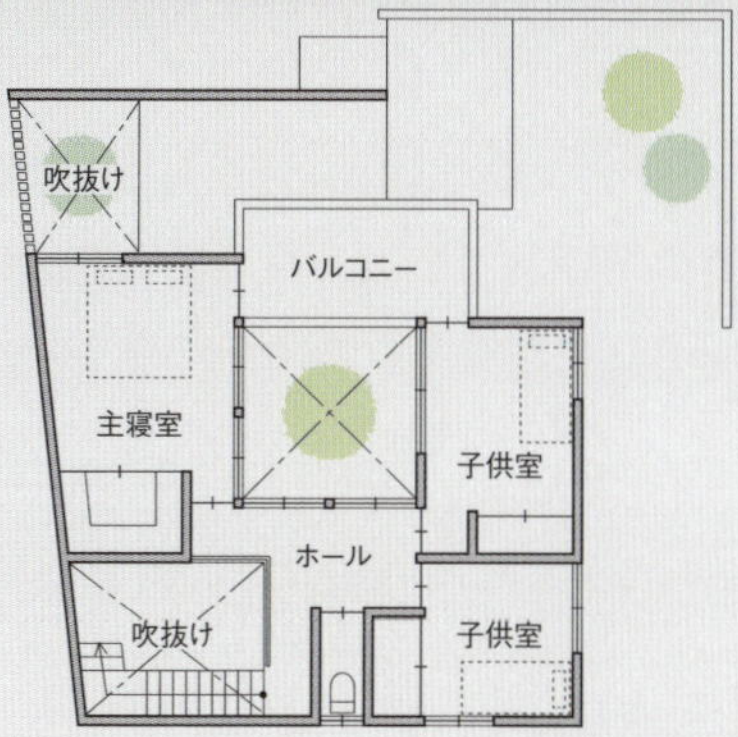

2F　S=1:250

建築概要
所在地　千葉県
家族構成　夫婦（40歳代）＋子供2人
敷地状況　整形角地、北・東道路
敷地面積　255.54㎡（77.30坪）
延床面積　110.80㎡(33.51坪)
構造・階数　木造2階

リビングにもダイニングにもなるキッチンと一体の小上がり

狭小の旗竿状敷地で、建物が建つ旗部分は10坪強。周囲に隣家が迫るなかで、1階に水廻りと寝室、2階にＬＤＫが必然となった。

2階はワンルームのＬＤＫとなるが、畳でごろごろしながらくつろぎたいという要望があったため、キッチンと一体になった四畳半分の小上がりをつくり、ダイニングにもリビングにもなる、ステージのような畳のスペースを部屋の中央に置いた。日常のほとんどの行為や作業がここで行われることになる。

キッチンと小上がりの畳スペース。キッチンシンク前と横にカウンターを造り付け、ダイニングにもなるようにしている

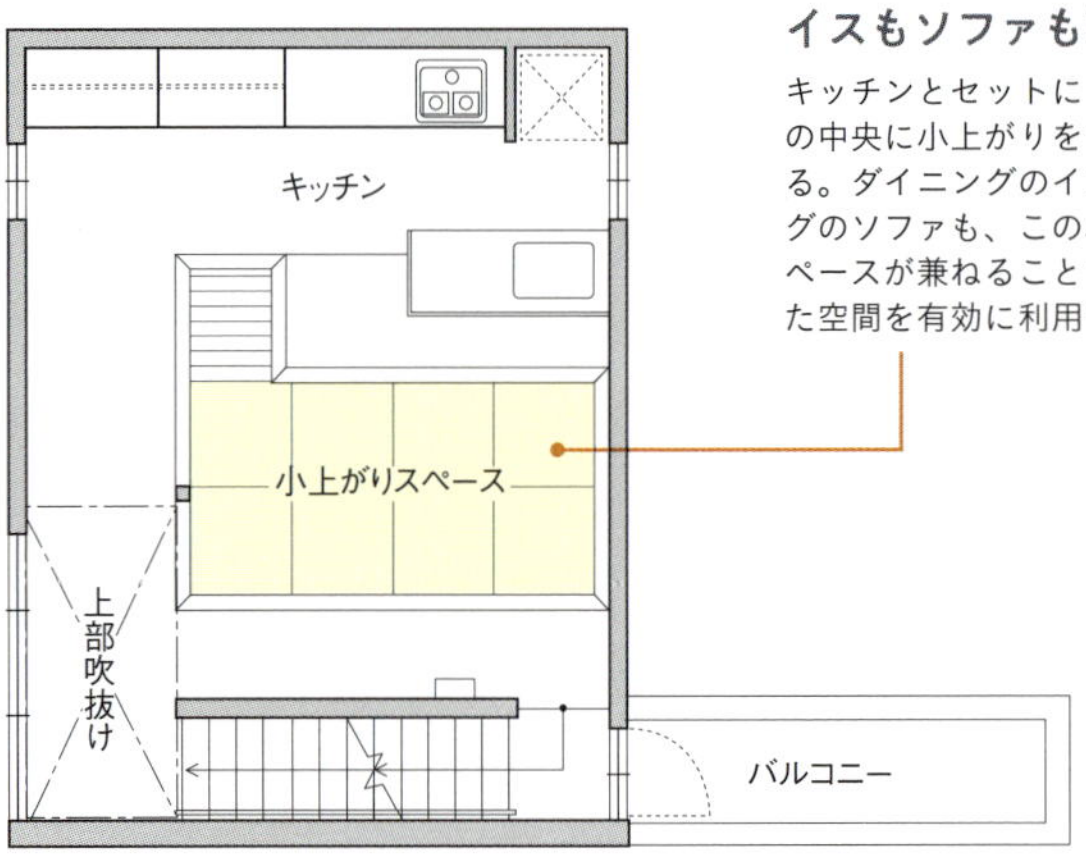

イスもソファも不要

キッチンとセットにして、部屋の中央に小上がりをつくっている。ダイニングのイスもリビングのソファも、この小上がりスペースが兼ねることで、限られた空間を有効に利用できる

2F　S=1:120

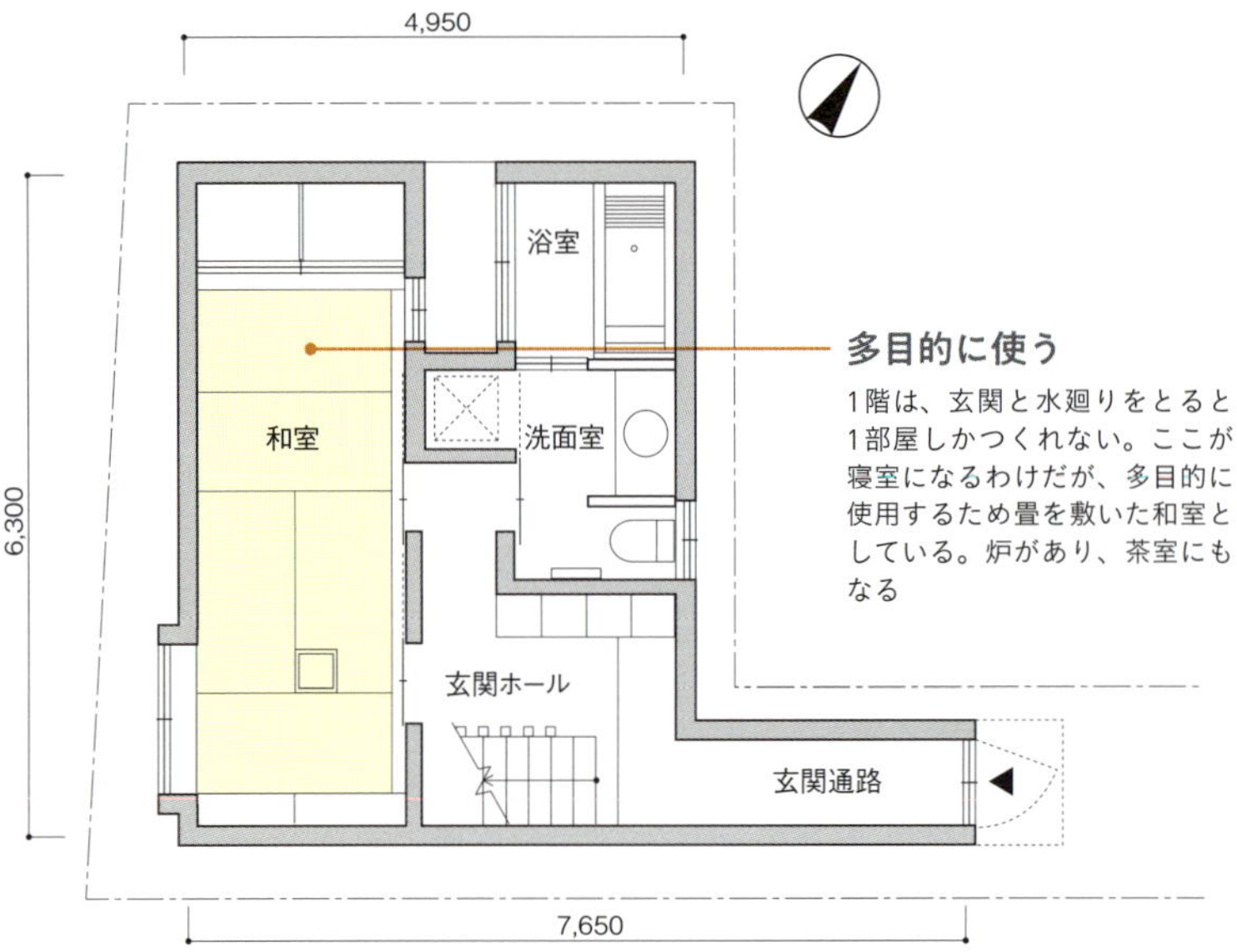

多目的に使う

1階は、玄関と水廻りをとると1部屋しかつくれない。ここが寝室になるわけだが、多目的に使用するため畳を敷いた和室としている。炉があり、茶室にもなる

1F　S=1:120

建築概要

所在地	神奈川県
家族構成	夫婦（40歳代）
敷地状況	旗竿状、旗部分は整形、東道路
敷地面積	73.00㎡（22.08坪）
延床面積	93.59㎡（28.31坪）
構造・階数	木造3階

来客をもてなす和室を玄関の正面に置く

お客様を招くことができるかっこいい和室を玄関の正面に、というのが要望。和室の位置は、その希望により決まった。

駐車スペース脇のアプローチを抜けて玄関に入ると、正面にこの和室が置かれる。和室には、玄関ホールから直接入ることもできる。和室から眺められる坪庭はバスコートも兼ねている。ＬＤＫの近くにある和室だが、雁行配置とすることで、ＬＤＫとは異なる、落ち着いた雰囲気をつくり出している。

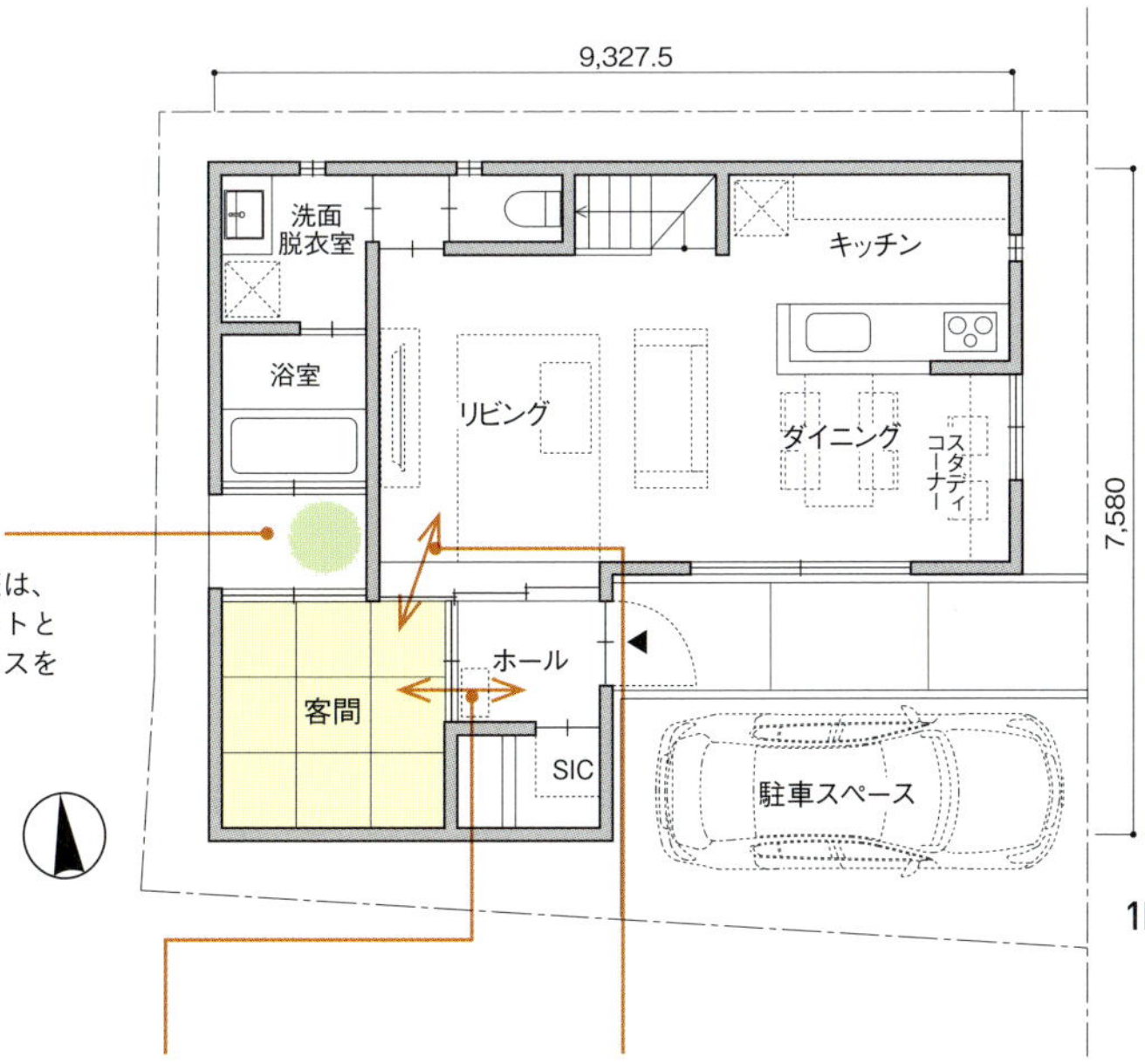

バスコートと兼用

和室から眺められる坪庭は、浴室から楽しむバスコートと兼用。小さな植栽スペースを有効に活用している

1F　S=1:150

直接入る

玄関ホールから直接和室に入ることもできる。LDK側を閉めておけば、来客に日常の生活の場を見られることもない

LDKから1歩で入る

LDKから和室には1歩で入ることができる位置関係だが、畳半分で接しているだけなので、にぎやかなLDKとは異なる静かな時間をすごすことができる

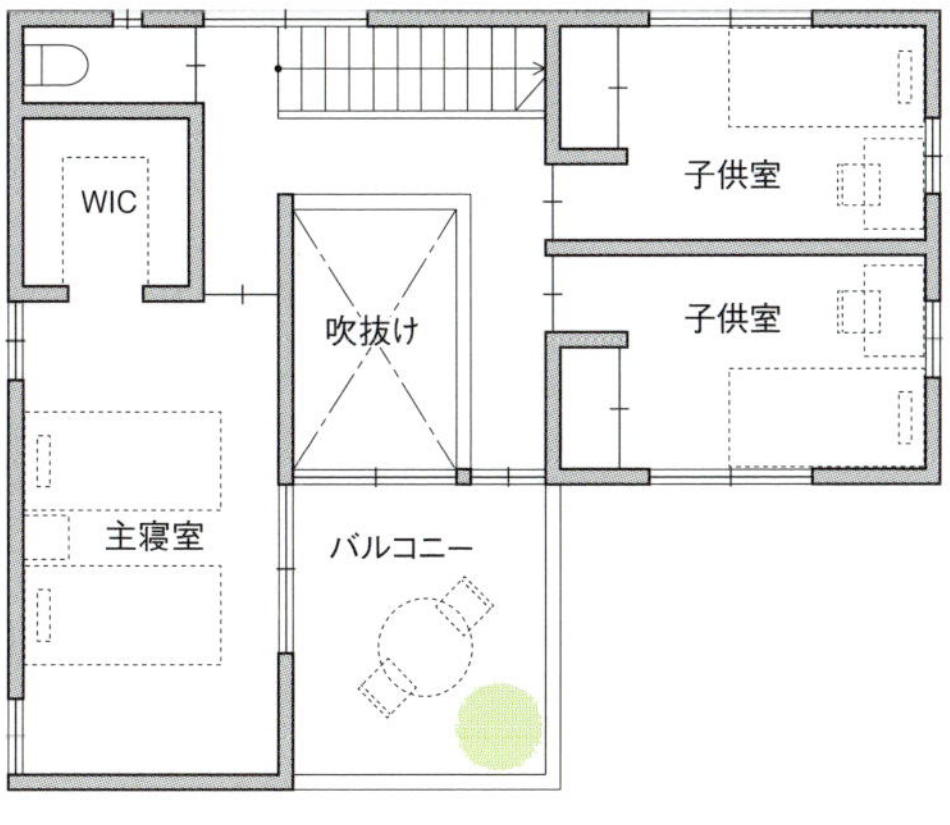

2F　S=1:150

建築概要

所在地	東京都
家族構成	夫婦（30歳代）＋子供2人
敷地状況	整形、東道路
敷地面積	100.00㎡（30.25坪）
延床面積	101.97㎡（30.84坪）
構造・階数	木造2階

静かに横になれる和室をあえて中庭の向こうに

夜勤や不定休の父親のために、寝室とは別に日中、静かに休める和室がほしいという要望だった。
そこで玄関アプローチを建物中央付近まで引き込んで、そこを接点として南北に棟を分け、ＬＤＫとは少し離れたところに和室をしつらえた。和室の近くにはサニタリーがあるだけなので、日中は家族の出入りも少なく、ゆっくりと休むことができる。

玄関で分ける

玄関の幅でそのまま抜けるように南北に棟を分けて廊下でつなぐ。この緩衝空間により、和室は日常生活の音から切り離され静かさが保たれる

近づかない用途

和室の隣は浴室と洗面室。日中はあまり人が近づかない部屋を隣接させることで、和室の静かさを確保する

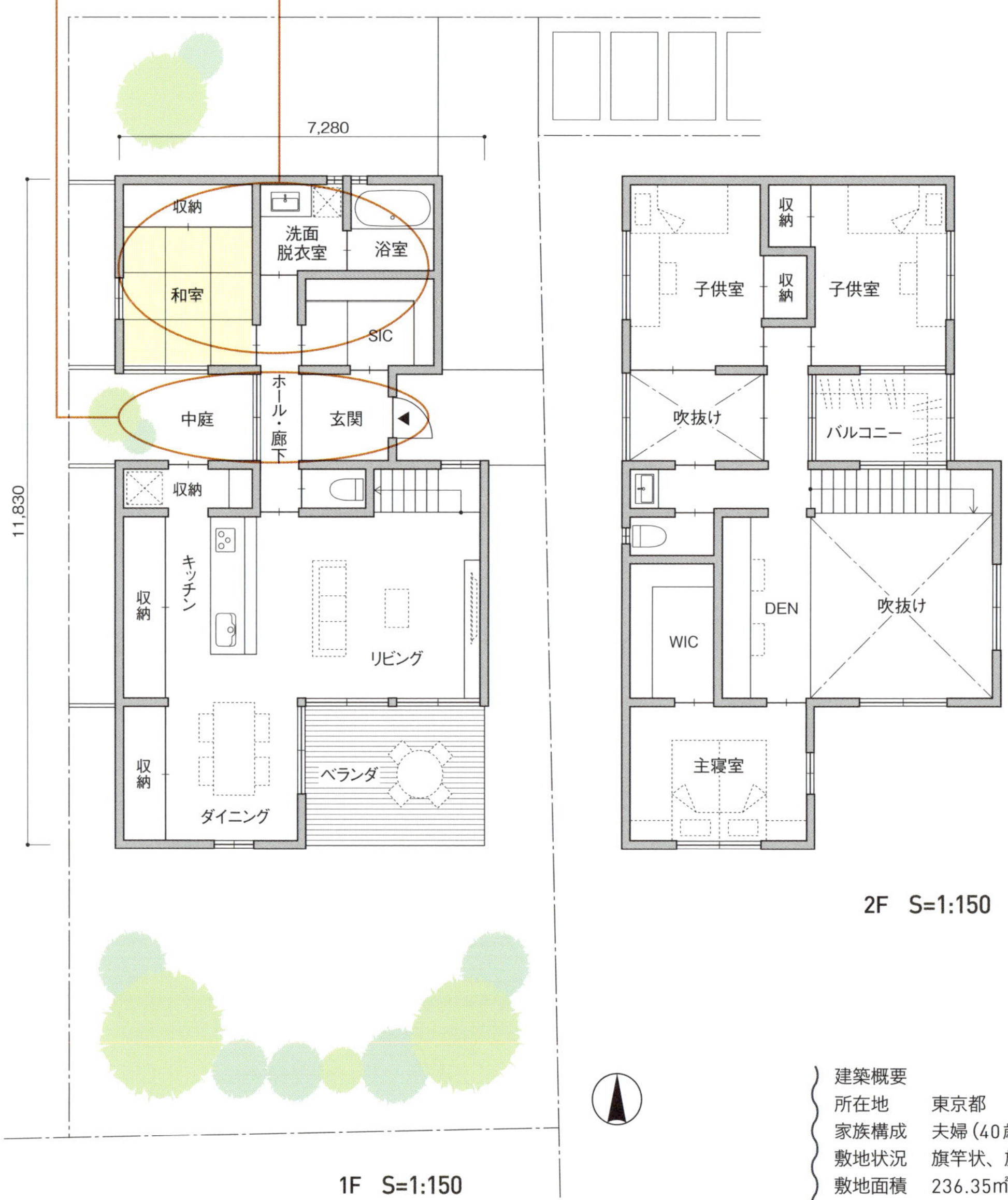

2F　S=1:150

1F　S=1:150

建築概要

所在地	東京都
家族構成	夫婦（40歳代）＋子供2人
敷地状況	旗竿状、旗部分は整形
敷地面積	236.35㎡（71.49坪）
延床面積	130.79㎡（39.56坪）
構造・階数	木造2階

LDKと一体になった小上がりの畳コーナー

3方向道路に面する敷地で、隅切りにより敷地形状も変形していた。この敷地ならではの建物とするため、建物形状も変形したものとなり、内部空間も変形平面ならではの工夫をたくさん盛り込んでいる。

2階LDKは、広めに取ったテラスによってダイニングとリビングが分けられるが、リビングも単純なワンルームではなく、小上がりの畳コーナーをつくることで、さまざまなリビングの楽しみ方ができるようにしている。

建築概要
- 所在地　千葉県
- 家族構成　夫婦（40歳代）＋子供2人
- 敷地状況　変形、北を除く3面道路
- 敷地面積　150.50㎡（45.52坪）
- 延床面積　159.25㎡（48.17坪）
- 構造・階数　木造2階

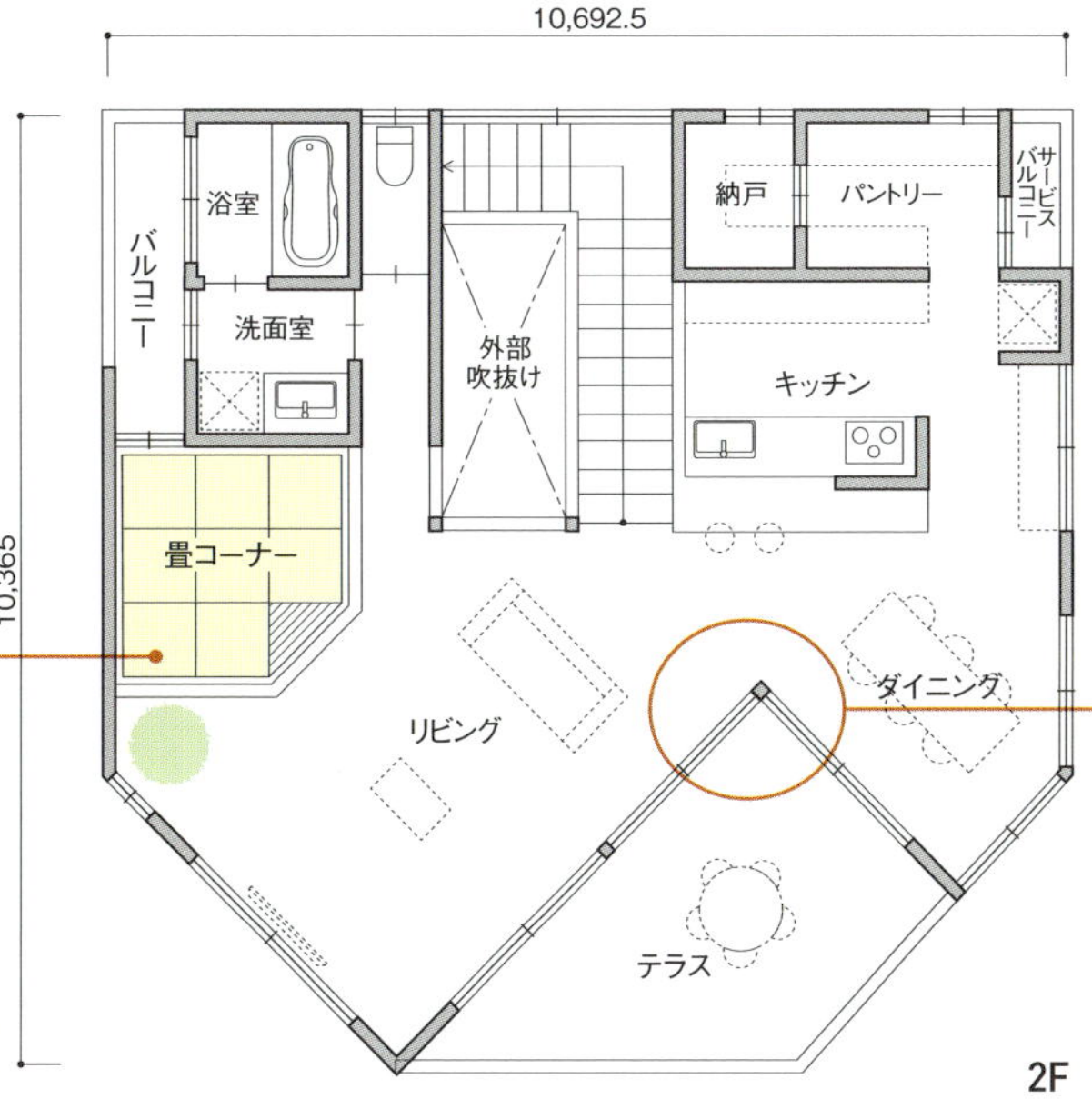

アクセントに

畳コーナーを小上がりにすることで、LDで椅子に座る人と目線高さがそろい、会話もはずむ。コーナーのカットも敷地の隅切りラインと合わせている

ワンルームの分け方

LDKはワンルーム空間だが、敷地の隅切りラインに合わせて食い込むようにテラスをつくりダイニングとリビングを分けている

2F　S=1:150

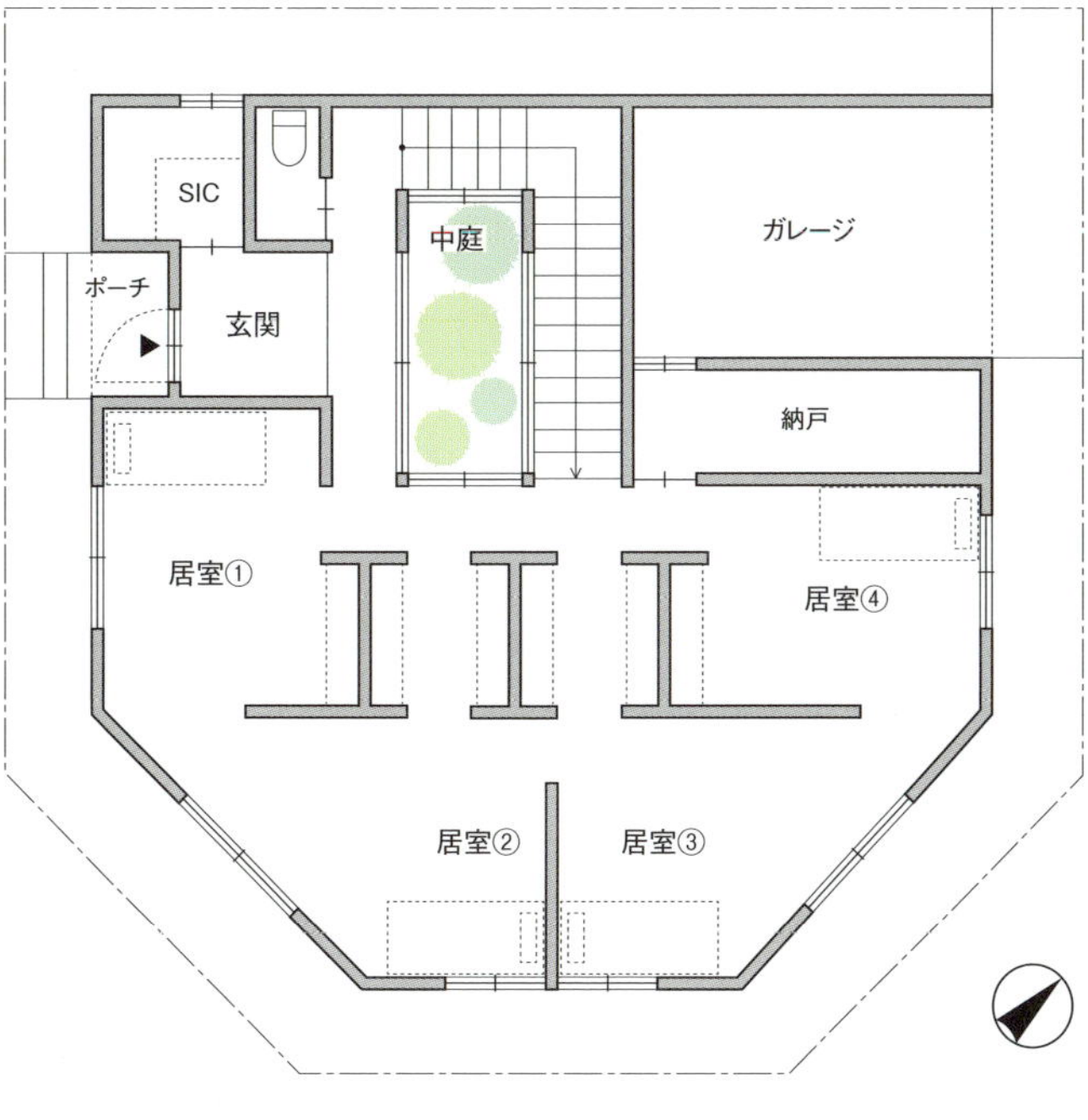

1F　S=1:150

ベンチの向こうの畳コーナーは子供たちも喜ぶ遊び場に

1階はサニタリーとLDKでほぼいっぱいのため、2階に個室を置いた間取りである。とはいえ1階には、客間にもなり、小さな子供を寝かしつけることもできる畳コーナーが求められた。

そこでLD部分にぐるりとコの字型にベンチを回し、このベンチの奥に3畳の畳コーナーを小上がりのようにつくることにした。ベンチとつながることで小さな畳コーナーに広がり生まれ、またベンチを挟んでいることによりLD側と距離を置いた別室としても意識される。キッチンともつながっているので、大きな回遊動線もつくり出せた。小さな畳コーナーだが、さまざまな使い方ができる便利なスペースとなった。

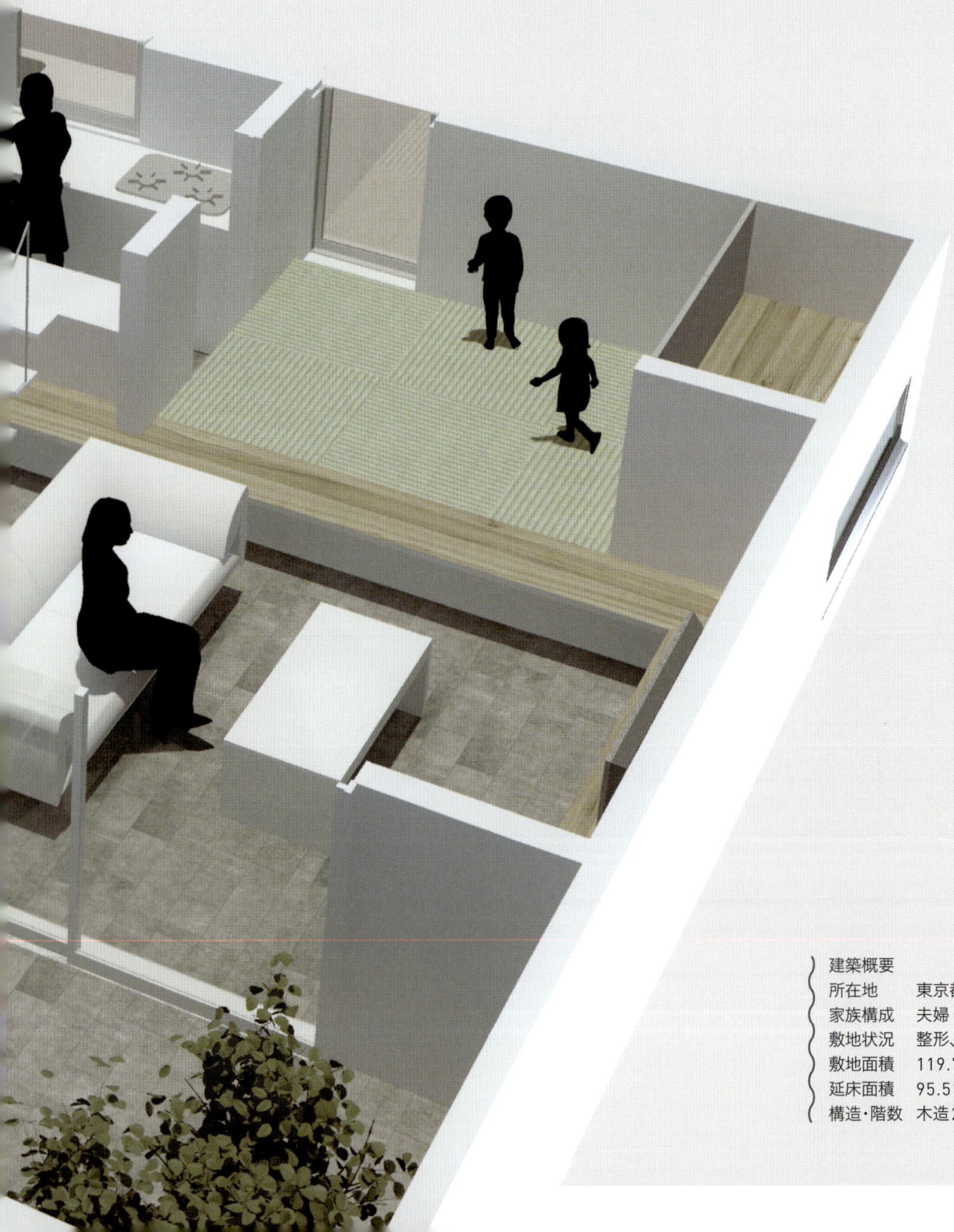

建築概要

所在地	東京都
家族構成	夫婦(30歳代)+子供2人
敷地状況	整形、南東角地
敷地面積	119.77㎡(36.23坪)
延床面積	95.51㎡(28.89坪)
構造・階数	木造2階

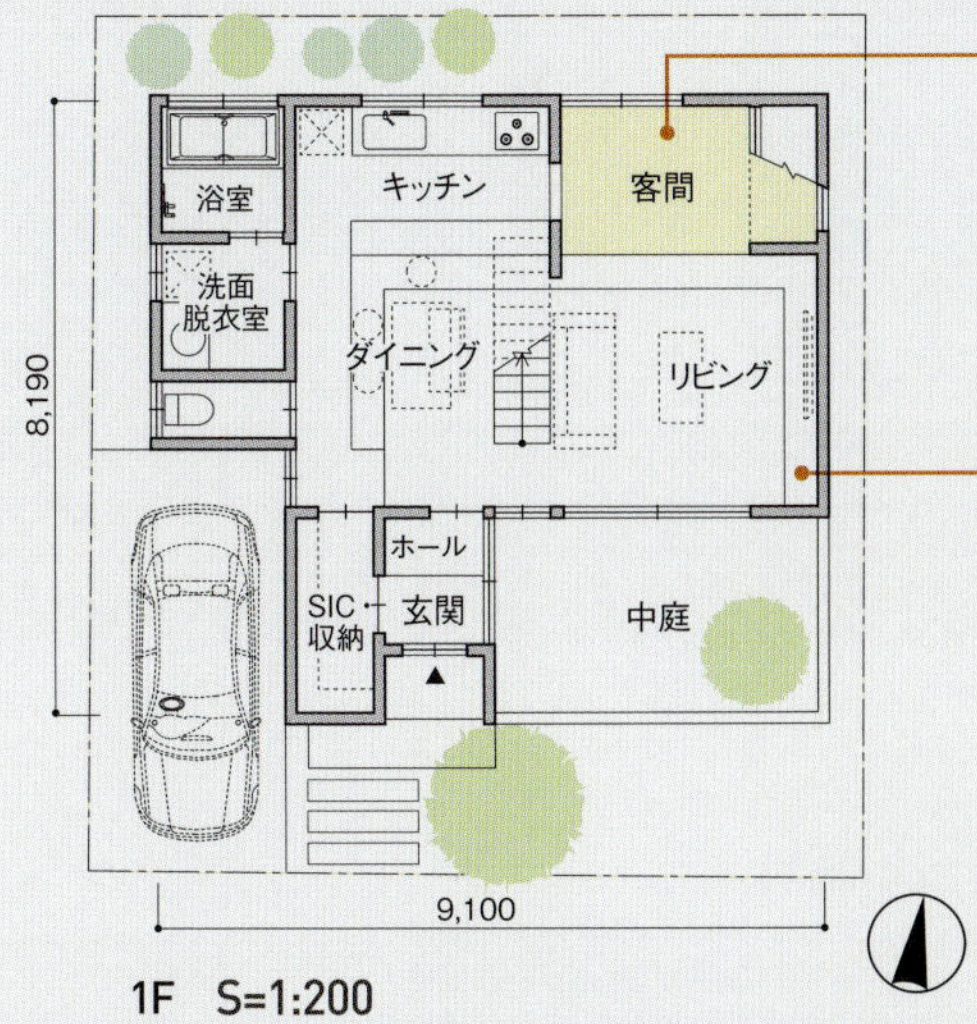

1F　S=1:200

小さくても多機能

吊り押入れの下を含めて4畳の畳コーナー。ベンチを間に挟むことでＬＤとは別室として意識され、仕切っても開放しても多様な使い方が可能になる

コの字に囲む

ＬＤを囲むベンチ。ダイニングではダイニングチェアになり、小上がり前ではベンチに、壁際ではテレビボードになる

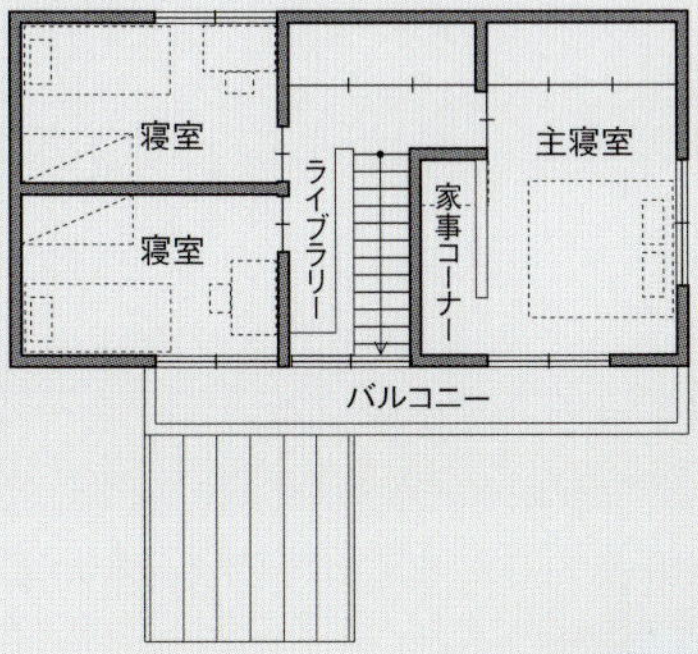

2F　S=1:200

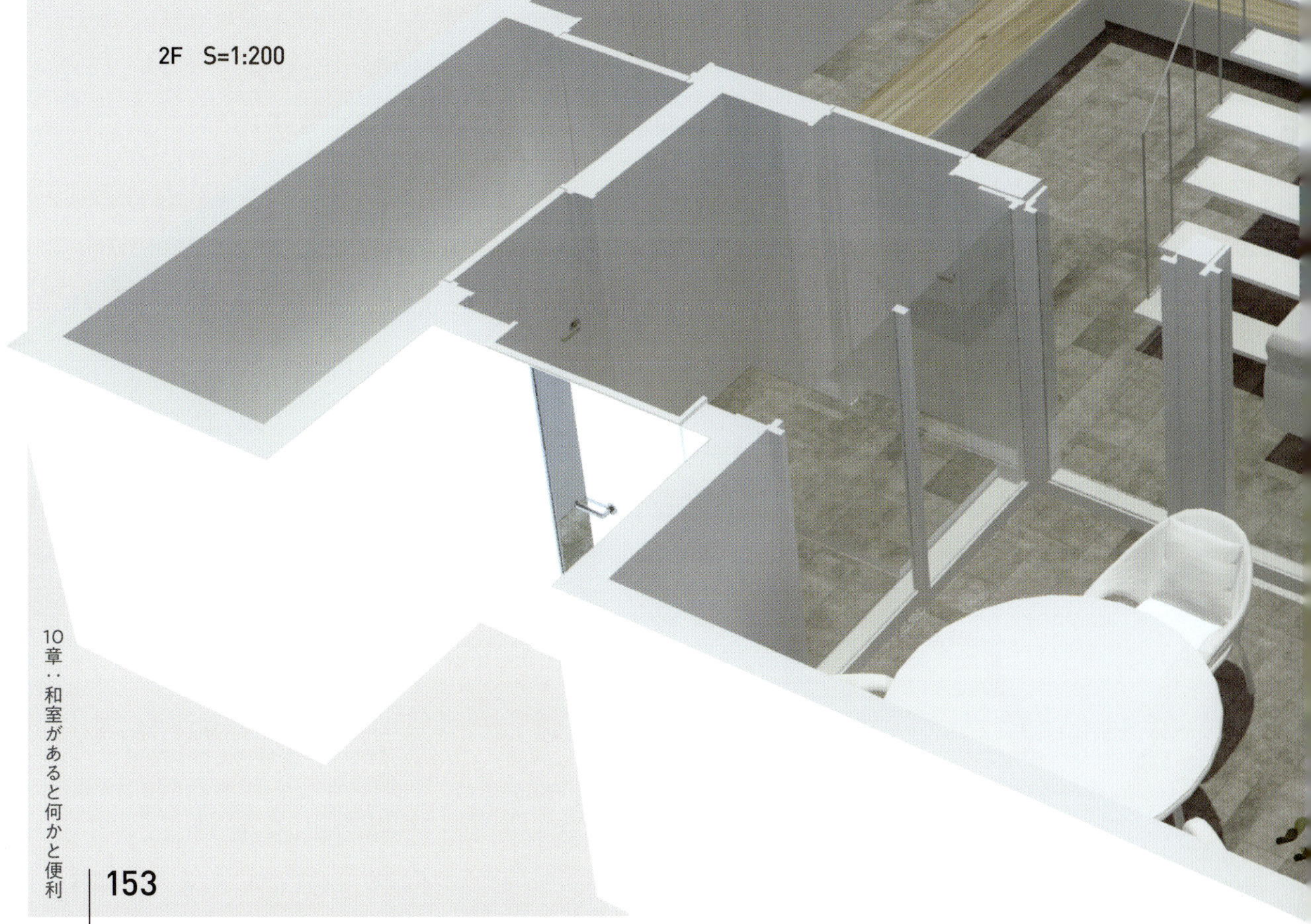

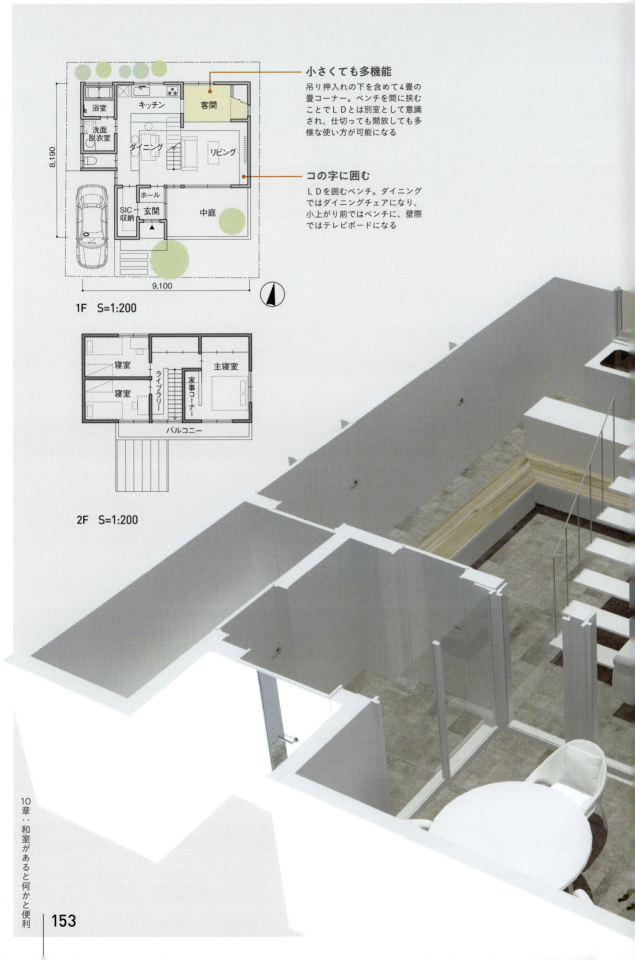

小さな畳スペースでも和のしつらえを忘れずに

敷地は50坪あったが、コンパクトに建てたため延べ床面積は約35坪。客間をつくる余裕はなかったが、来客用の宿泊スペースをどのようなかたちでもよいからほしいと要望された。そこで、LDKの一角に小さな畳スペースをつくって宿泊スペース代わりとしている。

LDKに広がりをもたらすため、仕切り壁の高さを1800㎜として天井をつなげている。これは同時に畳スペース内部の閉塞感も軽減する。また駐車スペースと畳スペースの間に壁を立てて、壁と建物のわずかな隙間を庭風にアレンジ。畳スペースの地窓から庭が見えることで、落ち着いた雰囲気を演出している。

天井をつなげる

LDKと畳スペースの仕切り壁は、高さ1800mmとして、天井付近ではつながっている。壁の上部で視線が抜けていくことでLDK側の圧迫感が軽減される

トイレを隠す

畳スペースの仕切り壁と押入れをつくることで、トイレの扉がLDKから直接見えないようにした。コンパクトな家では、トイレがLDK近くに置かれることも多いが、扉はできるだけ直接見えない場所に配置したい

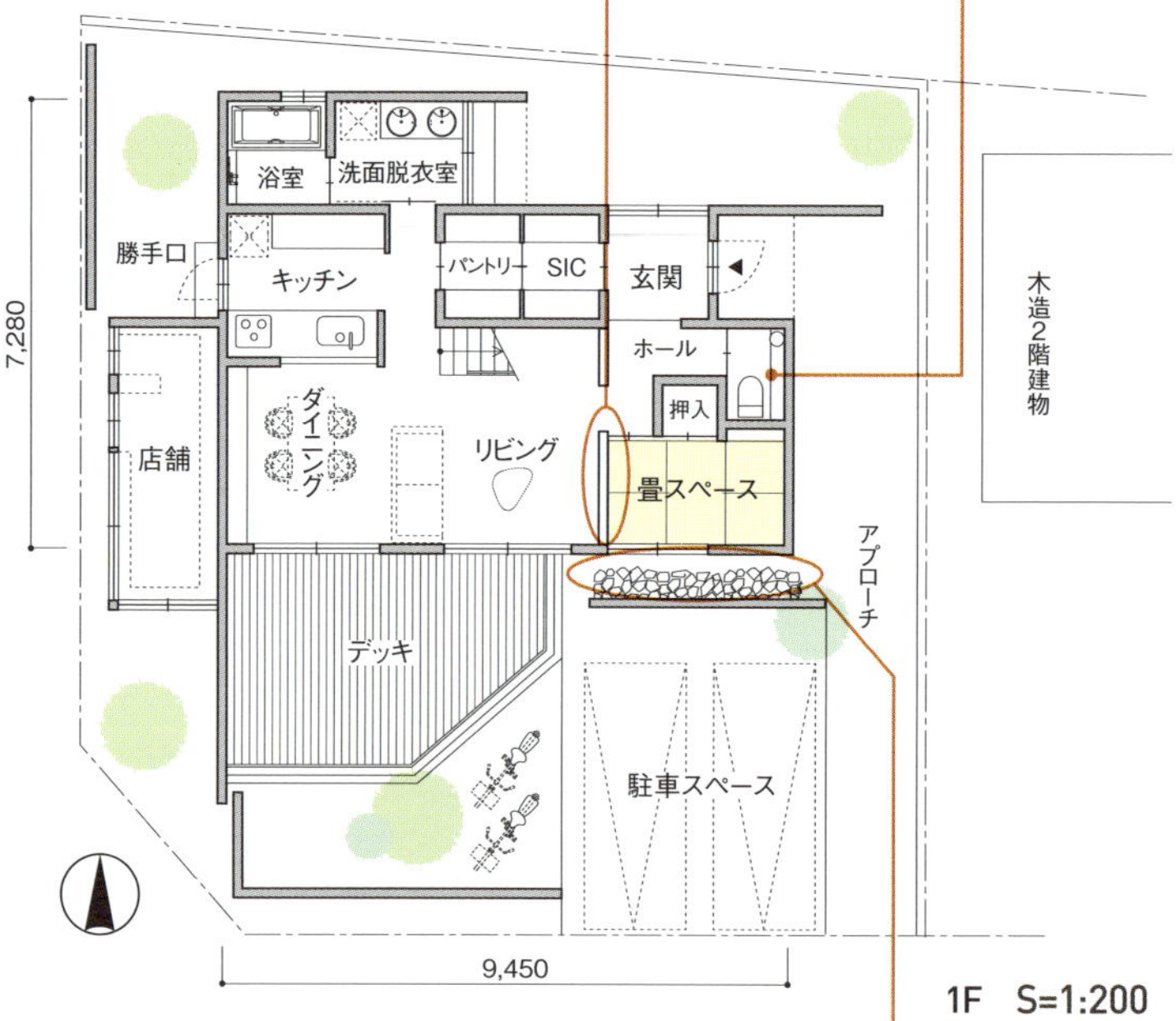

1F　S=1:200

隙間を庭にする

駐車スペース奥に壁を立て、建物側のわずかな隙間を庭に。畳スペースからは、地窓の向こうに庭があるように見える

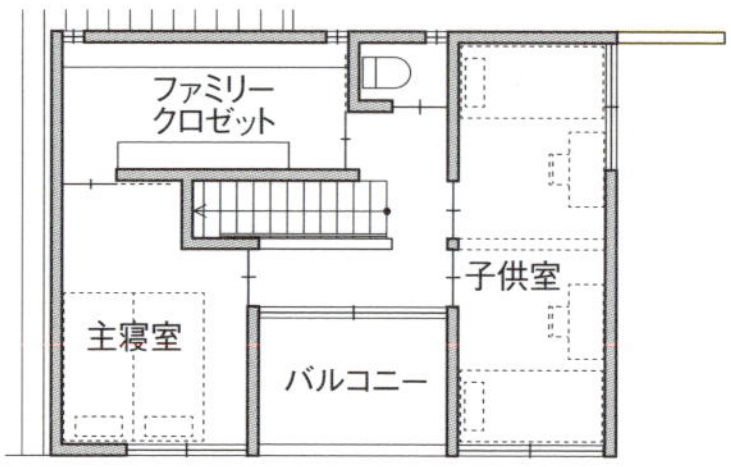

2F　S=1:200

建築概要

所在地	愛知県
家族構成	夫婦（30歳代）＋子供2人
敷地状況	整形角地、南・西道路
敷地面積	165.30㎡（50.00坪）
延床面積	117.60㎡（35.57坪）
構造・階数	木造2階

キッチン前の小上がりはダイニングにもリビングにも

座卓で食事ができる場所がほしいとの要望を受けて、畳の小上がりをまず考えたがその位置が難しい。キッチン近くにダイニングテーブルを置くと、小上がりはキッチンから遠くなり、気軽に使えるものとならない。そこで思い切って6畳分の広さの畳コーナーを、キッチンの前に取ることにした。

畳の上の座卓で食事することはもちろん、畳の上を歩いて料理をダイニングテーブルまで運ぶのも楽しい。座卓とダイニングテーブルをつなげば、大きなテーブルを囲んで大勢で食事を楽しむこともできる。食事時以外は、ごろごろするもよし、座卓で勉強するもよし。LDKのなかの茶の間のように使える畳コーナーとなっている。

茶の間コーナー

キッチンの前の6畳分の畳コーナーは、LDKのなかの茶の間のよう。座卓で、あるいはカウンターで食事をする以外にも、さまざまな使い道がある

ビッグテーブルに

小上がりの上の座卓とダイニングテーブルをつなげれば、大きなテーブルとなって大人数の食事も可能となる

1F S=1:150

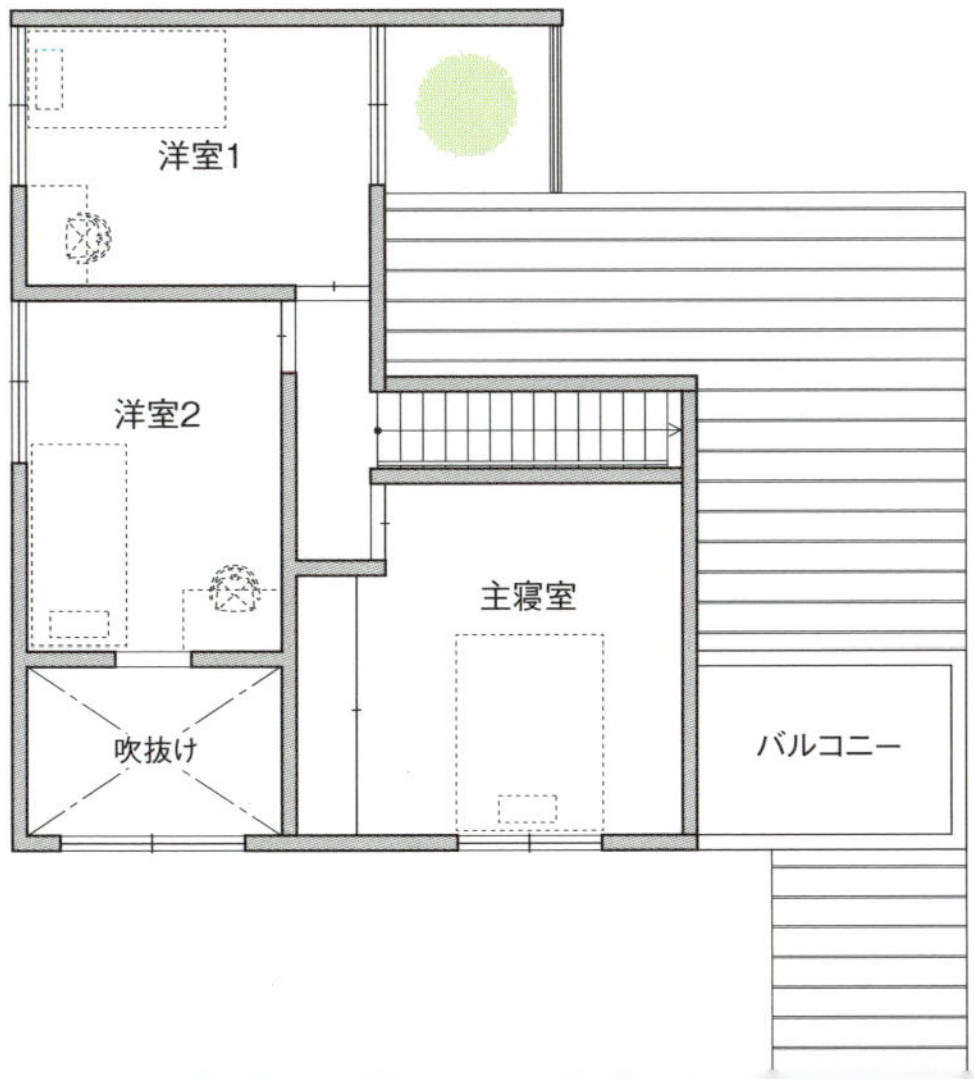

2F S=1:150

建築概要	
所在地	愛知県
家族構成	夫婦(30歳代)＋子供2人
敷地状況	整形、北・東道路、道路との高低差 0.2m
敷地面積	181.45㎡ (54.88坪)
延床面積	105.61㎡ (31.94坪)
構造・階数	木造2階

生活の場と切り離して客間専用の和室をつくる

変形の敷地だったが、比較的広さに余裕があったため、客間専用の和室という要望に対して、母屋と切り離した別棟のようなしつらえにして個室化することで応えた。

玄関土間から直接入る和室は、角度を振り、さらに窓の位置を考慮することで、和室から直接生活スペースが見えないよう配慮している。また、玄関ホールを広くとって、ホールからトイレ、浴室に入るようにすることで、和室からLDKを通らずに来客が身支度できるようになっている。

床を延ばす

畳のスペースは4.5畳だが、押入れを吊っているので足元は抜けている。このため、4.5畳以上の広さを感じることができる

見えない配慮

和室自体を少し振って、LDK側と正対しないようにしている。和室の窓からは、わざわざ覗かなければLDKは見えない

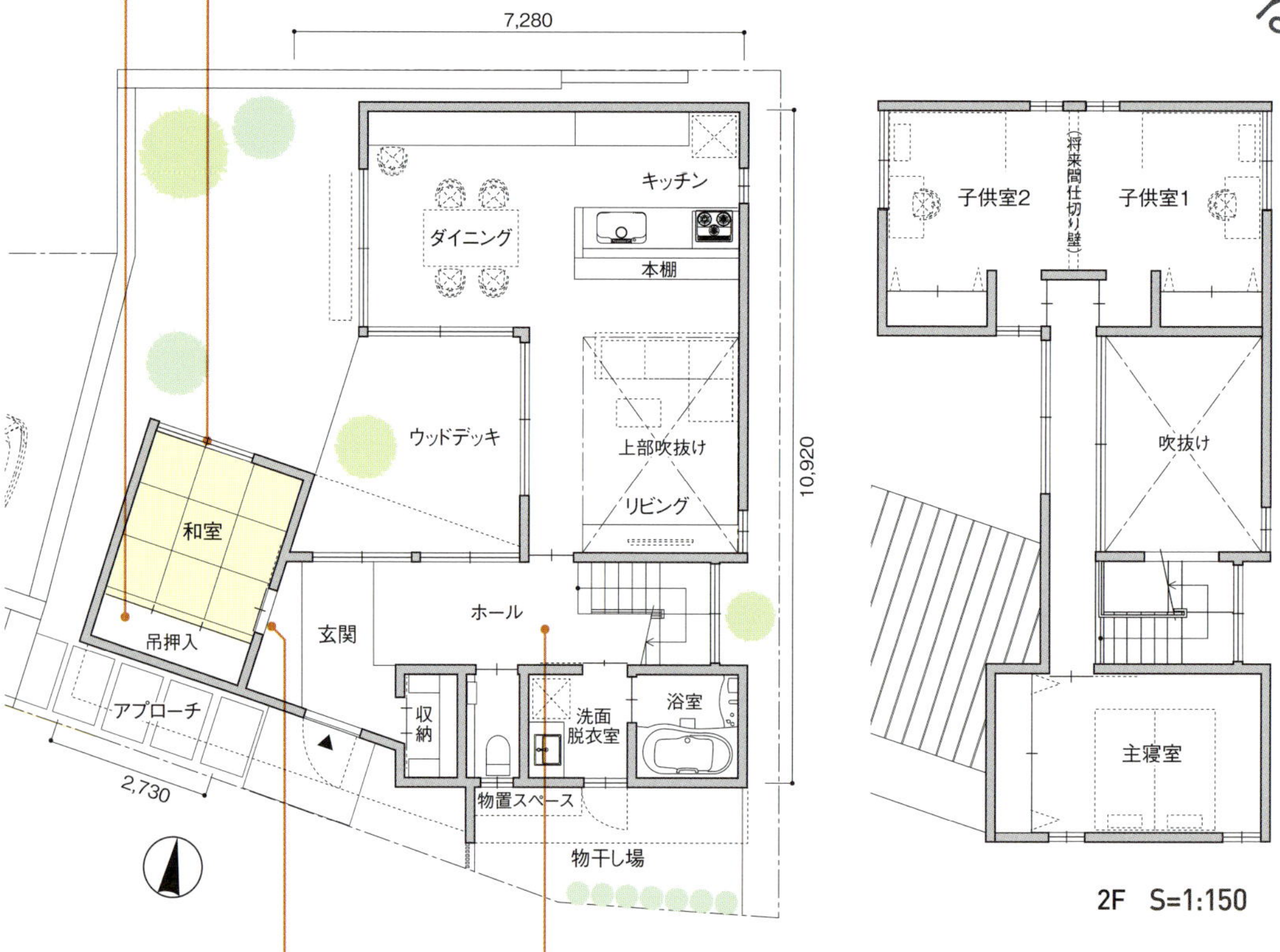

1F　S=1:150

2F　S=1:150

土間から入る

玄関土間から直接アクセスする。土間を挟むことで、母屋側と距離のある離れのような落ち着いた空間となり、客もくつろぐことができる

ホールから水廻りへ

玄関ホールを広くとってトイレと浴室に入る動線としている。これによって和室の客は、LDKを通ることなくトイレなどに行くことができる

建築概要

所在地	愛知県
家族構成	夫婦(30歳代)＋子供2人
敷地状況	変形、西道路、道路との高低差 2.3m
敷地面積	188.56㎡（57.03坪）
延床面積	115.04㎡（34.79坪）
構造・階数	木造2階

コンクリートブロックの壁に守られた畳スペース

人とは違うデザイン、というのが建て主の希望。そこで、奇抜になりすぎない範囲でデザインに工夫をこらした。

外観は法規制に準じた三角屋根で、この形状をそのまま玄関廻りにも落とし込み、家のなかに家があるかのように見せている。

LDKの畳スペースは、客間になる予備的なくつろぎの場所だが、リビングとの間仕切りにコンクリートブロックを採用し、繊細さと荒々しさを同居させた、わびさびの効いた和室空間としている。

正面外観夜景。家型にくりぬかれた玄関が特徴的

裏動線

玄関から収納、パントリーを抜ける裏動線がつくられており、直接キッチン前に行くことができるようになっている

家型のなか

くりぬかれた家型のなかに玄関がある。右側は屋根のある自転車置き場になる

堅い壁で守る

リビングとの間仕切りにコンクリートブロックを採用。畳や木のインテリアのなかでは唐突に感じられるが、それだけ存在感もある

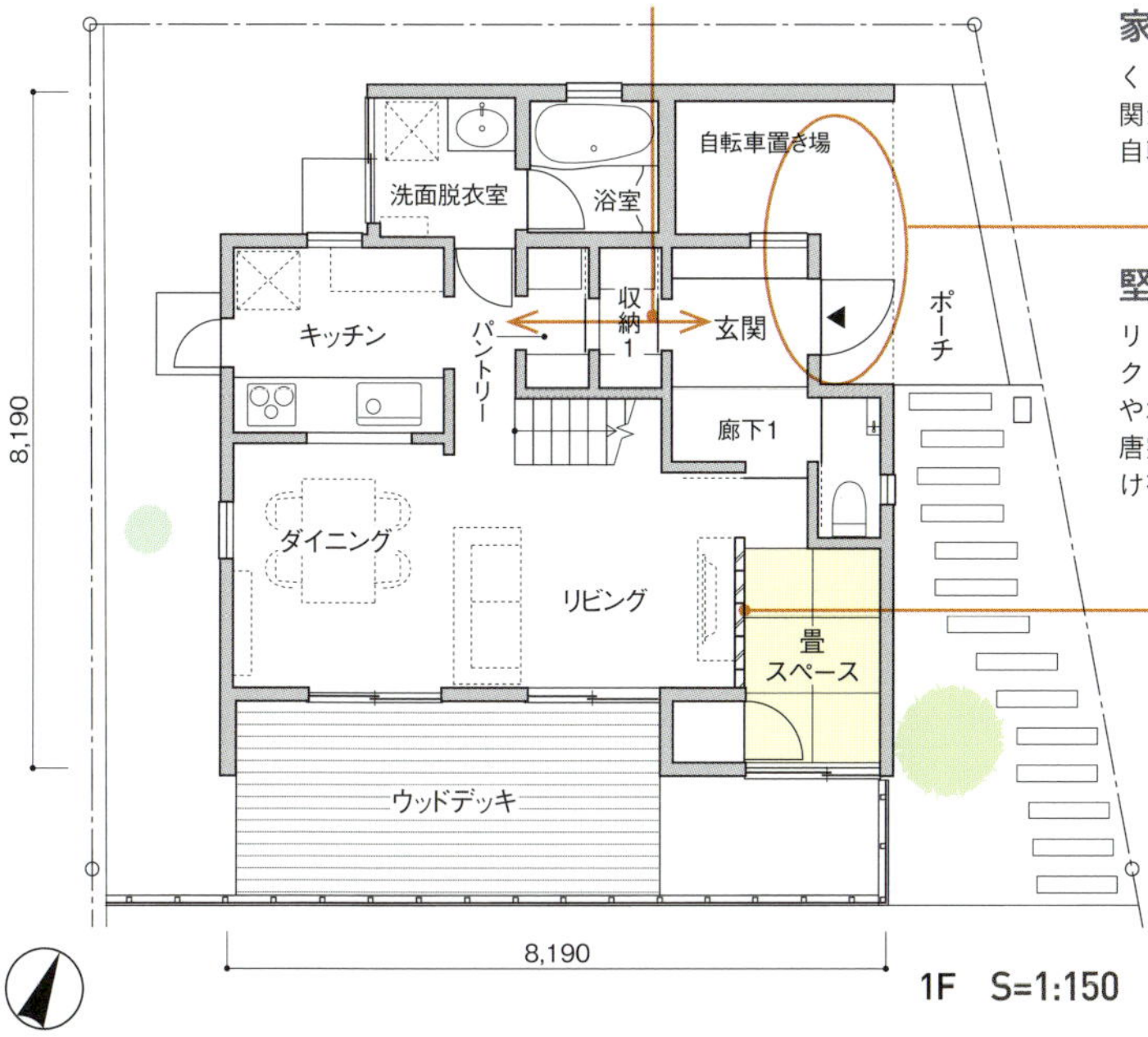

1F S=1:150

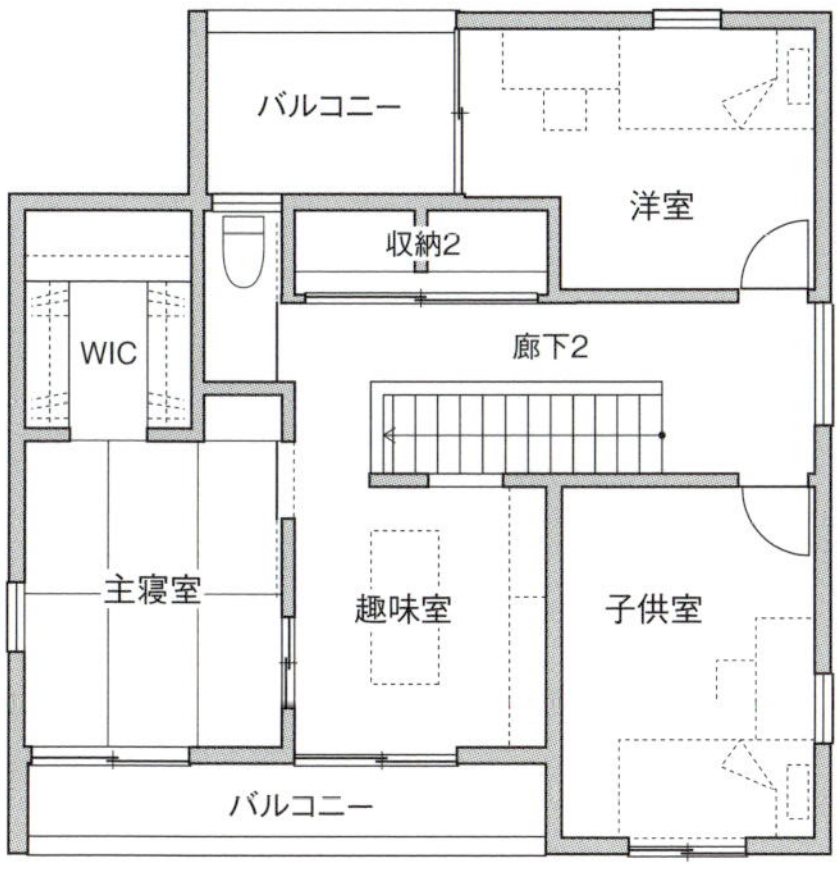

2F S=1:150

上/和室とリビングを仕切る壁にコンクリートブロックを採用。壁は天井までは立ち上げず、上部で視線が抜けることで閉塞感を感じさせない

下/ダイニング側からリビング方向を見る。テレビの後ろにコンクリートブロックの壁が、その後ろに和室がある

建築概要	
所在地	愛知県
家族構成	夫婦（20歳代）＋子供1人
敷地状況	整形、東道路
敷地面積	165.30㎡（50.00坪）
延床面積	117.60㎡（35.57坪）
構造・階数	木造2階

CHAPTER 11

愛車を常に感じられるガレージ

ガレージと部屋をガラスで仕切る

車やバイクを一日中眺めていたい。そんな車好き、バイク好きな方には、家のなかにいても愛車を見ることができるように、ガレージを家のなかに組み込むとよいでしょう。ガレージと室内をガラスで仕切ることで、ショールームのような住まいを実現できます。

ＬＤＫと隣接させれば、愛車を見ながら食事を楽しむことがで

きますし、寝室と隣接させれば寝ても覚めても愛車を思う家になります。

カスタムの場所もほしい

愛車を駐車して、眺めるだけでなく、いじり倒したいという方は、その作業スペースも確保しておきましょう。スペアタイヤやカスタムパーツ、メンテナンスのための道具類を置く場所も必要です。ゴミの一時置き場や、車に積むことの多いアウトドアグッズの保管場所などもガレージにつくっておくと便利です。さらに愛車いじりを仲間と行うためにはそのためのスペースも必要になります。

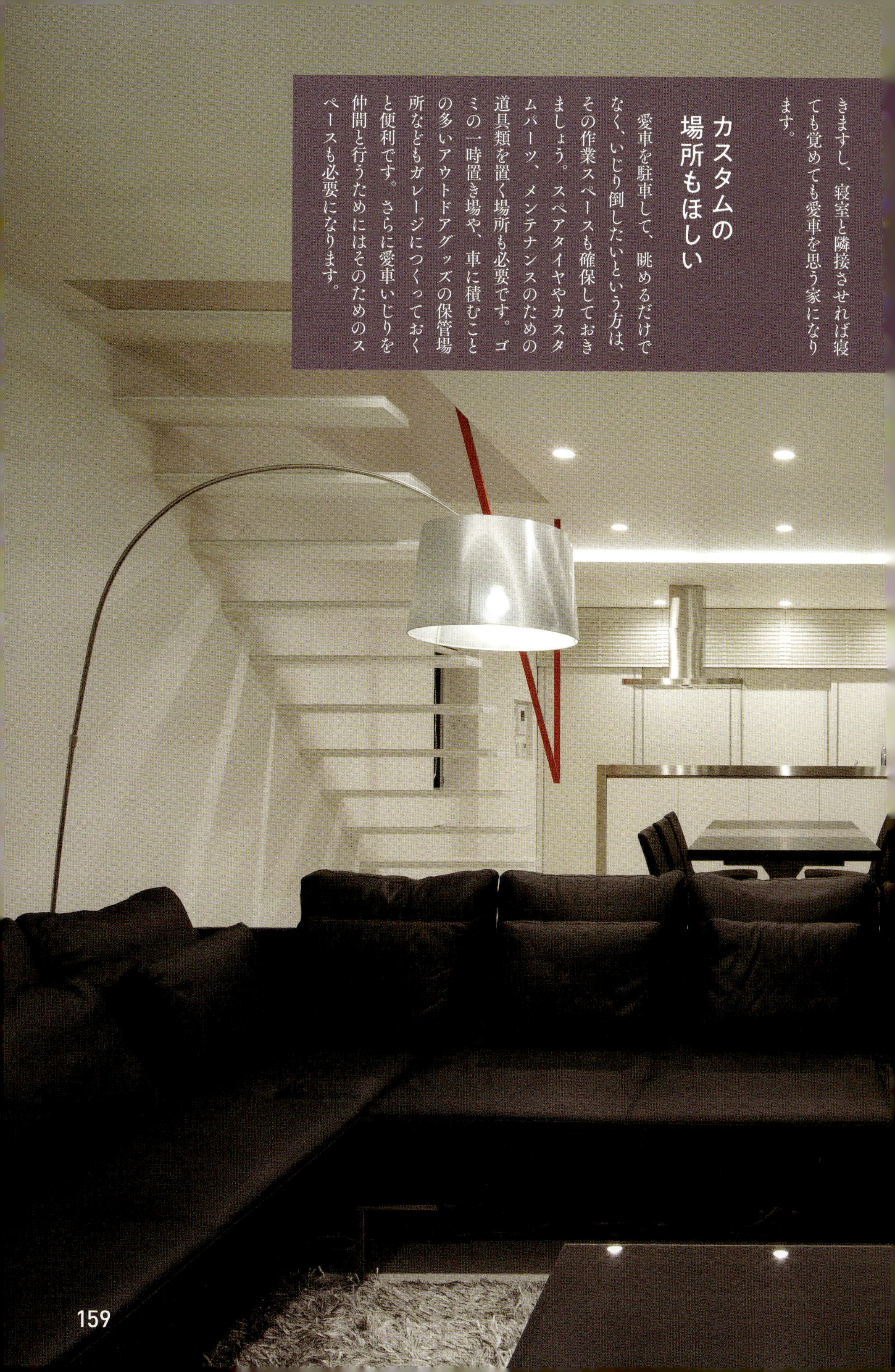

いろいろな場所から愛車を眺めて楽しめる家

車3台分の駐車スペース（うち2台分はインナーガレージ）とバイクや車をいじる工房が要求された家である。角地の特性を生かして、北側に普段使いの車の駐車スペースを置き、南側にインナーガレージと工房をまとめた。ガレージを囲むように2つの工房と中庭を置いて車の近くで過ごせる場所をつくっている。また、中庭とエントランスの吹抜け越しに2階からも愛車が見られるようになっている。

建築概要
所在地　神奈川県
家族構成　夫婦（50歳代）＋子供1人
敷地状況　整形角地、北・東道路
敷地面積　246.85㎡（74.68坪）
延床面積　160.99㎡（48.60坪）
構造・階数　木造2階

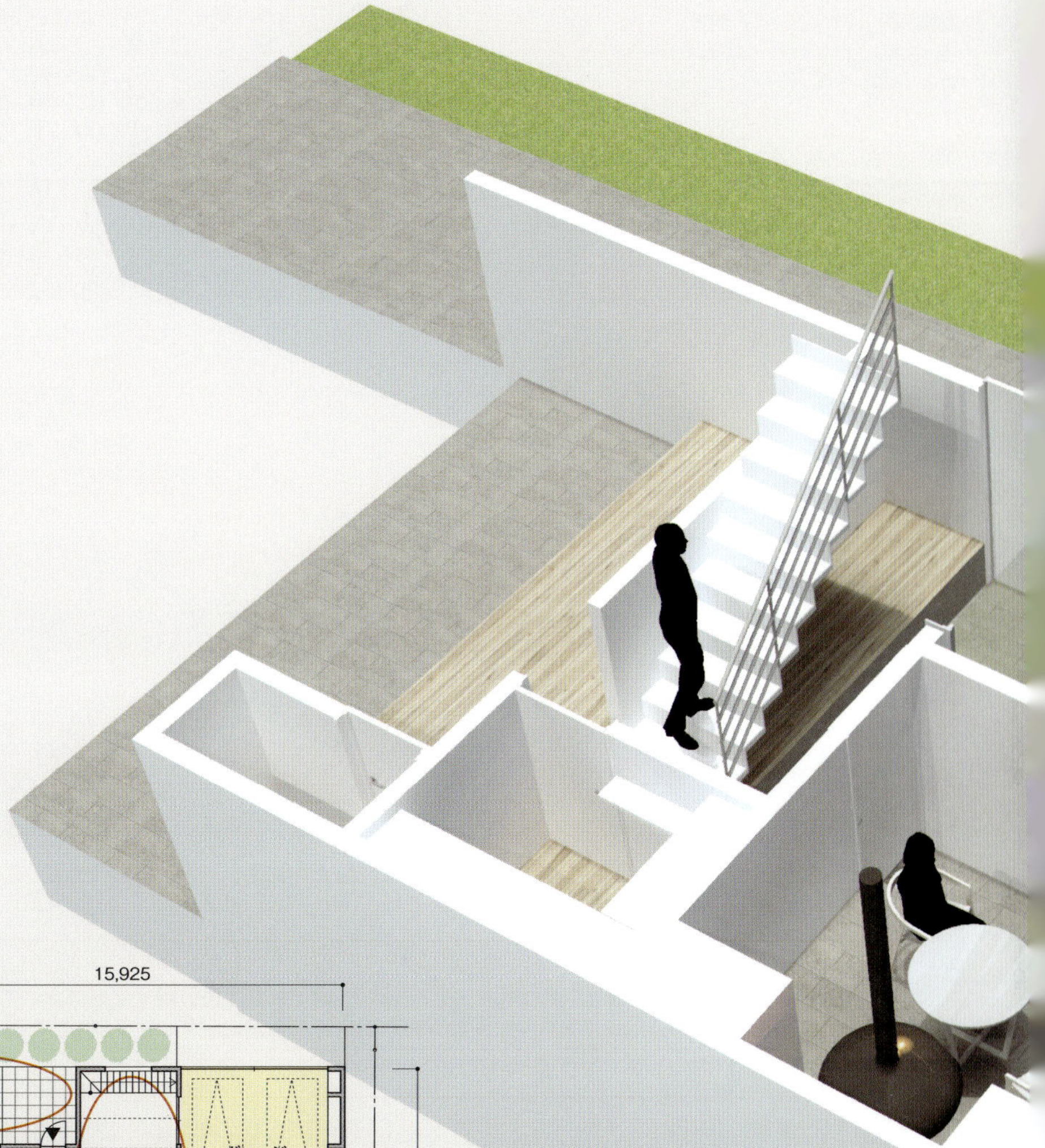

広いアプローチ

玄関前には広いアプローチをとっている。ここは集まった仲間たちのバイク置き場にもなる

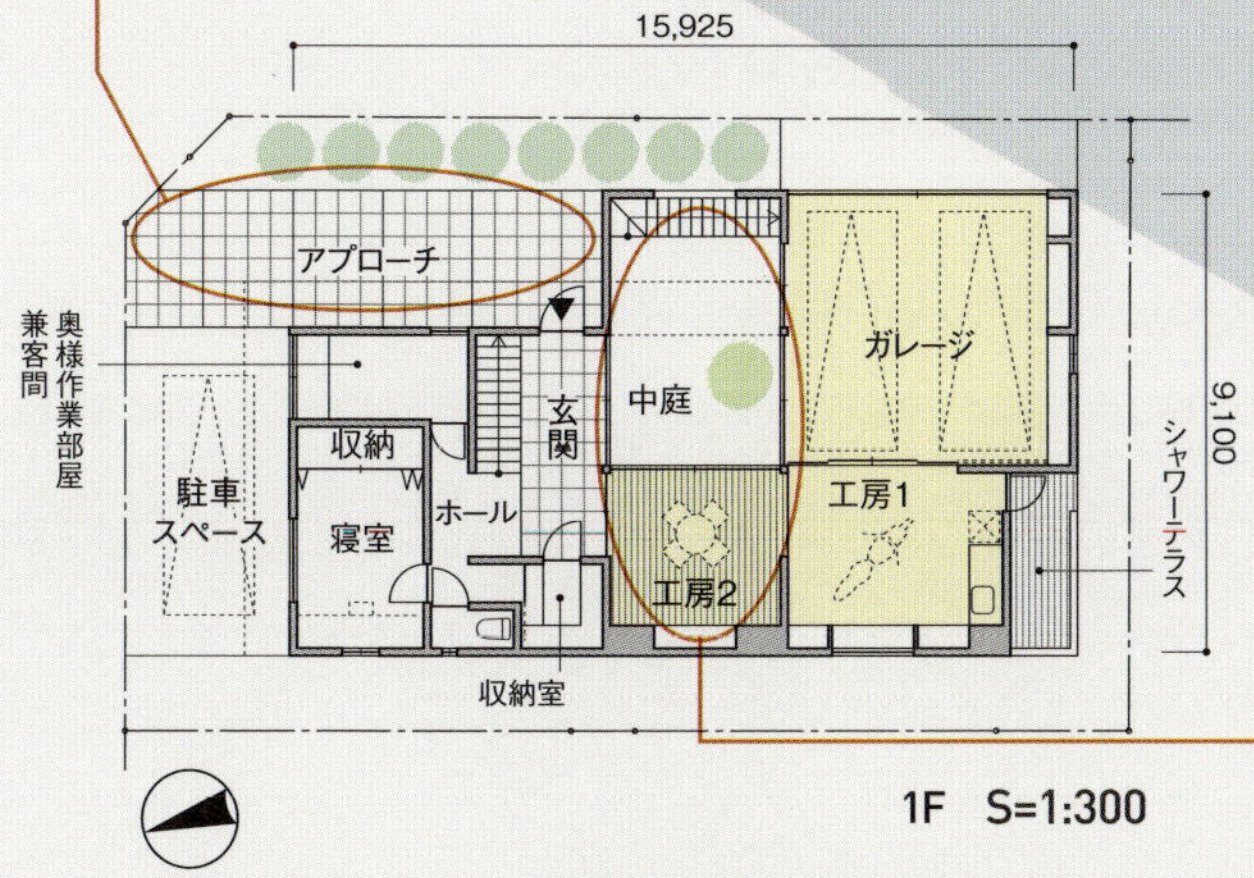

1F　S=1:300

仲間が集まれる場所

ガレージに隣接した工房と中庭は、大勢の車仲間が集まれる場所。工房1にはミニキッチンもあるので、ちょっとしたパーティもできる

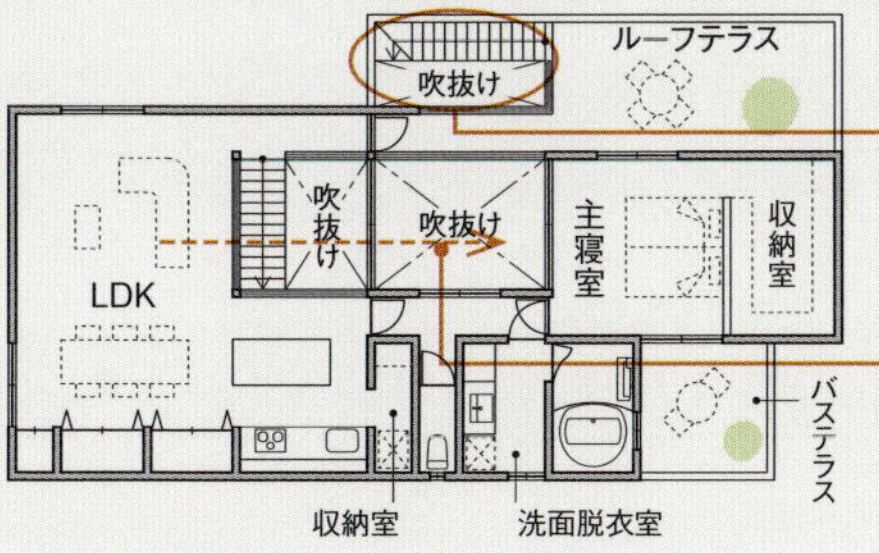

2F　S=1:300

中庭からテラスへ

中庭から2階テラスへの階段をつくった。内部階段と合わせて2つの階段をもつことで、アクティビティが増す

リビングからも見える

吹抜けと中庭越しに、暖炉のある2階リビングからも、ガレージが眺められるようになっている

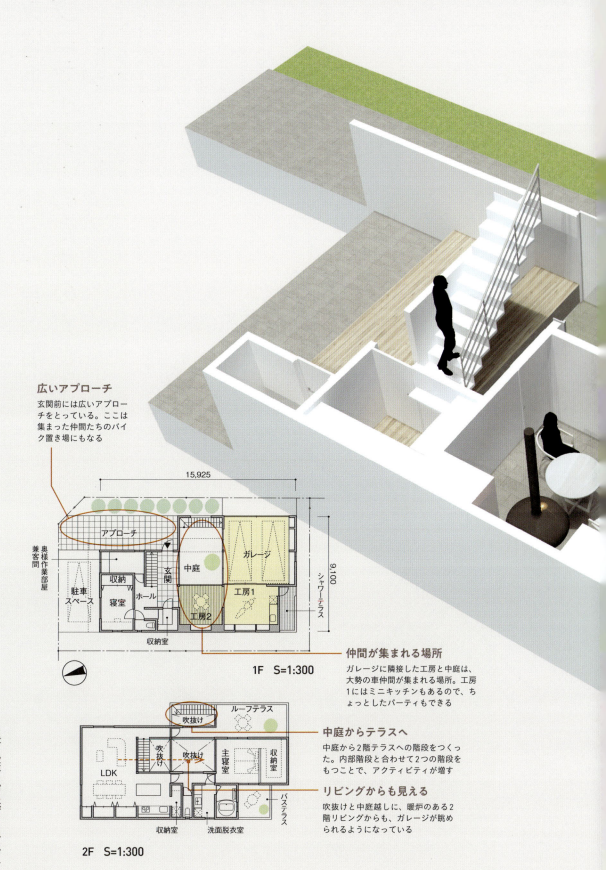

来客もガラス越しに見られるプロライダーのためのガレージ

ご主人はプロのモトクラスライダーで、バイクのメンテナンスができるインナーガレージが必須であった。このため1階はガレージとゲストルームにあて、生活空間は2階と3階に割り振っている。
　ガレージは、玄関を入るとガラス越しに見えるようになっており、来客にとってはギャラリーにもなる。ガレージ脇のゲストルームはミニキッチンも備えているので、仕事関係の来客などとの打ち合わせスペースにもできる。

建築概要
所在地　東京都
家族構成　夫婦（30歳代）＋子供2人
敷地状況　五角形の変形地
敷地面積　91.22㎡（27.59坪）
延床面積　111.92㎡（33.86坪）
構造・階数　木造3階

ガラス越しに見る
玄関に入ると、大きなガラス越しにガレージが見える。玄関からの出入り時にもガレージのバイクが意識され、常に一緒にいる気分にさせてくれる

ガレージからのアクセス
シュークローク内を通過して、ガレージと室内の行き来が可能

打ち合わせにも
ガレージ脇のゲストルームは、ガレージからも近い個室で、仕事上の打ち合わせなどもできる

一時置き場として
2階テラスの下は、直接雨のかからないスペースで、バイクの一時置き場としても使える。柱と壁によって守られた半屋外空間となっている

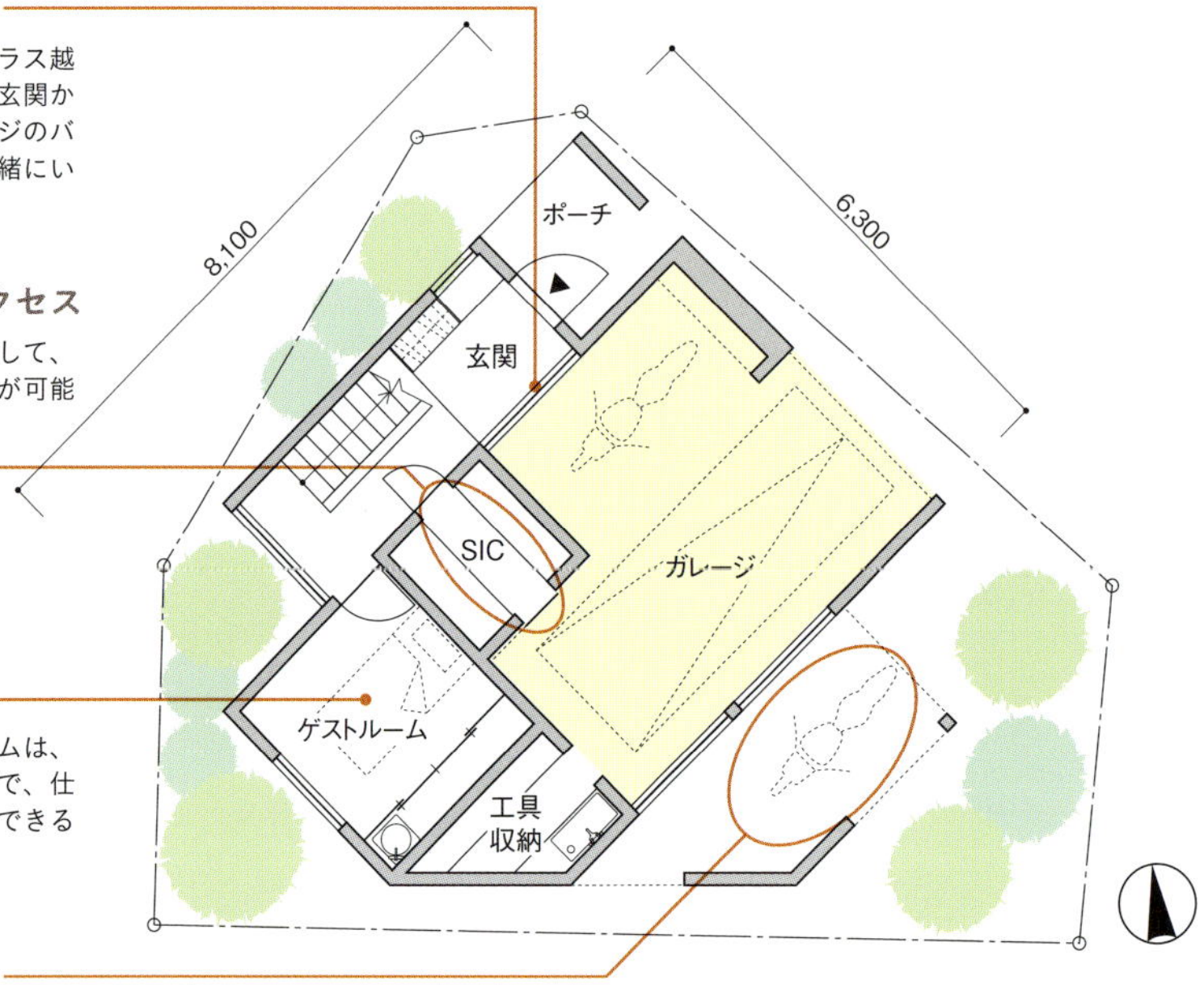

1F　S=1:150

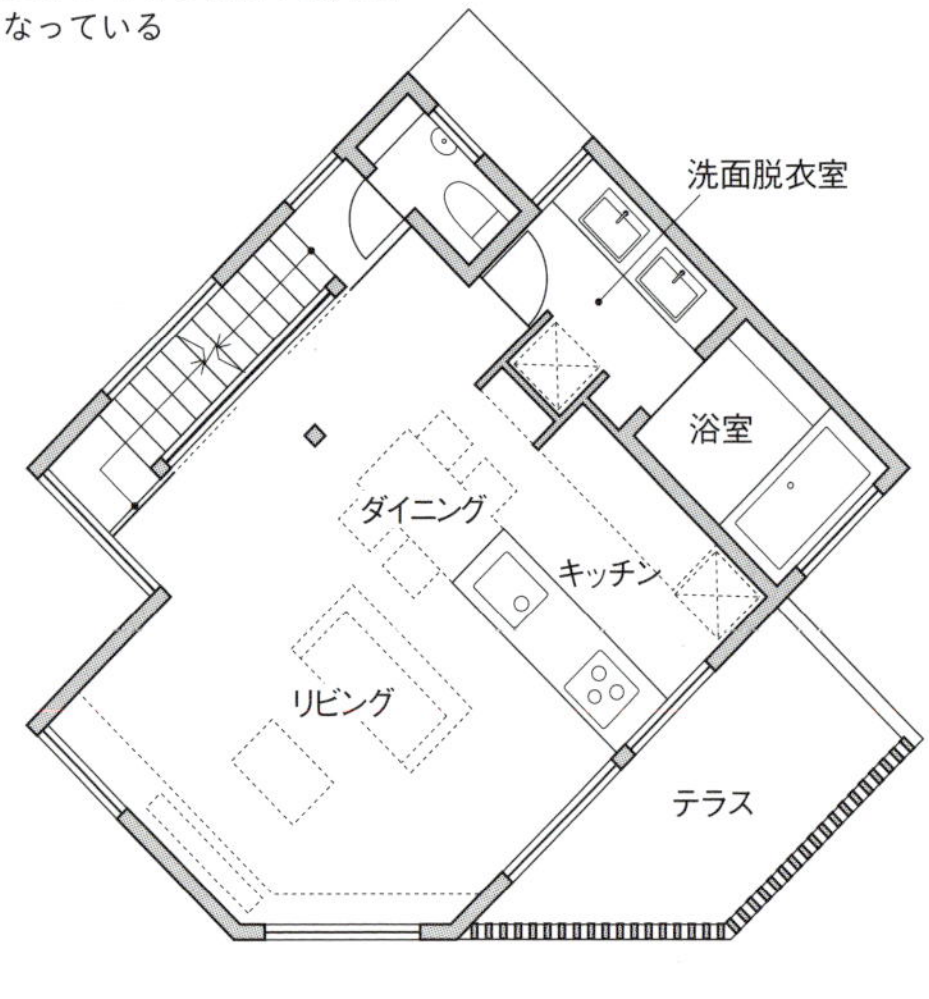

2F　S=1:150

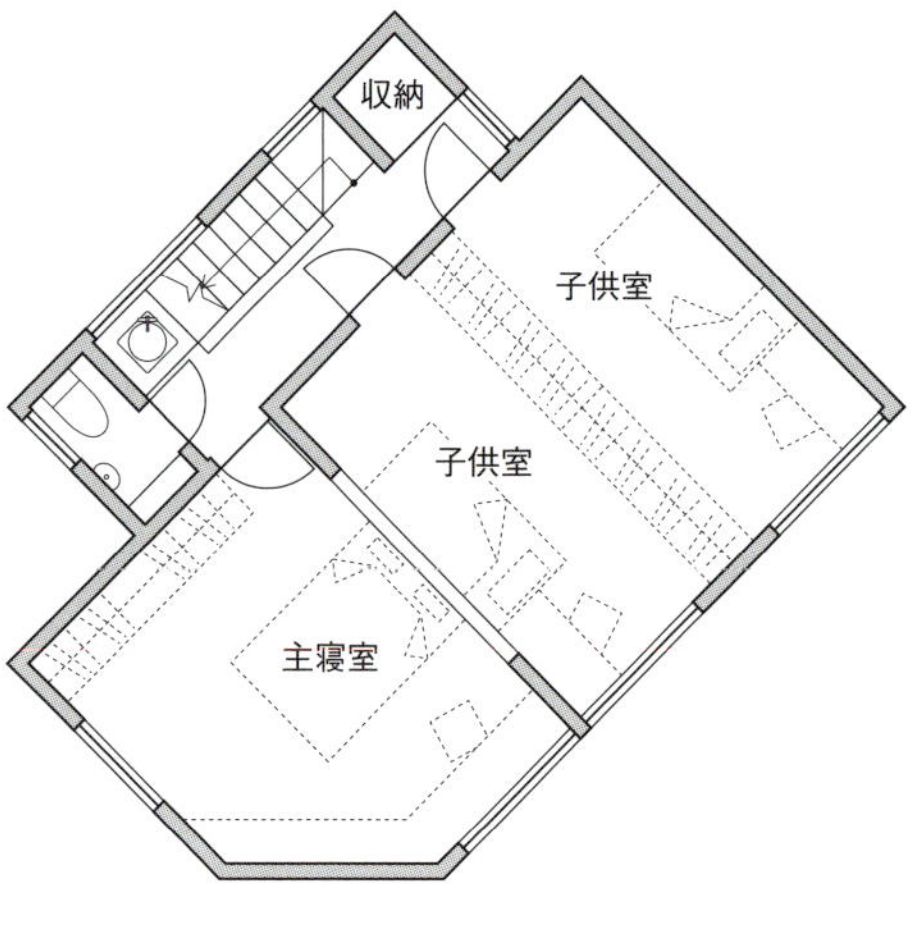

3F　S=1:150

キャデラックも入る大きなガレージをつくる

間口10mに対して奥行きは37m弱の細長い敷地状況。ここにキャデラックも収容できるガレージをつくることが求められた。

敷地は、道路面以外の3方向が田んぼに囲まれているが、逆に隣にいつ家が建ってもおかしくない状況でもあったため、道路側のガレージも目隠しにして、敷地中ほどにプライベート感のある庭をつくっている。間取りも、あえて外側に開かず、家族の気配が感じられる「家」らしい要素を散りばめている。

建築概要

所在地	愛知県
家族構成	夫婦(30歳代)＋子供2人
敷地状況	田を埋め立てた整形地、南道路
敷地面積	343.90㎡(104.03坪)
延床面積	住居126.88㎡(38.38坪)＋ 車庫43.06㎡(13.03坪)
構造・階数	木造2階

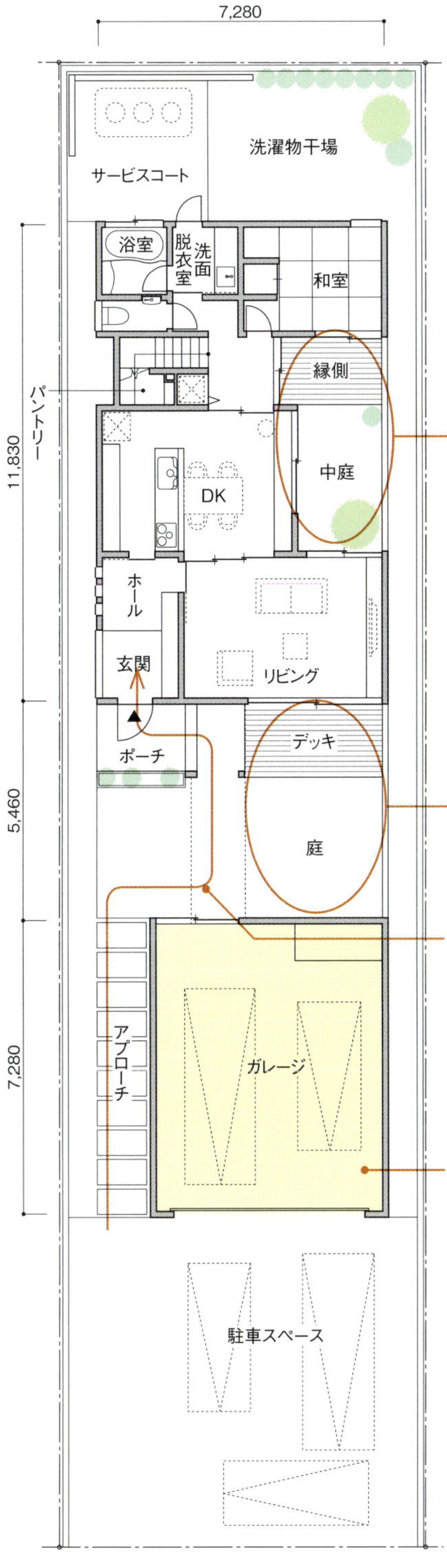

1F　S=1:200

将来も採光

将来、隣に家が建っても北側の居室の採光に支障がないように中庭をつくる。あらかじめ高めの塀が回してあるので、プライバシーの心配もない

プライベートな庭

ガレージで道路側からの視線をさえぎることができるので、リビング前は人目を気にならないプライベートな庭となった

アプローチに変化を

ガレージ脇の直線のアプローチを抜けると庭のある広場が現れ、コの字型にクランクして玄関へ。単調になりがちなアプローチに変化をつけることで、長いアプローチも楽しい場所になる

ガレージも家の一部

ガレージは主屋と完全に離れた別棟だが、デザインを主屋とそろえて家としての一体感をつくりだす

2F　S=1:200

手前がガレージ。主屋とともに家型を強調したデザインでそろえている

大きなガラス越しにリビングから愛車を眺める

リビングから愛車を眺めて過ごしたいという希望から、2台分の駐車スペースをもつガレージとリビングを大きなガラス1枚を挟んで隣接させた住まい。

プライベートな生活空間は2階にあるが、1階リビングと2階LDKは大きな吹抜けでつながっているので、実質的には1、2階にまたがる大きなワンルームのLDKといえる。吹抜けを通じて、2階からもガレージの車を眺めることができる。

建築概要
所在地　愛知県
家族構成　1人
敷地状況　整形（台形）、西道路
敷地面積　190.82㎡（57.72坪）
延床面積　住居179.31㎡（54.24坪）＋車庫46.29㎡（14.00坪）
構造・階数　木造2階

近くて遠い

ガレージは、リビングからも2階DKからも見え、とても近くにあるイメージだが、実際には玄関を出て道路側からアクセスする。近くて遠い距離感が、日常生活をしっかり守っている

大きくつながる

リビング側とガレージは、大きな開口でつながる。ただし、FIXガラスで隔てられているため、生活との距離感は保たれている

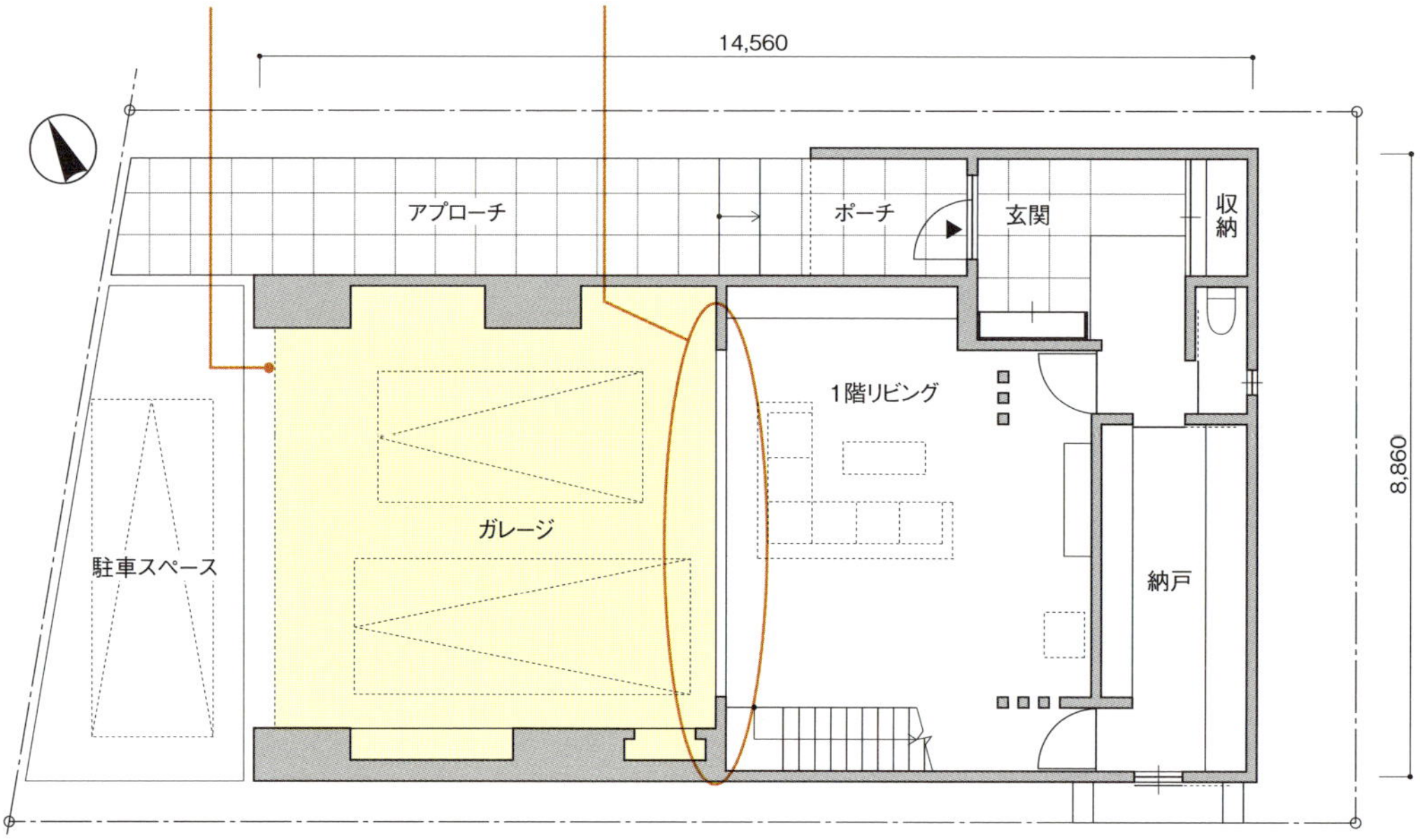

1F　S=1:150

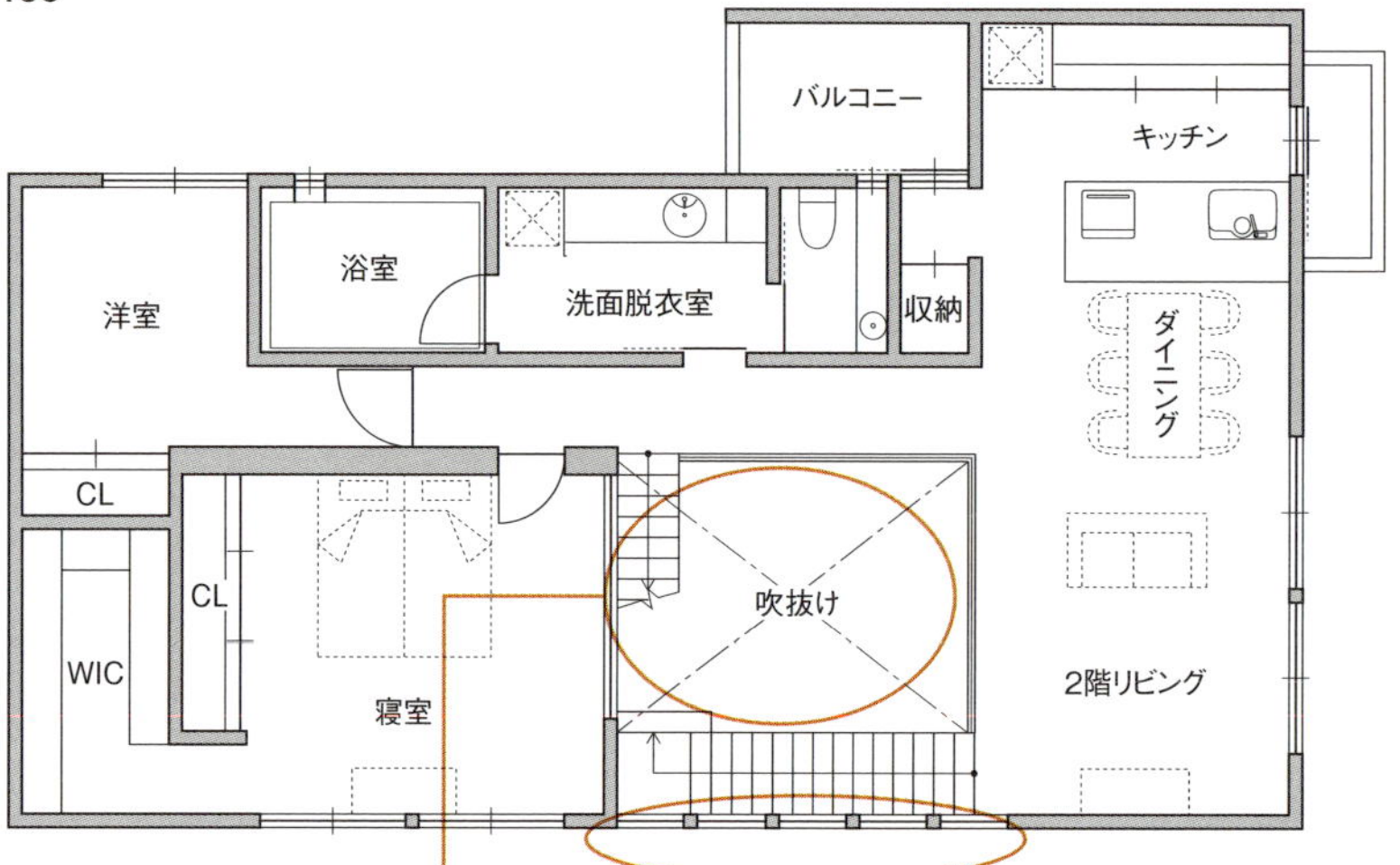

2F　S=1:150

上下階でつながる

リビング上部は吹抜けとなっていて、2階のDKも含めて大きなワンルームになる構成

2階からの陽射し

1階リビングには外に接する窓はなく、ガレージにゆっくりと向き合える。陽射しは2階階段脇の窓から落ちてくる

窓の向こうのバイクを見ながら会話がはずむ家

仕事部屋ともなる書斎からバイクを眺め、来客ともバイクをネタに話がしたいという要望。そこで変形の敷地形状を縮小トレースするように変形のガレージを道路側につくり、その前に書斎を配置した。

ガレージは、書斎側と1mほど離した別棟で、書斎の窓越しに、ガレージ内のバイクが見えるしかけである。日常の生活空間とは少し離れた位置で、好きなバイクを眺めながら仕事に集中できる環境をつくり出している。

建築概要	
所在地	愛知県
家族構成	夫婦（30歳代）＋子供2人
敷地状況	整形（台形）、南道路、道路との高低差1.2m
敷地面積	244.61㎡（73.99坪）
延床面積	住居146.24㎡（44.23坪）＋車庫34.38㎡（10.40坪）
構造・階数	木造2階

距離を生む外部

1mほどだが、ガレージと書斎の間に外部を挟むことで、すぐそこにあるバイクも、距離を置いて眺めることができる

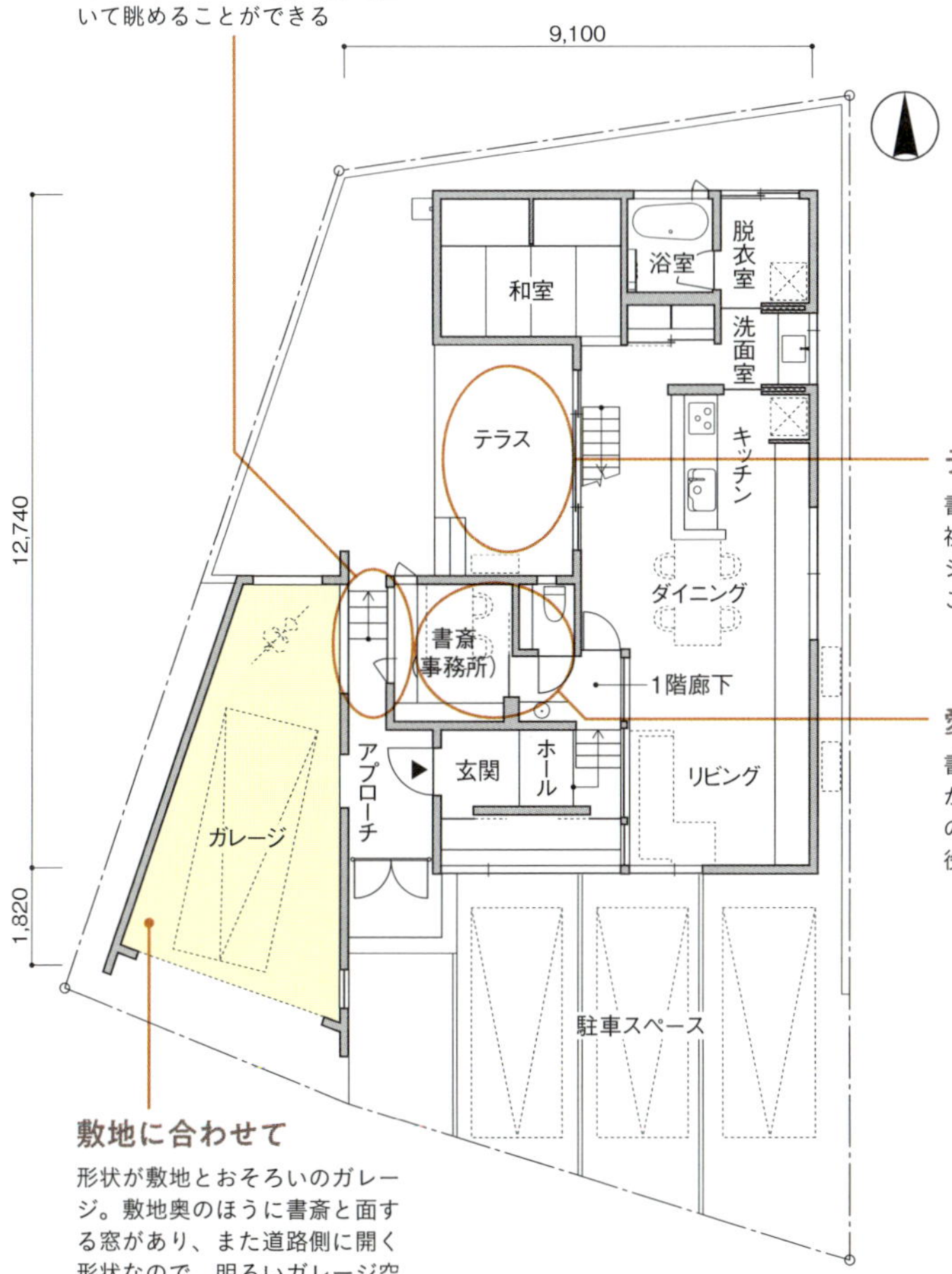

テラスを楽しむ

書斎とガレージが、道路からの視線をさえぎるため、プライバシーを気にせずテラスで楽しむことができる

愛車を見ながら仕事

書斎は、LDKから扉を出て向かう離れ的な存在。オンとオフの切り替えに目の前の愛車も一役買ってくれる

敷地に合わせて

形状が敷地とおそろいのガレージ。敷地奥のほうに書斎と面する窓があり、また道路側に開く形状なので、明るいガレージ空間となっている

1F　S=1:200

書斎の窓からガレージのバイクを見る。間に外を挟むことで、適度な距離感が得られている

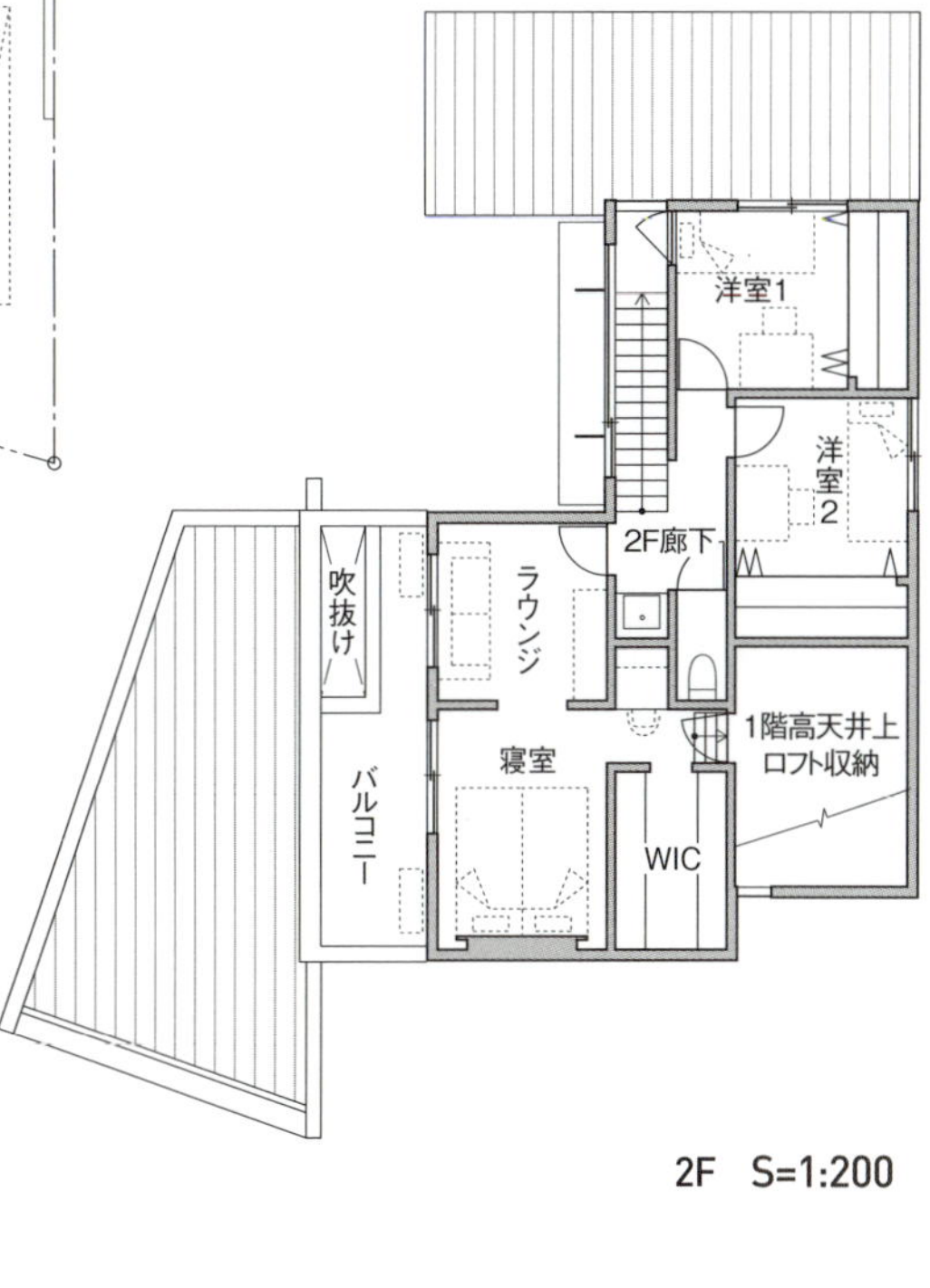

2F　S=1:200

部屋から車が鑑賞できるギャラリーとしてのガレージ

ガレージ機能のほかに、ギャラリーのように車を眺めて楽しめるような構成が求められた。そこで3台分の車＋バイクを収容するガレージを道路側に、生活スペースは敷地奥に、別棟として配置し、中庭を挟んでリビングからガレージが見えるようにしている。

リビング、中庭、ガレージという囲われた配置計画により、プライバシーを守りながらも、限りなく内に開かれた空間を演出。1.3mの高低差が、その空間に一層の広がりをもたらしている。

建築概要

所在地	大阪府
家族構成	1人
敷地状況	整形、東南角地、道路との高低差 1m
敷地面積	251.95㎡（76.21坪）
延床面積	133.81㎡（40.47坪）
構造・階数	木造2階

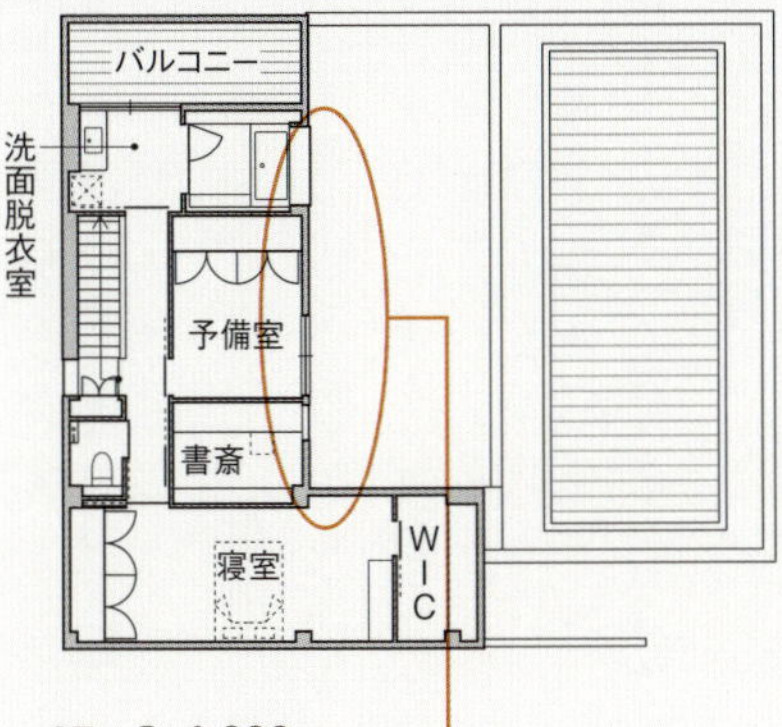

2F　S=1:300

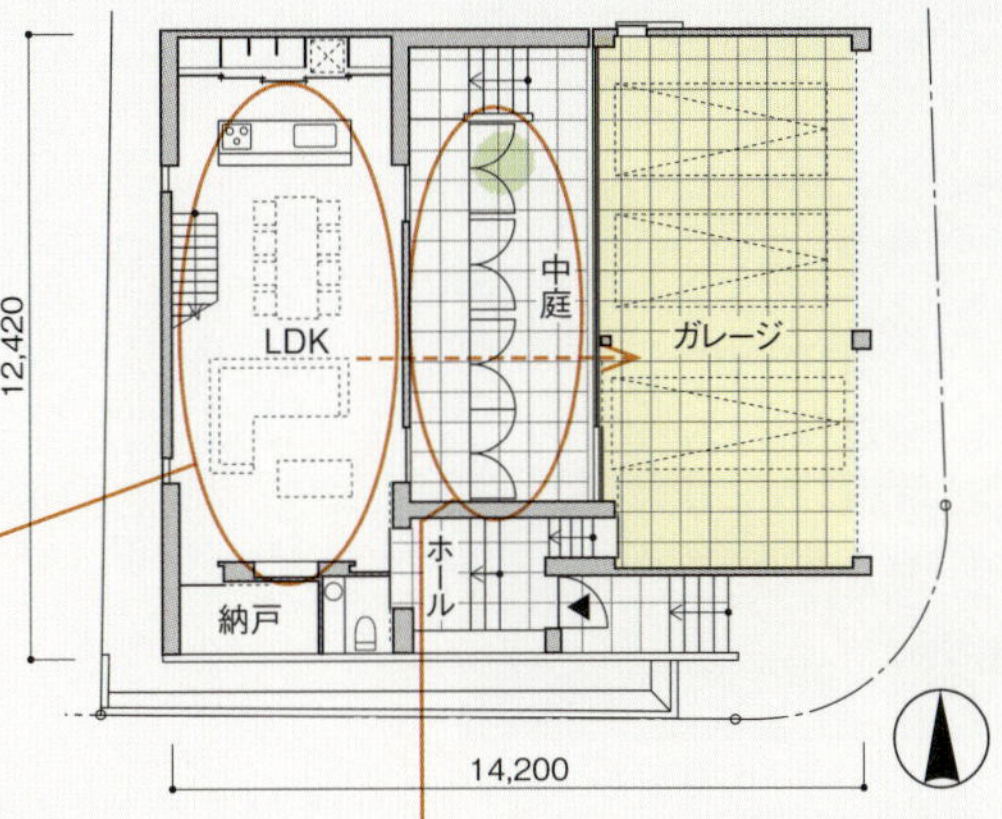

1F　S=1:300

広がる視界

道路側のガレージ棟により道路とは距離があり、かつガレージが平屋のため、2階各室は外からの視線が気にならず大きな視界が開けている

中庭に開放されたLDK

ガレージ棟が道路からの視線をさえぎるため、LDKは中庭に向かって大きく開放された明るい空間となっている

距離感を生む中庭

中庭という外部空間を挟み込むことで、LDKとガレージの間にはほどよい距離感が生まれる

敷地の高低差を利用してパーツや工具類をすっきり収納

前ページで紹介した、生活スペースとガレージを別棟として、ガレージを眺めて楽しめる家。ガレージは、ギャラリーの展示スペースのようにしたかったため、工具類などをなるべく目につかない位置に収納したい。

そこで、ガレージ側と生活棟の高低差を生かし、生活棟からは目に入らないテラス下に収納スペースを設けた。高さは1mもないが、7m以上の長さがあるので、工具類やパーツも余裕で入る、大きな収納をつくることができた。

右がガレージ、左がLDKに続くテラス。テラスの下が収納になっている

見えない位置に置く

LDKから見えない床下の位置を収納として、ガレージに車やバイク以外のものをあふれさせない

見下ろす視点

LDKは、ガレージ棟より1mほど高くなっているので、ガレージを見下ろす視点となる。これにより、近くにありながら、少し離れている感覚で愛車を眺められる

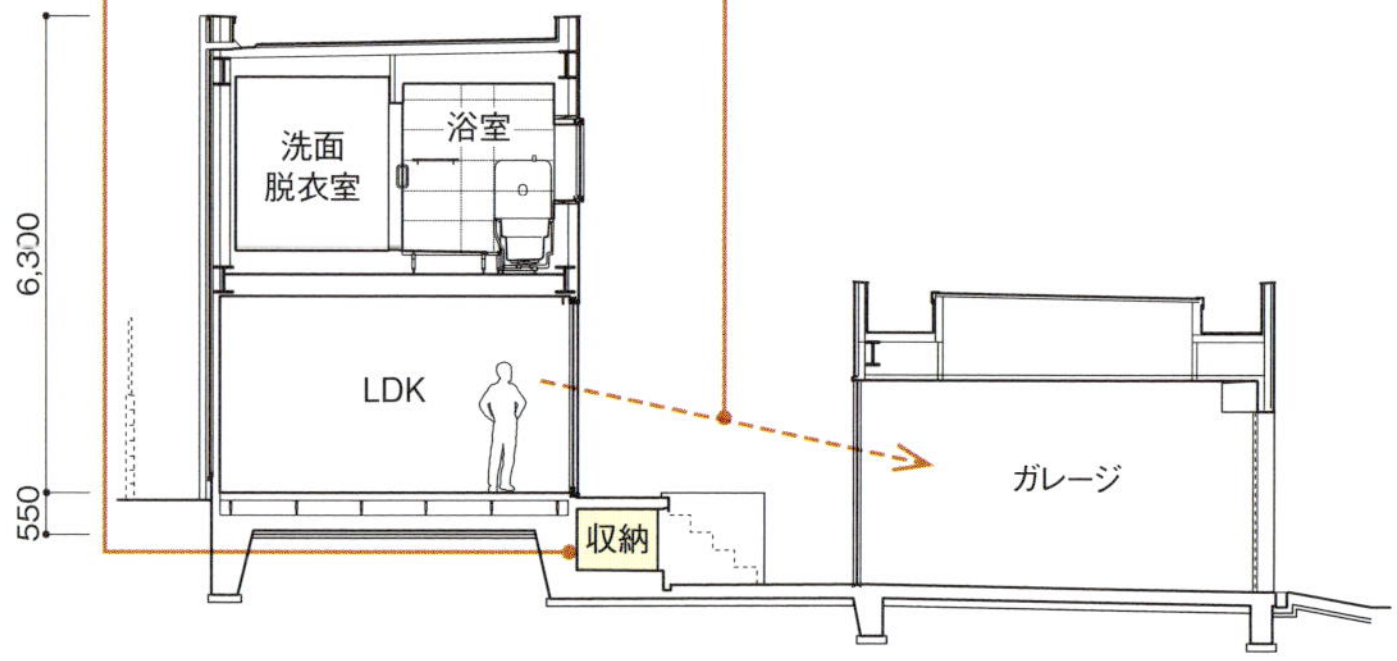

断面図 S=1:200

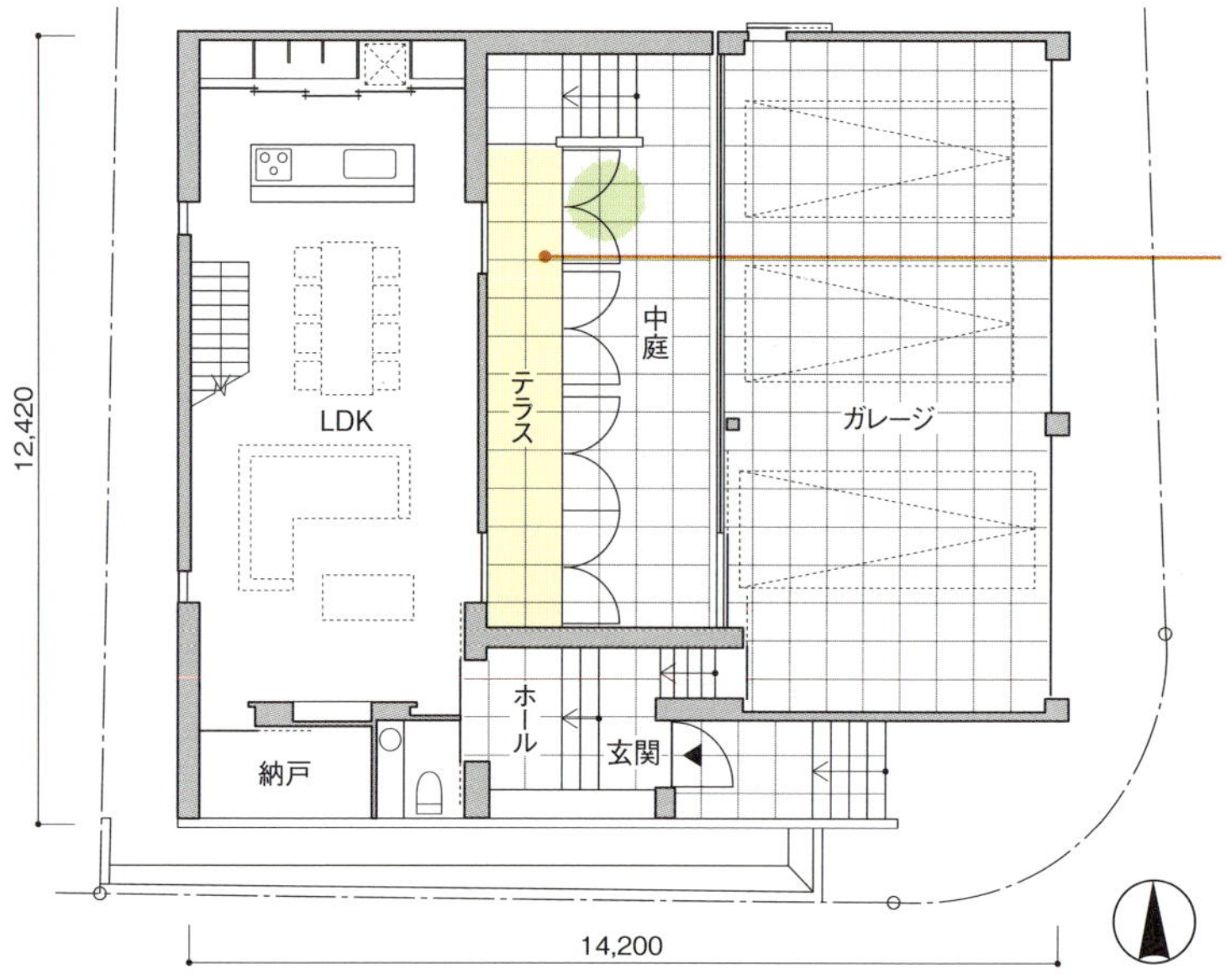

たっぷり収納

1mほどの高さだが、長さが7m以上ある収納なので、道具類などもたっぷり入れておくことができる

1F S=1:200

建築概要

所在地	大阪府
家族構成	1人
敷地状況	整形、東南角地、道路との高低差 1m
敷地面積	251.95㎡（76.21坪）
延床面積	133.81㎡（40.47坪）
構造・階数	木造2階

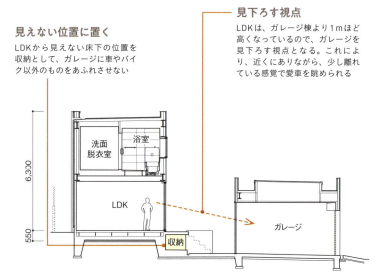

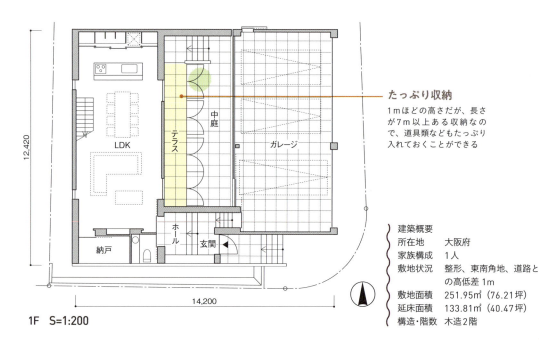

建物外観。ガレージ棟により、中庭や主屋の生活スペースは外から見えない構成となっている

リビング側からガレージ方向を見る。ガレージは、自分だけのための贅沢なギャラリーになる

CHAPTER

12

中庭・バルコニーにさまざまな役割を

庭が部屋を引き立てる

庭やバルコニーなどの外部空間を建物と分けて考えるのではなく、内部の延長として考えることで、室内に緑と広がりがもたらされます。つまり外部空間が室内空間をより魅力あるものに変えるのです。

庭の植物は花が咲いたり、実をつけたり、落葉したりと室内に季節感も与えてくれます。自然を感

じられる家ほど贅沢なものはありません。また、落葉樹に限りますが夏は葉が生い茂ることで建物への陽射しをさえぎり、冬は葉が落ちることで暖かな陽射しを室内へ届けてくれます。このように居住環境をよくするための装置としても庭は活用できるのです。

庭はどこにつくるといい？

建物の中心に庭をつくり、庭を囲むように部屋を配置すれば、どの部屋からも自然が感じられます。小さくとも庭を複数設けることができれば、それぞれに役割を与えることができます。デッキや菜園をつくった庭は「使える庭」、浴室前の坪庭なら「眺める庭」であるとともに外部からの「視線をさえぎる庭」でもあります。アプローチに庭をつくれば「招く庭」になりますね。

4つのテラスと中庭がリビングを取り囲む

居室とテラス・中庭を市松模様のように配置して、すべての部屋に採光と通風を確保し、またそれぞれの部屋から違った外部が楽しめるようになっている。

1階にテラスがほしいけど、道路から丸見えになるのは困る、というとても真っ当な希望に対しては、ルーバーで目隠しをつくることで解決。外からの視線を意識せず、カーテンいらずの生活を楽しめるようにしている。

建築概要
所在地　東京都
家族構成　夫婦(30歳代)＋子供3人
敷地状況　整形、南道路
敷地面積　251.11㎡(75.96坪)
延床面積　170.64㎡(51.61坪)
構造・階数　木造2階

全室2方向開口
4つの外部を部屋の間に挟み込んだことによって、すべての居室で2方向に窓をつけられ、光と風があふれる生活環境がつくられている

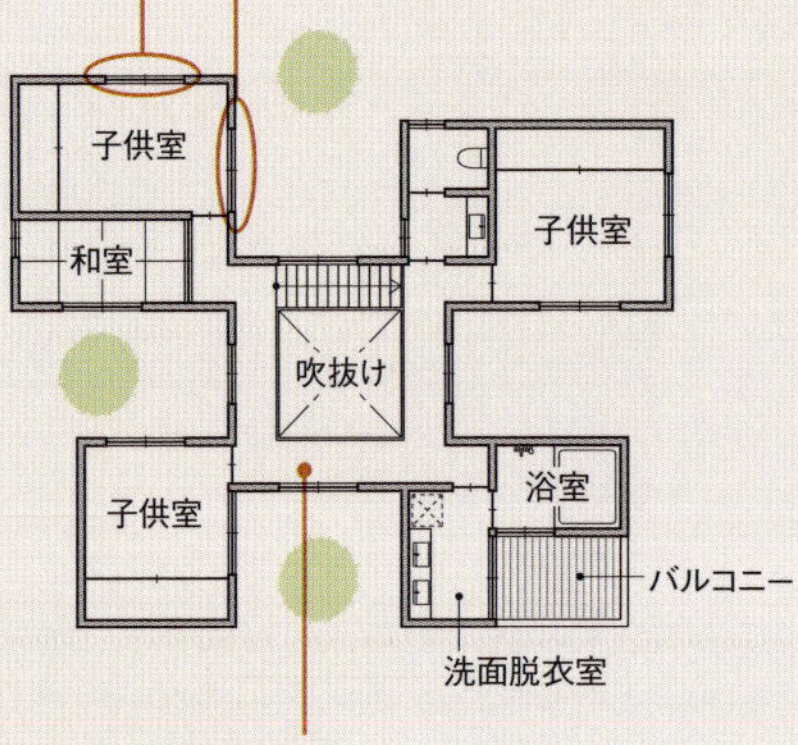

外を見ながら向かう
2階は吹抜けを囲む回廊を通って各部屋にアクセス。お風呂に向かうときも、吹抜けと外を見ながら進む構成になっている

2F　S=1:300

外に囲まれたリビング
家の中心に置かれたリビングは、4つの外部に囲まれて開放感たっぷり。吹抜けの大空間になっているので、窓を開ければ外にいるような感覚に

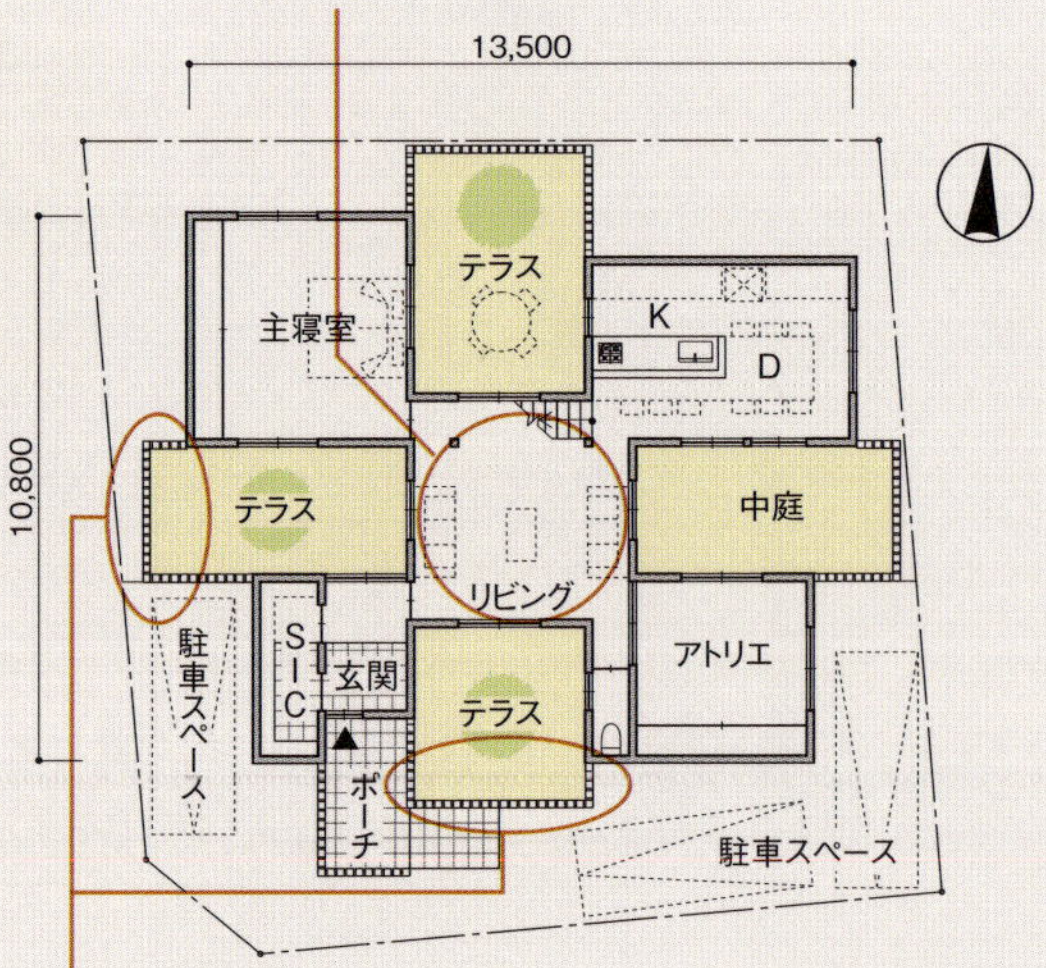

視線をさえぎる
道路側はもちろん、外部からの視線が気にならないようにルーバーを立て回すことで、プライベートなテラスを実現

1F　S=1:300

居間テラスと家事テラスで物干しも気持ちよく

高低差のある敷地に建つ家で、南側は道路に面した高台にあたり、リビングとセットの気持ちのよいテラスを置いた。

一方で、LDKからは見えない北側に、ユーティリティから直接出られる、洗濯物を干せるテラスもつくっている。いわば、家事テラスである。このテラスも十分な広さを確保しているので、プライベートなテラスとして生活にゆとりと楽しさをもたらしてくれる。

物干しも気持ちよく

北側につくったテラス。7.5畳分と十分な広さがあり、物干しだけでなく、浴室から眺めるバスコートとしても楽しめる

すぐ干せる

洗濯機のある洗面脱衣室からは北側のテラスに数歩で行ける。キッチンの隣にあり、家事動線としても使いやすい配置

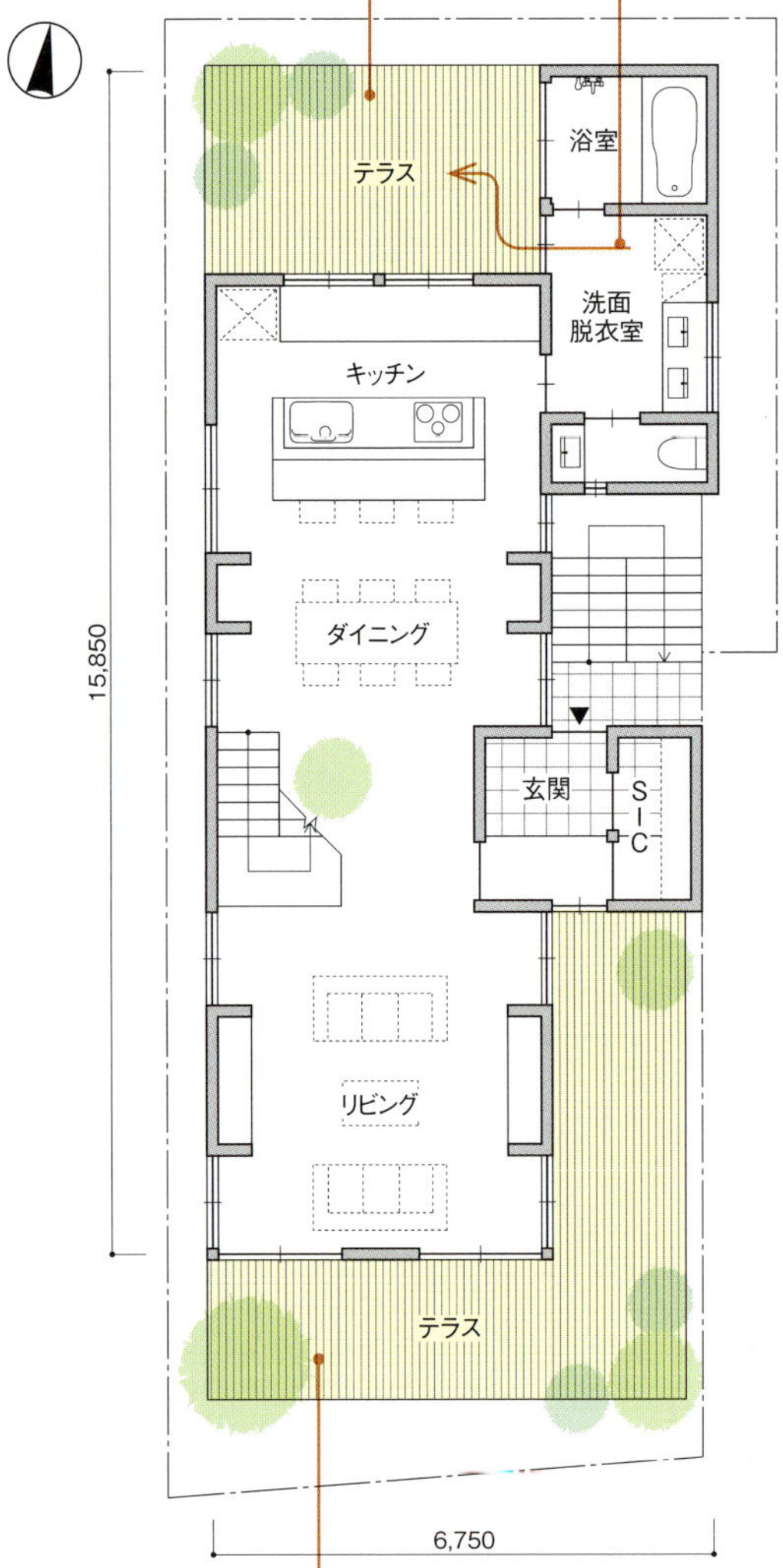

1F　S=1:150

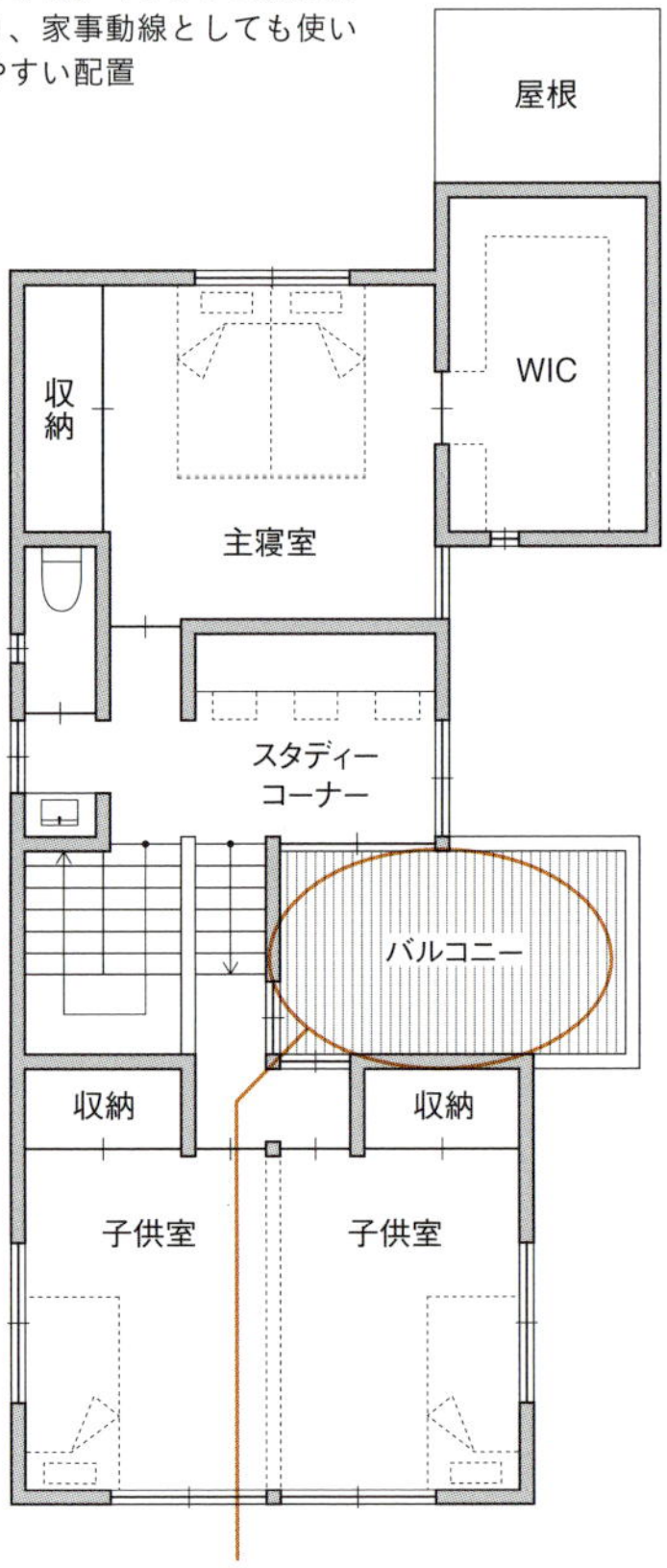

2F　S=1:150

第3の外部

2階にもバルコニー。家族で使うスタディコーナーから息抜きで外に出ることも

遊ぶテラス

陽当たりのよい南側は、リビングから出られる明るいテラス。こちらも十分に広いので、天気のよいときには、アウトドアリビングとして楽しめる

建築概要

所在地	東京都
家族構成	夫婦（30歳代）＋子供2人
敷地状況	整形、南道路
敷地面積	144.00㎡（43.56坪）
延床面積	175.46㎡（53.07坪）
構造・階数	木造2階

外から見られないプライベートな中庭空間

3世帯が暮らす2階建ての家。両親と叔母が1階で、若夫婦と子供たちが2階で生活する。上下階は、別々の暮らしになるが、それをつないでいるのが家の中心に置かれた中庭テラスである。

建物平面をコの字とし、道路側は塀を立てて、外からの視線を気にせずに家族の交流ができるようになっている。1階外壁は、防犯を考慮して極力開口部を小さくし、高い塀に守られた中庭のみ大きな窓にして、存分に光を採り入れている。

建築概要
- 所在地　東京都
- 家族構成　夫婦（20歳代）＋両親＋叔母
- 敷地状況　整形、西・南道路
- 敷地面積　143.76㎡（43.56坪）
- 延床面積　141.14㎡（42.77坪）
- 構造・階数　木造2階

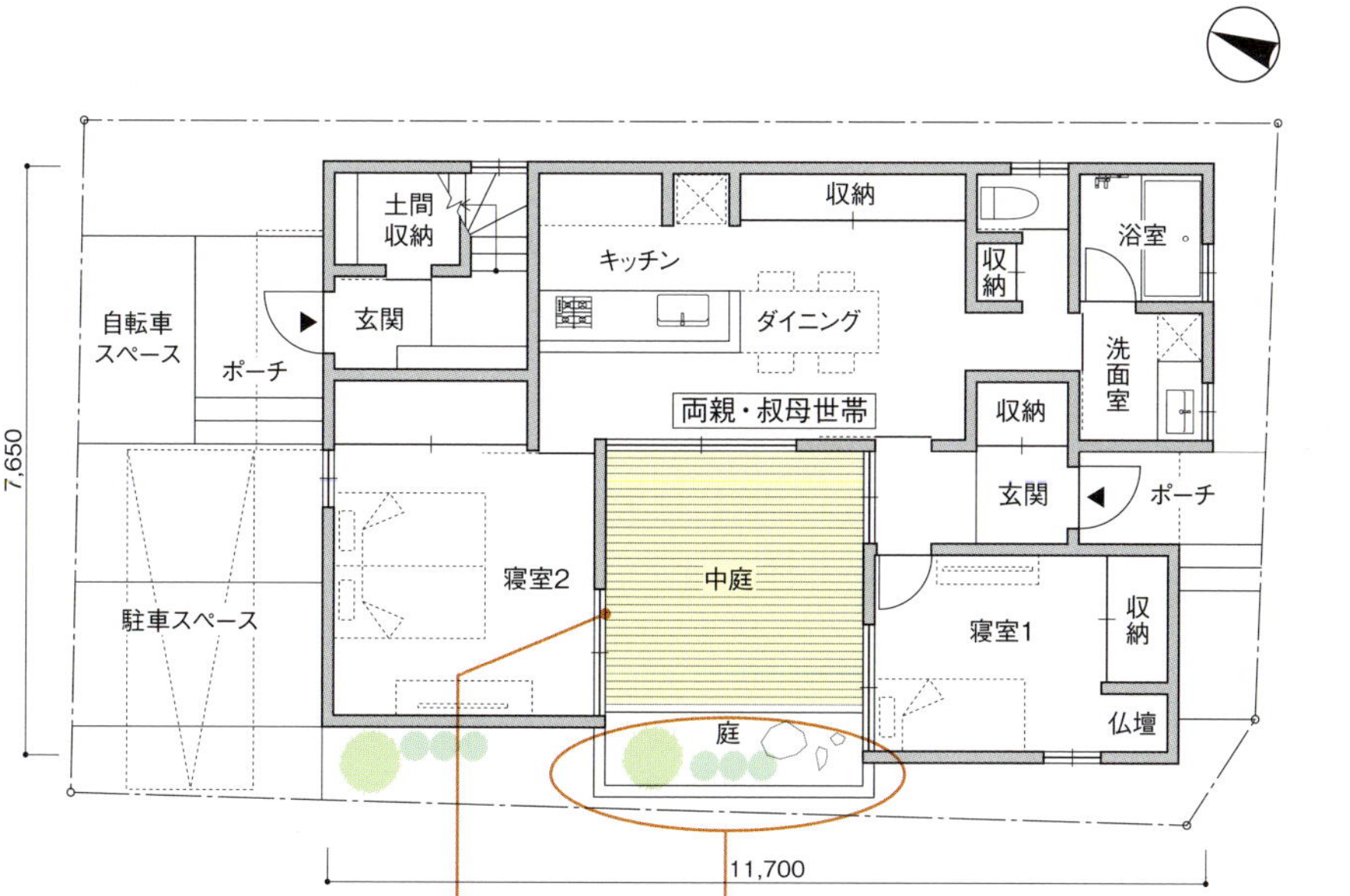

気配は中庭越しに

プライベートな寝室は中庭を挟んで向かい合う。中庭越しなので意識としては遠くなるが、気配は伝わる

塀で守る

道路側は、塀を立てて外からの視線と防犯に配慮。家族だけのプライベートな中庭となる

1F　S=1:150

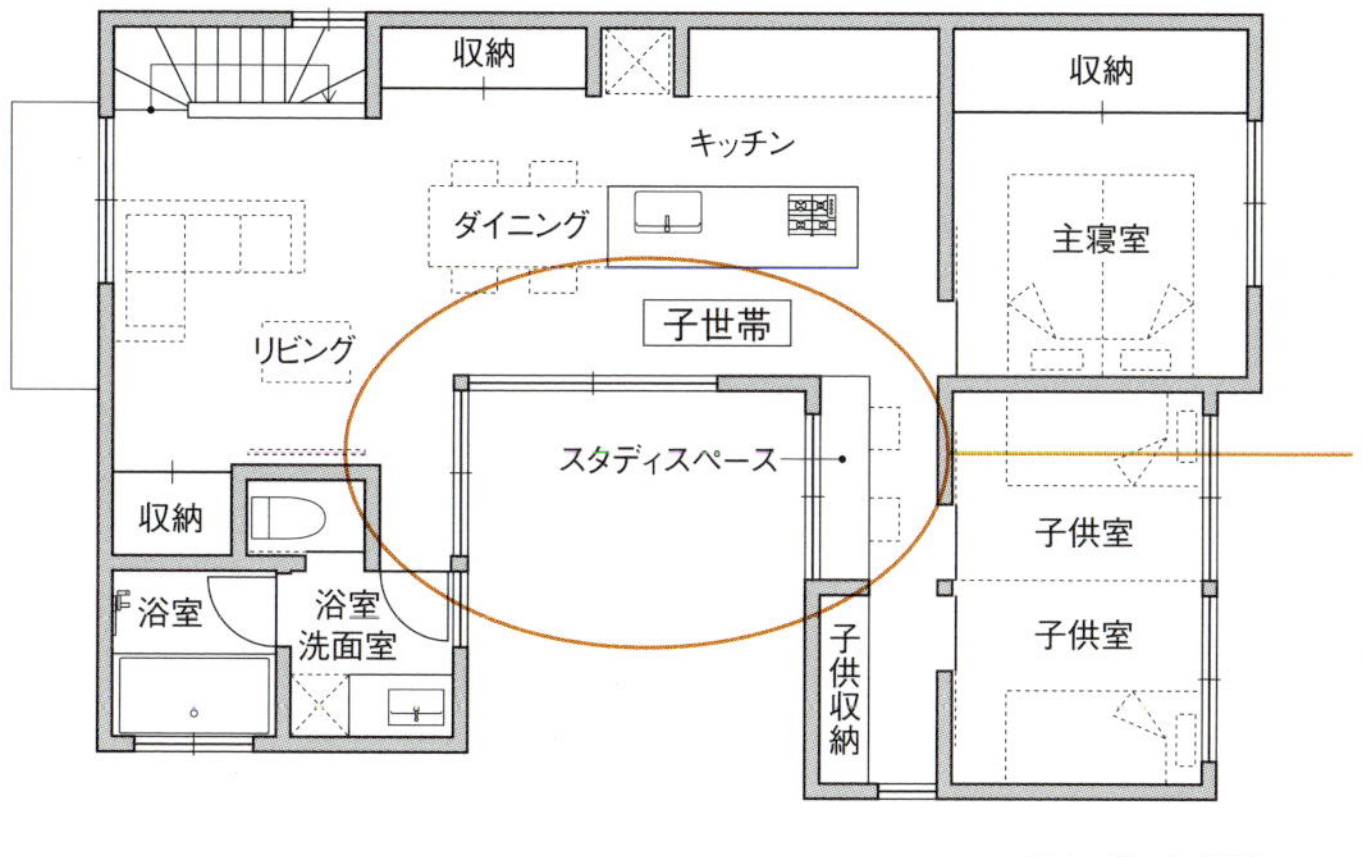

2階からの視線

中庭に面した部分は、子供たちのスタディスペース以外、動線となっており、1、2階とも視線が気にならない

2F　S=1:150

変形した敷地を活用した変形デッキテラス

敷地は、北側が約11m、南側が約7mの、少しいびつなかたちをしていた。

単純なワンルームのＬＤＫはつまらない、テラスにはいろいろな場所からアクセスしたい、という要望から、ＤＫとリビングをＬ型に配置して、ＬＤＫに囲まれたテラスをつくっている。テラスはリビングからもＤＫ側からもアクセスがよく、ＤＫ側を少し振ったことにより、テラスの囲まれ感が強まっている。

建築概要
所在地　神奈川県
家族構成　夫婦（40歳代）＋子供3人
敷地状況　整形（台形）、西側眺望良、道路との高低差5m
敷地面積　170.72㎡（51.65坪）
延床面積　130.37㎡（39.35坪）
構造・階数　木造2階

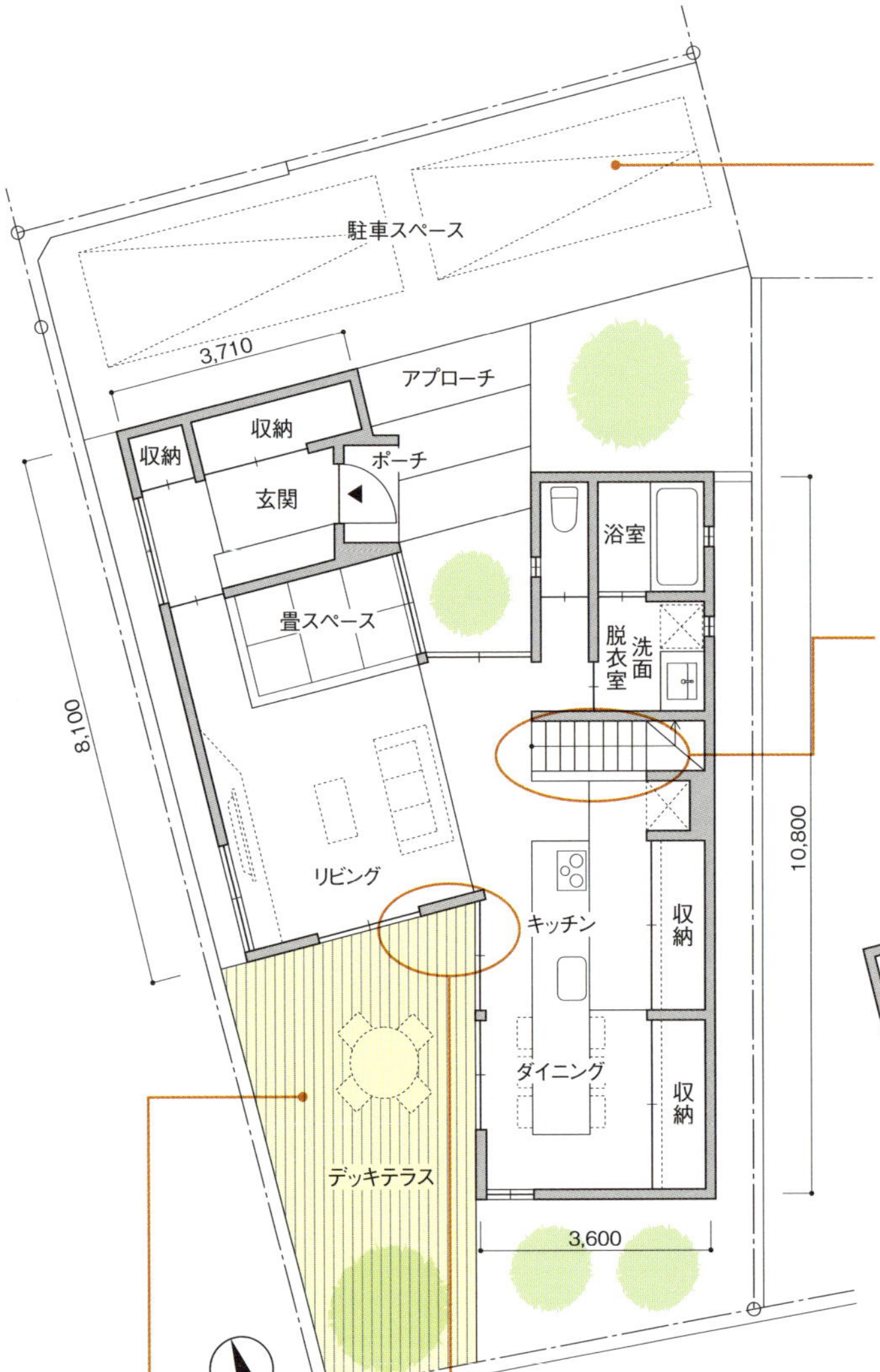

来客用駐車場
建物を敷地に合わせて変形させることで、無駄なく敷地を利用。縦列だが、来客用の駐車スペースも確保できた

階段で分ける
2階に上がる階段をLDK側に突出させることで、LDK側と水廻りをさりげなく分ける。トイレも、奥まった位置となり落ち着けるスペースとなった

敷地の奥の落ち着き
テラスは敷地の一番奥に配置。リビングからもDKからもアクセスできる、プライベートな落ち着ける場所となっている

囲われ感を強調
リビングとDKのコーナーが鋭角になっていることで、テラスは包み込まれる感覚が強くなり、安心感が生まれる

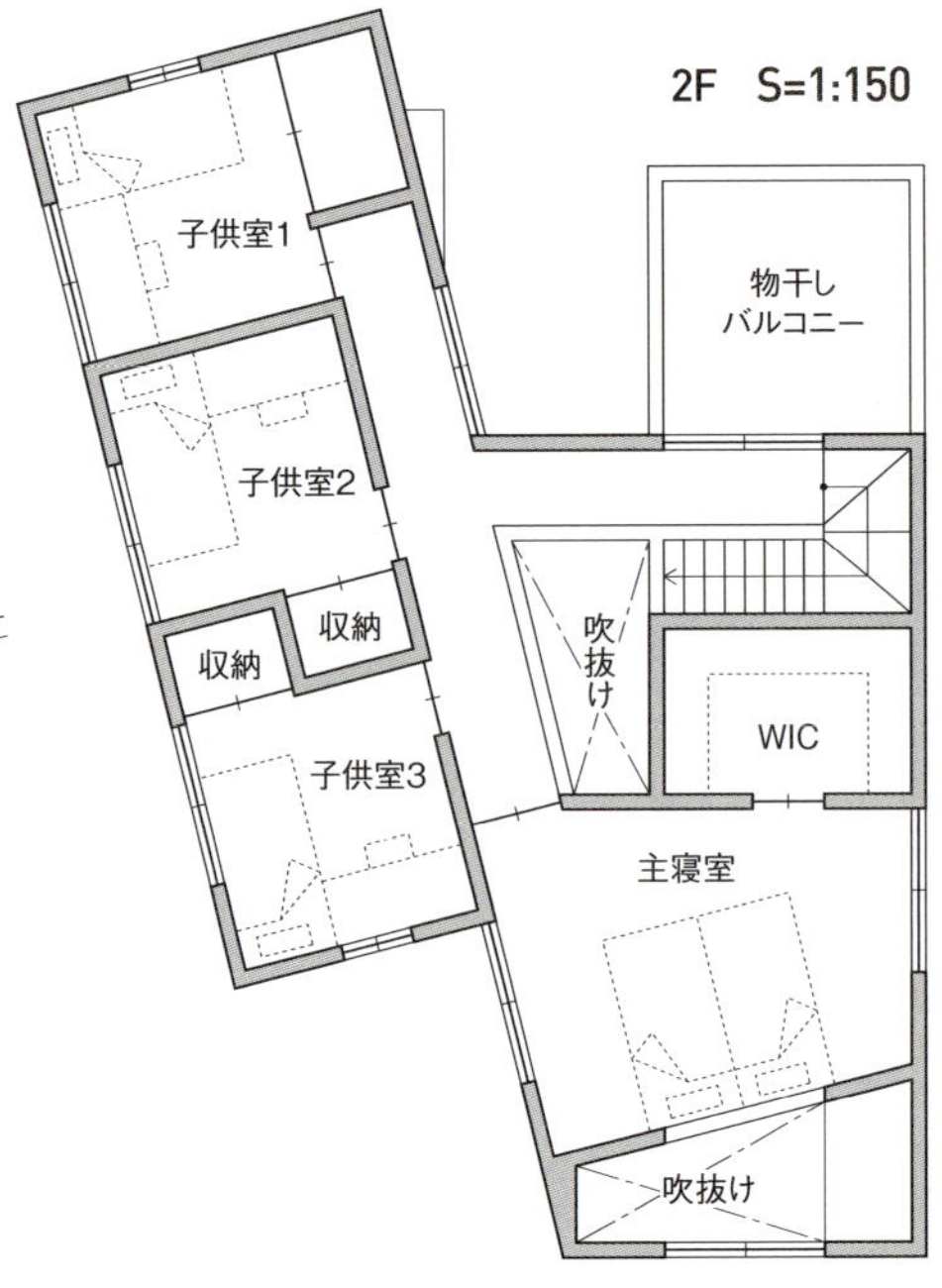

中庭を見下ろす広いアウトドアリビング

1階に賃貸スペースをもつ3階建ての家。要望として「無駄に広いテラスがほしい」とのことで、賃貸スペースの上に広いテラスをつくっている。

賃貸スペースは出入りのために道路際に置かざるをえないので、庭は敷地の中央に中庭として確保。テラスは、この中庭を見下ろしながら、友人たちとバーベキューを楽しんだり、子供たちがプールを出して遊んだりと多目的に使われている。

建築概要
所在地　東京都
家族構成　夫婦（40歳代）＋子供3人
敷地状況　整形、南・東道路
敷地面積　190.56㎡（57.46坪）
延床面積　287.58㎡（86.99坪）
構造・階数　木造3階

無駄に広いテラス

1階賃貸住宅の上部に置いた広いテラス。道路側は壁を立てているので、外からの視線を気にせずにアウトドアリビングを楽しめる

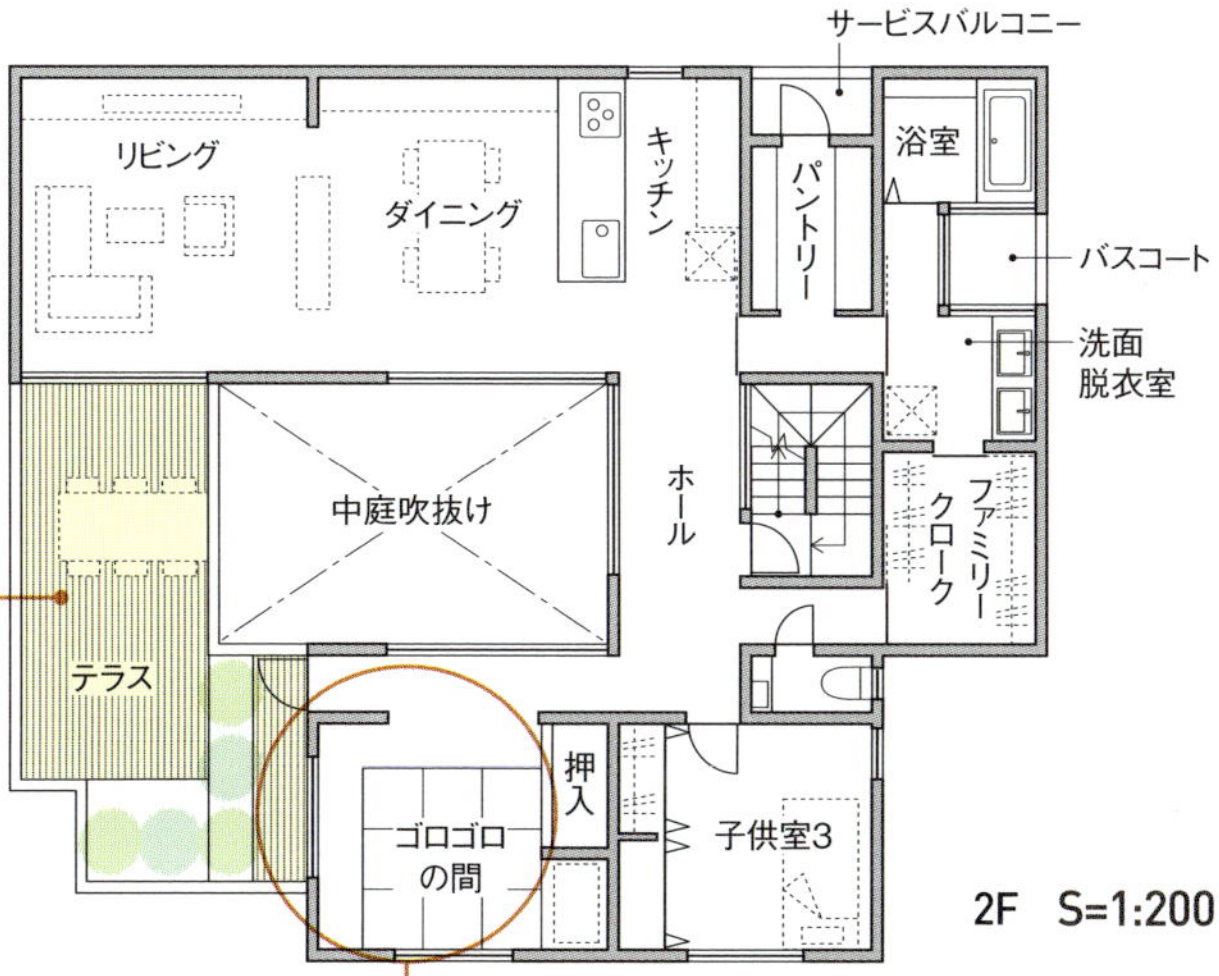

2F　S=1:200

ゴロゴロの間

リビングとは別に、ゴロゴロしてリラックスする和室。この部屋にもテラスが付属するが、リビング側のテラスとは植栽で分け、落ち着いた雰囲気にしつらえている

将来も見据えて

1階に1DKの賃貸住居を2戸つくっている。将来的に、多様な使い方ができるよう、2戸の境は非構造壁として改築を容易にしている

しっとりと楽しむ庭

1階和室から楽しめる中庭は、水盤と植栽のある美しい庭にしつらえた。中庭は、北側の部屋に陽射しと風を届ける役割も果たしている

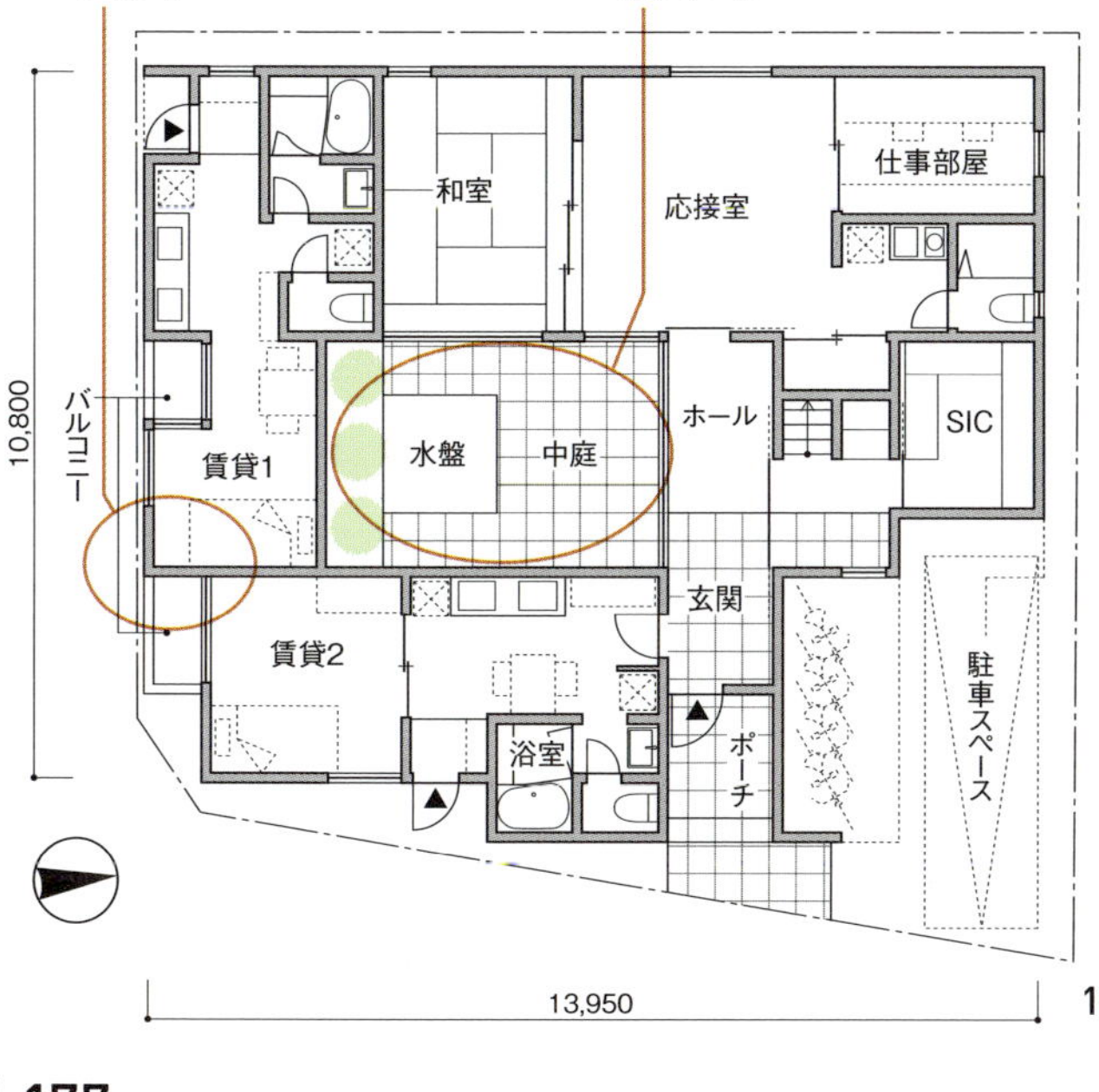

1F　S=1:200

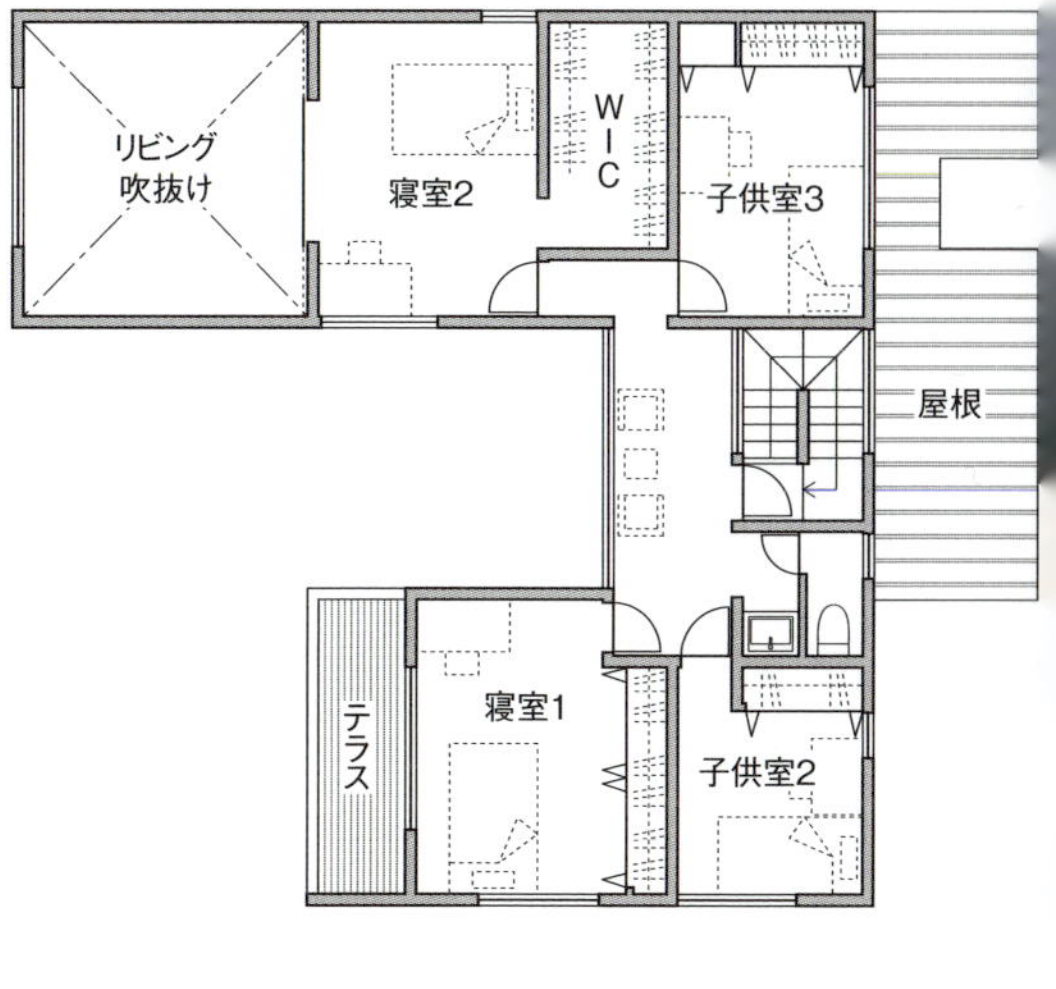

3F　S=1:200

2階中央の中庭バルコニーをアウトドアリビングにする

間口6mに対して奥行きは17mほどもある、いわゆるウナギの寝床状の敷地である。加えて密集地なので、定石どおりに中庭をつくっても、快適な生活空間をつくるのは難しそうだった。

そこで、2階LDKとして、ここに中庭を挿入している。隣地側に目隠しを立てることで、プライバシーが守られ、明るいアウトドアリビングとすることができた。道路から奥まったリビングにも、中庭テラスから明るい光が入ってくる。

建築概要
- 所在地　東京都
- 家族構成　夫婦(30歳代)+子供2人
- 敷地状況　整形、北道路
- 敷地面積　115.24㎡(34.86坪)
- 延床面積　130.41㎡(39.44坪)
- 構造・階数　木造3階

外を感じるバルコニー

2階の守られたバルコニーと違って、3階のルーフバルコニーは外の景色と空気を存分に楽しめる場所になっている

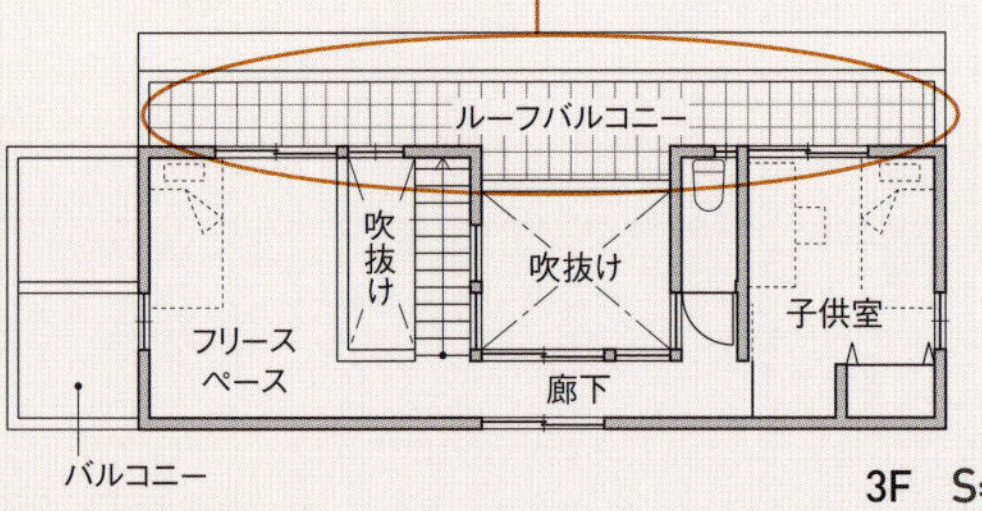

3F　S=1:200

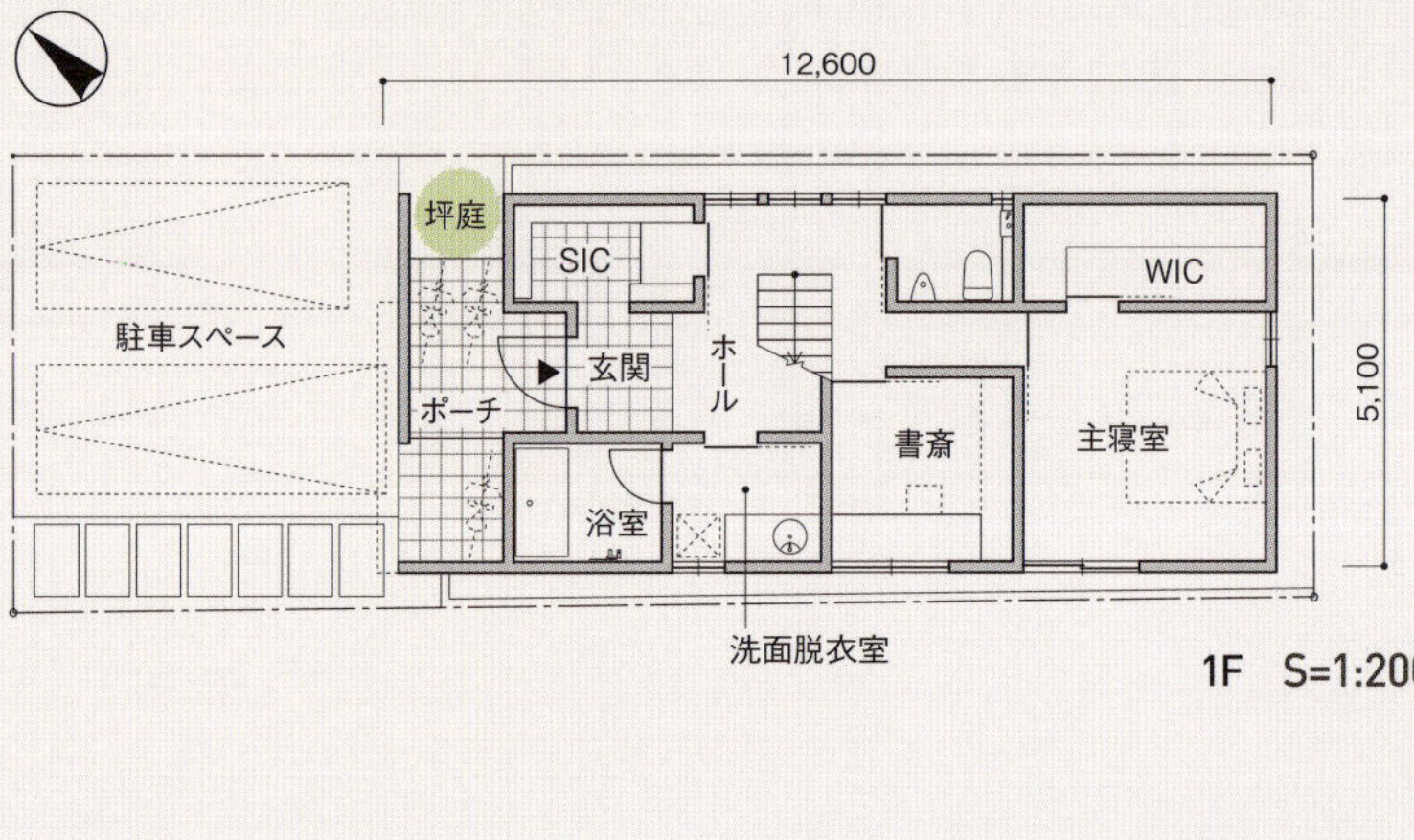

1F　S=1:200

もう1つのテラス

ダイニングの脇にもう1つのバルコニーがあり、光と風を呼び込む。キッチンから出て、ゴミを一時置きするサービスバルコニーにもなる

家の中心

平面的にも断面的にも、家の中心に置かれた中庭バルコニー。3方向からアクセスできるので、使い勝手もよい

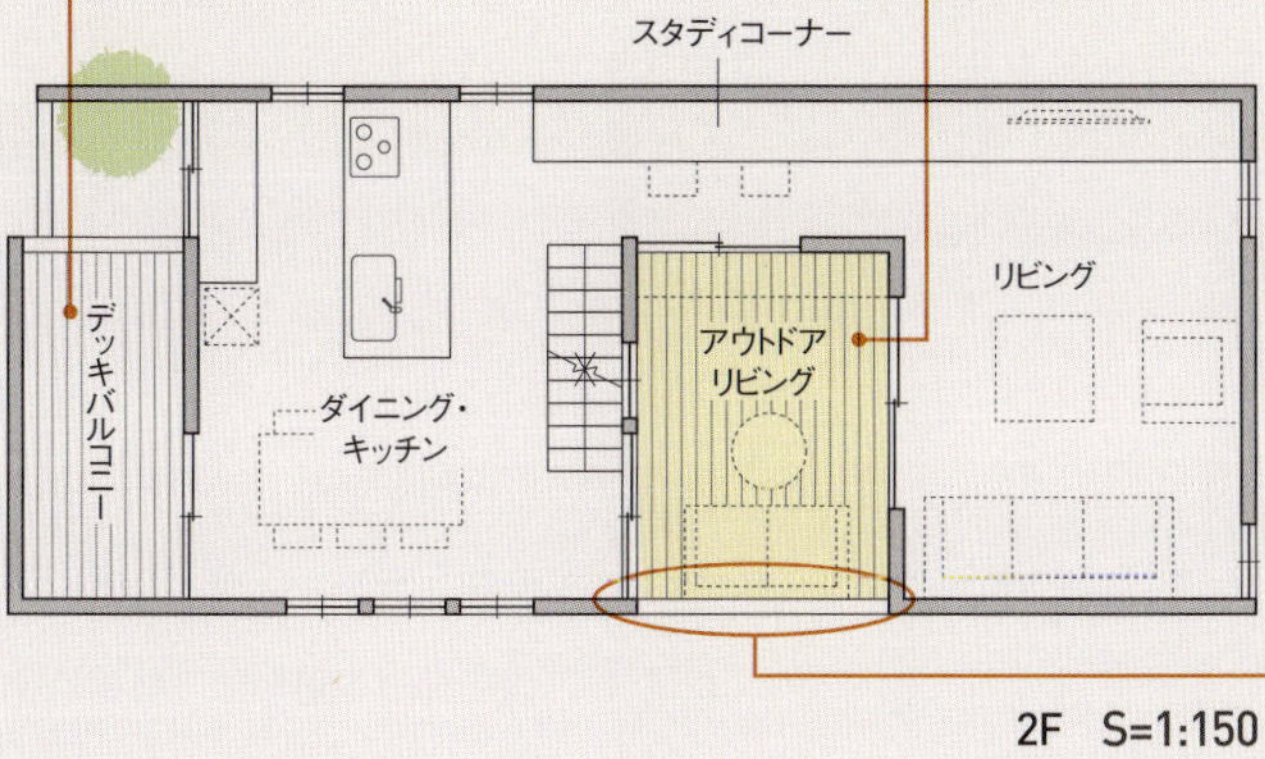

2F　S=1:150

プライバシーを守る

隣家側は目隠しを立てて外からの視線をカット。プライバシーが守られているので、室内と同じようにくつろげる

中庭テラスで自由に遊べる密集地のコートハウス

旗竿状敷地で、周囲はアパートやマンションに囲まれた環境。道路側より、近隣の上からの視線に配慮する必要があった。
　そこで建物をコの字としてコートハウス形式とし、中庭には、1階床レベルと同じ高さでデッキを敷き詰めている。LDKから出て中庭で遊んだ子供たちは、洗面脱衣室に入って手を洗いLDKに戻るという、中庭を経由した回遊動線を楽しんでいる。

建築概要
所在地　愛知県
家族構成　夫婦（30歳代）＋子供2人
敷地状況　旗竿状、西道路
敷地面積　218.21㎡（66.01坪）
延床面積　120.90㎡（36.57坪）
構造・階数　木造2階

中庭に視線が抜ける
長いアプローチを通って玄関に入ると、目の前に中庭のテラスが広がり、視線が奥まで抜けていく。明るい玄関になった

守られたデッキテラス
LDKと水廻りに挟まれた位置にあるデッキテラスは、周囲からの視線を気にせずに遊べる外の部屋となる

家事動線にもなるテラス
南からの陽射しを受ける庭を物干し場としたが、洗濯機から庭までテラスを通って最短距離で行けるようになっている

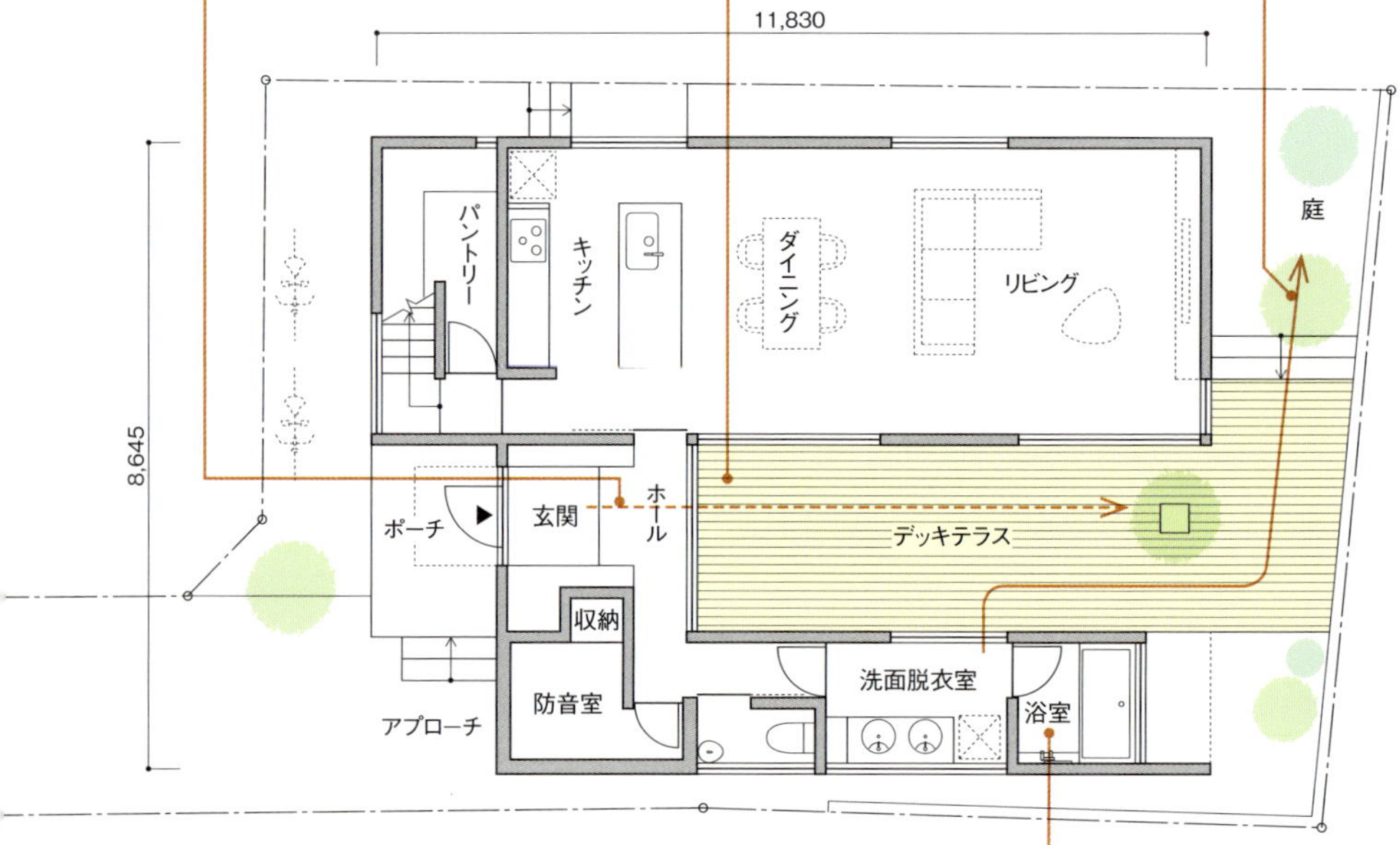

1F　S=1:150

離れのお風呂
平面をコの字型にすることで、浴室はLDKからもっとも離れた位置に置かれることになり、離れのようなお風呂を楽しむことができる

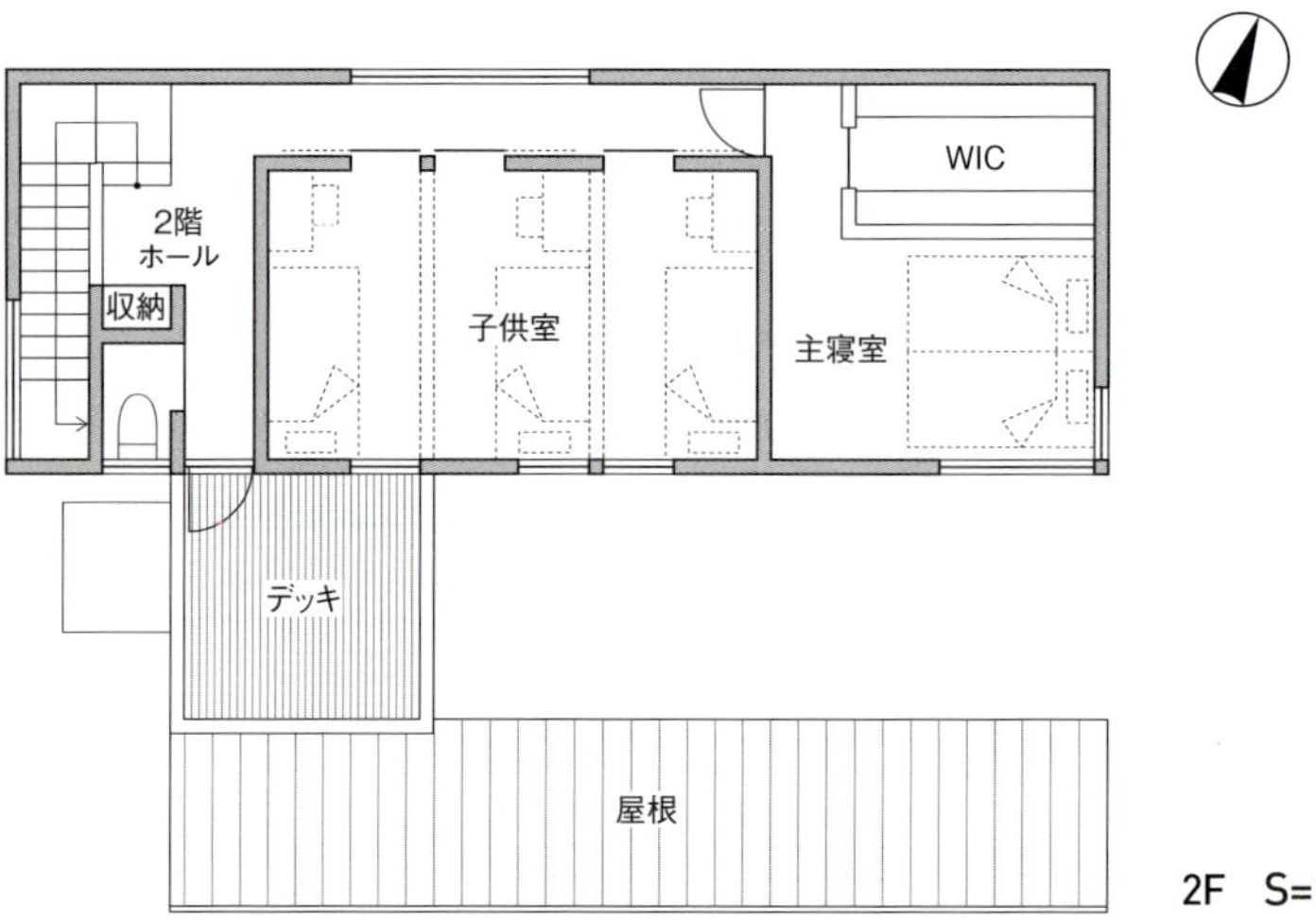

2F　S=1:150

リビングを明るく、広くする大きなデッキテラス

南側に隣家があると、南に向けて開放的にはしにくいものだが、特に東西に細長い敷地ではなおさら難しくなる。

それでも、開放的で明るい室内空間をつくるため、ここでは隣家からの視線をかわしながら中庭のウッドデッキに向けて部屋を開放することにした。リビングに隣接する広いデッキは、1階室内に明るさをもたらすと同時に、リビングの延長として外にある第2リビングとなっている。

建築概要

所在地	愛知県
家族構成	夫婦（30歳代）＋子供2人
敷地状況	整形、西道路、道路との高低差2m
敷地面積	216.38㎡（65.45坪）
延床面積	110.19㎡（33.33坪）
構造・階数	木造2階

リビングより広く

隣接するリビングより広いテラスは開放感たっぷり。土の庭とは違った楽しみ方ができる

向こうにある広さ

リビング側からは中庭越しに和室が見える。外部空間を挟んで向こうに部屋があることで、実際以上の広さを感じられる

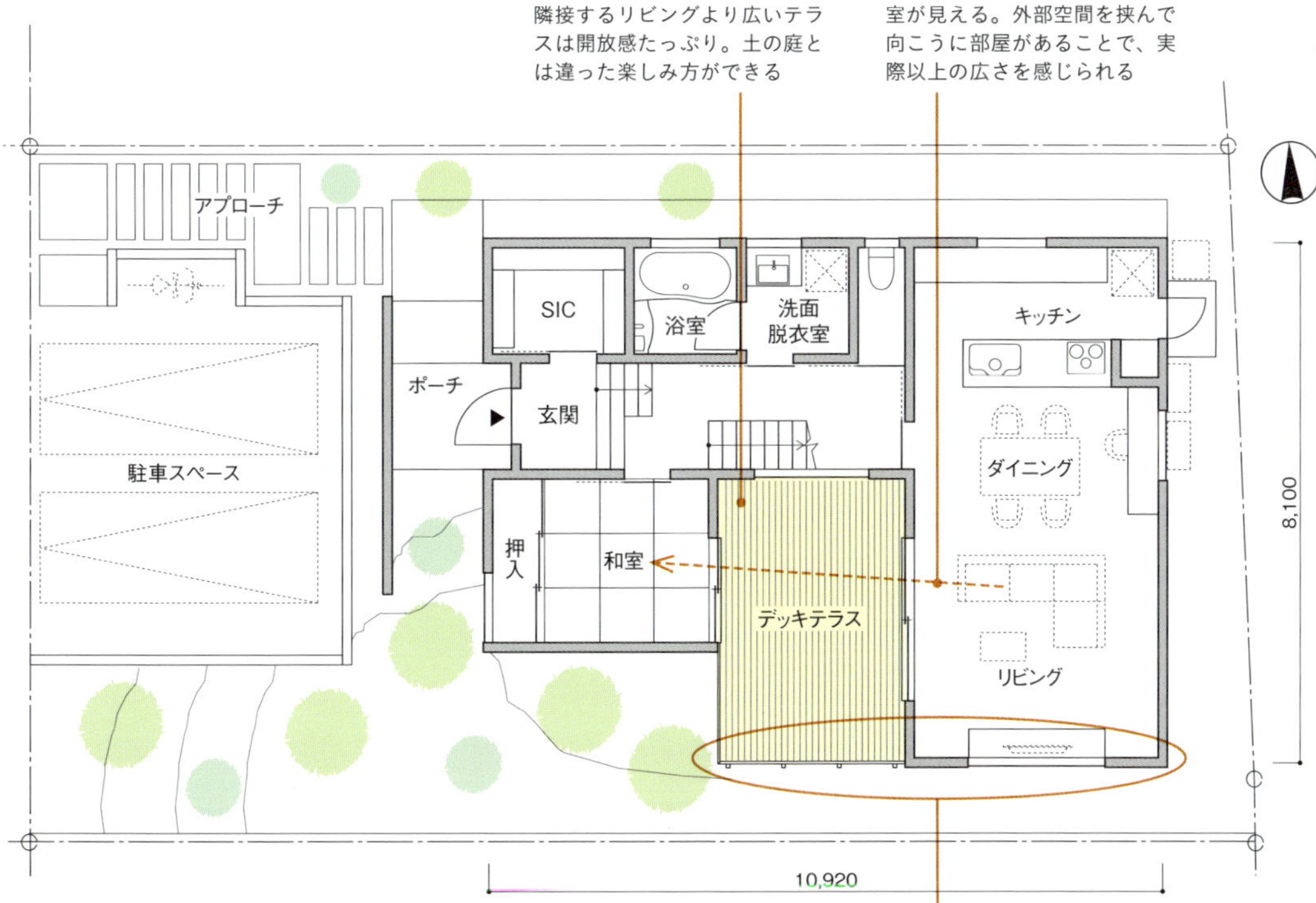

南側は守る

隣家のある南側はハイサイドライトとして大きな窓をつくらず、テラスでは木製の壁を立ち上げてプライバシーを確保している

1F　S=1:150

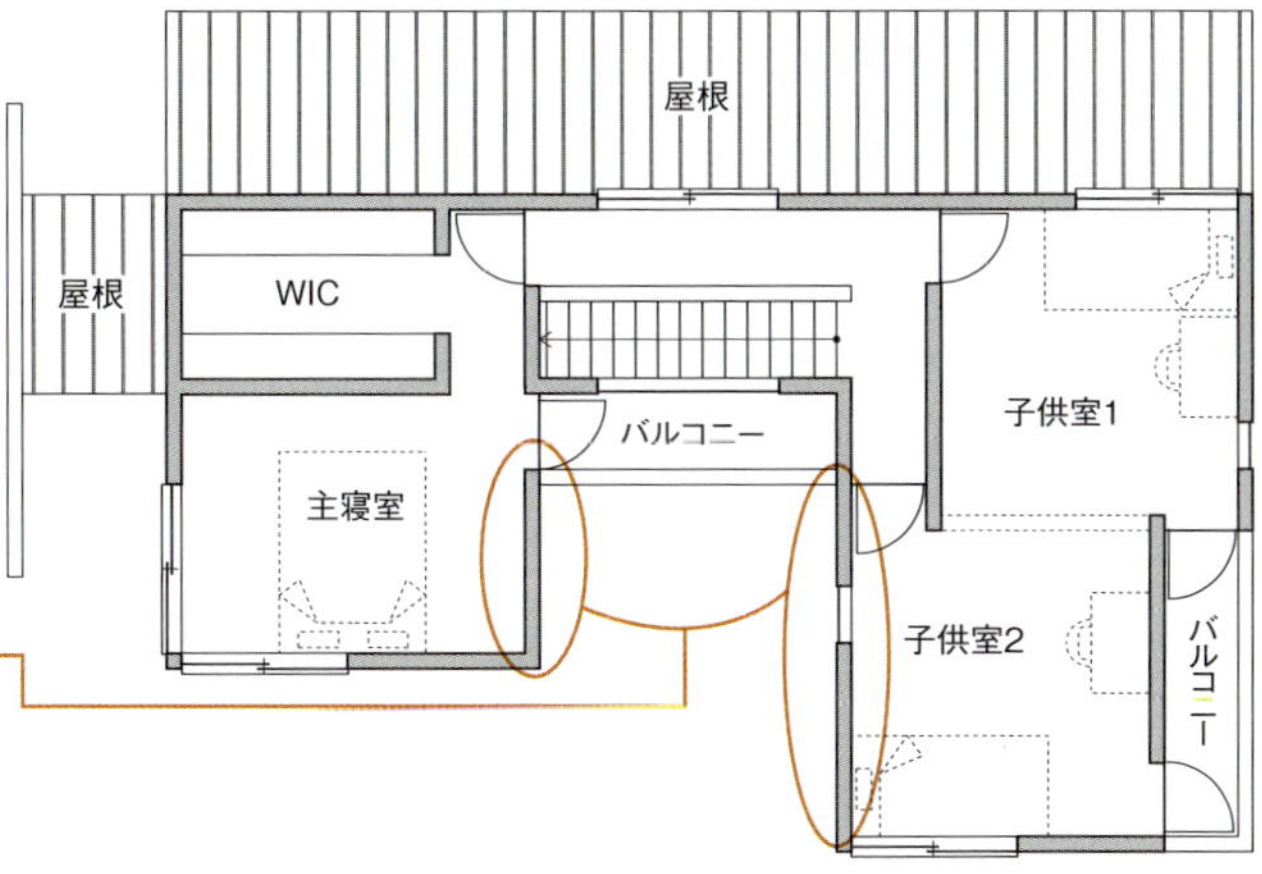

囲われる安心感

2階のデッキ側は極力窓を設けないようにしているので、テラスにいると壁に囲まれているように感じられ、安心感が増す

2F　S=1:150

洗濯物も安心して干せる外から見えないバルコニー

敷地30坪に必要諸室を置き、駐車スペースも確保すると、十分な広さの庭を設けるのは難しかった。周囲の目を気にせずに洗濯物を干したいとの要望もあったので、建物全体を囲い込むように壁を立ち上げて、「壁のなかの外部」をつくっている。

2階バルコニーは、道路側の高い壁が外からの視線をさえぎるが、上空からの陽射しは存分に浴びられるようになっている。

建築概要
所在地　愛知県
家族構成　夫婦(60歳代)
敷地状況　整形、西道路
敷地面積　100.37㎡(30.36坪)
延床面積　86.13㎡(26.05坪)
構造・階数　木造2階

壁でカモフラージュ

道路側の壁は、1階の出入り口とその上の窓以外、2階まで続いており、外から見ると建物そのもの。2階の壁裏にバルコニーがあるとは気づかない

階段で下階に光を

暗くなりがちな敷地の奥には、トップライトから採光。階段を含めた吹抜けをつくり、トップライトから1階まで光が落ちるようになっている

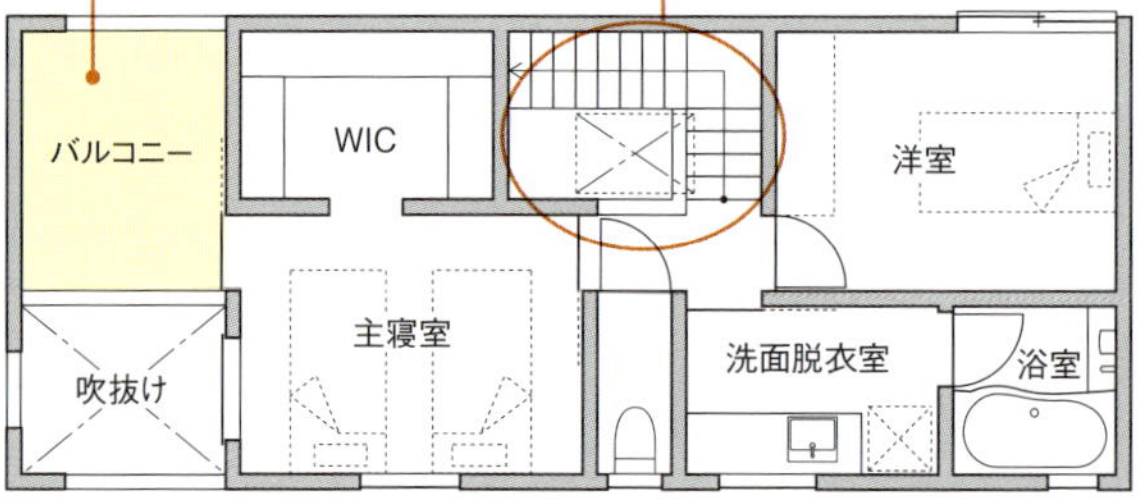

2F　S=1:150

1F　S=1:150

外の内庭

アプローチとなる壁の穴を入って内庭のような空間に至り、左に回って玄関へと進む。LDKはこの「外の内庭」で外部と接する気持ちのよい場所となる

必要最小限に

外壁側の開口部は必要最小限にしてプライバシーに配慮。LDKは南向きのハイサイドライトから光を採り込む

壁のなかに広がるL字のテラス

外からの視線が気にならないプライバシーに配慮したテラスという要望だった。物干しバルコニーは2階に別途設けているので、より生活に密着し、人目を気にせず遊べるテラスを目指した。

1階は、玄関を挟んでLDKと水廻り＋予備室に大きく分け、LDKをL字に囲むようにテラスを配置している。テラスは通風に配慮した一部のルーバー部を除いて壁を立ち上げているので、外からのぞかれることなくLDの一部として楽しむことができる。

建築概要
所在地　愛知県
家族構成　夫婦（30歳代）＋子供（これから）
敷地状況　整形（ほぼ正方形）、北道路、南隣地との高低差2m
敷地面積　166.00㎡（50.21坪）
延床面積　110.55㎡（33.44坪）
構造・階数　木造2階

通風にも配慮

テラスはすべて壁に囲まれて、外からの視線をさえぎっているが、一部をルーバーとして風が流れるようにしている

LDKの一部

LDをL字に囲むテラスは、LDの延長というより、もはやLDの一部。季節のよいときには内外の区別なく使用できる

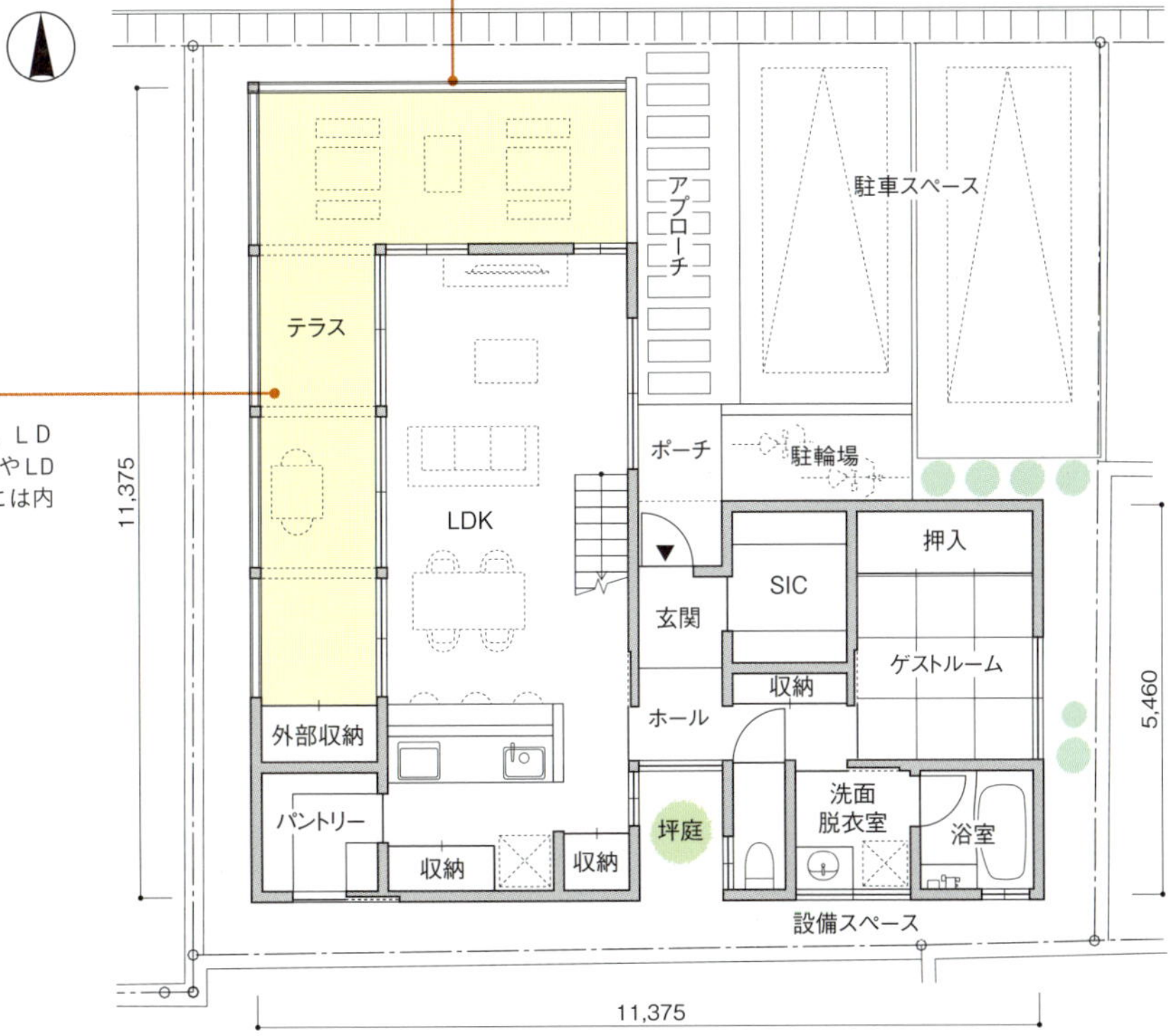

1F　S=1:150

梁も使いよう

テラス周囲の壁を支えるために、主屋の梁を延ばしている。夏の暑い時期などはここに葦簀を渡せば、気持ちのよい木陰空間ができあがる

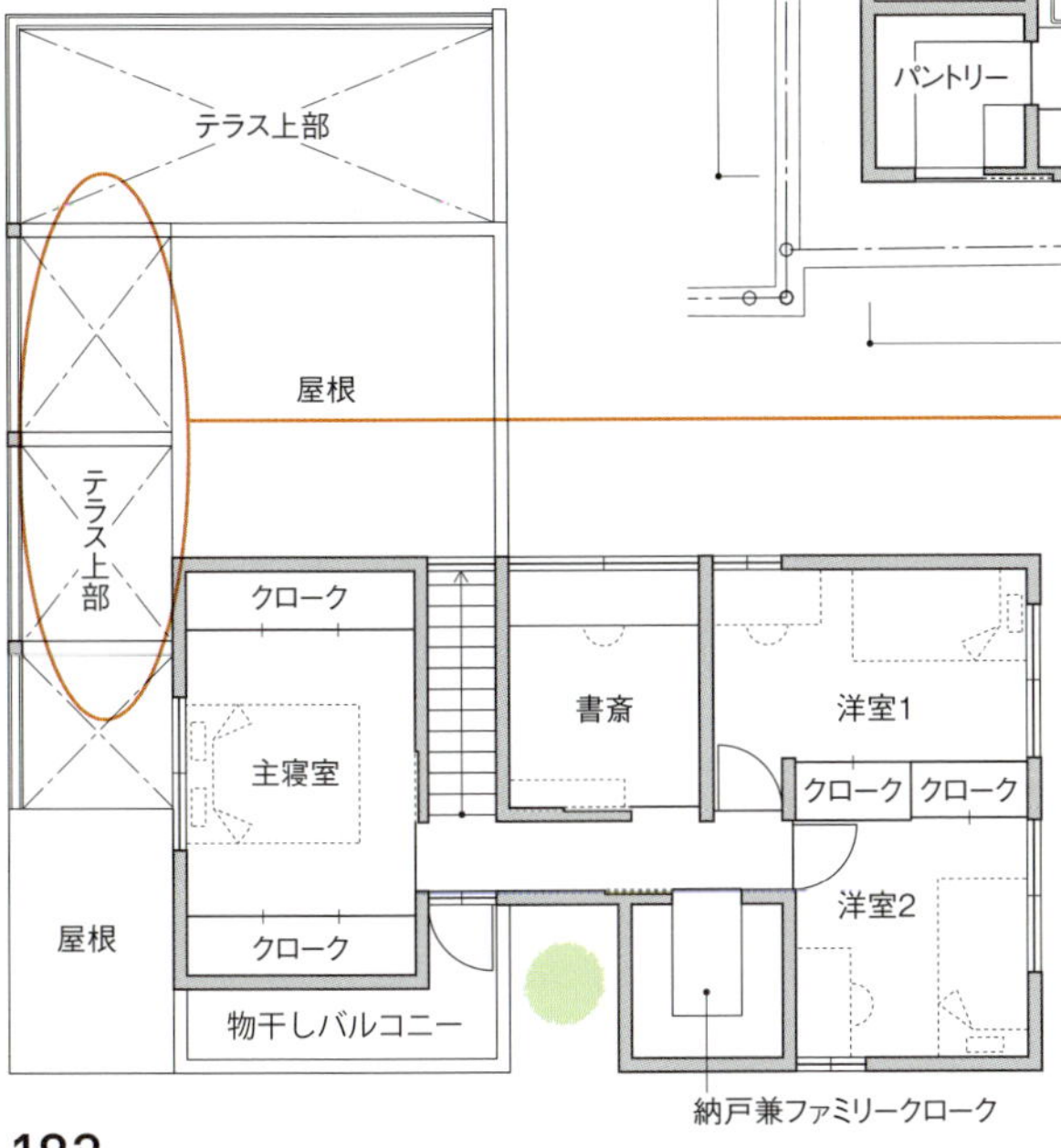

2F　S=1:150

家族の成長を見守るシンボルツリーのある中庭

家を建てるときにシンボルツリーがほしいという希望には2通りの思いがある。1つは、地域のシンボルとなるような、いわば町の象徴を目指す方向。もう1つは家族の記念となるプライベートなシンボルツリーがほしい、である。

ここでは家族のシンボルとなるシマトネリコの木を、家の中央の中庭に植え、家のどこからでも見えるようにしている。日々の暮らしのなかで、いろいろな角度から木を楽しみ、また木が家族の成長を見守ってくれる間取りである。

建築概要	
所在地	東京都
家族構成	夫婦（30歳代）＋子供2人
敷地状況	整形、南道路
敷地面積	139.71㎡（42.26坪）
延床面積	124.21㎡（37.57坪）
構造・階数	木造2階

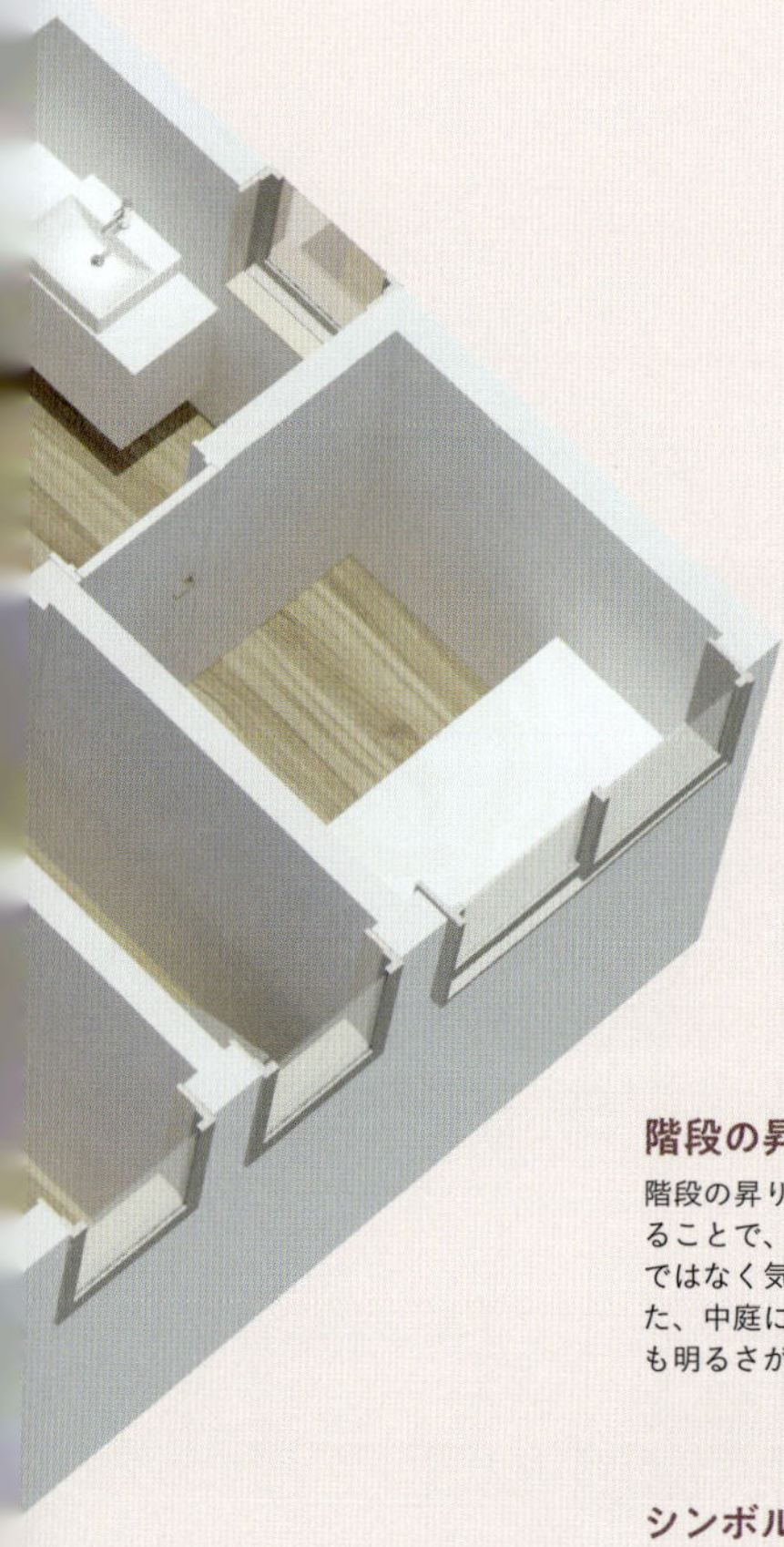

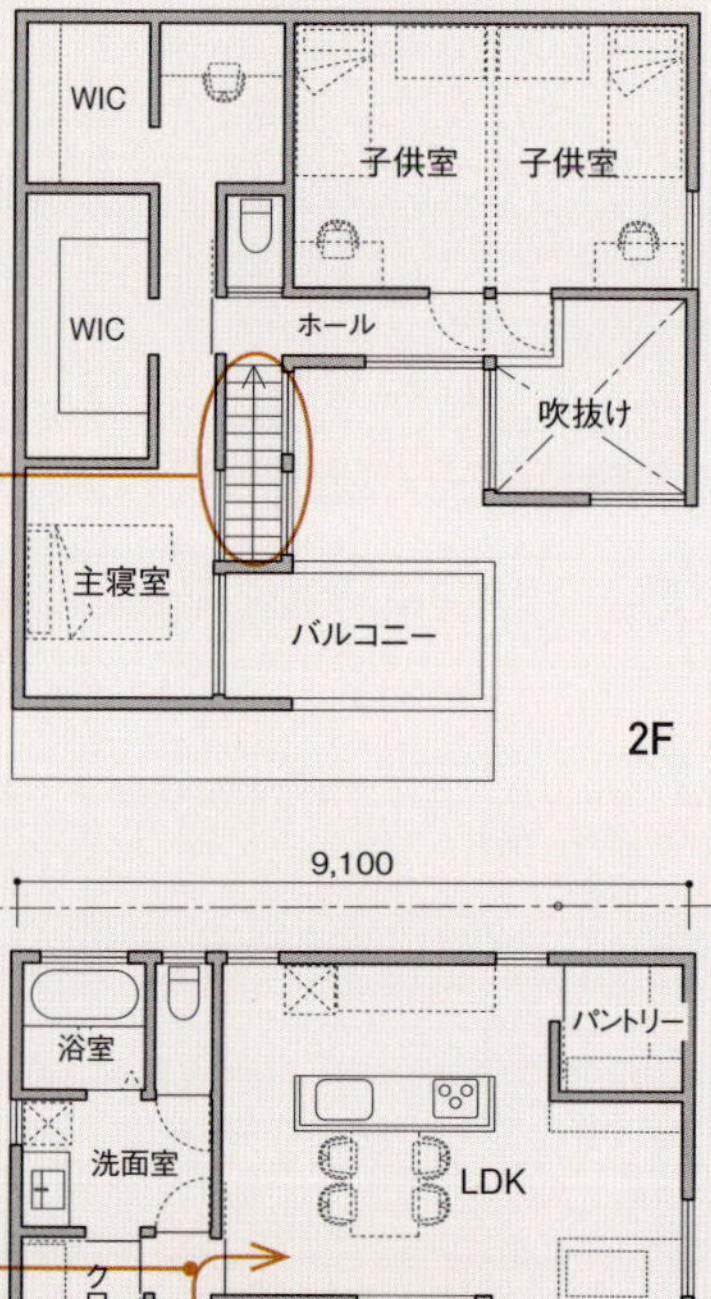

2F S=1:200

階段の昇降も楽しく

階段の昇り降りの際に外が見えることで、単なる上下階の移動ではなく気分転換も図れる。また、中庭により、北側の居室にも明るさが届けられる

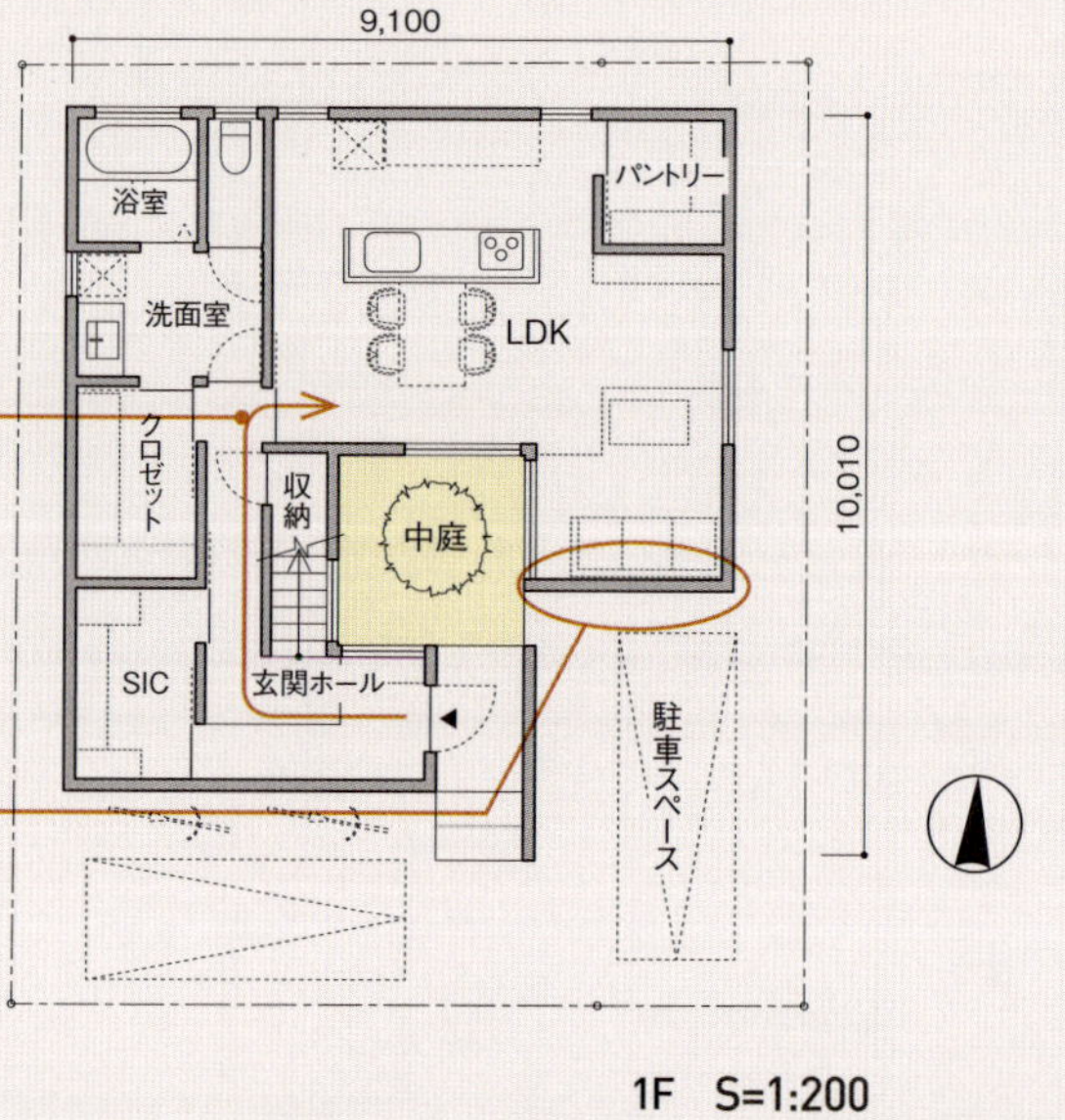

シンボルツリーを回る

玄関から中庭のシンボルツリーをぐるっと回ってLDKに至る動線にしている。毎日、目にすることによって、四季の移ろいが身近に感じられる

視線をさえぎりながら

リビングの道路側は、外からの視線をさえぎるために壁としているが、すぐ近くに中庭があるので圧迫感はない

1F S=1:200

ひなたぼっこもできるLDKと自然につながる庭

敷地条件や予算などさまざまな条件から、広くて周囲の視線も気にならない、プライベートな主庭をつくることは難しかった。

そこで、庭を壁で囲い込んで建物の内側に取り込み、アプローチ沿いの前庭にも、外から視線にさらされないプライベートな庭にもなる外部空間を考えた。

内部のリビングは、室内土間、屋根のある外部テラス、庭とグラデーションしながら外に続く。内と外が自然につながり、気分次第でいたい場所が選べる、心地よい内外の関係をつくりだしている。

建築概要
所在地　東京都
家族構成　夫婦（30歳代）＋子供2人
敷地状況　変形、南道路
敷地面積　201.93㎡（61.08坪）
延床面積　232.40㎡（70.30坪）
構造・階数　木造2階

1F　S=1:150

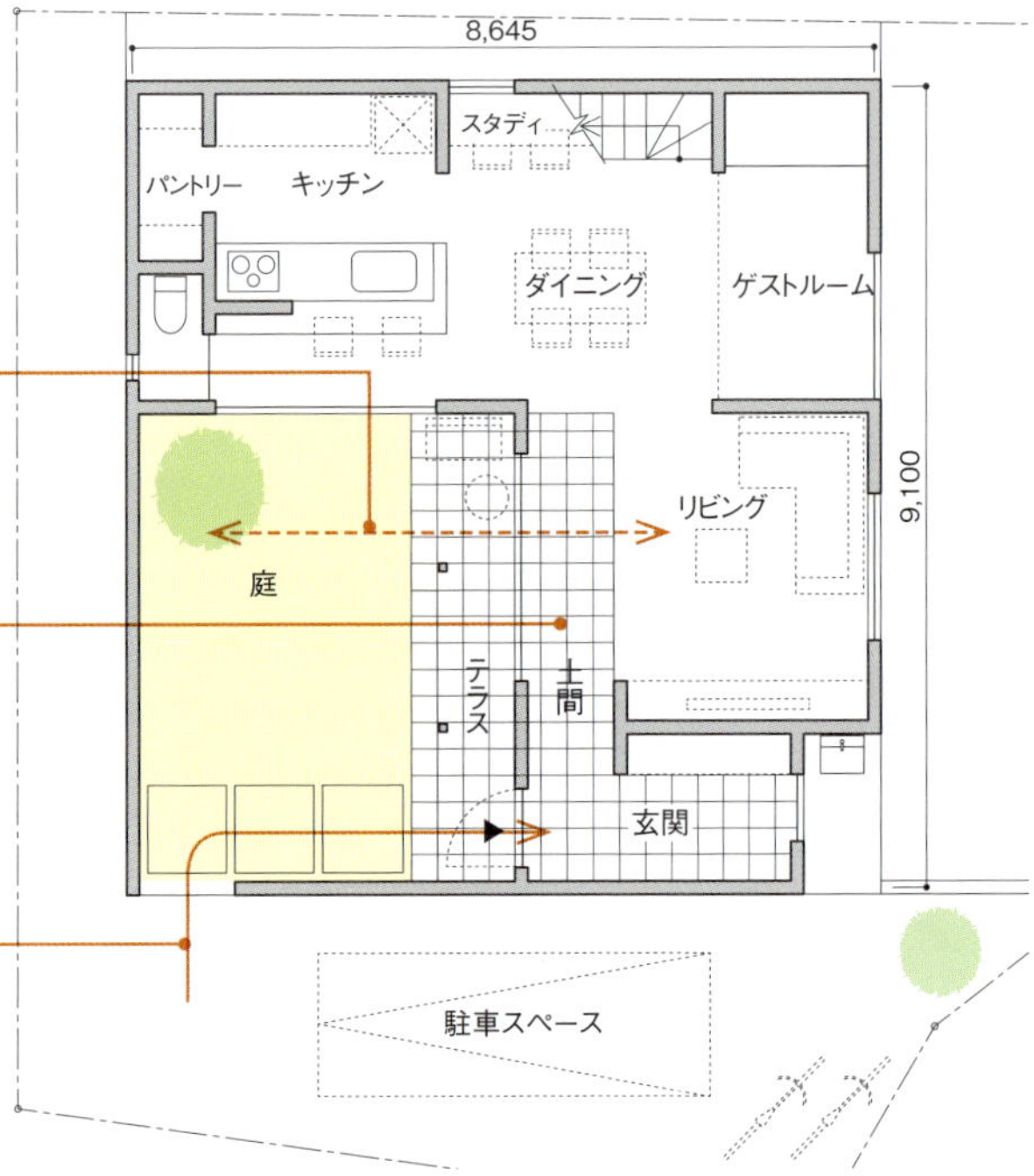

内外のグラデーション

外部庭―屋根のある外部テラス―室内の土間―内部リビング、と内外が段階的につながっている。その日の気分で、気持ちのよい場所を探して過ごす

玄関ホールはつくらない

玄関ホールはつくらず、玄関土間がそのままリビングの前まで続く。玄関土間は、家への入り口であると同時に、LDKの一部としても機能する

アプローチに沿って

庭まで壁で囲っているので、アプローチに入った段階でプライベート空間に立ち入ったような気分になる。来客は庭を眺めながら玄関へと向かう

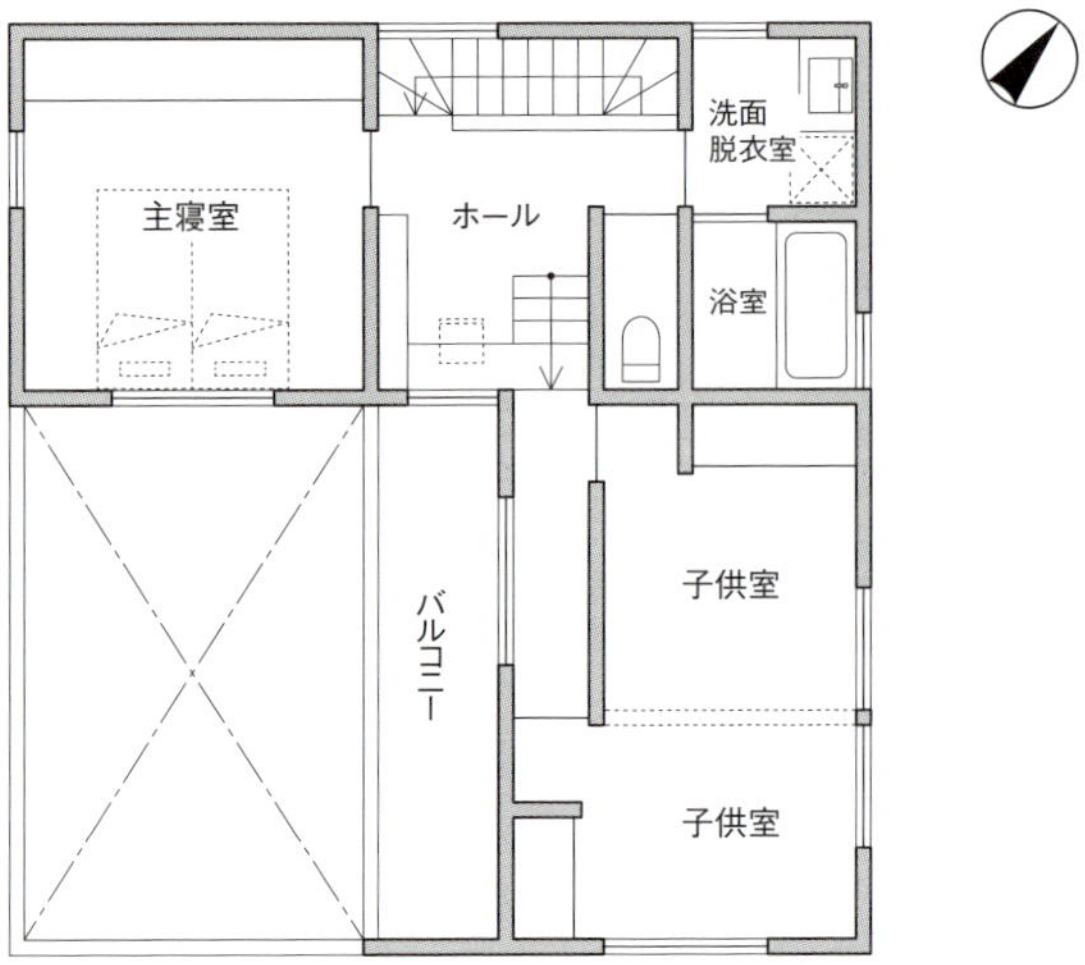

2F　S=1:150

北と南の2つの庭でLDKを挟み込む

外壁を延長させた壁で大きく庭を囲い込んで、内外一体の生活空間をつくっている。外からのぞかれない庭を希望されたことによるが、壁で囲い込むことで、単なる外部ではなく、部屋の一部として庭を感じることができる。

間取りとしては、LDKを挟むように南北に大小の庭を配置している。リビングは南北両側に、キッチンでは東と南方向に視線が抜ける。季節、時間ごとに変化する庭が、室内空間にも大きな影響を与え、生活に変化と潤いをもたらしてくれる。

建築概要
所在地　千葉県
家族構成　夫婦（40歳代）＋子供1人
敷地状況　整形、南道路、道路との高低差1m
敷地面積　232.40㎡（70.30坪）
延床面積　135.68㎡（41.04坪）
構造・階数　木造2階

安定した光の北庭

北側の庭は7畳弱の広さ。安定したやさしい光に包まれており、客間にもなる北側和室も明るく開放的な部屋になる

外に挟まれたリビング

南北の庭に挟まれた位置にリビングを配置。両サイドの窓を開放すれば風が流れ、リビングは庭の一部かのような感覚になることも

明るい陽射しの南庭

主庭となる南側の庭は13畳弱の広さ。リビング、ダイニングに面すると同時に、玄関にも開いているのでおもてなしの庭にもなっている

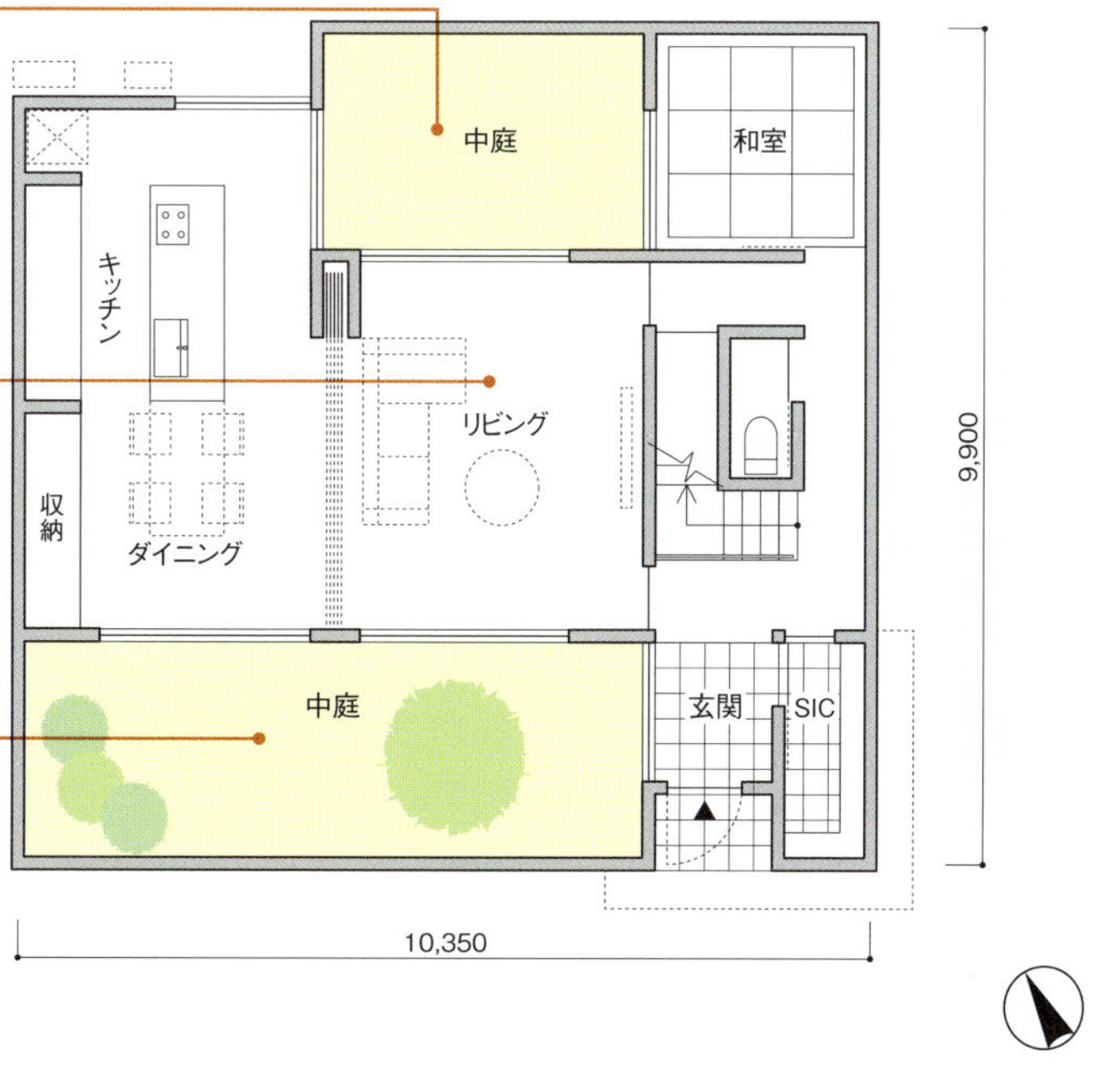

1F　S=1:150

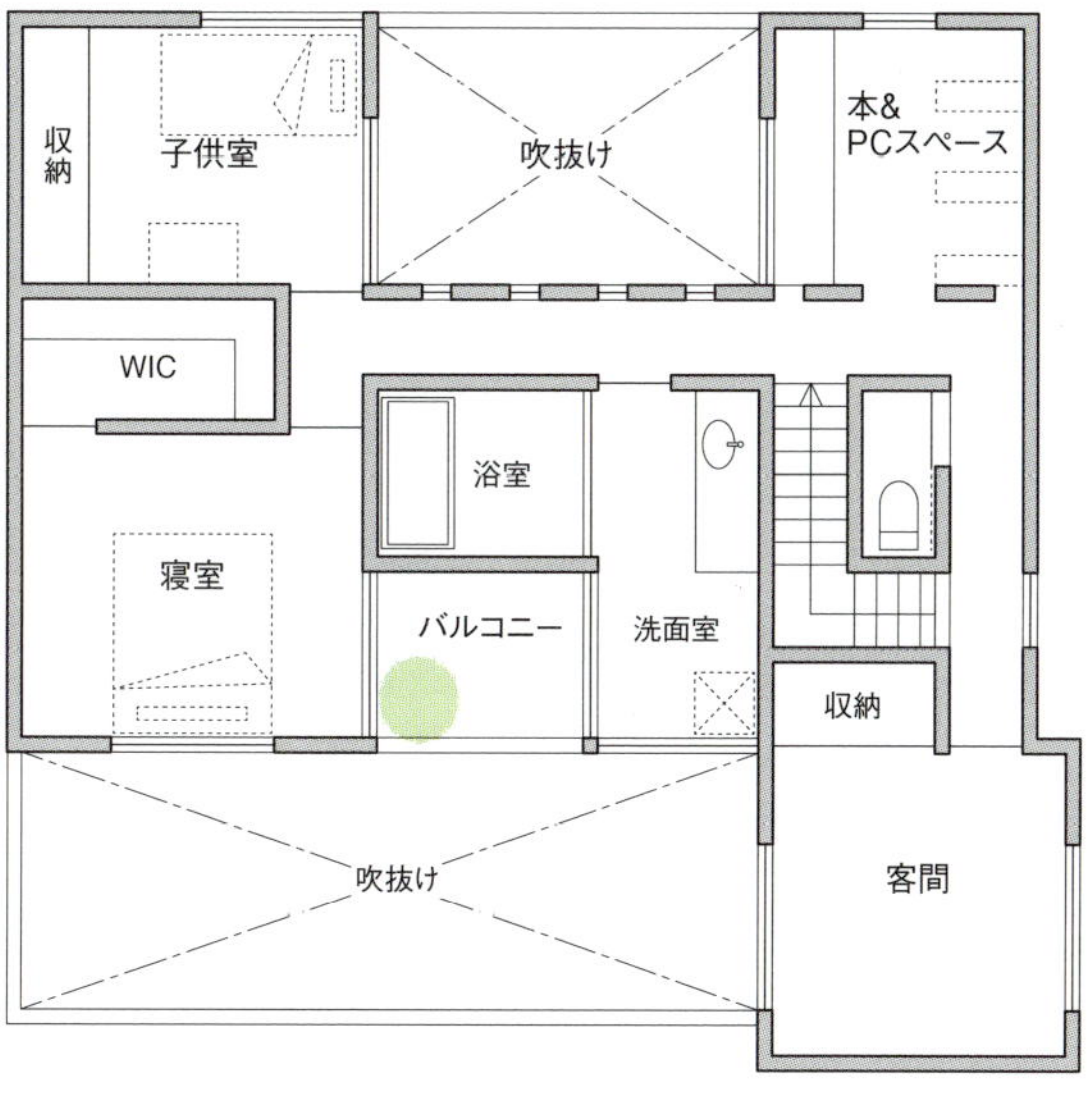

2F　S=1:150

ガラス越しに家中がつながる 中庭を囲む間取り

完全にプライベートな庭がほしいという希望から、ロの字平面で庭を取り囲む間取りとしている。

リビング・ダイニングとほぼ同じ広さの大きなテラスの中庭は、ガラス越しにＬＤＫ、子供部屋、主寝室をつなぎ、家のなかの気配を伝え合う。デッキテラスなので、アウトドアリビングとして使うこともできるし、家族をつなぐ役割も果たす多機能な中庭となっている。

回遊動線

中庭をぐるりと回る回遊動線としているので、家のなかの行き来がスムーズに。行き止まりがないので広がりも生まれる

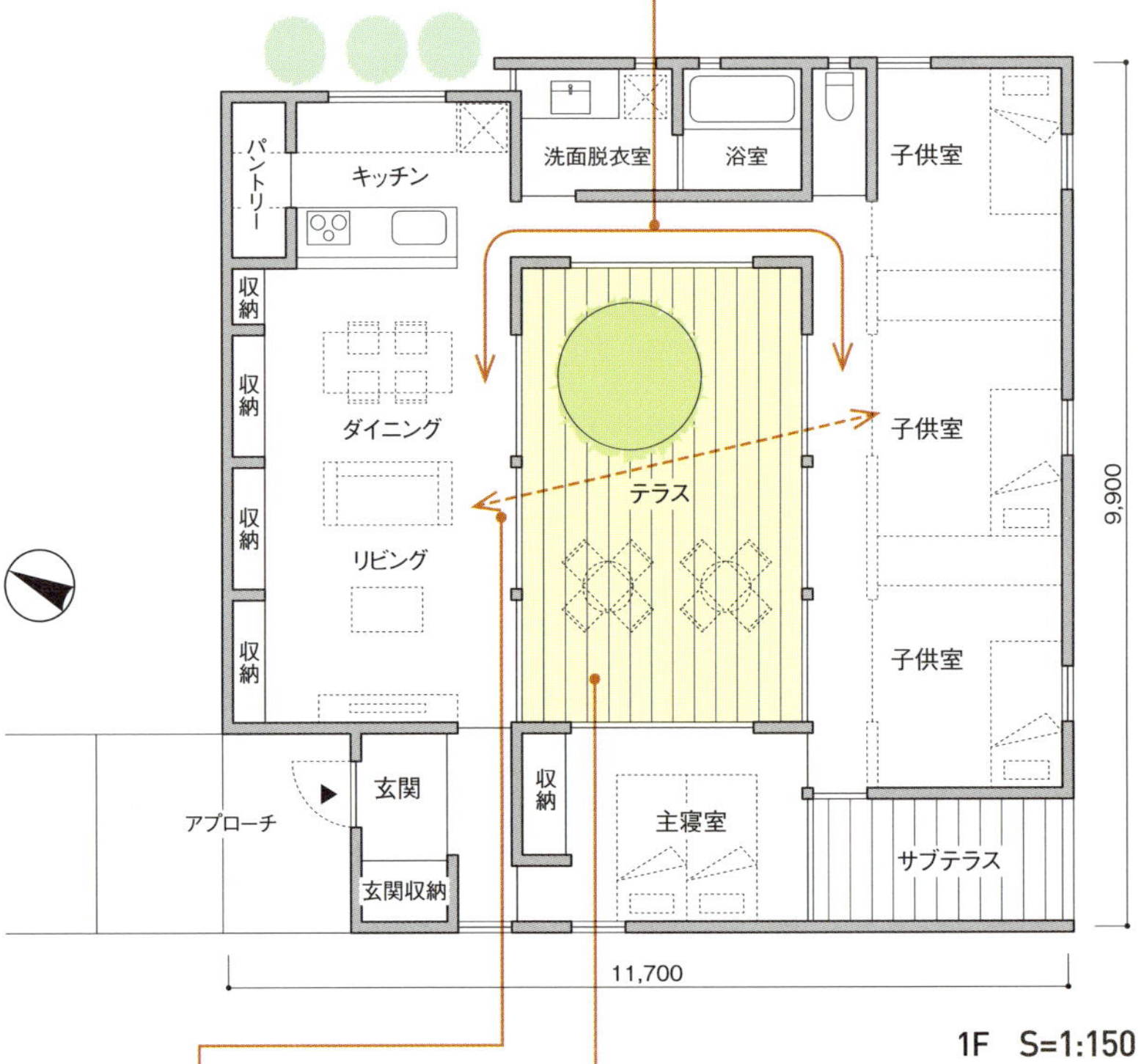

1F　S=1:150

中庭越しの視線

リビングと子供部屋は中庭を挟んで向かい合う。外をあいだに挟むことで適度な距離感を保ちつつ様子がうかがえる

アウトドアリビング

天気のよい日にはアウトドアリビングとしても楽しめるデッキテラスの中庭。もう1つの部屋として活用できる

建築概要

所在地	千葉県
家族構成	夫婦（30歳代）＋子供2人
敷地状況	整形、北道路
敷地面積	281.35㎡（85.10坪）
延床面積	98.22㎡（29.71坪）
構造・階数	木造1階

水廻りを目隠しにしてプライベートな中庭に

縁側でゆっくりひなたぼっこができるような暮らし、が建て主の要望。敷地の面積を考えると、ロの字平面にしたのでは、小さな中庭になってしまうため、母屋を敷地奥にまとめて道路側に別棟として水廻り棟を置いた。水廻り棟により、道路からの視線にさらされない、落ち着いた中庭と縁側となっている。また、母屋と切り離された水廻りは離れ的存在となり、日常生活から距離をおいた心地よい入浴タイムを楽しめるようになった。

建築概要
所在地　神奈川県
家族構成　夫婦（30歳代）＋子供2人
敷地状況　整形、南道路
敷地面積　180.00㎡（54.45坪）
延床面積　105.98㎡（32.05坪）
構造・階数　木造2階

中庭が生む距離感
リビングからは中庭越しに水廻りが見える。中庭の向こうにあるため、遠くにある意識となり、実際の面積以上の広がりを感じられる

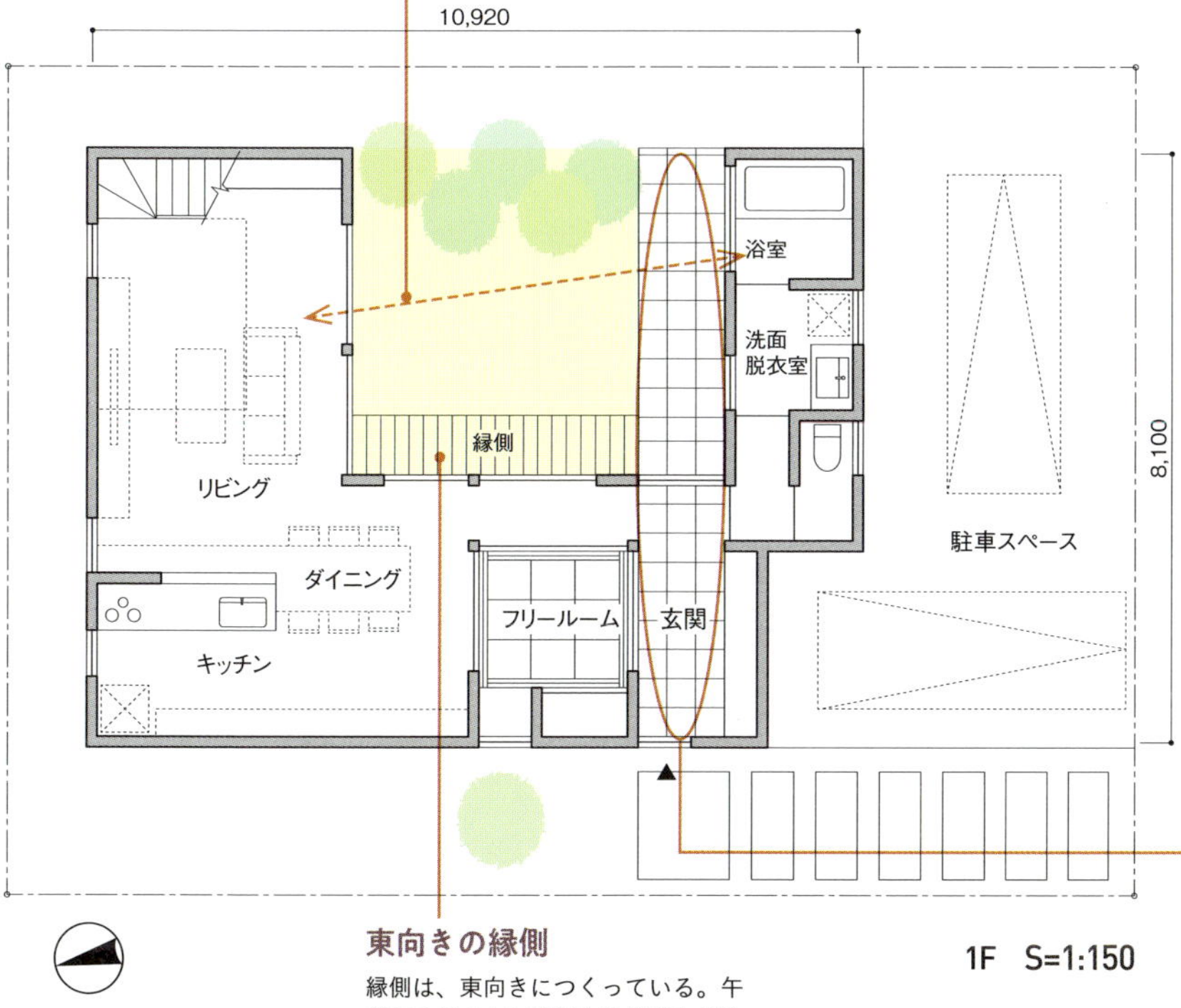

東向きの縁側
縁側は、東向きにつくっている。午前中の柔らかい陽射しを浴びながら庭を眺める贅沢な時間を楽しむ

貫く土間
玄関の土間は、そのまま建物を貫いて浴室前まで続く。生活空間から土間を渡って水廻り空間に向かうことで、非日常感が高まる

1F　S=1:150

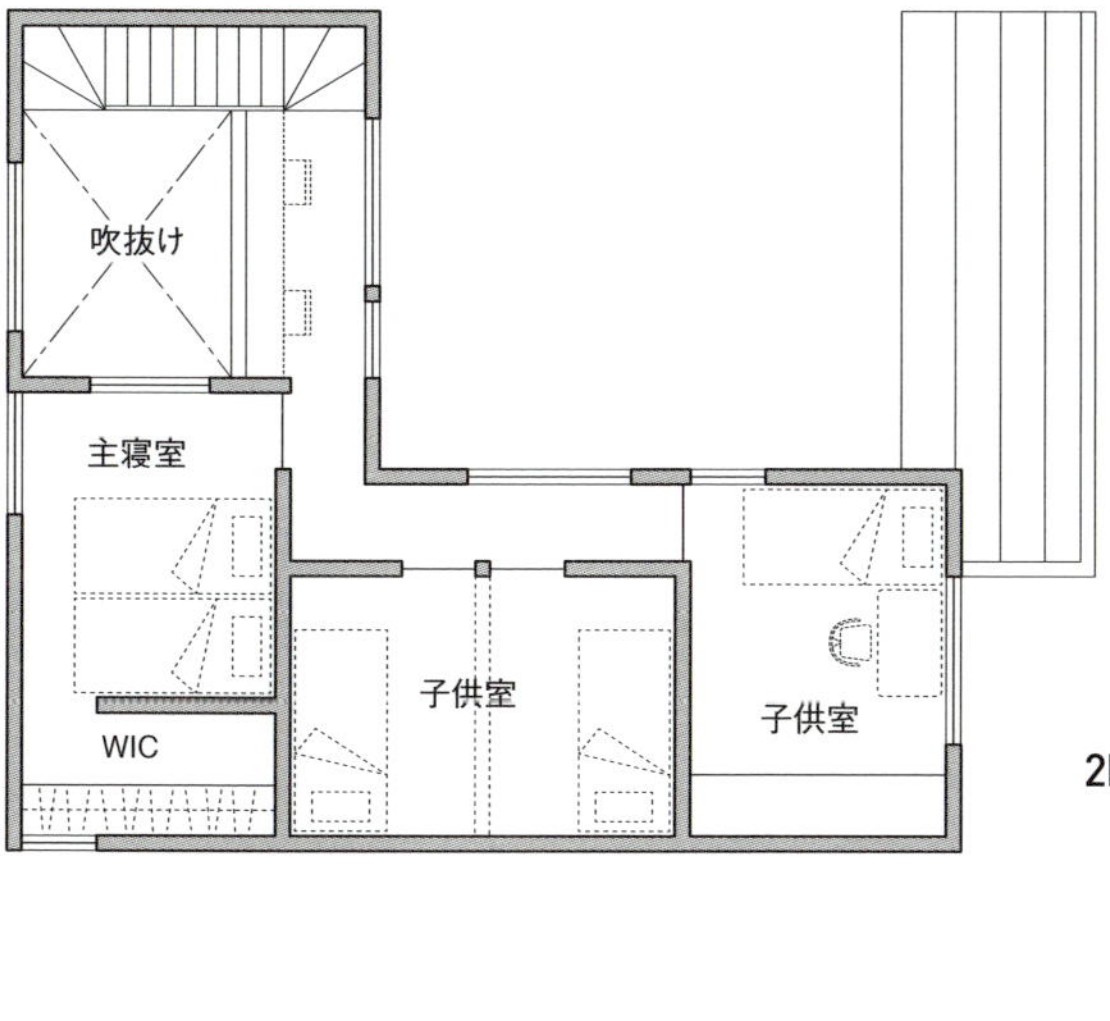

2F　S=1:150

市松に中庭を配した内と外が溶け合う家

敷地を最大限に利用して、外とつながった広がりのある家にしてほしいという要望を受けて考えた間取りである。

敷地は南北に細長い旗竿敷地。敷地状況に沿わせると、必然的に建物も細長くなるが、中央の廊下を軸としながら平面に凹凸をつけることで内と外が入れ子状になるようにしている。凹んだ部分は小さな外部空間となり、室内と一体化する。各部屋ごとに見える庭が異なるので、庭の個性によって四季の感じ方も変化する。複数の中庭が、外への広がりだけでなく、さまざまな居心地を提供する間取りとなっている。

テラスとは違う

DK南側の広いデッキテラスとは異なる趣の庭。リビングへの通風にも役立っている

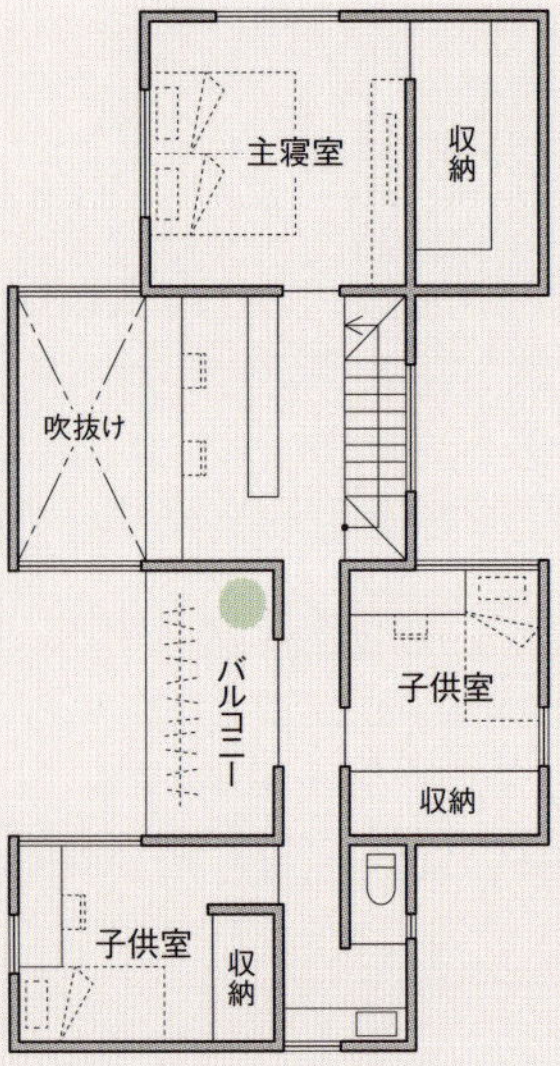

2F　S=1:200

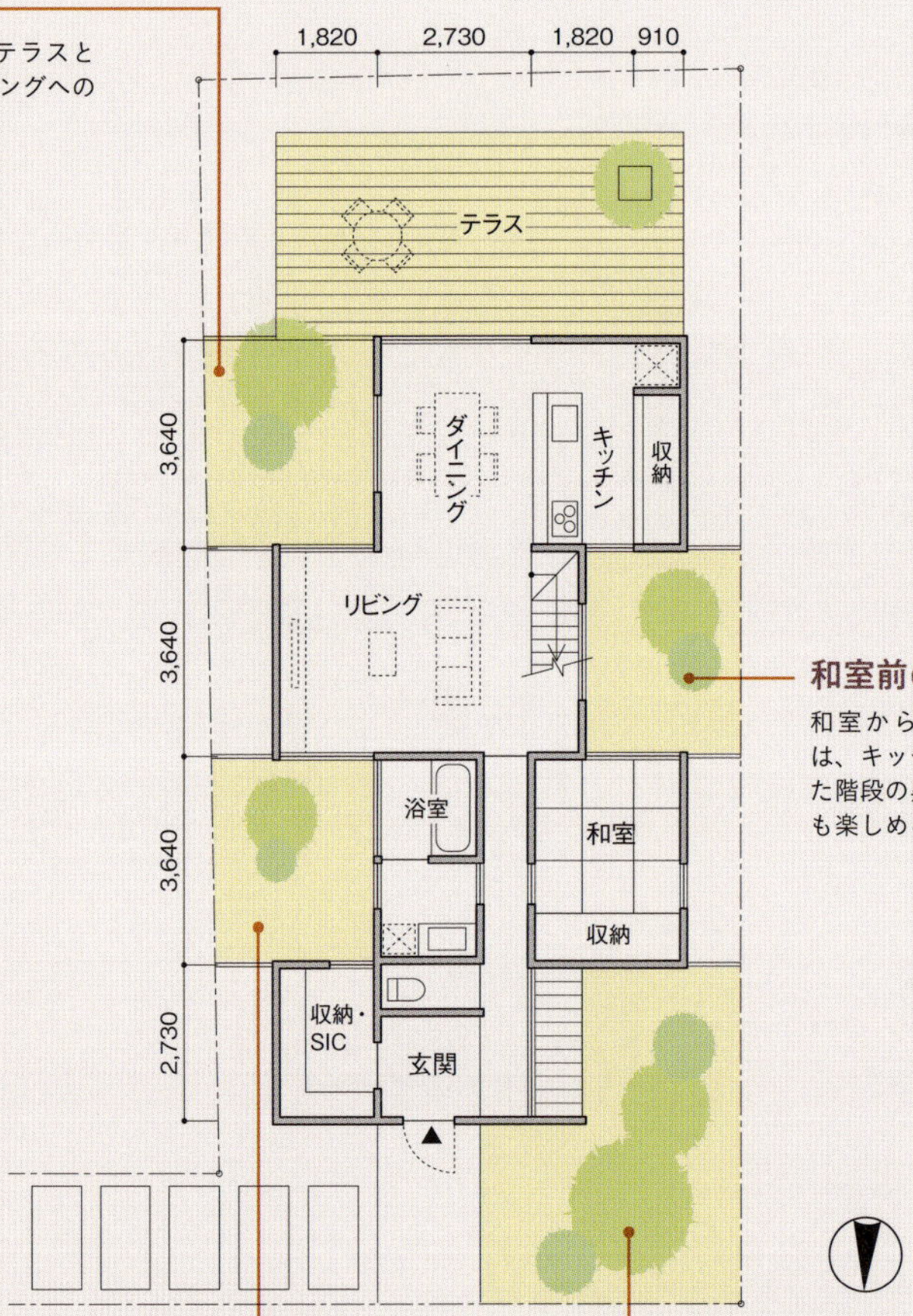

1F　S=1:200

和室前の落ち着き

和室から眺められる緑は、キッチンからも、また階段の昇り降りの際にも楽しめる

バスコートにも

浴室前の中庭は、バスコートの役目はもちろん、シュークロークの通風にも効果的

5つの外部

玄関前の前庭から敷地奥のテラスまで、5つの外部空間を用意。庭の個性が、居室の居心地にも変化を与えてくれる

建築概要	
所在地	東京都
家族構成	夫婦(40歳代)＋子供2人
敷地状況	旗竿状、旗部分は整形、東道路)
敷地面積	236.35㎡(71.49坪)
延床面積	135.75㎡(41.06坪)
構造・階数	木造2階

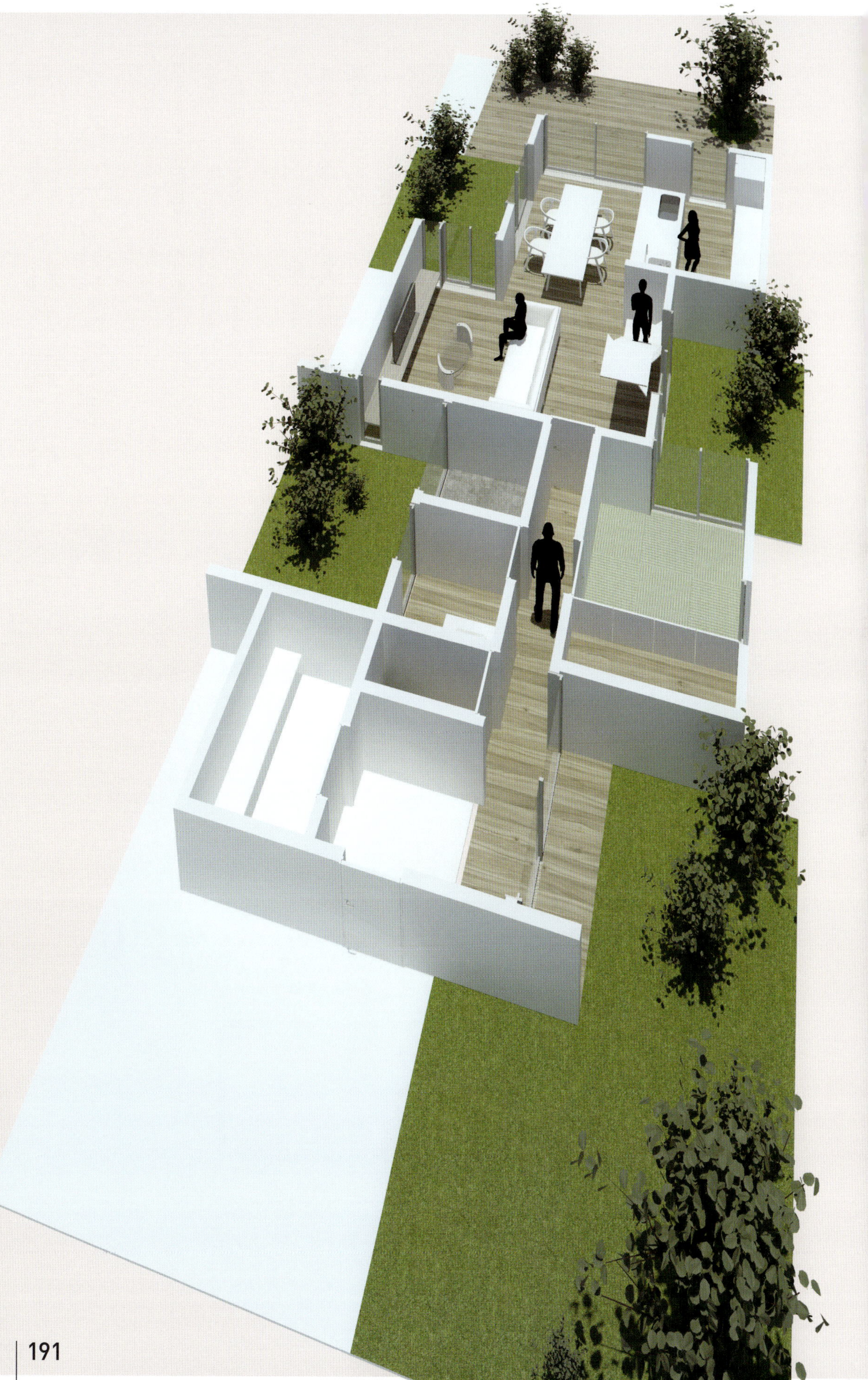

庭に挟まれた畳スペースでごろごろできる楽しい家

縁側でひなたぼっこがしたいという要望は比較的多いが、敷地の条件などによって建て主が思い描く縁側空間が実現できないこともある。

ここではその要望を、陽だまり、外部空間、ごろごろできる場所、の組み合わせと読み替え、プライベートな2つの庭に挟まれた4畳の畳スペースをつくることで応えている。

畳スペースは小上がりになっており、光庭と中庭のあいだに浮かぶようなしつらえとして、LDKとは異なる、縁側にいるかのような空間をつくっている。

建築概要
所在地　東京都
家族構成　夫婦（30歳代）＋子供（これから）
敷地状況　整形、西道路
敷地面積　128.01㎡（38.72坪）
延床面積　95.23㎡（28.80坪）
構造・階数　木造2階

庭のあいだに浮かぶ

畳スペースは、光庭と中庭のあいだに浮かぶように置かれ、外にいるような感覚も得られる。外に近い内部でごろごろできる縁側のような空間となっている

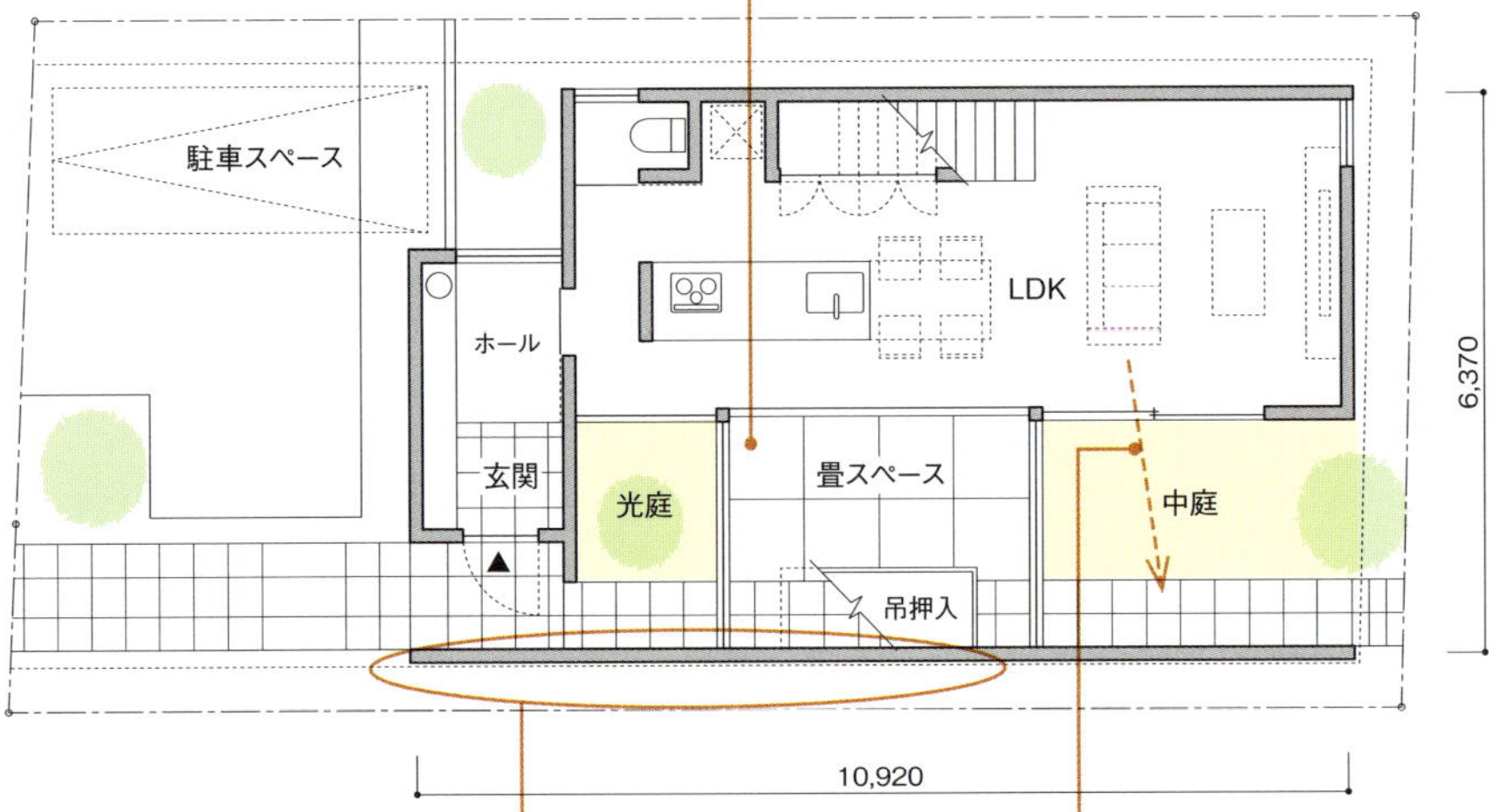

1F　S=1:150

壁を立てる

南側に高い壁を立てることで、隣家の視線が気にならないプライベートな空間をつくっている

2パターンの広がり

アプローチからタイル張りの土間が東西に貫通する。庭の向こうに違う床仕上げが見えるため小さな中庭に奥行きが生まれる

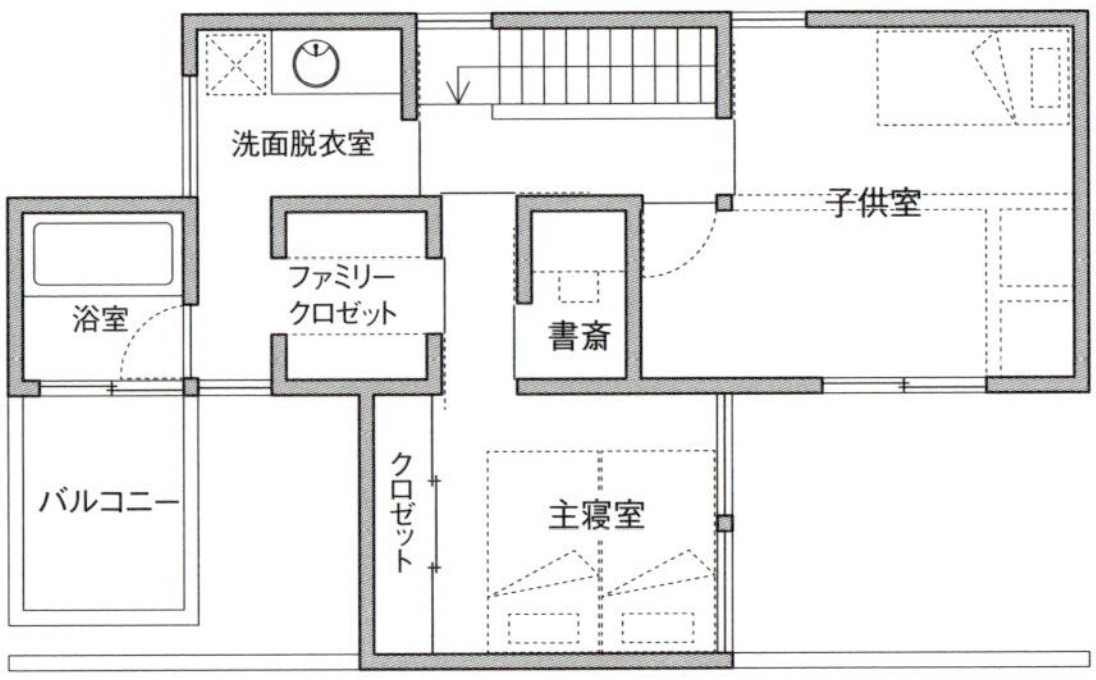

2F　S=1:150

中庭からの明るい光が部屋中に広がる間取り

建物の中央にテラスがほしいという要望を受けて、ロの字平面とした間取りである。中庭の効用の1つに、暗くなりがちな建物の奥まで光が入ることが挙げられるが、建物中央の中庭は外からの視線を気にする必要がないため、カーテンも不要。さえぎるもののないガラス窓からの光が家中に行きわたる。

京都の町屋の坪庭は、細長い建物の奥まで光を届ける工夫だが、広い家でも中庭が活用できる例と言える。

建築概要

所在地	愛知県
家族構成	夫婦（30歳代）＋子供2人
敷地状況	整形、南道路、両親に譲り受けた大きな土地の一部
敷地面積	508.62㎡（153.85坪）
延床面積	99.14㎡（29.98坪）
構造・階数	木造2階

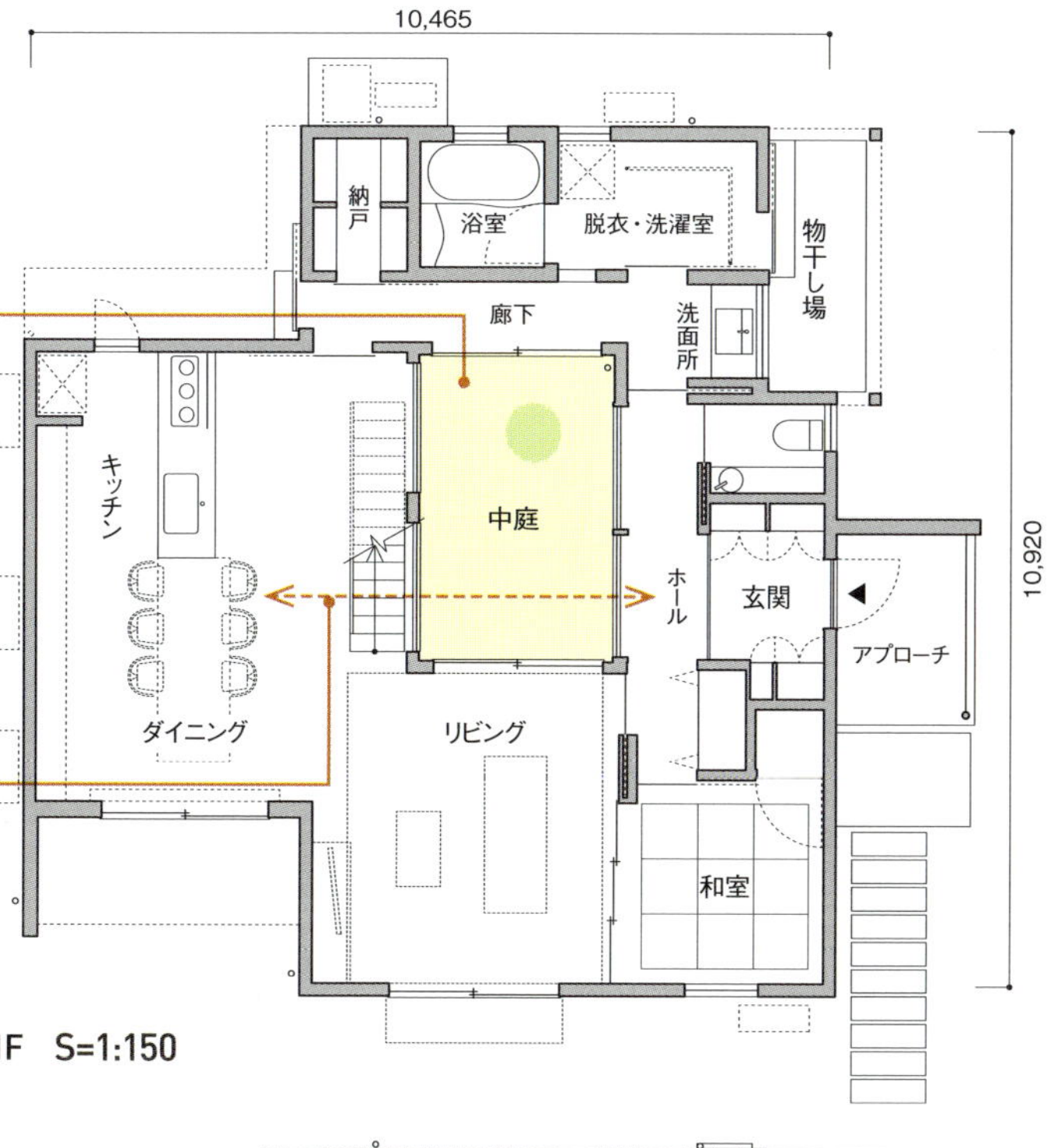

ガラス張りの中庭

ロの字平面で完全プライベートな中庭なので、カーテンで目隠しをする必要がなく、大きなガラス面からの光が家中に届けられる

階段で視線カット

生活空間のDKの前に階段を配置し、玄関とのあいだに距離感をつくる。玄関からは、中庭と階段越しにLDKの気配だけがうかがえる

1F　S=1:150

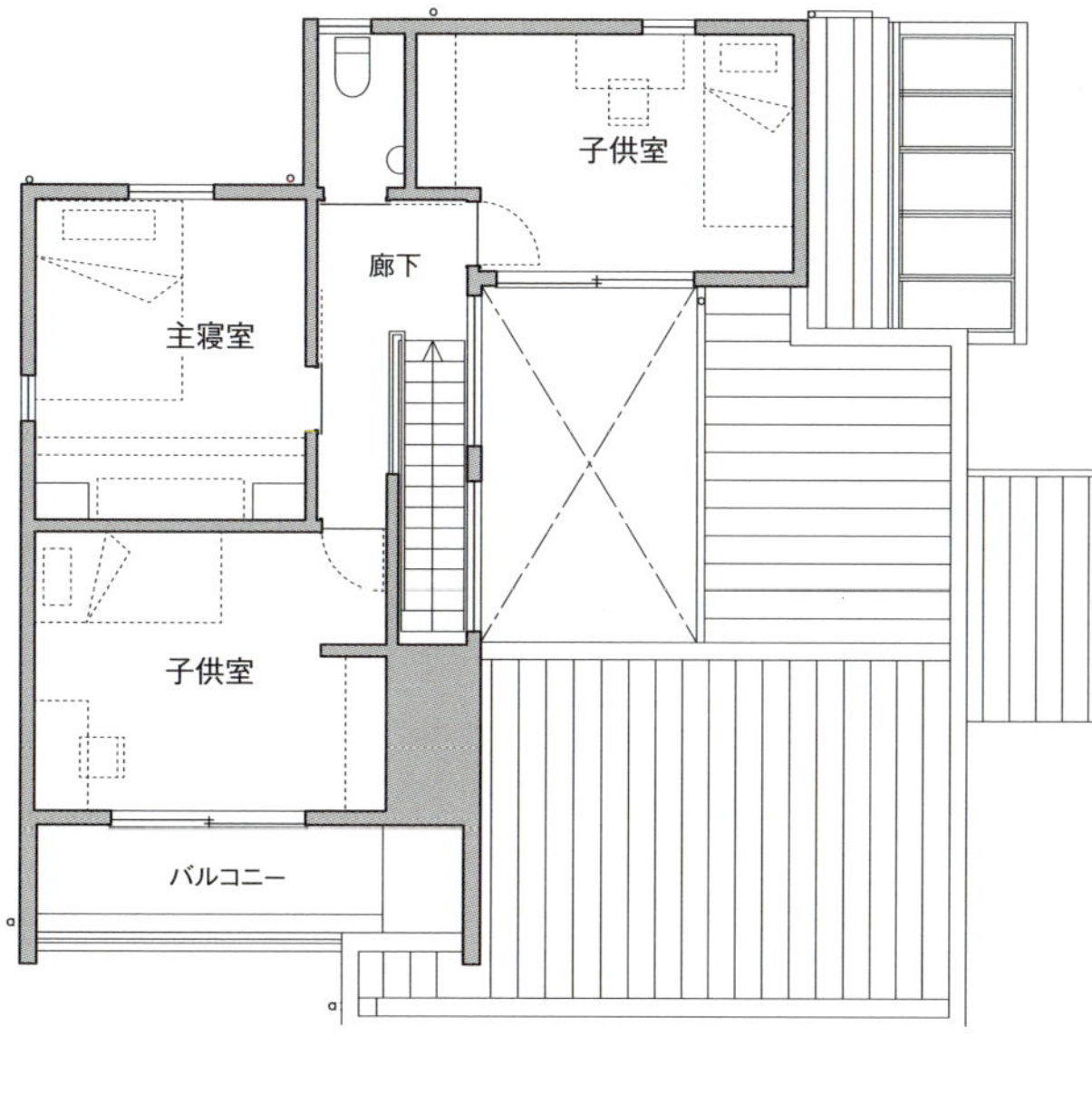

2F　S=1:150

リビングが庭のなかにあるように感じられる工夫

暮らしのなかでいつも外を感じていたいという要望を受けて、どのような間取りが、より外を感じられるのかを考えた。一般解は、リビングやダイニングといった生活空間とその前に広がる庭を大きな開口部でつなぐことだが、それ以上の内外の関係がつくれないかを検討した。そして、リビングを外に飛び出させたような、この間取りとなった。

リビングは、ダイニングとつながっているが、母屋から飛び出したかのような平面形状となっており、左右両側で庭と面する。隣地側は一面壁としているので、両側の庭に視線がより向かうようになる。

視線をリビング側へ

キッチンのある北東側は、必要最低限の開口を設けるだけにして、自然とリビング側に視線が向くようにしている

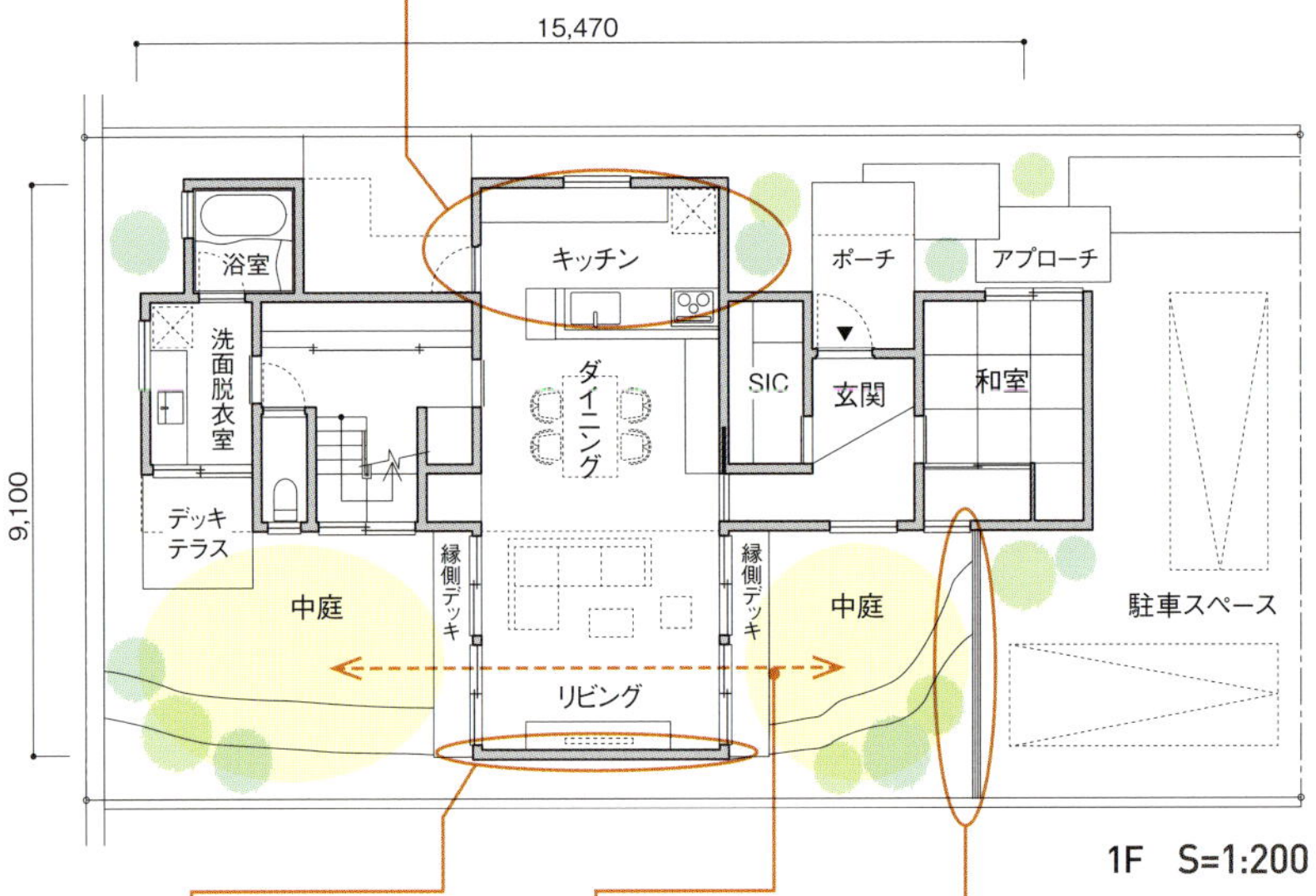

視線を切る

隣家側を一面壁とすることで、隣家を意識せずにすみ、同時に両側の庭へと意識を向かわせる

両側の窓

リビングは両サイドの庭と大きな窓で面しており、窓を開ければ風が抜け、庭の一部にいるような感覚にもなる

視線をさえぎる

道路側には塀を立てて外からの視線をさえぎり、プライベートな庭を楽しめるようにしている

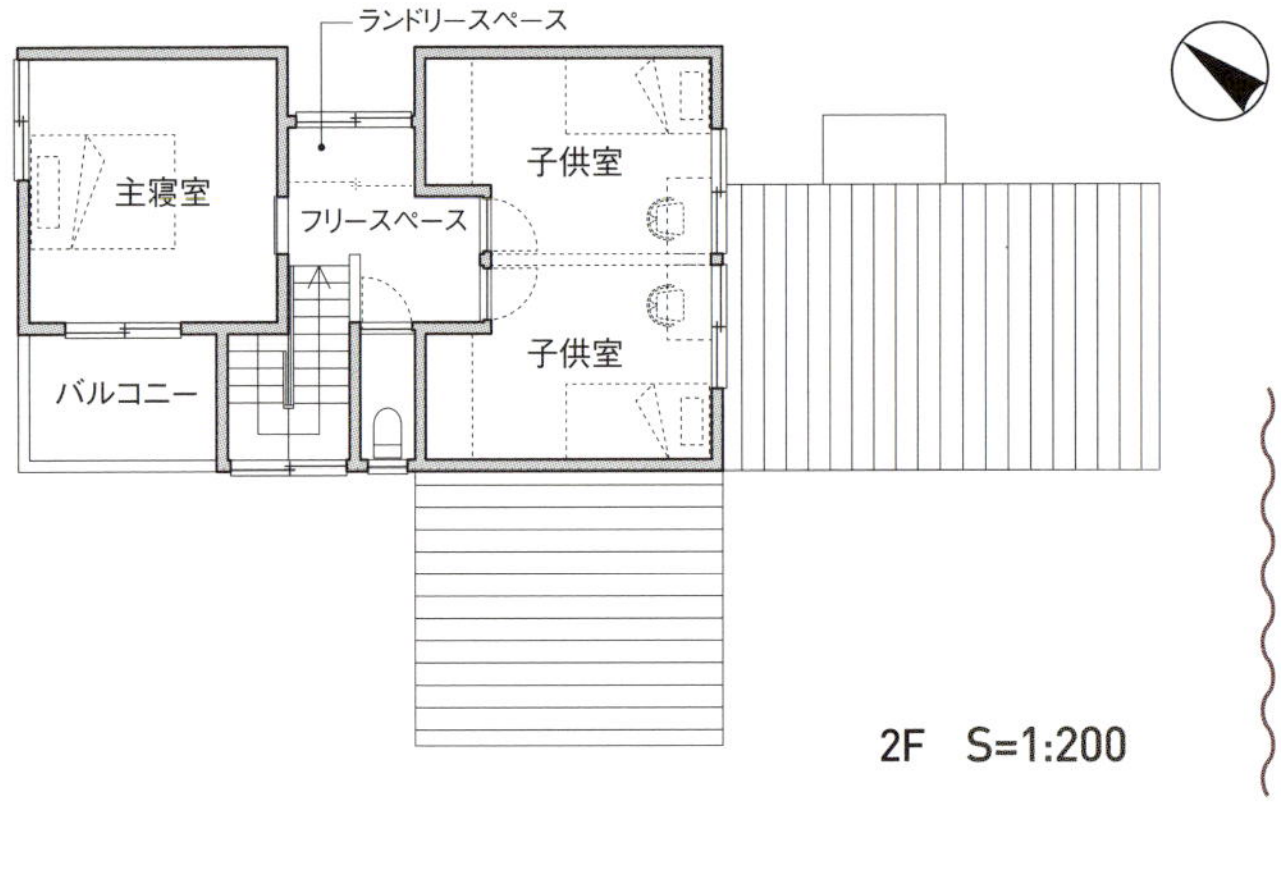

建築概要
所在地　愛知県
家族構成　夫婦（30歳代）＋子供2人
敷地状況　整形、東道路、道路との高低差 0.8m
敷地面積　210.42㎡（63.65坪）
延床面積　119.92㎡（36.27坪）
構造・階数　木造2階

前庭にもなる坪庭が目隠しの役目も果たす

間口6m弱に対して奥行きは18m弱という細長い敷地。隣地建物が迫っていることもあって、外周部にはできるだけ窓を付けたくないという要望だった。

そこで、駐車スペースの奥に壁と門扉を設け、門扉から玄関までのあいだを半プライベートなエントランスと坪庭とした。このスペースは、前庭の役割を果たしつつ、2階のLDKに陽射しを届ける中庭ともなっている。2階では、テラスの回りに大きく開口を設けて、外周部からの採光がなくても明るい空間をつくりだした。

建築概要
- 所在地　岐阜県
- 家族構成　夫婦（30歳代）＋子供1人
- 敷地状況　整形、南道路、北側は線路に面している
- 敷地面積　106.31㎡（32.15坪）
- 延床面積　87.06㎡（26.33坪）
- 構造・階数　木造2階

風を抜く

陽射しは入らないが、ここに外部空間を挿入することで、浴室はもちろん、1階に風を取り込むことができる

壁と門扉で仕切る

駐車スペースの後ろに壁と門扉を設けて、「外」と仕切る。これによって、エントランスと坪庭は半プライベートな空間となる

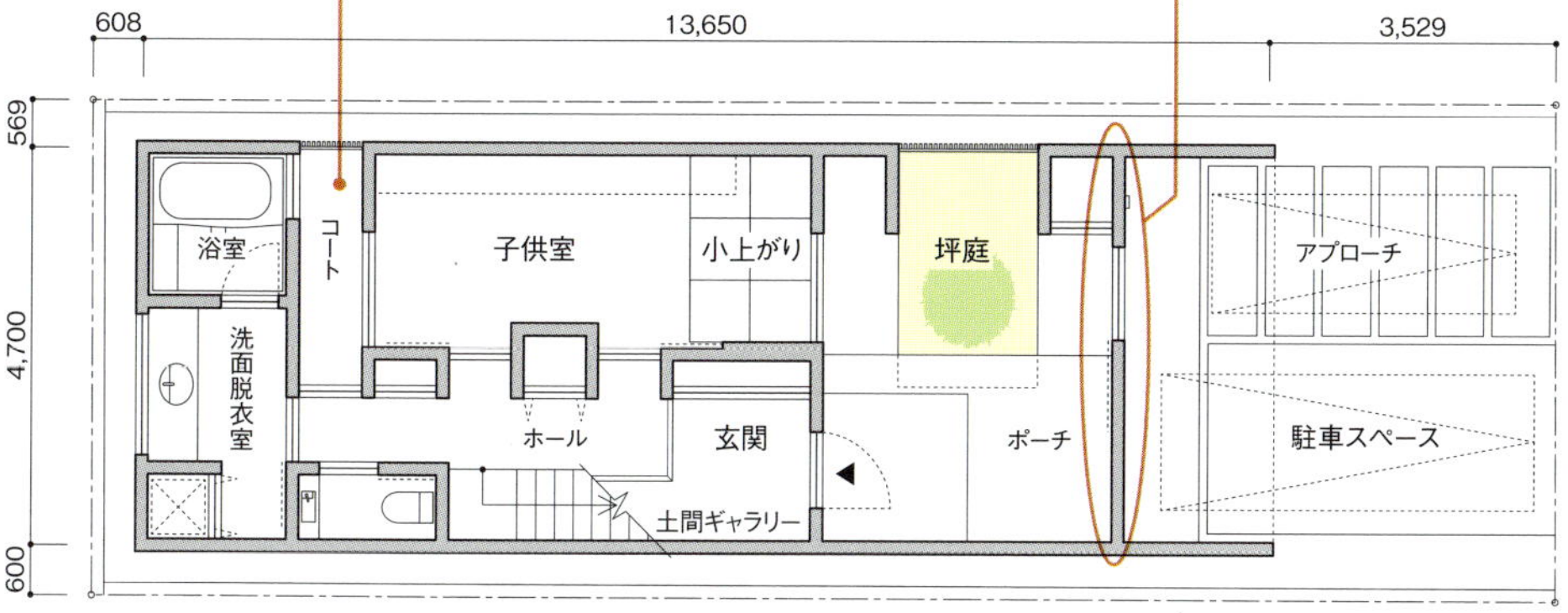

1F　S=1:150

2階から光を落とす

テラスからの明るい陽射しが入るLDKは、壁際の床の一部をガラス張りにして陽射しを1階におすそ分け

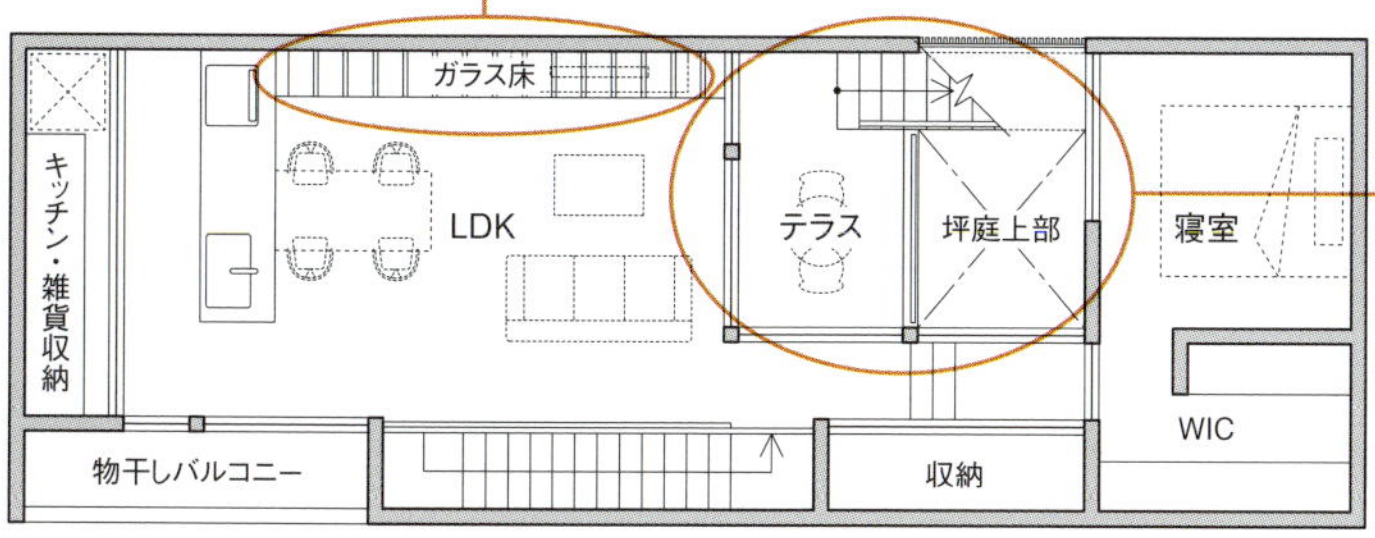

光を採り込む

坪庭上部を吹抜けとしてテラスも設置。その周囲をガラス面とすることで、外周部に窓がなくても光がふんだんに採り込める明るいLDKとなる

2F　S=1:150

都心でも中庭をつくり自然の恵みあふれる家に

敷地は都心の一等地の住宅街。希少な土地だけに、土地の有効利用を優先しがちだが、ここではあえて大きな余白をつくることで、ゆとりある住環境とすることを目指した。

建物平面はコの字で、家の中央に大きな中庭をつくる。この中庭に向かって2層吹抜けのＬＤＫを開放し、都心にいるとは思えない光と風と緑にあふれた生活空間をつくり出した。1階には、ＬＤＫのほかは客間となるアウターリビングやアトリエなどを置いてパブリックな場所に。2階と3階にプライベートな個室や水廻りを置き、3階には屋上庭園も用意している。

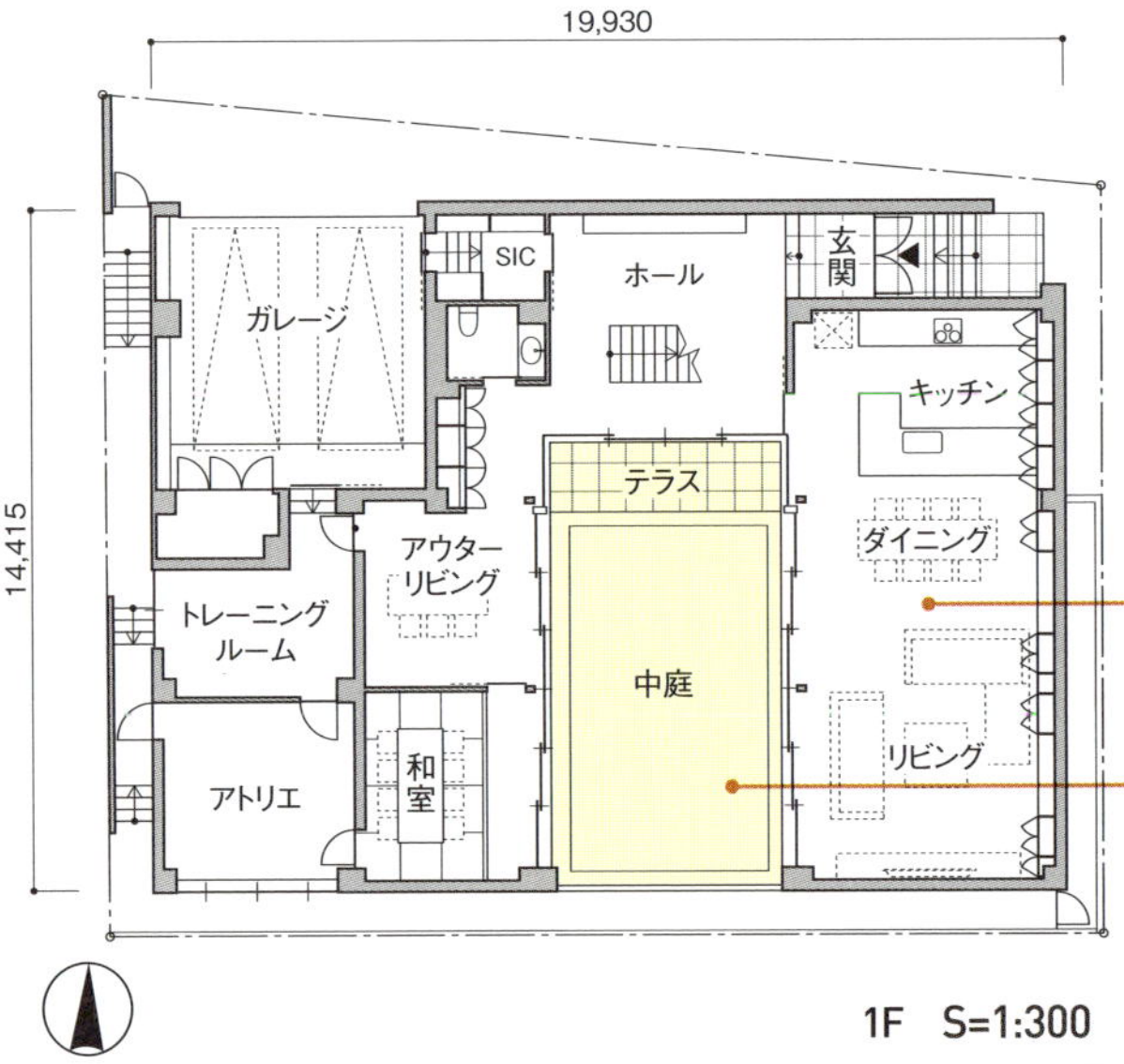

1F S=1:300

高さが生み出す余裕

リビングとダイニングの上部は2層吹抜けの大空間。外壁側は窓をつくらず、中庭側に大きく開いて採光する

あえてつくる余白

6×8mの大きな中庭をつくることで、都心にいるとは思えない豊かな自然を室内に呼び込み、開放的で気持ちのいい住空間をつくり出す

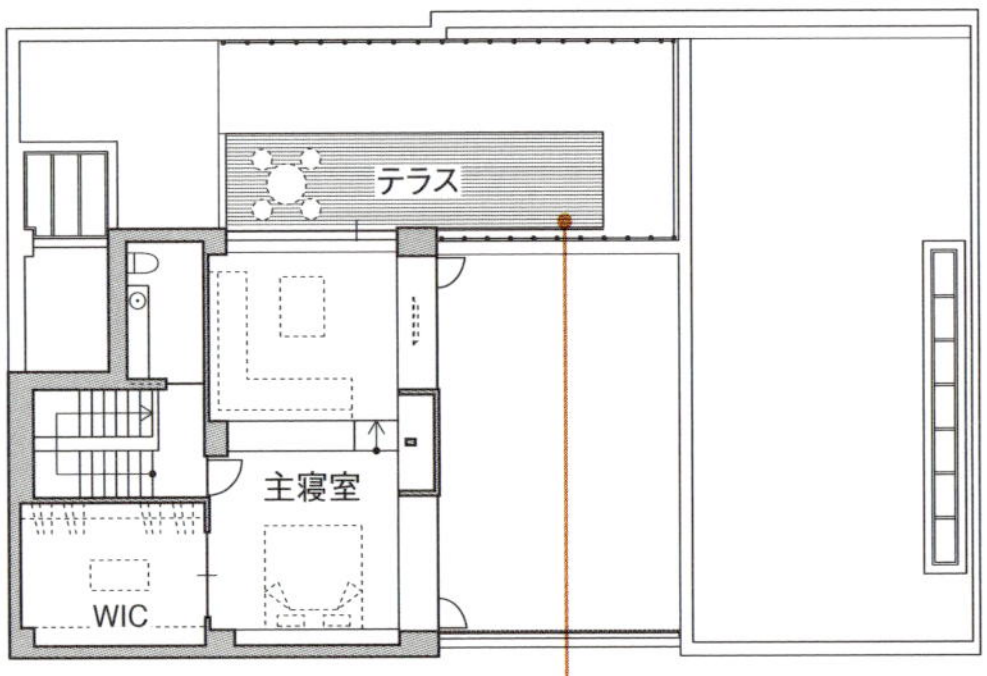

3F S=1:300

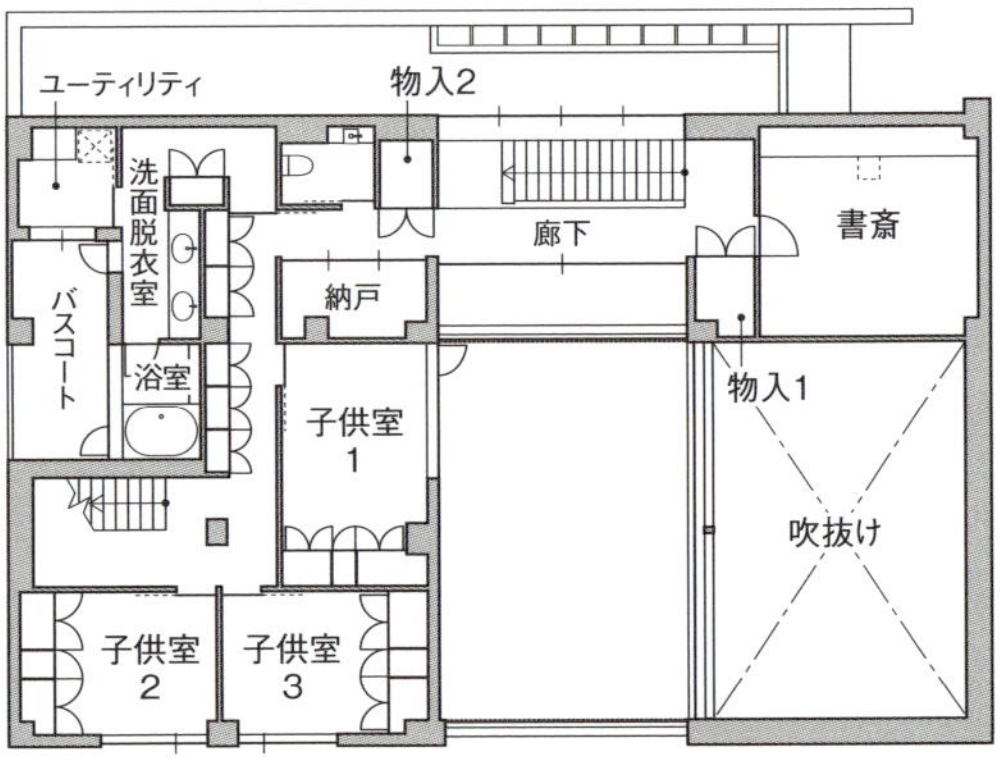

2F S=1:300

プライベートテラス

3階は夫婦でくつろぐ場所に。プライベートテラスもつくってLDK前の中庭とは異なる外部空間を楽しむことができる

2層吹抜けのリビングとダイニングは、中庭側が全面ガラスとなっており、視線は吹抜けのハイサイドライトを抜けてそのまま空へと伸びていく

建築概要
所在地　東京都
家族構成　夫婦＋子供1人
敷地状況　整形、北道路
敷地面積　367.33㎡（111.11坪）
延床面積　452.17㎡（136.78坪）
構造・階数　鉄骨造3階

建物四周に大窓を設けず中庭と坪庭から採光

3人家族が週末を過ごすセカンドハウス。くつろげるように外に向けた大きな窓は設けず、採光はすべて中庭側から行っている。

平面はロの字型で、中央付近におよそ9畳分の中庭をもち、これを補うように1坪の、文字通り坪庭が3つ設けられている。中庭は採光や通風、四季を感じる主庭となり、各部屋に添うように置かれた坪庭は、内外部を曖昧に連続させ、あちこちにさまざまな表情や風景をつくり出す。窓の見えない、すっきりとした外観とは対照的に、自然豊かな風景が内部に広がる。

建築概要

所在地	埼玉県
家族構成	夫婦（50歳代・40歳代）＋子供1人
敷地状況	整形（台形状）、北・東道路
敷地面積	604.45㎡（182.84坪）
延床面積	109.18㎡（33.02坪）
構造・階数	木造1階

家の中心となる中庭

中央の中庭は、開口の設け方とテラスにより、リビングと正対するように感じられるが、玄関ホールや廊下にも明るさが届く

外を感じさせる坪庭

3つの坪庭は、各部屋に添うように置かれ、さまざまな風景をつくり出す。トイレや浴室前の外部空間として通風にも寄与する

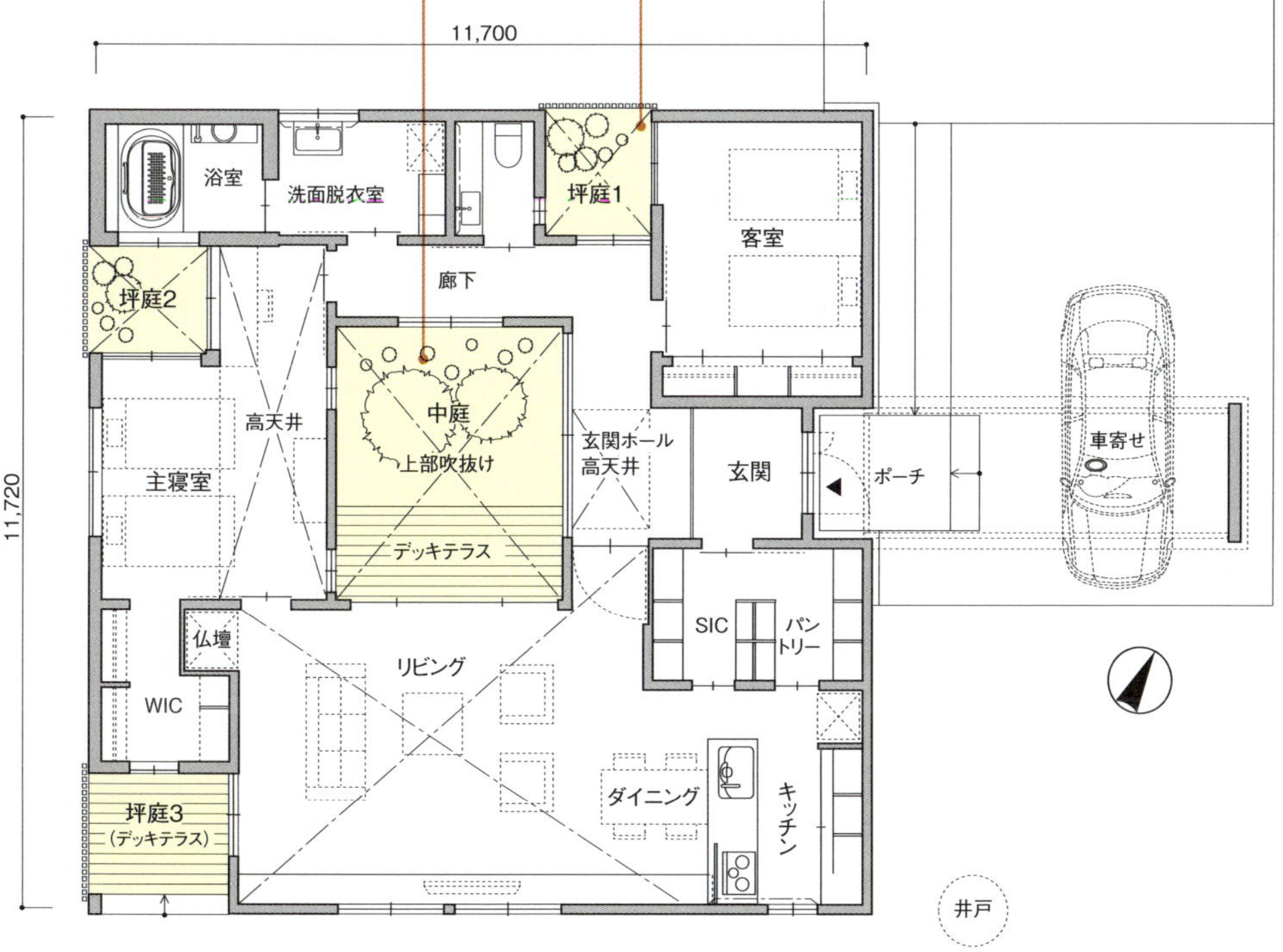

1F　S=1:150

右／道路側正面外観。建物から部分的に飛び出た車寄せの屋根が特徴的。屋根は壁と縁を切り、水平ラインが強調されている
左／客室前からLDK方向を見る。中央の中庭に向けて、玄関前とLDKは大きな開口を設けて光を採り入れる

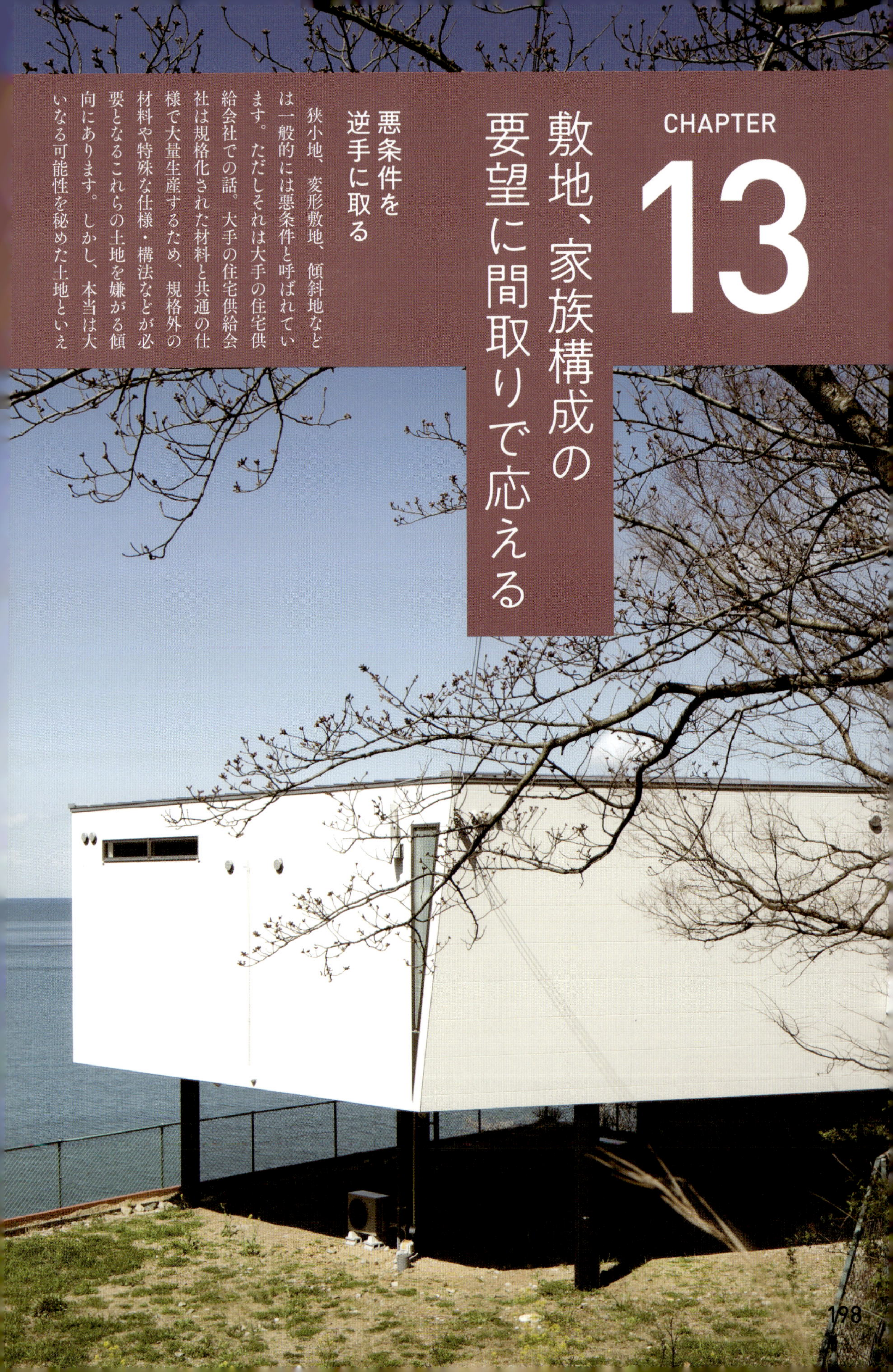

CHAPTER 13

敷地、家族構成の要望に間取りで応える

悪条件を逆手に取る

狭小地、変形敷地、傾斜地などは一般的には悪条件と呼ばれています。ただしそれは大手の住宅供給会社での話。大手の住宅供給会社は規格化された材料と共通の仕様で大量生産するため、規格外の材料や特殊な仕様・構法などが必要となるこれらの土地を嫌がる傾向にあります。しかし、本当は大いなる可能性を秘めた土地といえ

ます。傾斜地は視界が大きく広がるので景色を楽しむ家になりますし、傾斜なりに床を段々につくることで、変化に富んだ楽しい空間ができあがります。変形敷地も直角に壁をつくれないことが、かえって内部空間にさまざまな変化をもたらしてくれます。狭小敷地も同様、狭いからこそ動線は効率化されますし、吹抜けを上手に使えば、明るい家を実現できます。

多世帯で楽しく暮らす

親世帯、子世帯がつかず離れずの距離感を保てることが理想。干渉されすぎるのは嫌だけど子育ては手伝ってほしいなど、わがままな希望も家のつくりによって実現できるかもしれませんね。

狭小敷地の3階建てでも1階すべてが趣味の収納に

約15坪の敷地に建つ3階建て。各部屋も最小限になるのはやむを得ないが、趣味のダイビングやキャンプなどのアウトドア用品を収納する場所だけは確保したいという要望だった。

そこで、3階にＬＤＫ、2階に寝室と水廻りと階ごとに明快に機能を分け、1階をほぼ趣味のスペースと考えることにした。1階は玄関から土間をＬ字に回し、スタディルームの周囲に回遊動線をつくって、壁のほぼすべてを収納に使えるようにしている。

建築概要	
所在地	東京都
家族構成	夫婦（40歳代）
敷地状況	整形、西道路
敷地面積	49.98㎡（15.11坪）
延床面積	87.34㎡（26.42坪）
構造・階数	木造3階

土間を延ばす

自転車スペースのほかにも土間を延ばすことにより、アウトドア用品の汚れなども気にせず収納できる。洗い場で洗ったものも土間で乾かせる

壁際の収納

1階はスタディルーム以外は収納と割り切ったことにより、壁全面が収納として使えるようになった

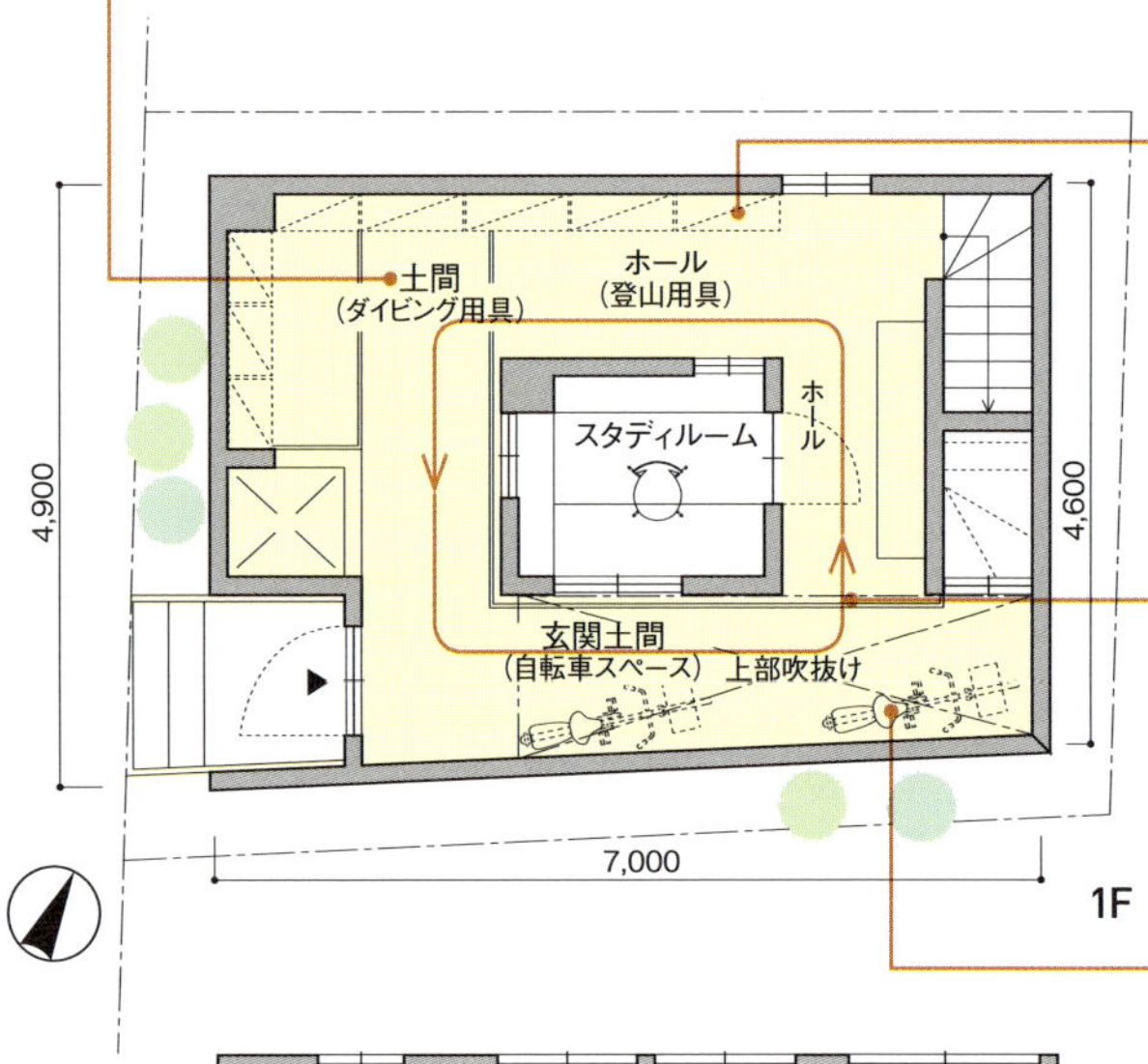

1F　S=1:120

回遊動線

行き止まりのない回遊動線とすることで、使い勝手が格段によくなる。コンパクトな間取りであるほど動線は重要

上から光を落とす

自転車スペースとなる土間は上部吹抜けに。1階はほとんど窓がないが、吹抜け上部の2階窓から光が入る。この吹抜けで2階寝室の閉塞感も解消

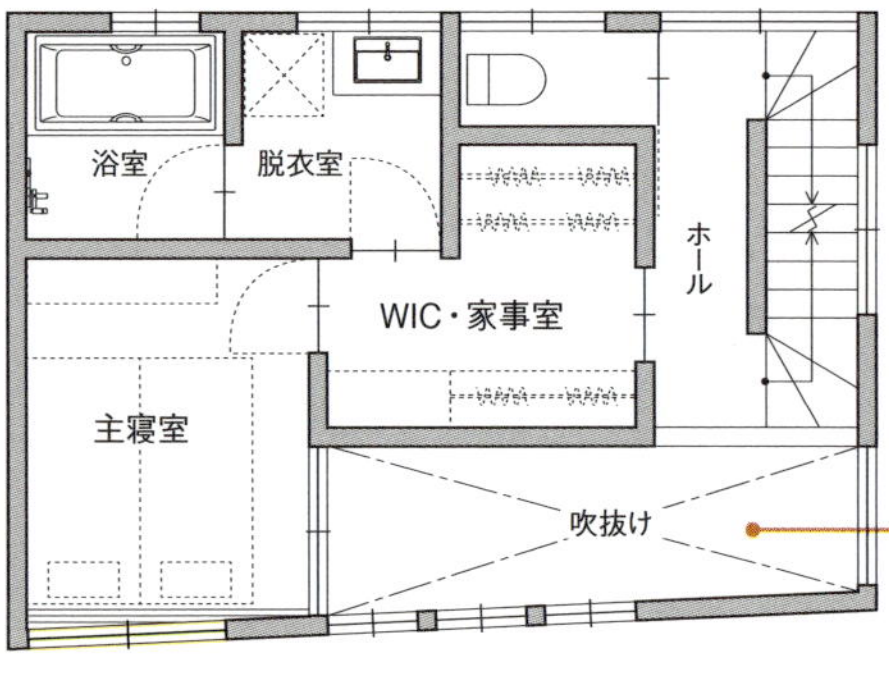

2F　S=1:120

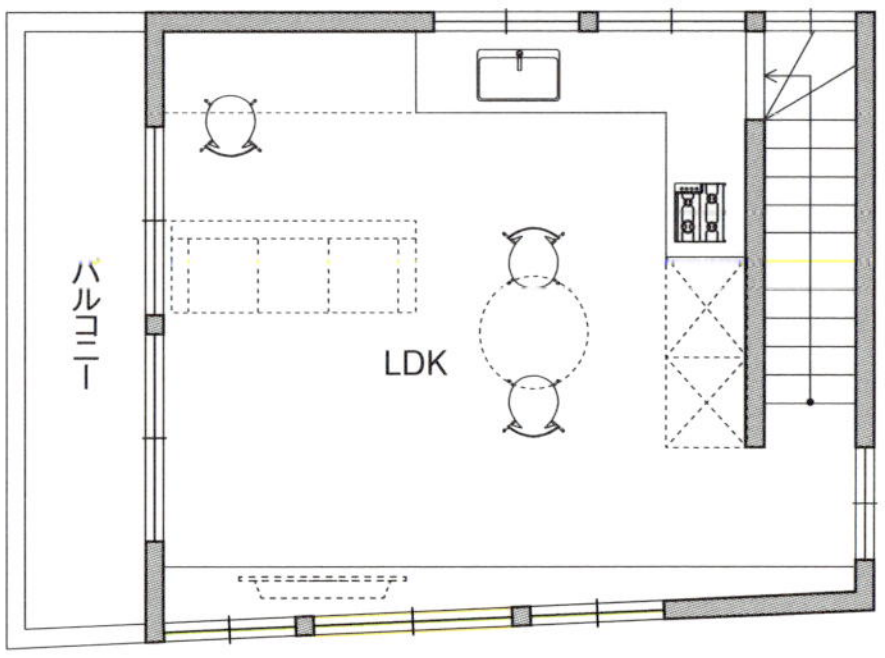

3F　S=1:120

密集地の3階建ては吹抜けで光を1階に届ける

都市部の狭小敷地、特に旗竿敷地の場合には、四方に隣家が迫っており、1階に陽射しが届きにくいことも多い。だが工夫次第で明るい1階がつくれないことはない。ここでは、1階にLDKを置きたいという要望に応えるため、吹抜けとトップライトを駆使して光を届けている。

階段室は、何もしなくても吹抜けになるが、その周囲を少し広げると、無理なく大きな吹抜けができる。この吹抜けを中心に家中を明るくすることが可能となる。

建築概要	
所在地	東京都
家族構成	夫婦(40歳代)+子供2人
敷地状況	旗竿状、旗部分は整形、西道路
敷地面積	102.04㎡(30.86坪)
延床面積	106.76㎡(32.29坪)
構造・階数	木造3階

吹抜けの窓

居室は吹抜けに向かって開口を設けることで外部開口と併せて2方向から採光が可能となり、風も抜ける。さらに部屋の閉塞感も軽減する

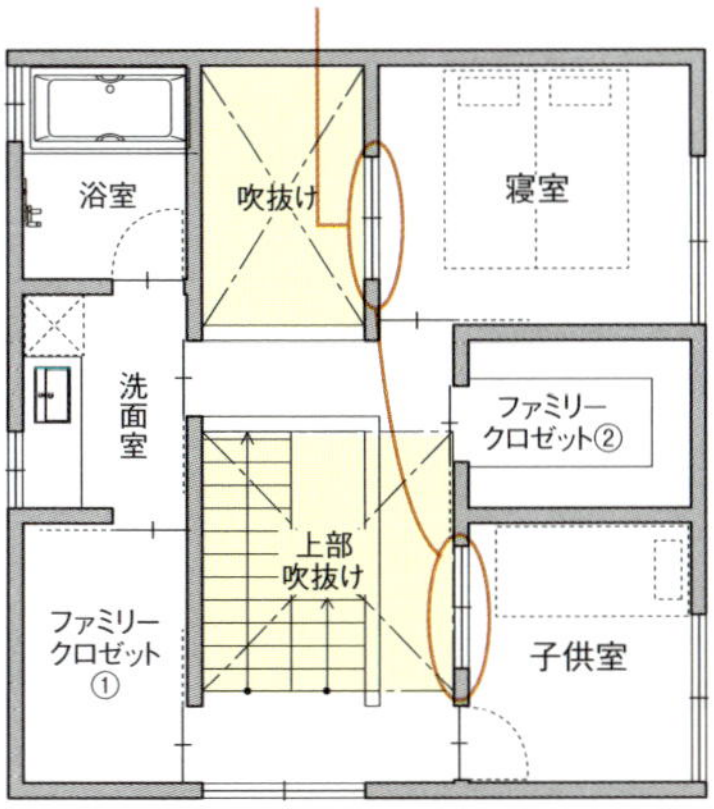

2F S=1:150

階段を利用する

階段はそのままでも吹抜けになるので、周囲を少し広げるだけで大きな吹抜けをつくることができる。ここでは階段の周囲を1m弱広くとり、6畳分の吹抜けをつくっている

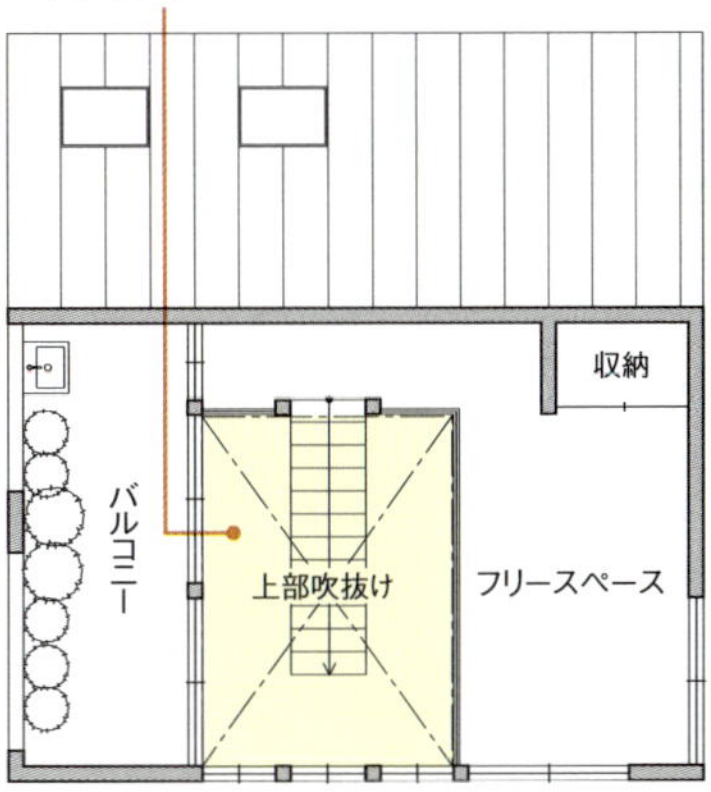

3F S=1:150

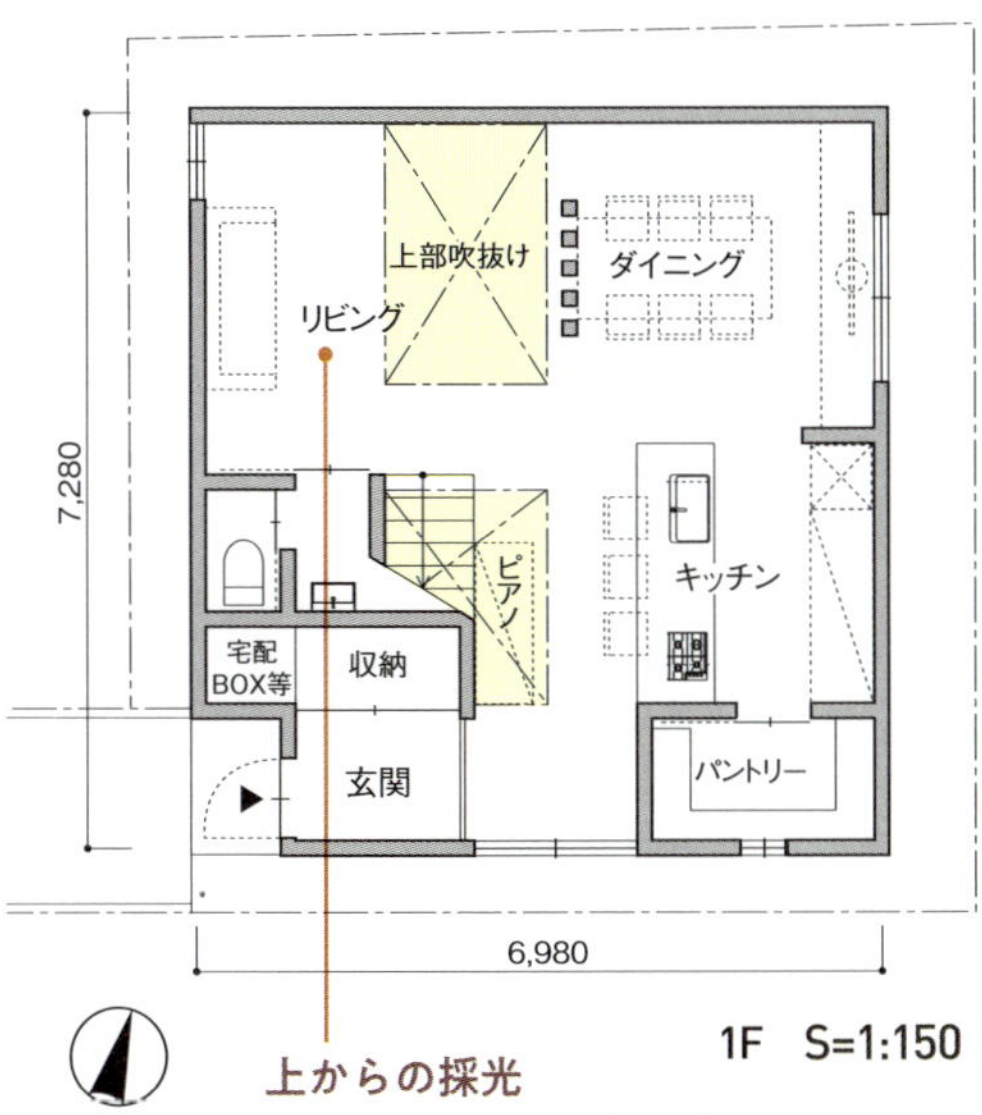

1F S=1:150

上からの採光

周囲が建て込んでいて窓から十分な採光が得られなくても、上から降りてくる光によって、明るい1階LDKとなっている

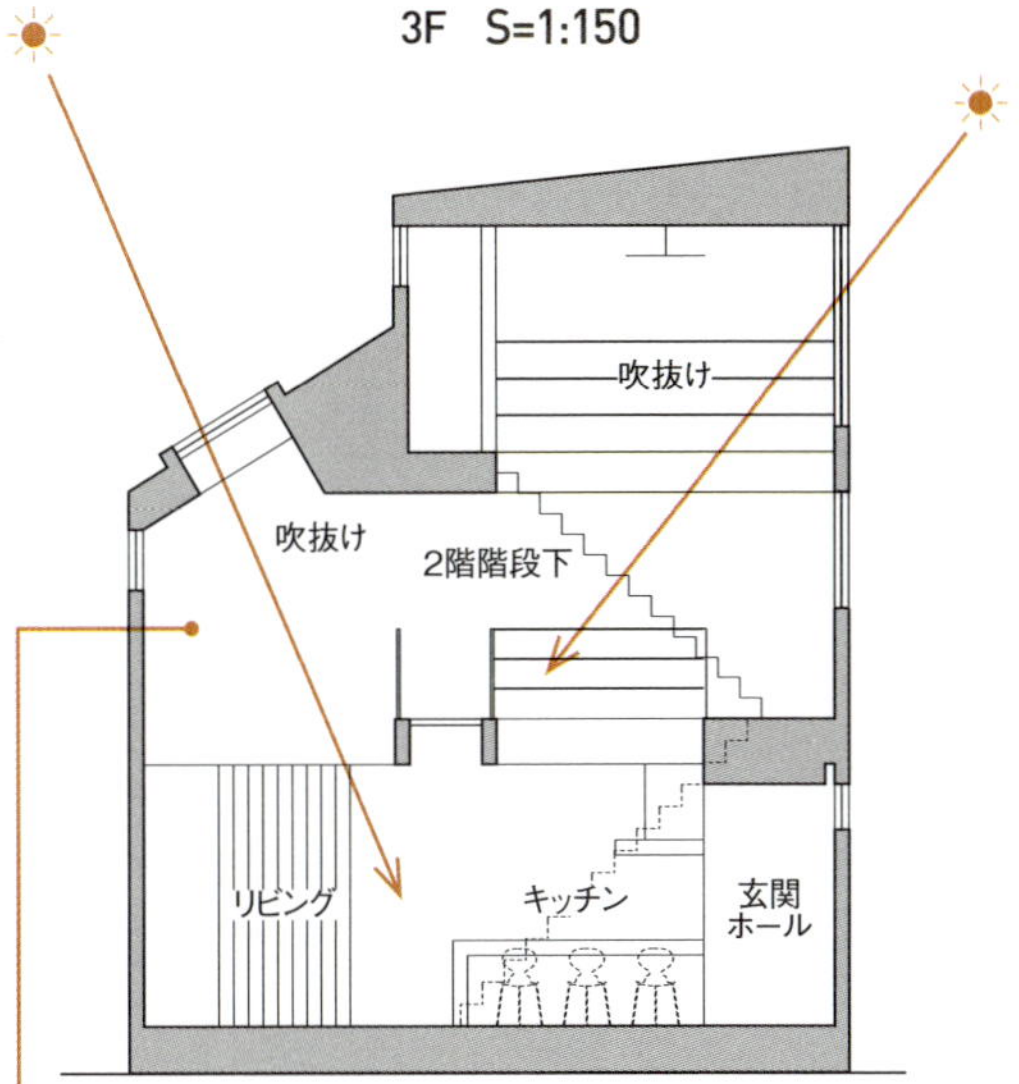

断面図 S=1:150

2つの吹抜け

階段廻りのほか、トップライトの光を落とす吹抜けもつくり、1階の明るさを確保。2つの吹抜けは、立体的な回遊動線もつくるので、家のなかの一体感が増すという効果もある

海に面した傾斜地では分棟にしてビューを楽しむ

会社の保養施設として計画された建物。大きく東と西に棟を分けて、東側は単家族利用、西側は複数家族あるいはゲスト利用を想定している。このため、東西両棟のいろいろなところから太平洋の大海原が楽しめるようにさまざまな配慮をしている。

棟を分けることでプライバシーを確保する、両棟から使えるテラスをしつらえる、などの工夫により、多様な使い方ができる保養施設となった。

建築概要	
所在地	千葉県
家族構成	法人多数利用
敷地状況	隣地より5m高い平坦地
敷地面積	368.27㎡（111.40坪）
延床面積	268.72㎡（81.28坪）
構造・階数	地下1階地上木造2階

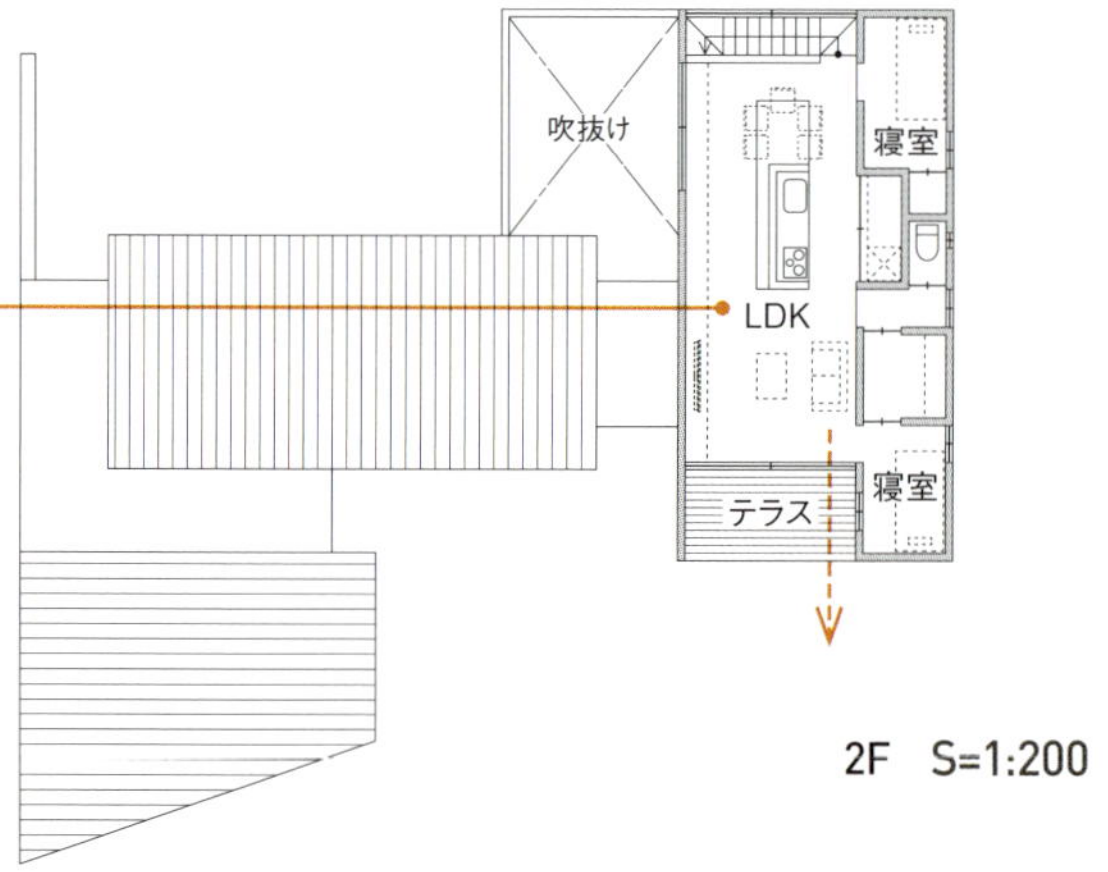

2F S=1:200

家族の落ち着き

東側の棟は単独の家族が使う場合を想定。くつろげるLDKを2階に設け、高い位置からの眺望を楽しめる

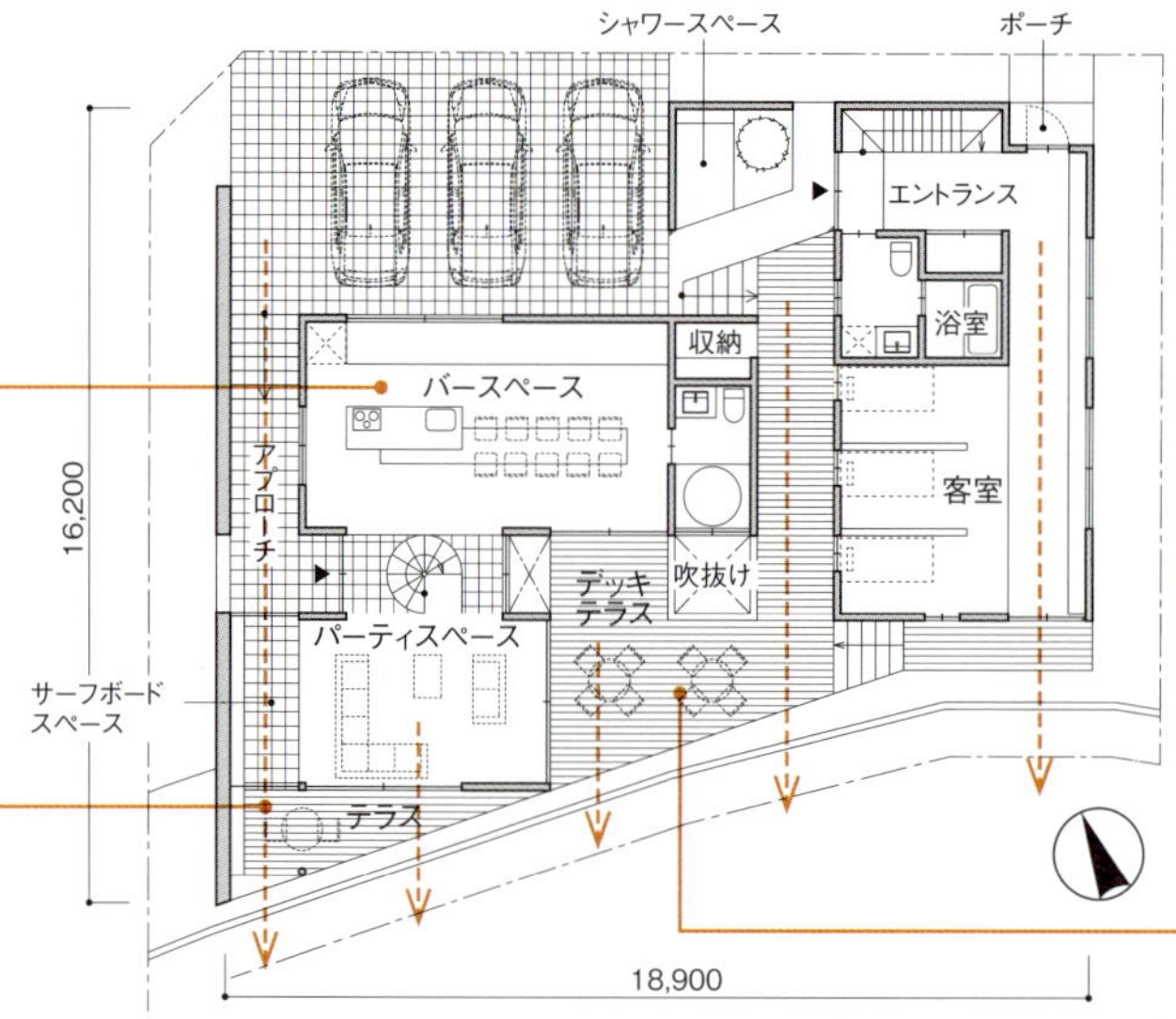

1F S=1:200

みんなで楽しむ

西側の棟は、ゲストや大勢の家族で楽しむ場所。一般的なリビング、ダイニングをバースペース、パーティスペースと読み替え、さまざまな楽しみ方ができるようにしている

海への眺望

建物内外のいろいろなところから海が楽しめるようになっている。通路部分は、視線をさえぎらないように長い動線をつくり、その向こうに海が広がるようにしている

共用のテラス

東西どちらの棟からも使えるテラス。室内からの眺めとは一味違う迫力のある景色を外部空間で味わう

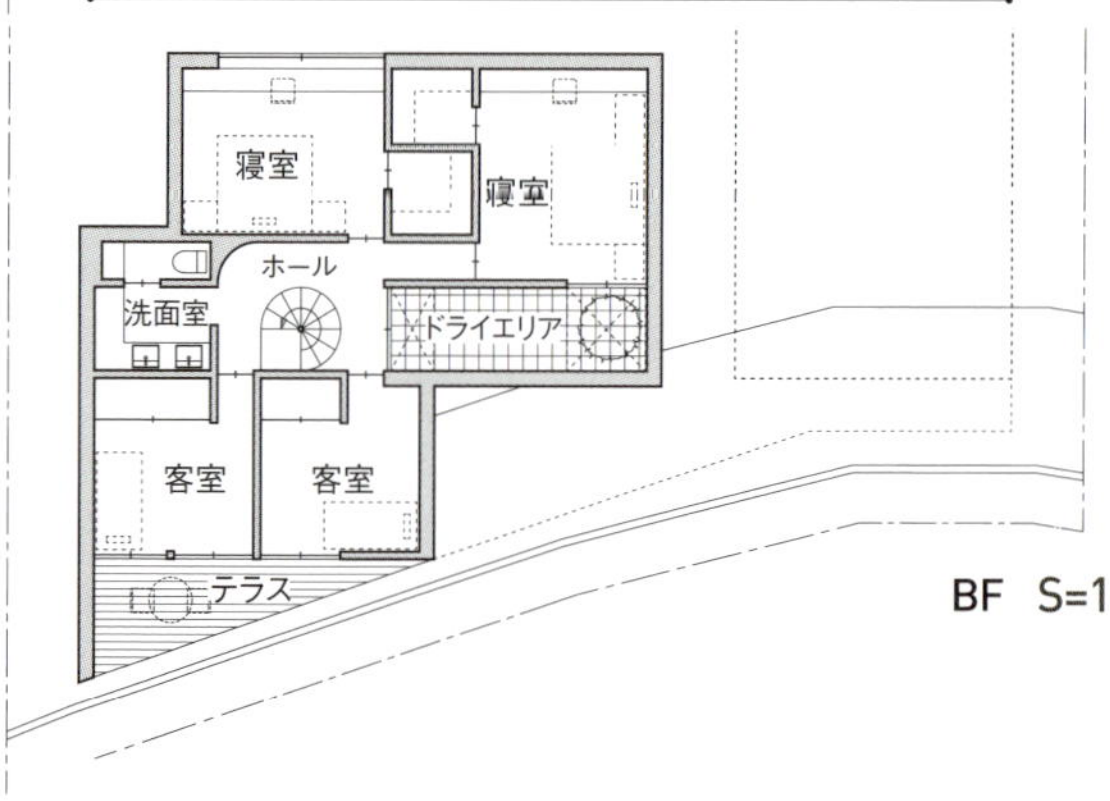

BF S=1:200

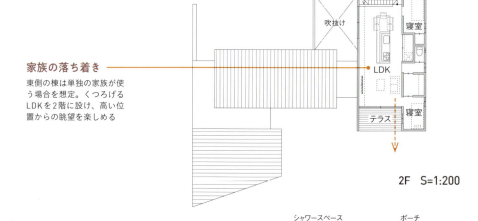

部屋と部屋を路地でつないだ三角の敷地の3つの棟

約25坪の三角形の敷地。オーソドックスな矩形平面の家は難しく、敷地形状の特性を生かした提案が求められた。

ここでは、変形地に合わせて建物も変形させるのではなく、矩形の棟を3つ組み合わせる提案をした。1階はDKとLと水廻り、2階は主寝室と子供部屋2つで、各棟は路地のような通路で結ばれる。特に1階は玄関土間がそのまま路地となり、別棟であることが意識される。小さな部屋でも、つなぎ方次第で豊かな広がりが得られるのである。

建築概要
所在地　東京都
家族構成　夫婦（30歳代）＋子供（これから）
敷地状況　変形（三角形）
敷地面積　83.61㎡（25.29坪）
延床面積　81.08㎡（24.52坪）
構造・階数　木造2階

1F　S=1:150

土間に降りて向かう
1階は、各棟が土間でつながっており、部屋間の移動は土間に降りて向かう。一度土間に降りることで、近くてもほどよい距離感が生み出される

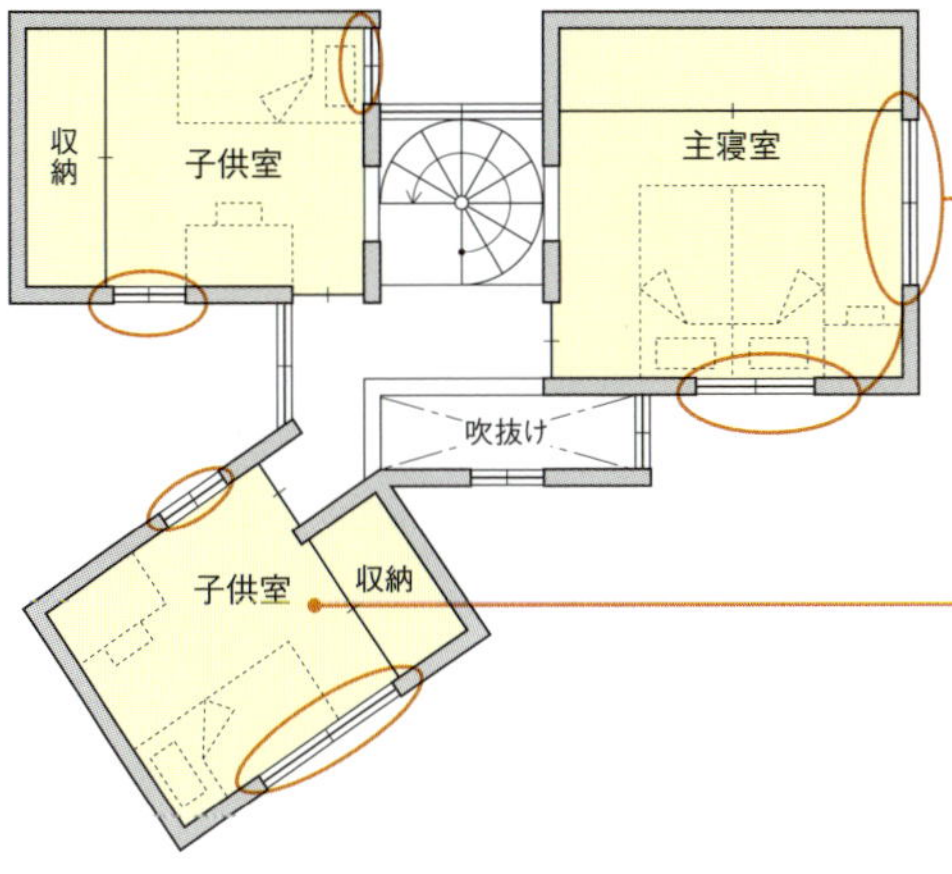

2F　S=1:150

2方向の窓
2階は1棟ワンルームなので、各部屋で2方向に窓が設けられている。部屋の通風を得るために2方向に窓があるのは基本。小さくても快適な個室となる

矩形が基本
変形敷地でも3棟とも矩形平面。斜めの壁はないので、家具配置なども無理なくできる。施工上も手間が少なくなる

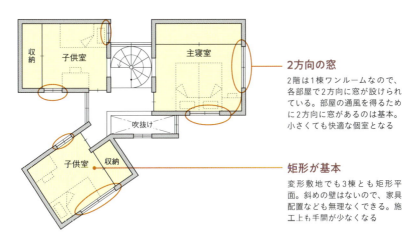

レベル差をつけて1階のあちこちで眺望を楽しむ

傾斜地の特性を生かしながら、眺望を暮らしのなかでも楽しみたいという要望だった。

そこで地盤の高低差を利用して、同じ1階にあるワンルーム空間でありながら、玄関ホール、キッチンとダイニング、リビングと順に床レベルを下げている。これによって、どこからでも上から見下ろす眺望が楽しめるようにしている。

床のレベルが変わることで、ワンルームのなかでも、それぞれ別の空間のように感じられ、見える景色も変化する。

建築概要	
所在地	神奈川県
家族構成	1人（30歳代）
敷地状況	整形、西道路、斜面地
敷地面積	200.00㎡（60.50坪）
延床面積	115.50㎡（34.93坪）
構造・階数	木造2階

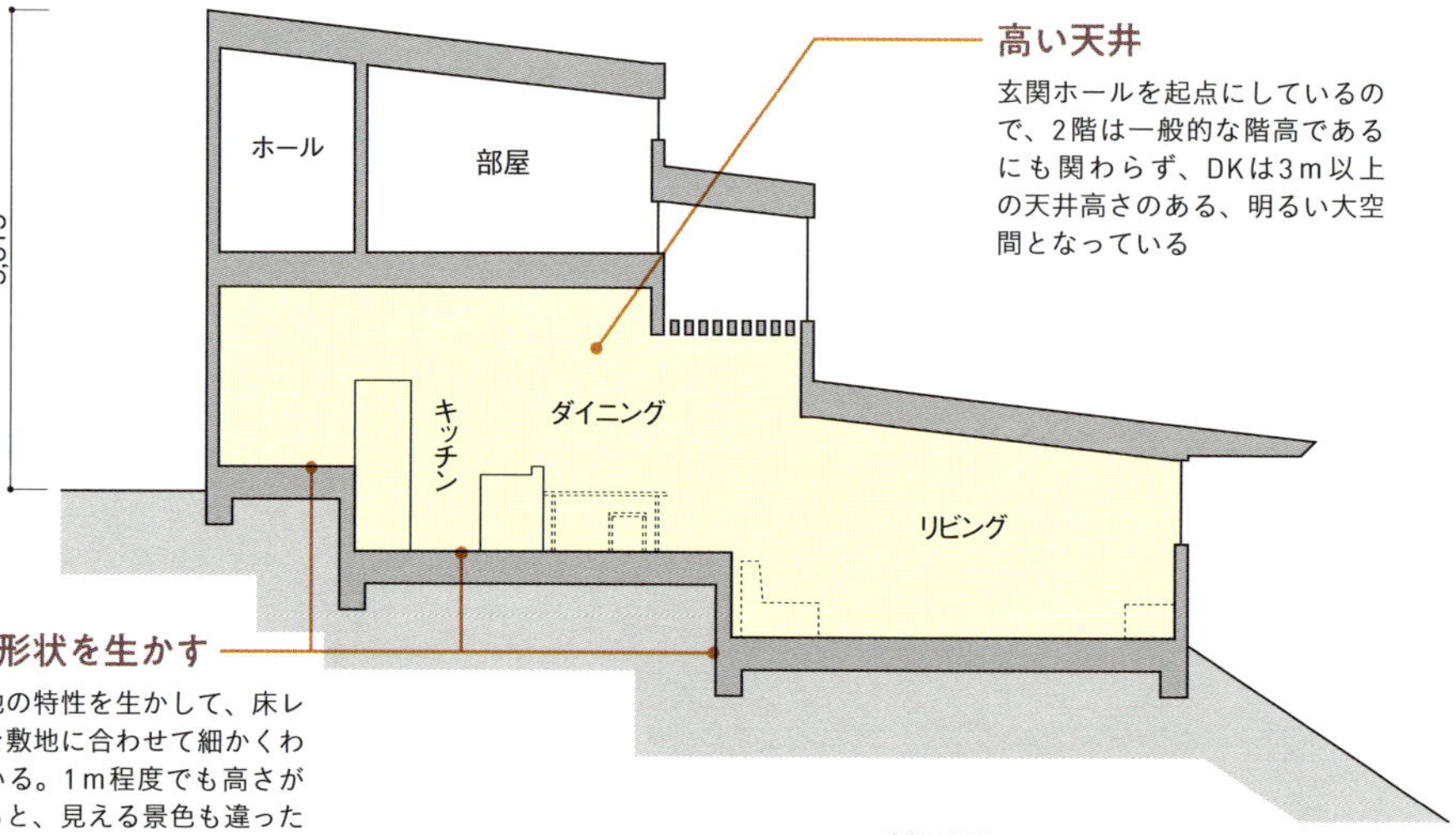

高い天井

玄関ホールを起点にしているので、2階は一般的な階高であるにも関わらず、DKは3m以上の天井高さのある、明るい大空間となっている

敷地形状を生かす

傾斜地の特性を生かして、床レベルを敷地に合わせて細かくわけている。1m程度でも高さが変わると、見える景色も違ったものになる。家のなかの移動が楽しくなる仕掛け

断面図　S=1:150

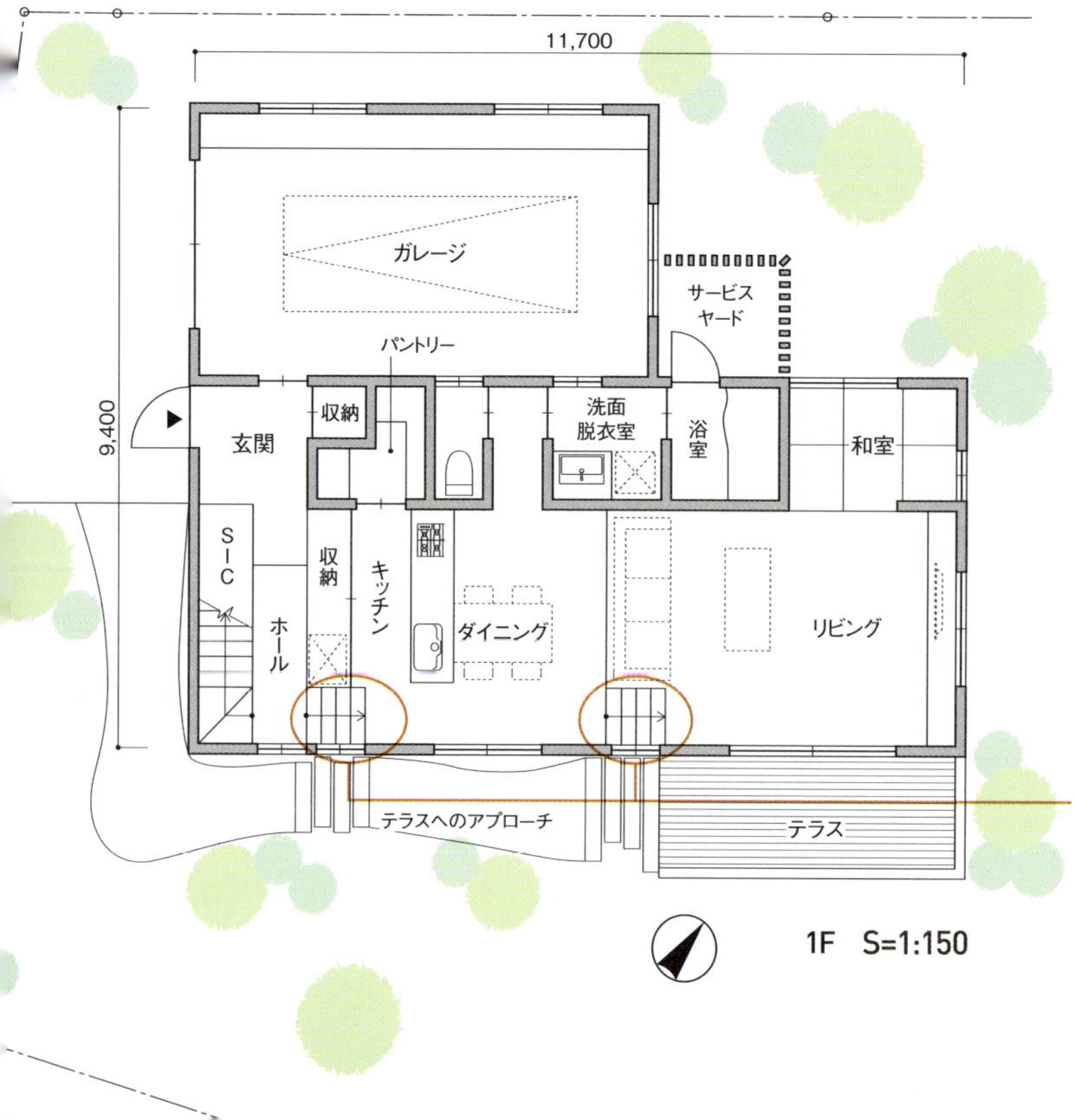

1F　S=1:150

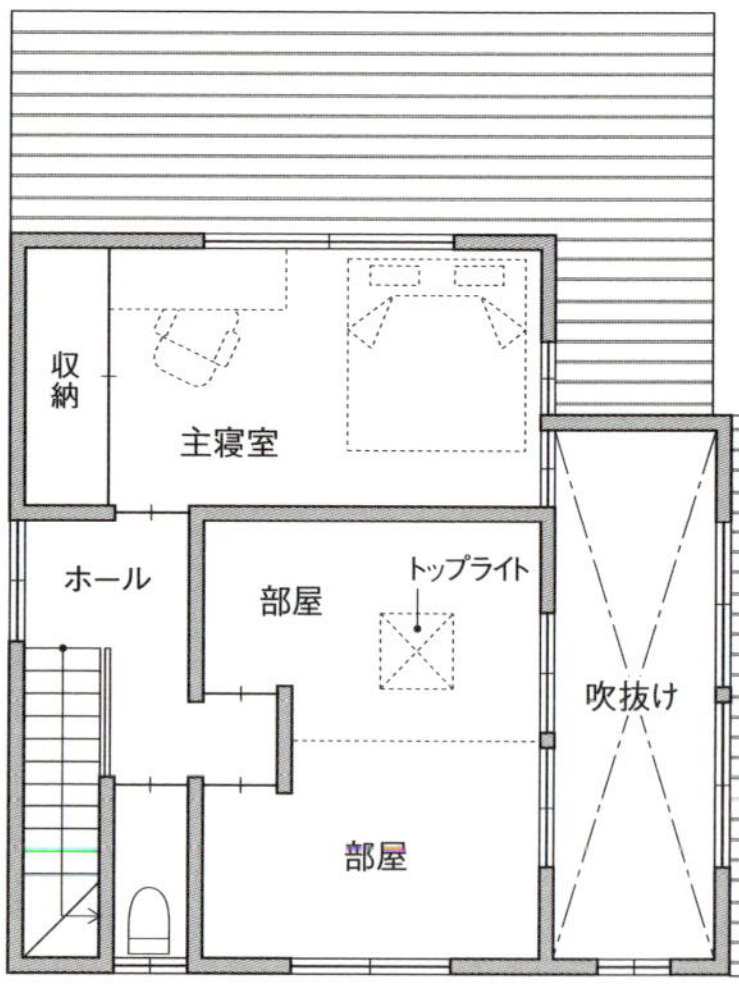

2F　S=1:150

5段ずつのレベル差

ホールからDK、DKからリビングへは、それぞれ階段5段分を降りていく。1m近くのレベル差は、それぞれの空間を明確に区分けしてくれる

建て坪14坪弱 床レベルで空間にメリハリを

30坪弱の敷地に4人家族が暮らす家という都市住宅。必要諸室を確保するだけでなく、どのようにして広がりをつくりだせるかがポイントとなった。

間取りとしては、大きく北東西のブロックに分け、北側に水廻りや収納を充てている。東西は、1階に玄関と主寝室、2階にダイニングキッチンとリビング、3階に子供室とセカンドリビングを置いた。セカンドリビングは多目的に使える余白を生み出している。

こうした平面操作に加えて、螺旋階段の採用により縦方向のつながりをつくり、また子供室の床をおよそ1m高くして、ダイニングキッチン上部を吹抜け状にした。天井高さと床レベルの変化によって、メリハリのある空間構成になっている。

収納をまとめる

各スペースが小さくなりすぎないよう、個々の部屋に収納を設けず、収納部屋をつくってまとめてしまえるようにしている

多目的空間

3階のセカンドリビングは、何にでも使える多目的空間。2階のリビングより、少しカジュアルに家族が集まれる場所

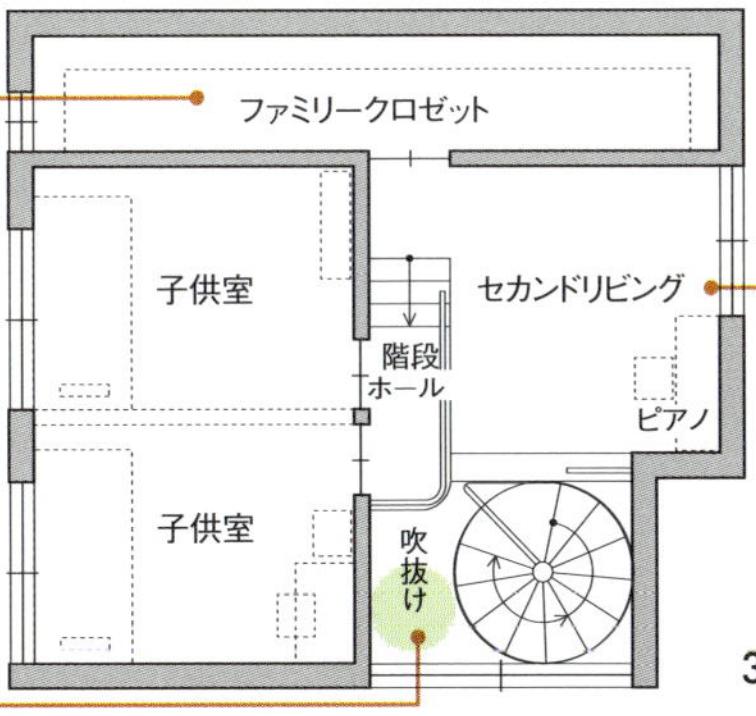

3F S=1:150

吹抜けでつながる

螺旋階段の脇を少し大きくすることで、2階のLDKと吹抜けでつながり、空間の広がりと変化が生み出される

天井がつくるメリハリ

子供室の床レベルを上げて、キッチンとダイニングの天井は、リビング側より高くなっている。これによりワンフロアのLDKに変化が生まれ、単調な空間にならない

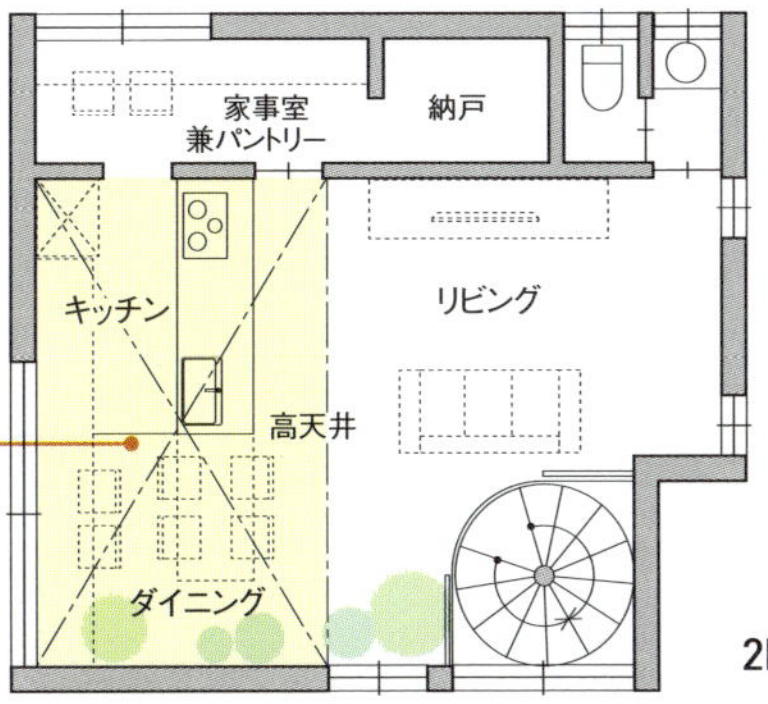

2F S=1:150

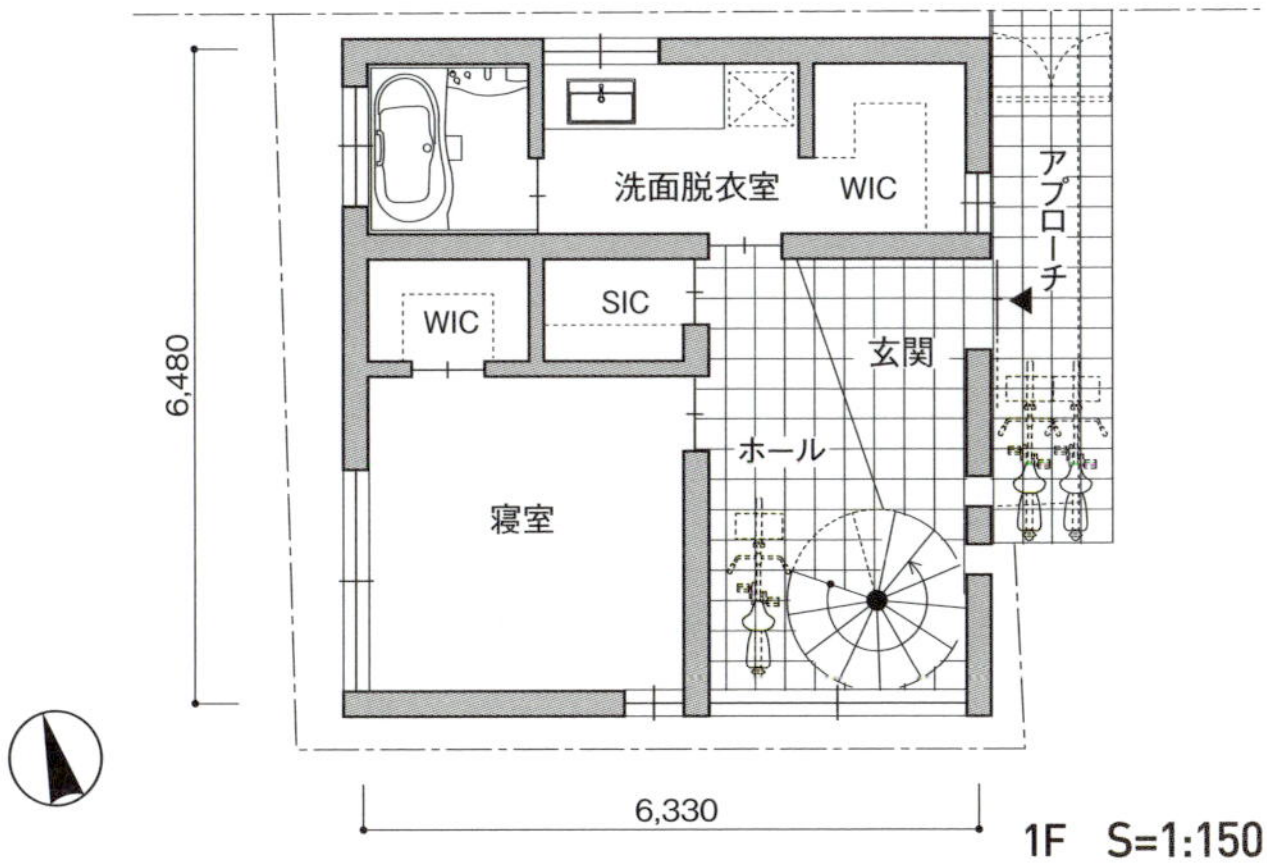

1F S=1:150

建築概要

所在地	東京都
家族構成	夫婦（40歳代）＋子供2人
敷地状況	整形、北道路
敷地面積	95.00㎡（28.73坪）
延床面積	130.95㎡（39.61坪）
構造・階数	RC造3階

家の中心線で気配をつなぐ2世帯住宅

既存家屋を一部残しながら、2世帯住宅に建て替える計画である。残す既存家屋は、親世帯とつなぐことになるので、既存家屋、親世帯、子世帯の順に並べている。

新築部分は、両世帯の中央に共有の玄関を置き、生活スペース自体は完全分離として、親子間といえどもプライバシーを守れるようにする。しかし、玄関正面のライトコートからは親世帯の気配がなんとなく伝わり、その奥につくった共有の物干し場でも相手の生活の息吹を感じることができる。

お互いのプライバシーを尊重しつつ、つかず離れずの距離感をつくり出した2世帯住宅である。

一緒に使う

物干し場は2世帯共有の場所。洗濯物を干すとき、取り込むときに顔を合わせることもあり、干してある洗濯物で、相手世帯の元気な様子を知ることができる

窓越しの気配

玄関は2世帯共用。その先にあるライトコートは、主に親世帯のDK廻りの採光のためのものだが、ライトコートを挟んだガラス越しに親世帯の様子がうかがえる

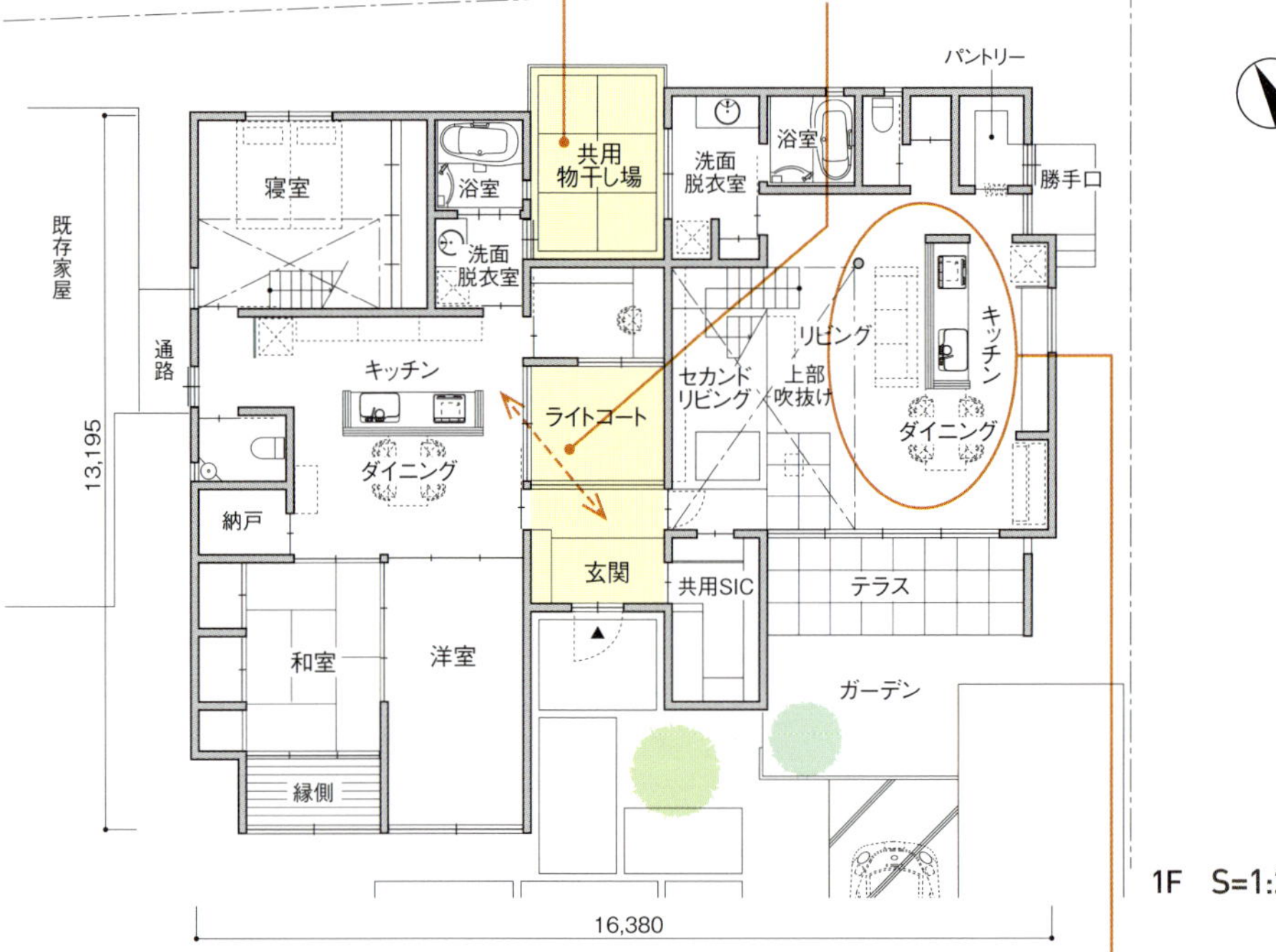

1F　S=1:200

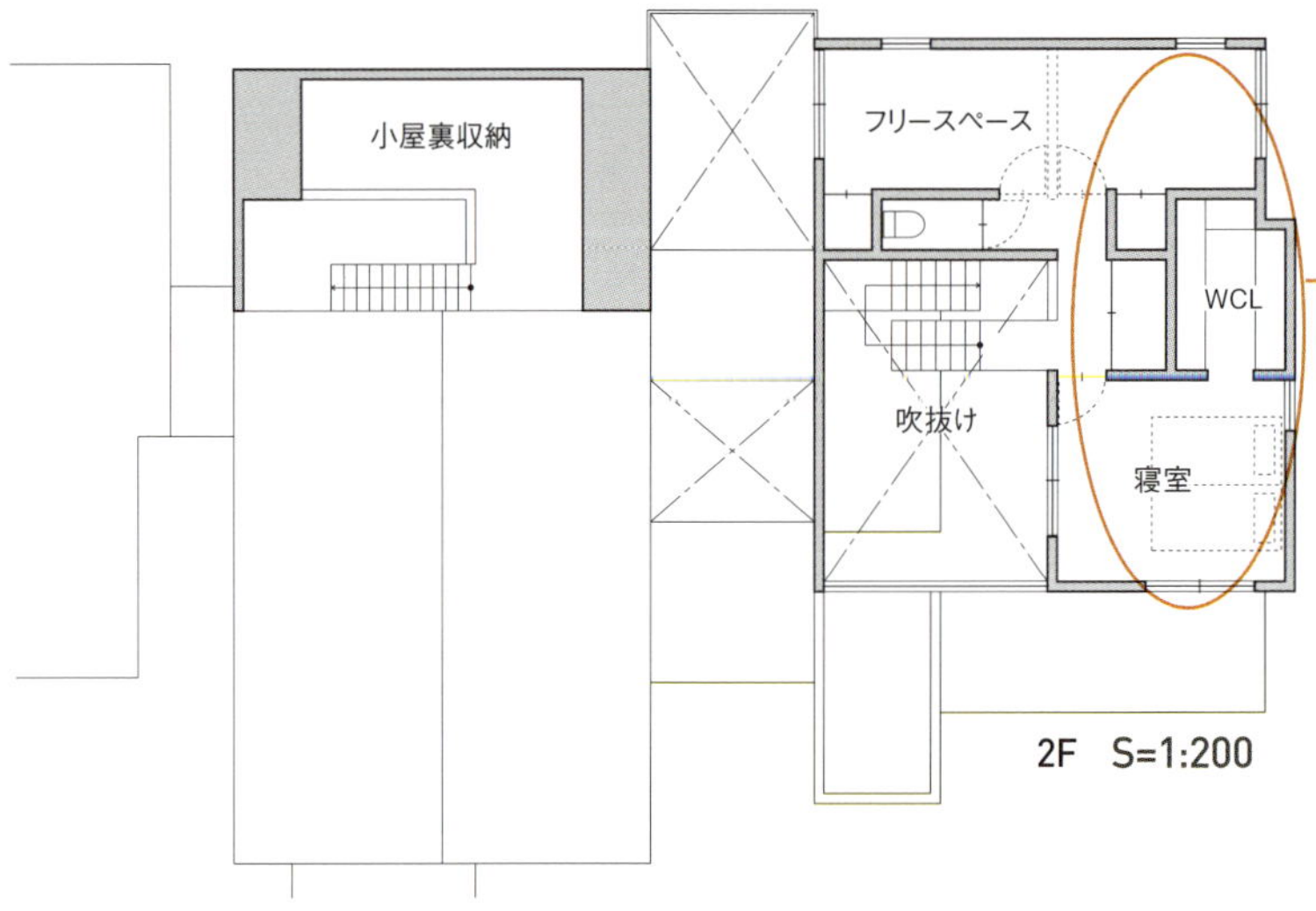

2F　S=1:200

暮らしの場を離す

子世帯の暮らしの場は、親世帯側からできるだけ離したところに配置し、音や視線について気兼ねすることなく暮らせるように配慮している

建築概要

所在地	愛知県
家族構成	2世帯：夫婦（30歳代）＋夫婦（60歳代）
敷地状況	整形、南道路（両親敷地を机上分筆）
敷地面積	631.81㎡（191.12坪）
延床面積	201.62㎡（60.99坪）
構造・階数	木造2階

プライバシーを尊重して すべての採光は中庭から

小さな敷地が集まった住宅地のなかで、広い敷地に家を建てるのは意外に難しい。道路や隣家からの視線をさえぎりながら、どのように十分な採光や通風が得られるようにするかは難問である。

ここでは、建物の外周に面する窓は必要最小限にして、ほぼすべての居室の採光を中庭から採ることにした。中庭の周囲は、水廻りのある1階東側を除いてほぼガラス窓とし、2階の中庭側はバルコニー部分を除きガラスを入れて各室に十分な陽射しが届けられるようにしている。

建築概要	
所在地	愛知県
家族構成	夫婦（40歳代）＋子供2人
敷地状況	整形、北道路、密集地
敷地面積	500.19㎡（151.30坪）
延床面積	309.28㎡（93.55坪）
構造・階数	木造2階

玄関を引き込む

玄関を家の中央に置いて、アプローチを長く取り、外から家のなかの気配がわからないようにする。ガレージからの動線も短くできる

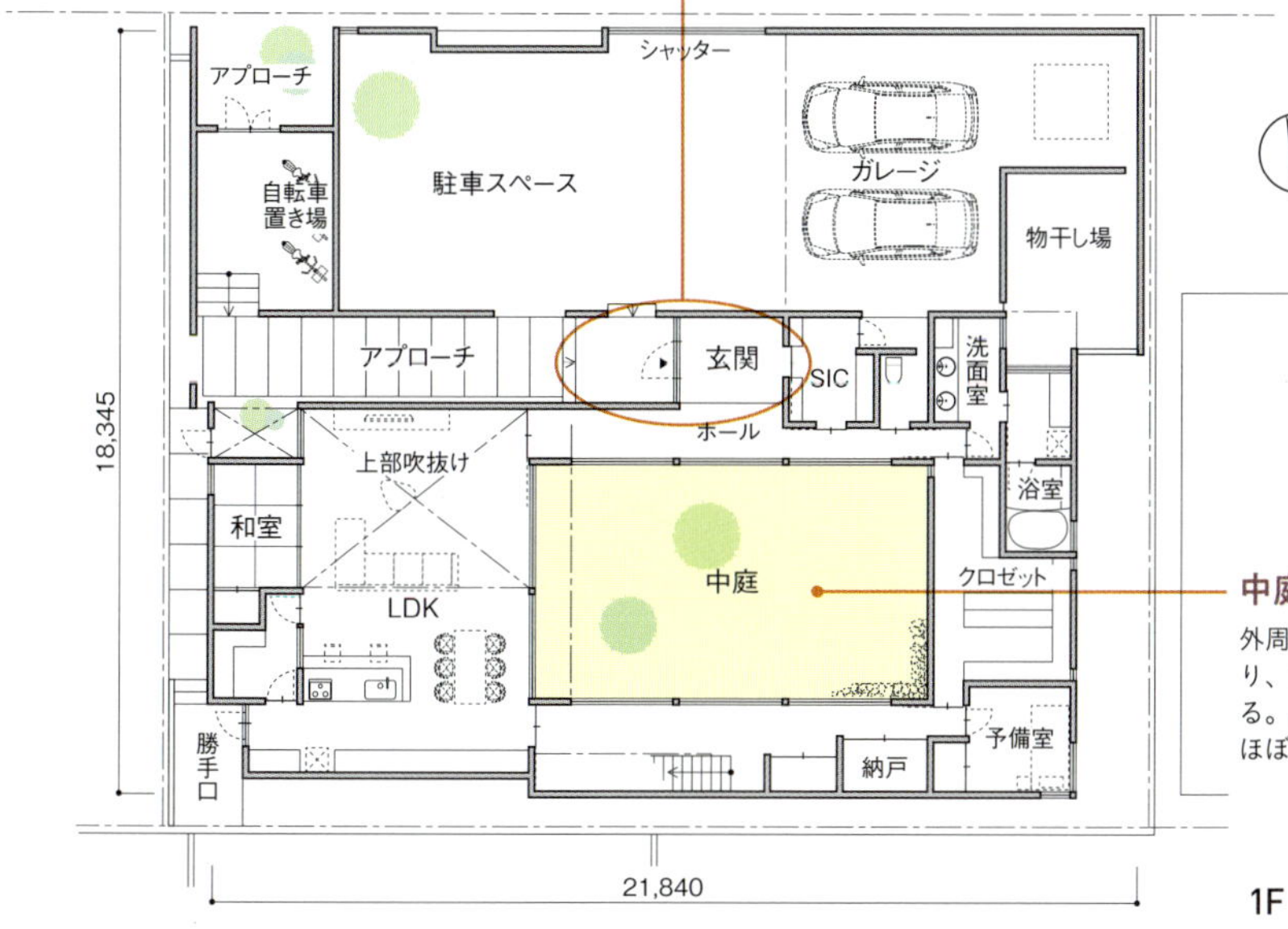

中庭から採光

外周部の窓を必要最小限に絞り、中庭側に向かって開放する。居室に必要な明るさは、ほぼすべて中庭側から得る

1F　S=1:300

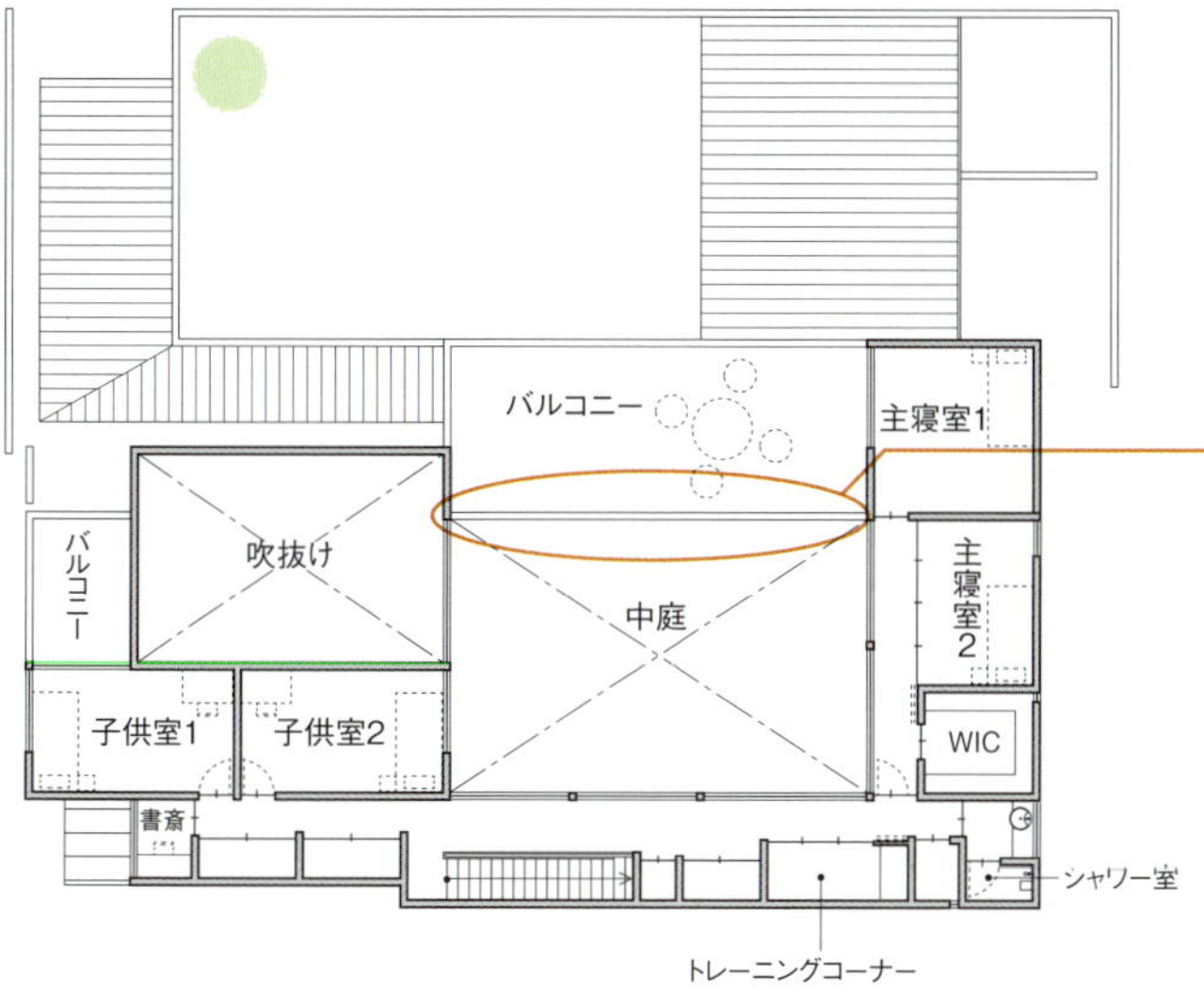

一部空に視線が抜ける

中庭は2階まで建物に囲まれているが、2階寝室前のバルコニー部分だけ手すり壁なので高さが低くなっている。1階から北側に向かって空に視線が抜けていく

2F　S=1:300

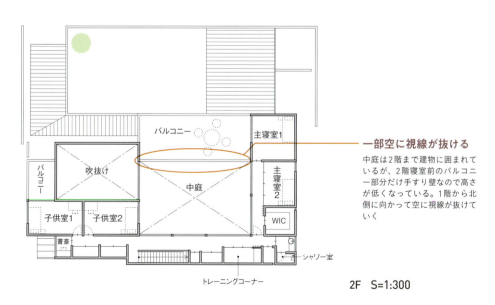

南面信仰に捉われず北側に大きく開く

北東側で接道する旗竿敷地だが、敷地の南側にはマンションが建っており、景色も採光もあまり期待できない状況だった。そこで、ここでは南面を閉じ、北側に大きく開くプランを提案した。北側は隣地が高いうえ、北側に寄せて建物を建てているので、建物どうしで視線がバッティングすることはない。

道路から奥まった敷地をさらに建物と擁壁で囲い込んだプライベートな庭は、北側の落ち着いた光を室内いっぱいに届けてくれる。

建築概要	
所在地	愛知県
家族構成	夫婦（40歳代）＋子供1人
敷地状況	旗竿状、旗部分は矩形、北東道路、道路との高低差2.5m
敷地面積	349.00㎡（105.57坪）
延床面積	136.56㎡（41.30坪）
構造・階数	木造2階

北側の庭。玄関と和室を母屋から飛び出させて庭を囲い込む。室内には、この庭から北側のやさしい光が行きわたる

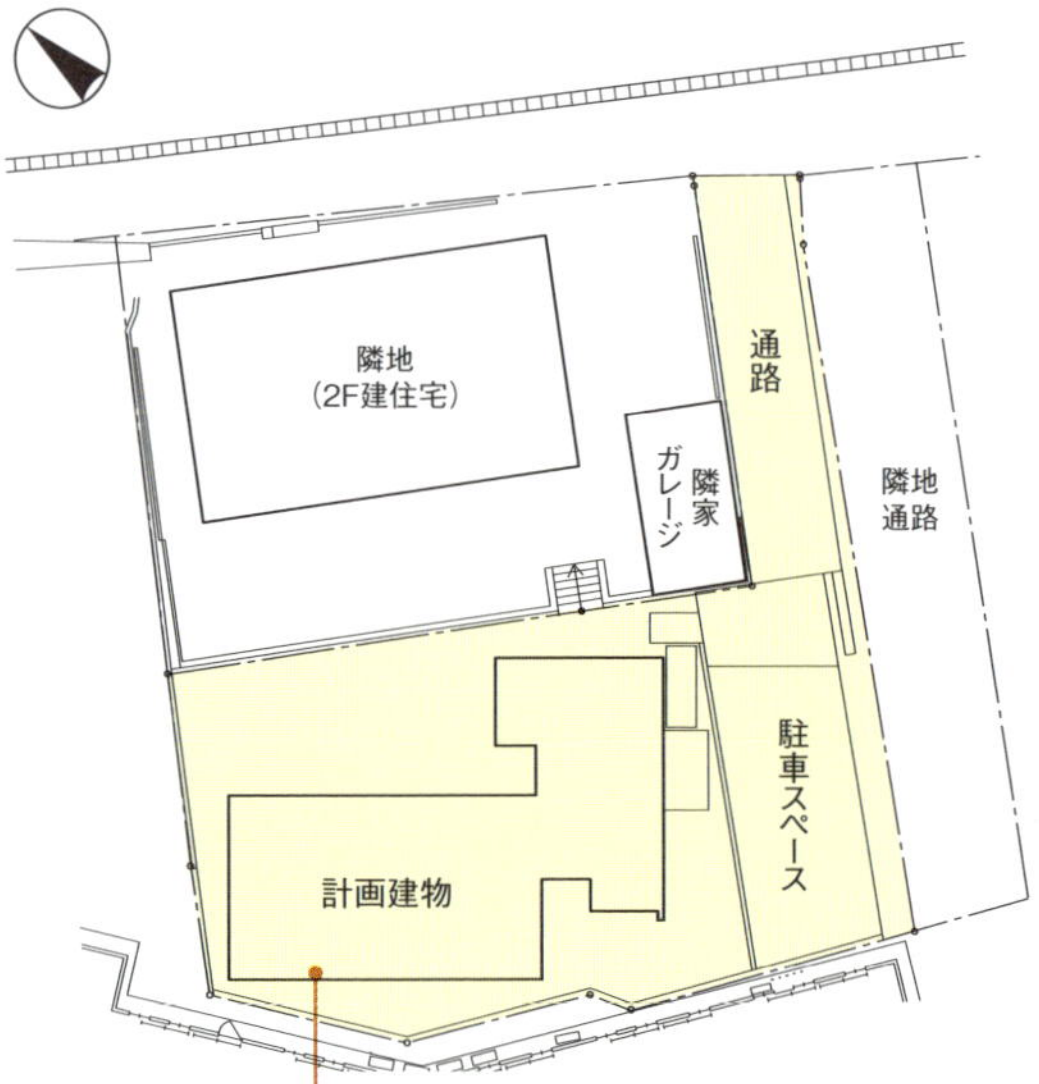

配置図　S=1:500

主屋を奥に置く

玄関廻りの空間と離れの和室を敷地の手前に置いて、生活スペースとなる主屋を敷地の奥に配置する。旗竿敷地とはいえ、アプローチから直接生活空間が見えないようにしている

北側に大きく開く

1、2階とも、北側の庭方向に大きな開口を取っている。囲われた庭に向かって開いているので開放感が高い

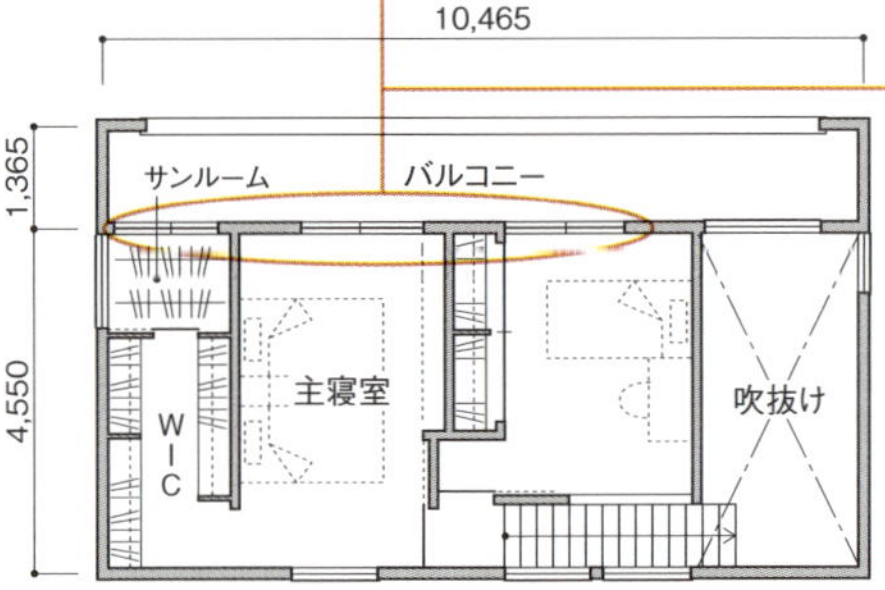

2F　S=1:200

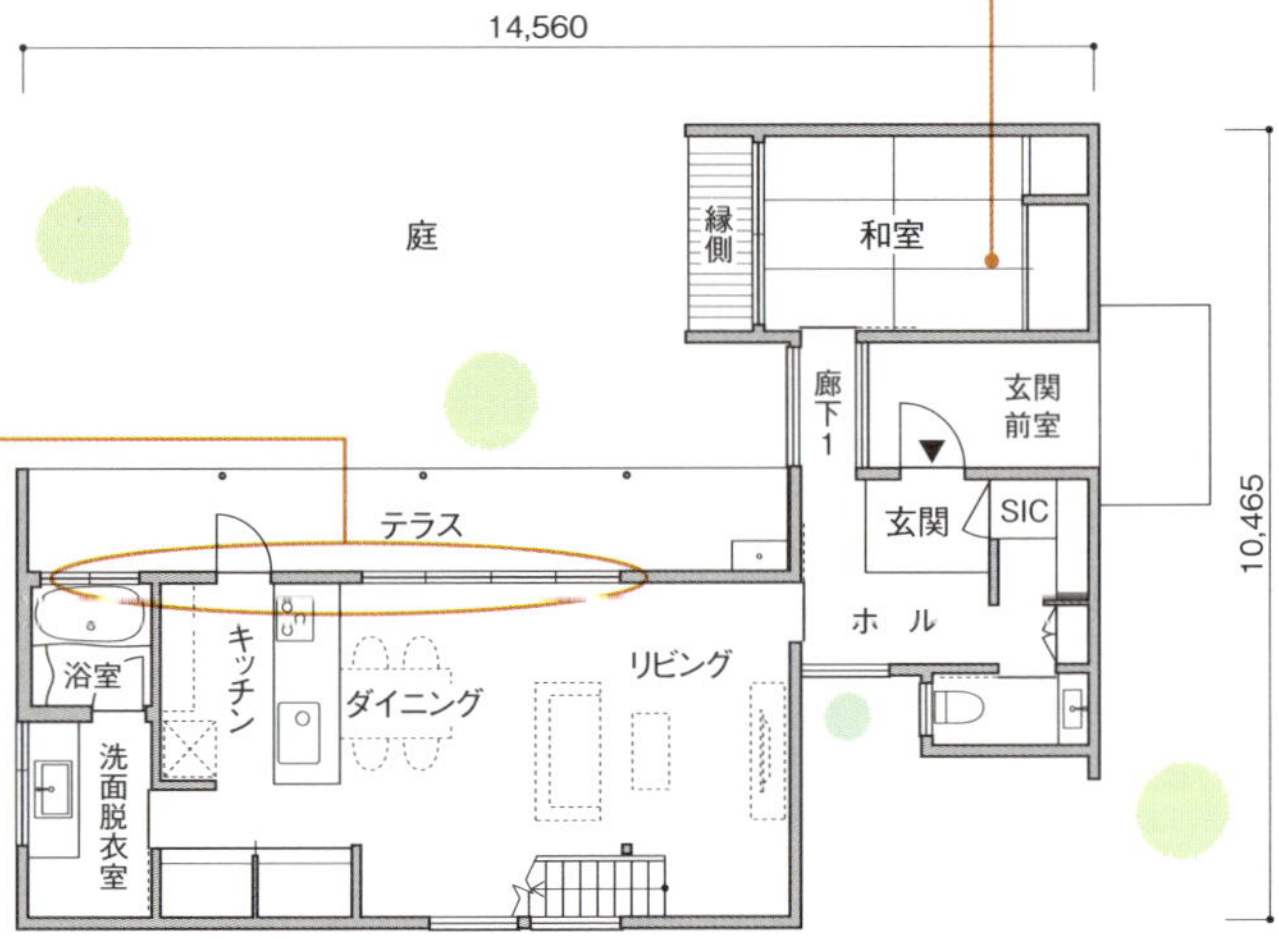

1F　S=1:200

変形の狭小地を使い切った独自形状の家

敷地は約43坪だが、壁面後退により道路側で2m、その他で1.5mのセットバックを余儀なくされるため、建物が建てられるのはわずか12坪であった。敷地が変形しているので建物もその変形に合わせながら、使える面積を目いっぱい使って生活空間をつくり出した。

間取りとしては、1階に水廻りと寝室、2階にLDKというシンプルな構成だが、極力無駄なスペースをなくし、気持ちよく、また効率よく暮らせるように工夫している。

建築概要	
所在地	愛知県
家族構成	夫婦（40歳代）
敷地状況	変形、北道路、道路との高低差 0.8m
敷地面積	141.78㎡（42.88坪）
延床面積	67.50㎡（20.41坪）
構造・階数	木造2階

変形＋狭小

すべての境界線から壁面後退が必要だったため、建物が建つ部分は12坪でかつ変形に。ここに無駄なく生活スペースを計画することになった

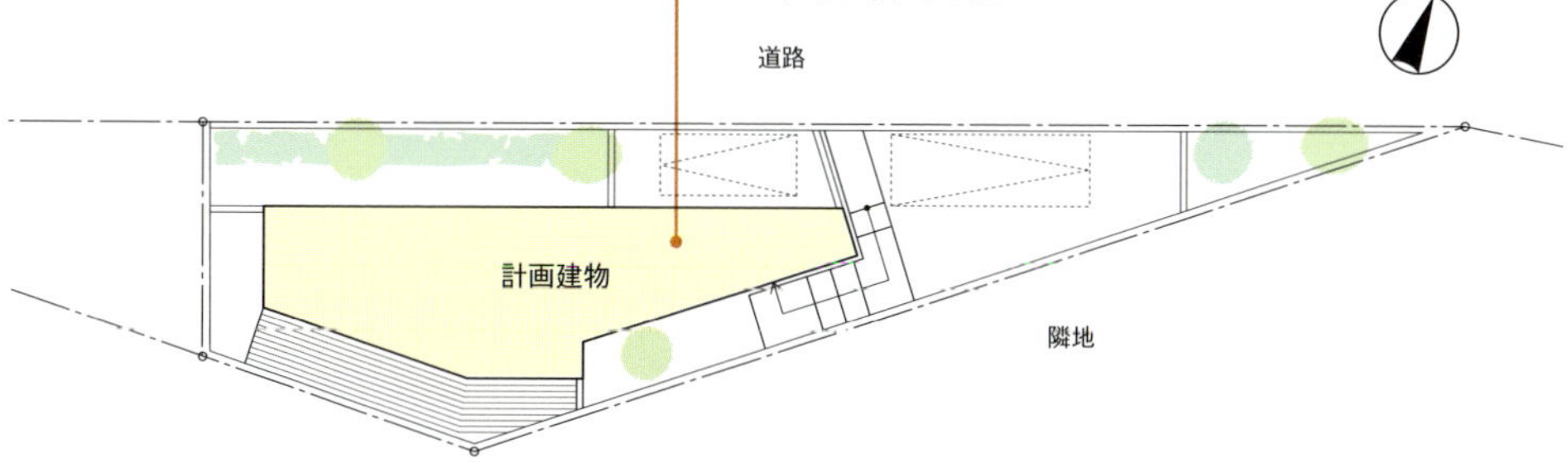

配置図　S=1:300

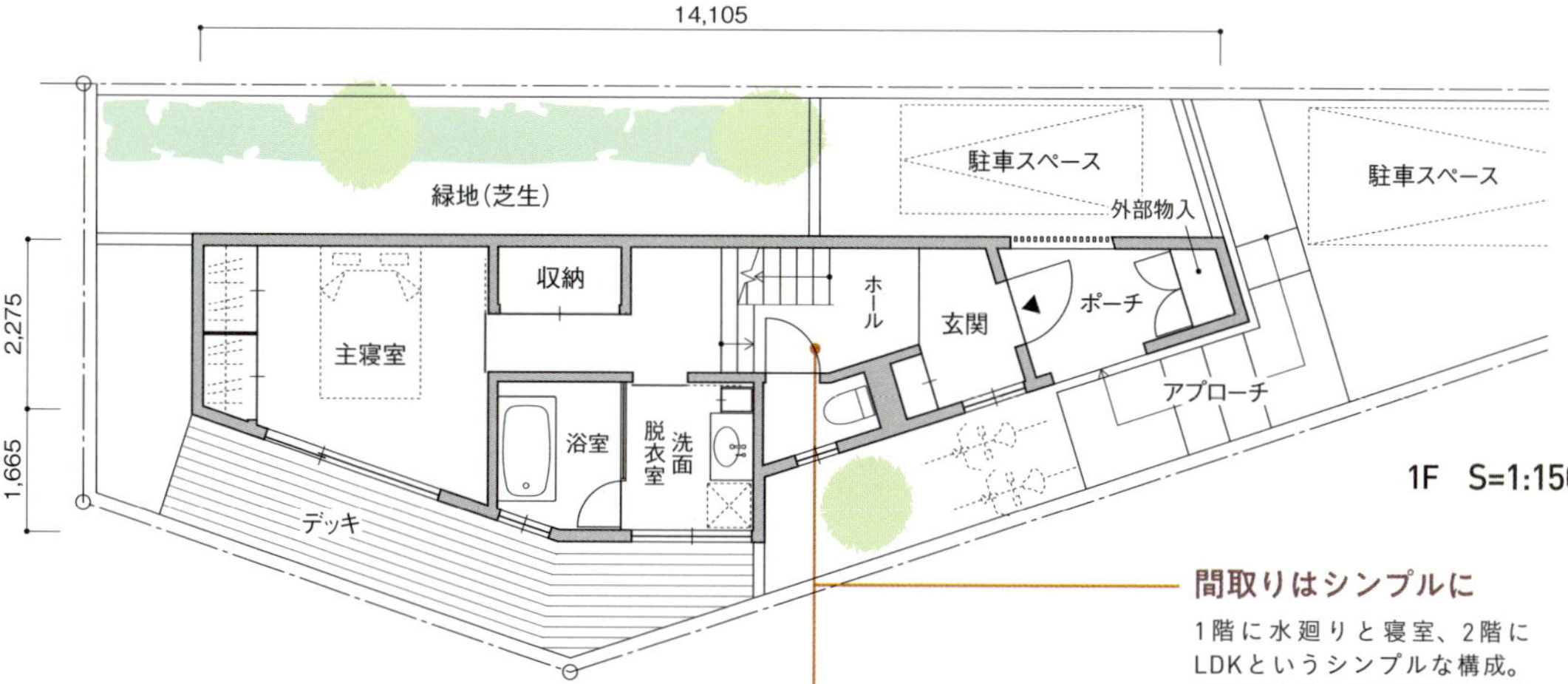

1F　S=1:150

間取りはシンプルに

1階に水廻りと寝室、2階にLDKというシンプルな構成。変形形状ができるだけ室内に現れないように配慮している

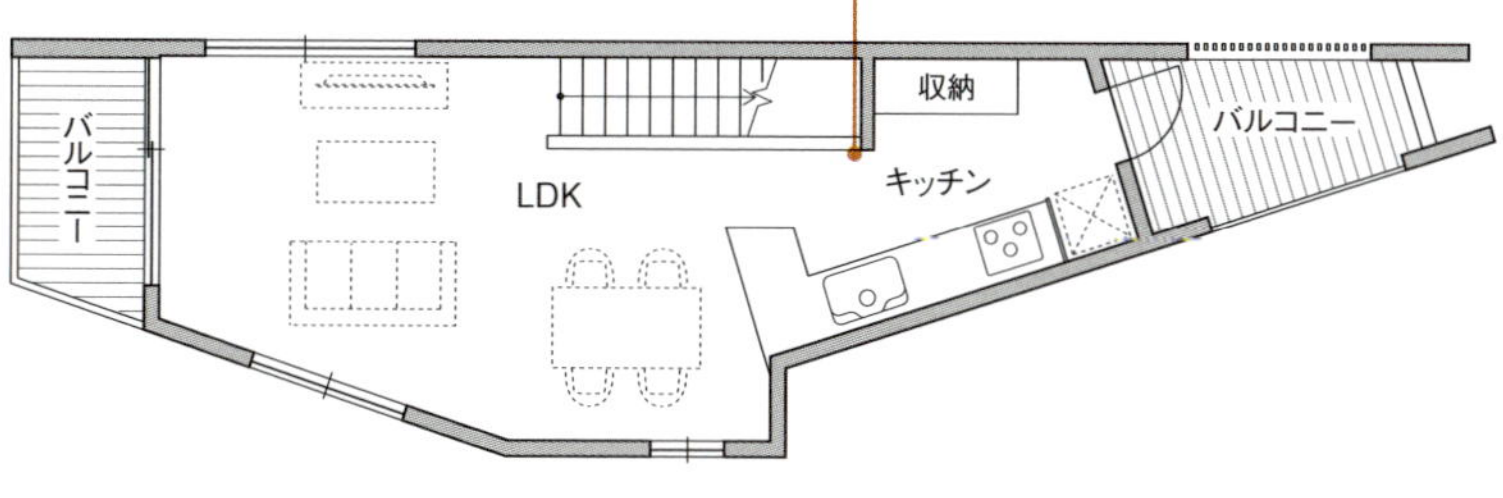

2F　S=1:150

CHAPTER

14

最高の間取りを目指して

設計者の能力を存分に引き出す

設計者の仕事は敷地の魅力を引き出し、建て主の要望を聞き出し、それらをもとに建て主の想像をはるかに超える住まいをつくり出すことです。そのため建て主も設計者の能力を上手に引き出せるように、設計者が考える部分を残しておくことが大切になります。はじめて家づくりに関わる人と、設計者では経験値も建物に関わる知識

も大きく異なるからです。

間取りを考えるのは楽しいことですが、自分が考えた間取りが正しいとは限りません。そもそも設計者は平面だけでは考えていないのです。その敷地の外側を含めて立体的に考えているからこそ、効率の良い動線や光の採り方、風の抜き方などが見えてくるのです。

長く住める家は愛着のもてる家

動線、採光、通風などをしっかりと計画し、機能的につくられた家だとしても、長く住み続けられるかどうか、実はわかりません。そこには愛がなくてはならないのです。

ぜひ賢く設計者を使って、かつ自分の思いをしっかりと伝えて愛着のもてる家をつくってください。そして、愛を込めて手入れをしてあげてください。そうすれば、必ず長く住み続けられる家になるはずです。

広い敷地を生かして異なる3つの庭をつくる

変形地だが広さは250㎡あまり。十分広さがあり、敷地面積を生かしたさまざまな外部空間が要求された。

そこで基本は周囲からの視線が気にならないコートハウスとし、家の中央に位置する中庭以外にもいくつかの外部空間をしつらえている。

中庭は家族や友人と楽しむアクティブな庭、中庭と廊下を挟んで置かれたリビング前はアウトドアリビングに、そして廊下の突き当たりには眺めて楽しむ庭、さらに2階にも大きなテラスを用意している。

建築概要
所在地　神奈川県
家族構成　夫婦（40歳代）＋子供2人
敷地状況　整形、北道路
敷地面積　256.62㎡（77.62坪）
延床面積　240.00㎡（72.60坪）
構造・階数　木造3階

遊ぶ庭として

家の中央に置かれた庭は、ダイニングにも近く、バーベキューなどもできるアクティブに楽しむ庭。玄関からまっすぐ向かうこともできる

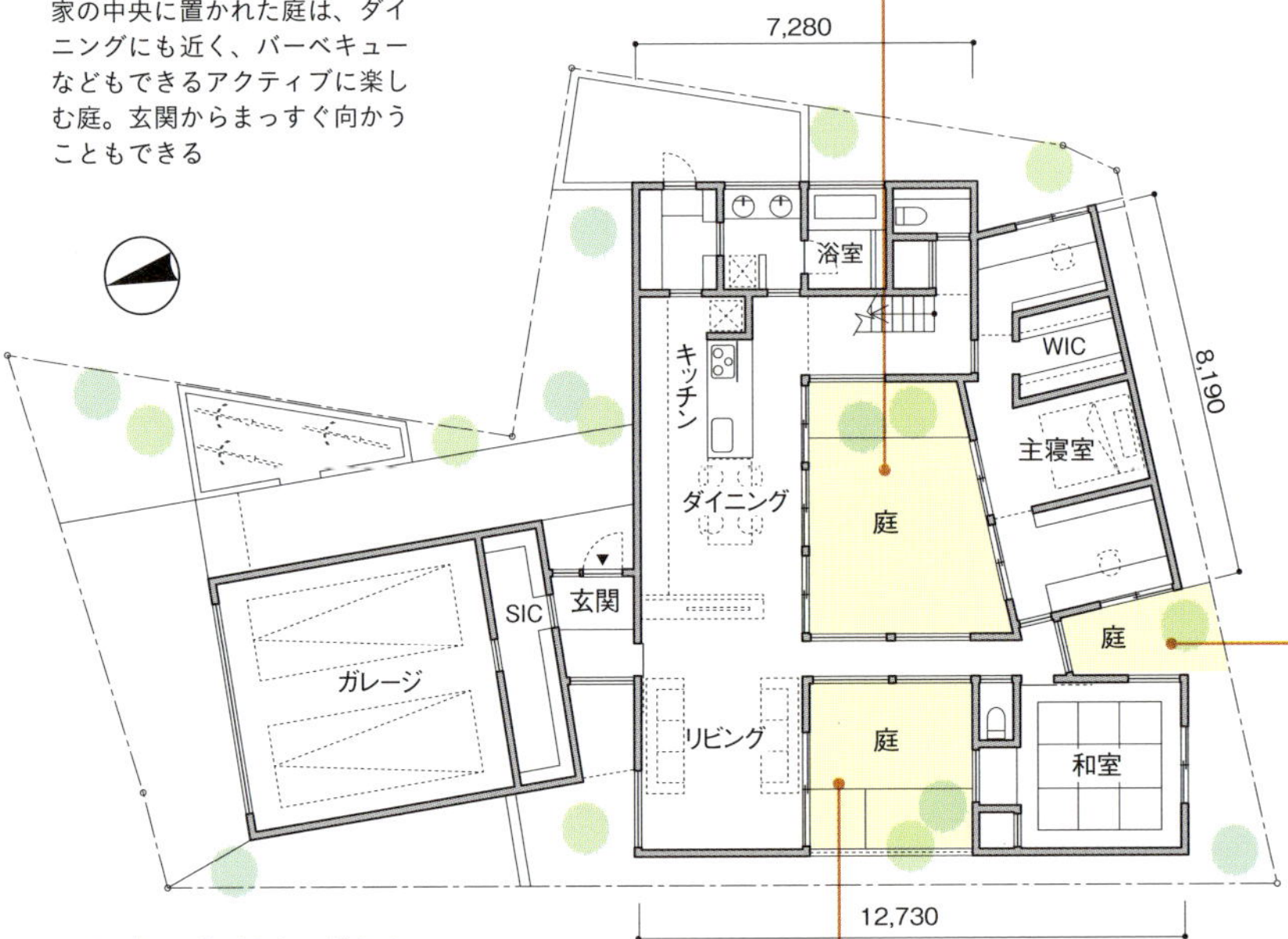

1F　S=1:250

セカンドリビングとして

リビング前のデッキは、外部のセカンドリビングとしてくつろぐ場所。和室の地窓から眺めることもできる

眺める庭として

玄関からまっすぐに伸びる廊下の先には眺める庭。和室からも緑を楽しむことができる

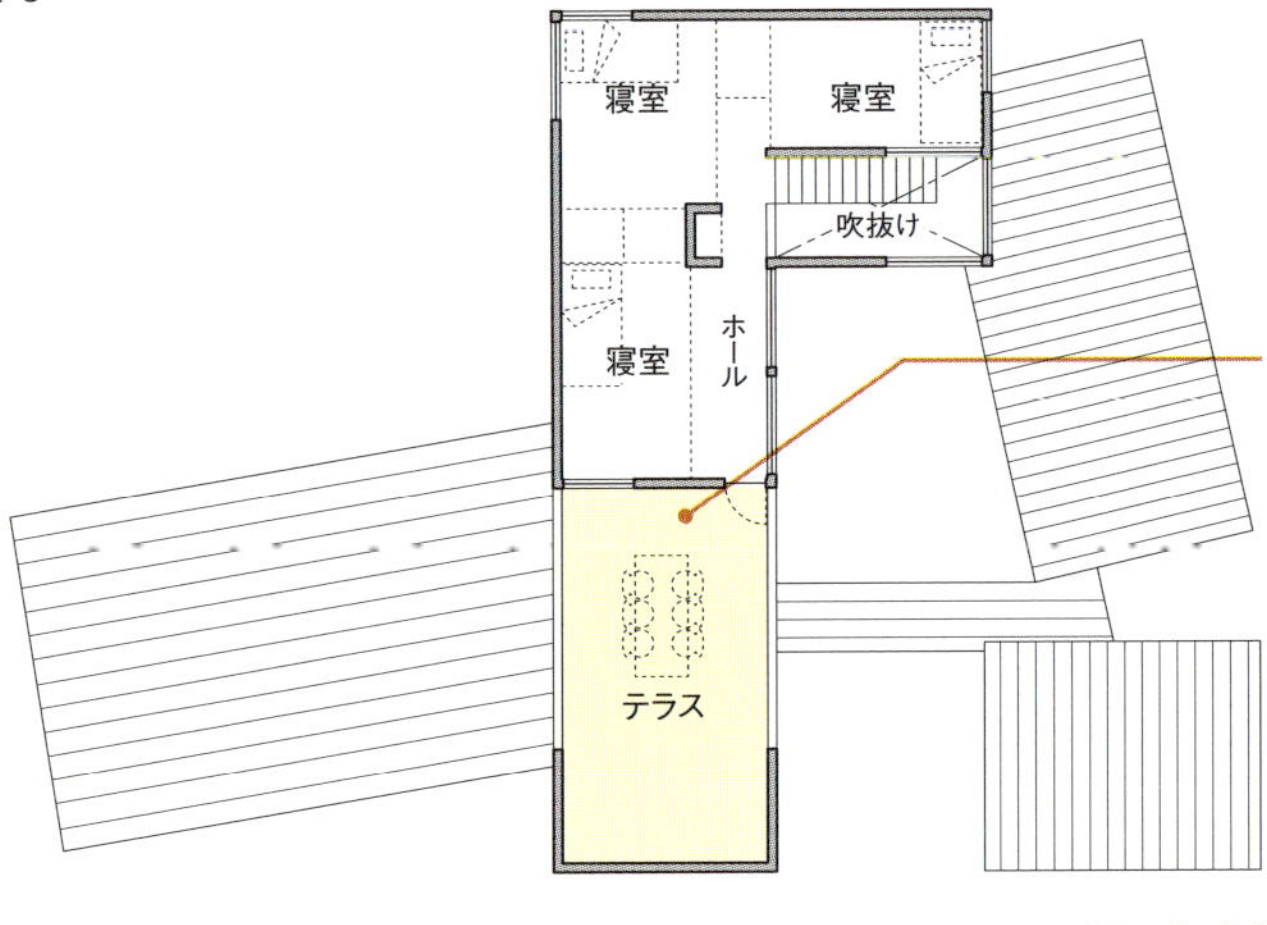

1階とは違う楽しさ

2階にも大きな外部テラスを用意している。子供たちの遊び場にもなる

2F　S=1:250

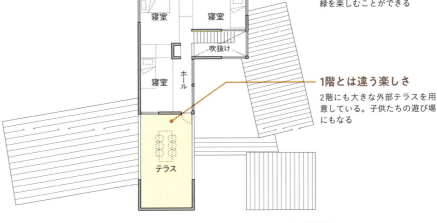

大きな窓と露天風呂でリゾート気分が味わえる家

要望として、ＬＤＫには大きな窓がほしい、バルコニーを充実させたい、ジャグジーを楽しみたいという3点があげられた。敷地は南西に視線が抜ける立地だったので、3階に配置したＬＤＫは、南西側に大きな窓と広いバルコニーを設けている。

また2階には浴室とは別に、外にジャグジーを設置した。屋根を部分的に抜いているので、浴槽に浸かりながら見上げれば空が見える。2階にもバルコニーを回しているが、ジャグジー前は奥行きを広くして開放感を高めている。

建築概要
- 所在地　神奈川県
- 家族構成　夫婦（40歳代）＋子供2人
- 敷地状況　整形、北道路
- 敷地面積　324.00㎡（98.01坪）
- 延床面積　256.00㎡（77.44坪）
- 構造・階数　木造2階

中央の階段

階下に降りる階段をあえて部屋の中央に置き、ワンフロアの広がり感を高めている。階段は、DK側とリビング側をなんとなく分ける仕切りの役目も果たしている

抜ける視線を大切に

南西側に視線が抜けるので、LDKではこの方向に大きな窓を設け、また広いバルコニーを設置。外部リビングとして楽しむことができる

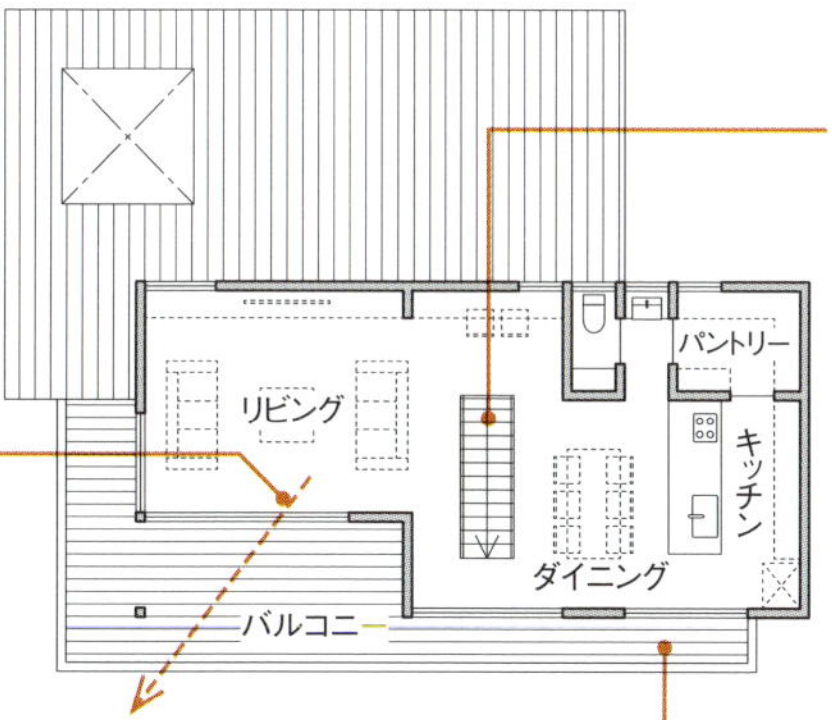

3F S=1:250

奥に続く楽しさ

2階も3階も、西側から東側までバルコニーを回している。実際に端から端まで歩き回ることはなくても、先に続いていくことで閉塞感が払拭される

露天ジャグジー

要望のあったジャグジーを、浴室とは別に設置。屋根を抜き、空が見える露天のジャグジーで心身ともにリラックス

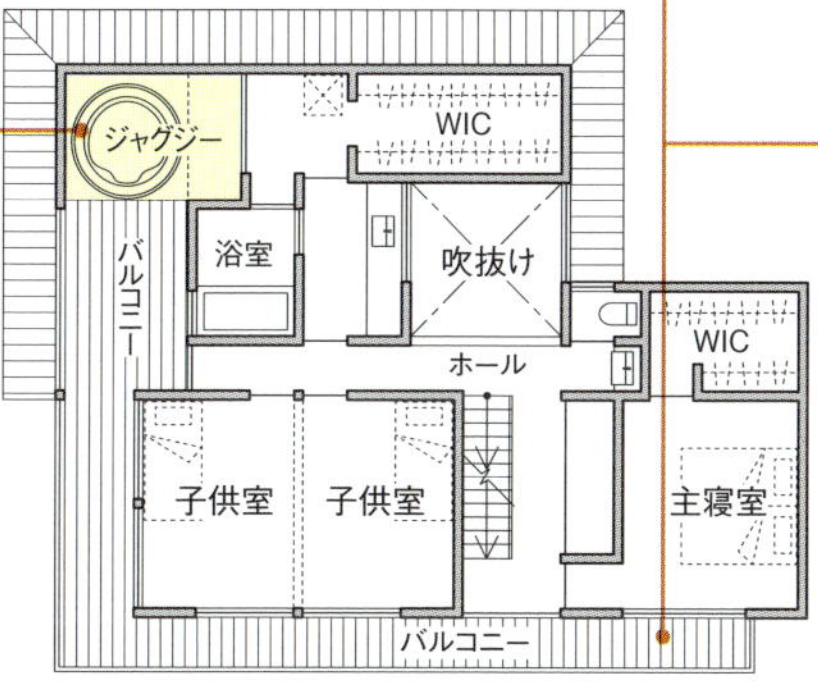

2F S=1:250

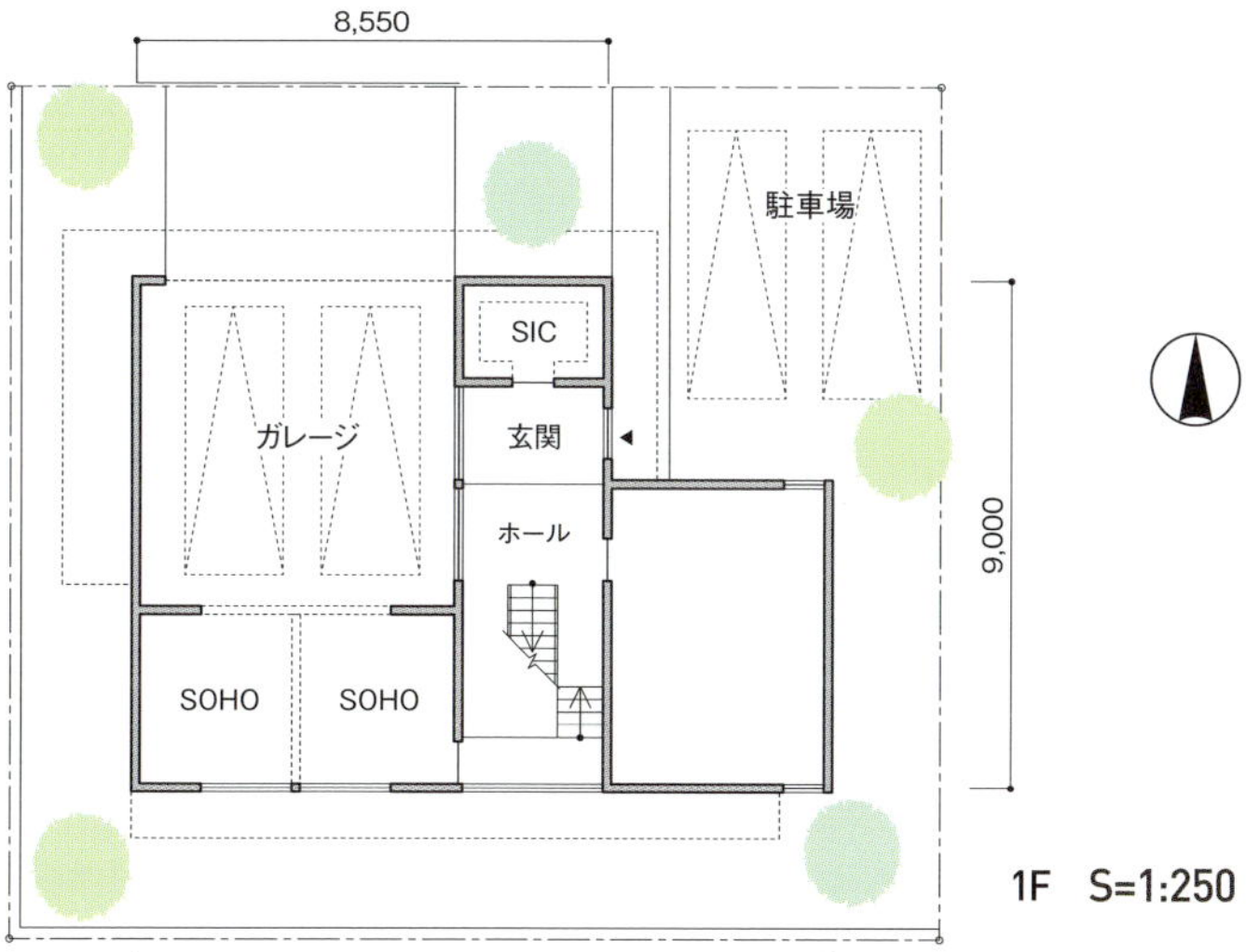

1F S=1:250

家の奥まで路地を引き込む内外一体の楽しい家

敷地は、十分な広さがあるわけではないが狭小というわけでもない。そんな敷地を生かすために、路地を屋内に引き込んで、1階は屋内なのか屋外なのかわからないような曖昧さをつくり出し、広がり感を演出している。

　前面道路から引き込まれた路地は、母屋と離れ（趣味室とクロゼット）の間を突き抜ける一方、その途中で垂直に枝分かれして屋内を貫く。屋内では土間にもかかわらず、一部はつって植栽を植えることで屋外感を高めている。室内的な仕上げのDKとリビング、木が植わっている土間、さらに屋外デッキ、と内外の境界が混沌とした1階は、2階のプライベートルームとは大きく異なり、多くの刺激を与えてくれる。

屋内の地面から

引き込まれた路地という想定をさらに印象深くするため、土間のコンクリートを一部はつって、土間の地面に木を植えている。まさに「外」だ

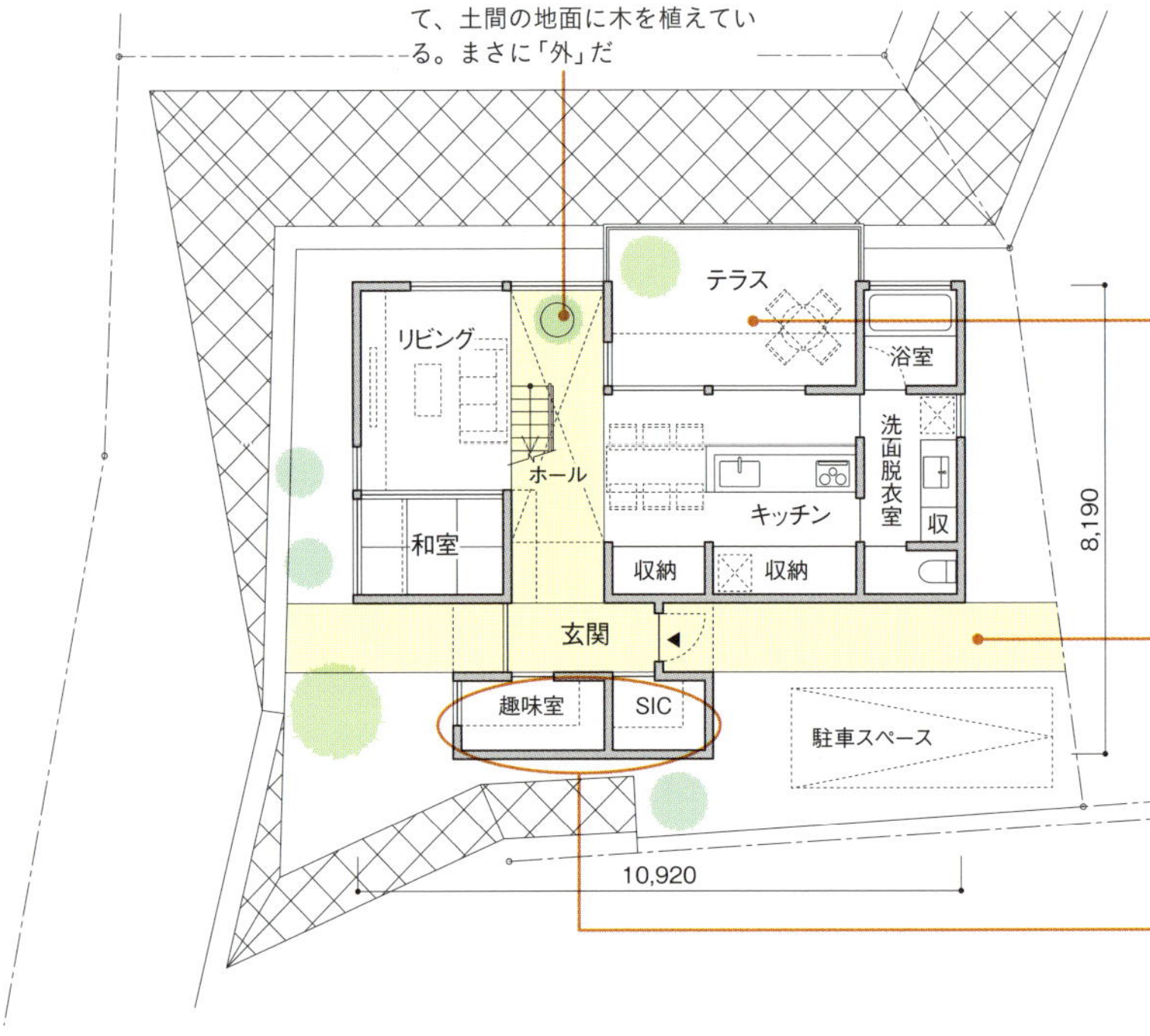

本当の外

DK前には広いデッキ。ここは本当の外。室内と、外のような路地と、本当の外が隣り合い不思議な空間をつくり出す

道路から延びる路地

道路から建物に沿って路地が突き抜ける。その途中、枝分かれした路地は室内にまで侵入していく、という想定

1F　S=1:200

奥を意識させる

趣味室とシュークロークを離れのようにつくり、路地が建物と建物のあいだを抜けていくように見せて、より「奥」を感じさせている

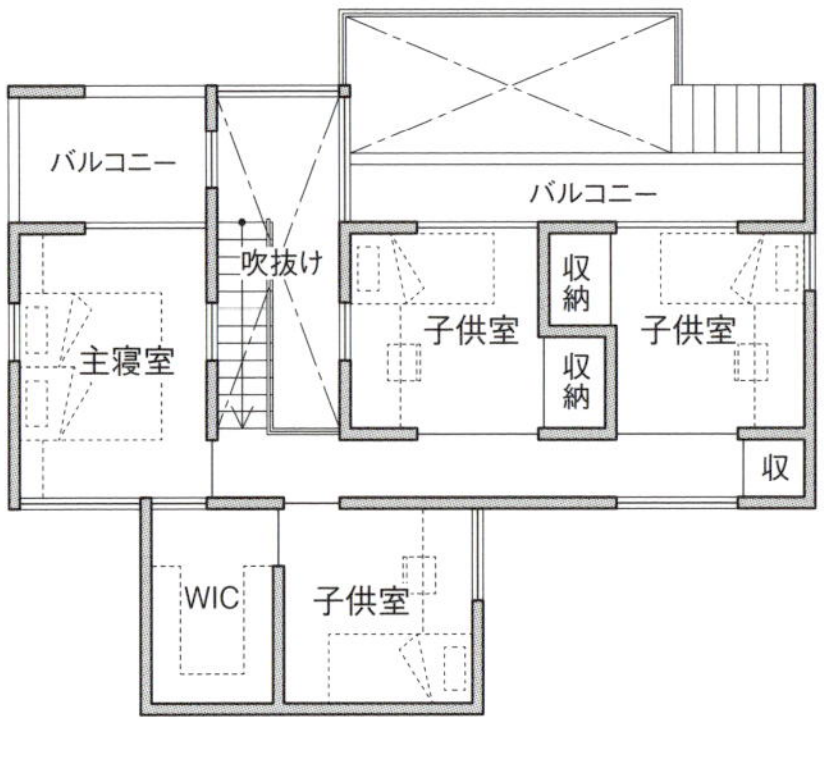

2F　S=1:200

建築概要

所在地	神奈川県
家族構成	夫婦（30歳代）＋子供1人
敷地状況	変形、南道路、道路との高低差あり、高台で景色良
敷地面積	363.19㎡（109.86坪）
延床面積	110.95㎡（33.56坪）
構造・階数	木造2階

家族が集まるリビングは各部屋のつながり方から

そもそもリビングとは何をする場所か。寝る（寝室）、食べる（ダイニング）、入浴する（浴室）など、機能がはっきりしている諸室に比べ、リビングの目的ははっきりしない。ならば、諸室のあいだ、つまり動線上に置いて、家族誰もが移動中に通り、自然にそこにいるようにできないか、と考えた。コンセプトの流れは左図の通り。家の中央に置かれたリビングは、4つの庭にも囲まれて、いつも誰かがいる、心のよりどころのような場所となった。

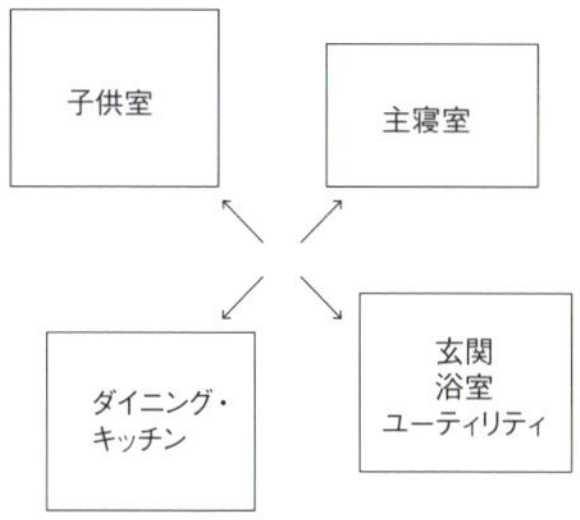

寝室や子供室などの必要諸室を分散して配置する

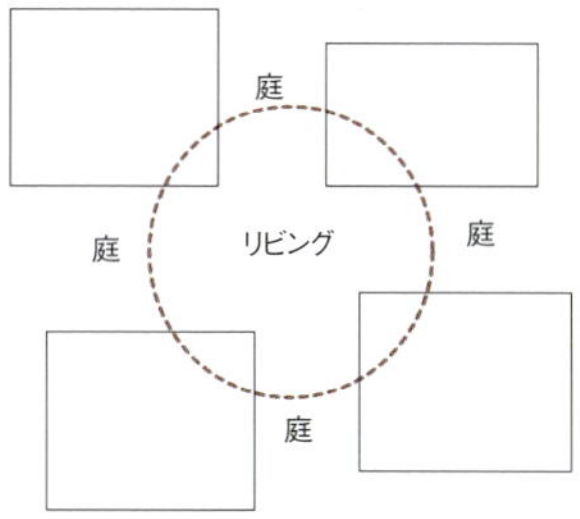

各部屋のあいだにリビングスペースとガーデンスペースが生まれる

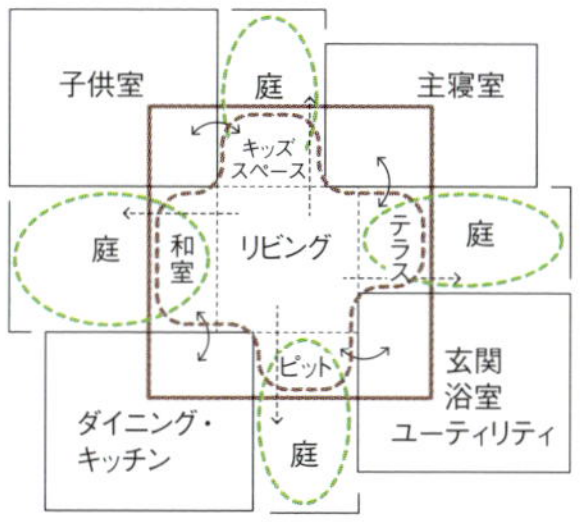

重なる部分に役割を与えて、中間領域（バッファゾーン）とする

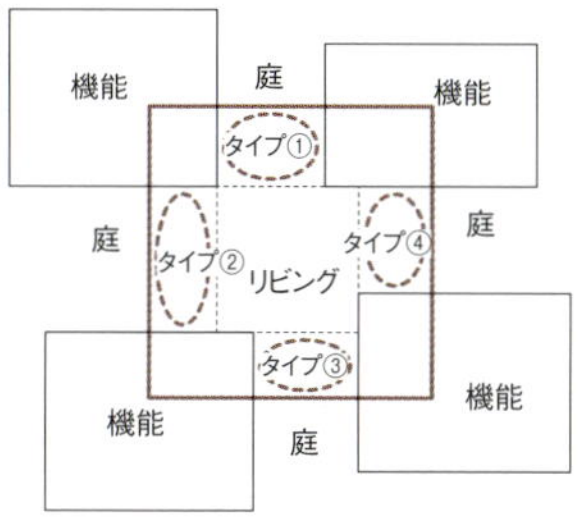

各部屋とリビングは中間領域を挟みゆるやかにつながり、4つの庭とも自然につながる

4つの庭に4つの役割

ダイニング前の緑、畳コーナーから出られるテラス、スタディコーナーを明るくする庭など、4つの庭は、周囲の部屋と結びついて、それぞれ重要な役割を果たす

動線上のリビング

リビングは、明確な目的のある諸室をつなぐ場所にあり、移動すれば必ず通ることになる。その結果、誰かがそこにいる、なんとなく皆が集まってくる場所となる

1F　S=1:250

中間領域の役目

リビングと各部屋を直接隣接させるのではなく、誰のものでもない曖昧な領域を挟むことで距離感が生まれる。これにより、そのほかの部屋とリビングの関係が中和され、なんとなく家族が集まる場所となった

建築概要	
所在地	東京都
家族構成	夫婦（30歳代）＋子供1人
敷地状況	整形、東道路、閑静な住宅街
敷地面積	332.44㎡（100.56坪）
延床面積	120.91㎡（36.57坪）
構造・階数	木造1階

ぐるぐるつながりつつ中庭と収納で曖昧に

全体を必要以上に仕切らないでほしいという要望のあったアーティストの家。仕事場となるアトリエも含めて、つながっていながら、機能が分かれていくような間取りを目指している。

敷地の広さには余裕があったので、家の南側にLDK、北側にアトリエ、ベッドスペース、水廻りを配置し、大きな中庭でそれぞれのスペースを曖昧に分けている。さらにリビングとベッドスペースのあいだに収納をつくって、ひとつながりでありながら距離感をつくり出した。

北側の小さなアトリエは、桜並木も楽しめる大きなテラスと中庭に挟まれた場所にあり、日常生活と切り離された開放的で落ち着いたスペースとなっている。

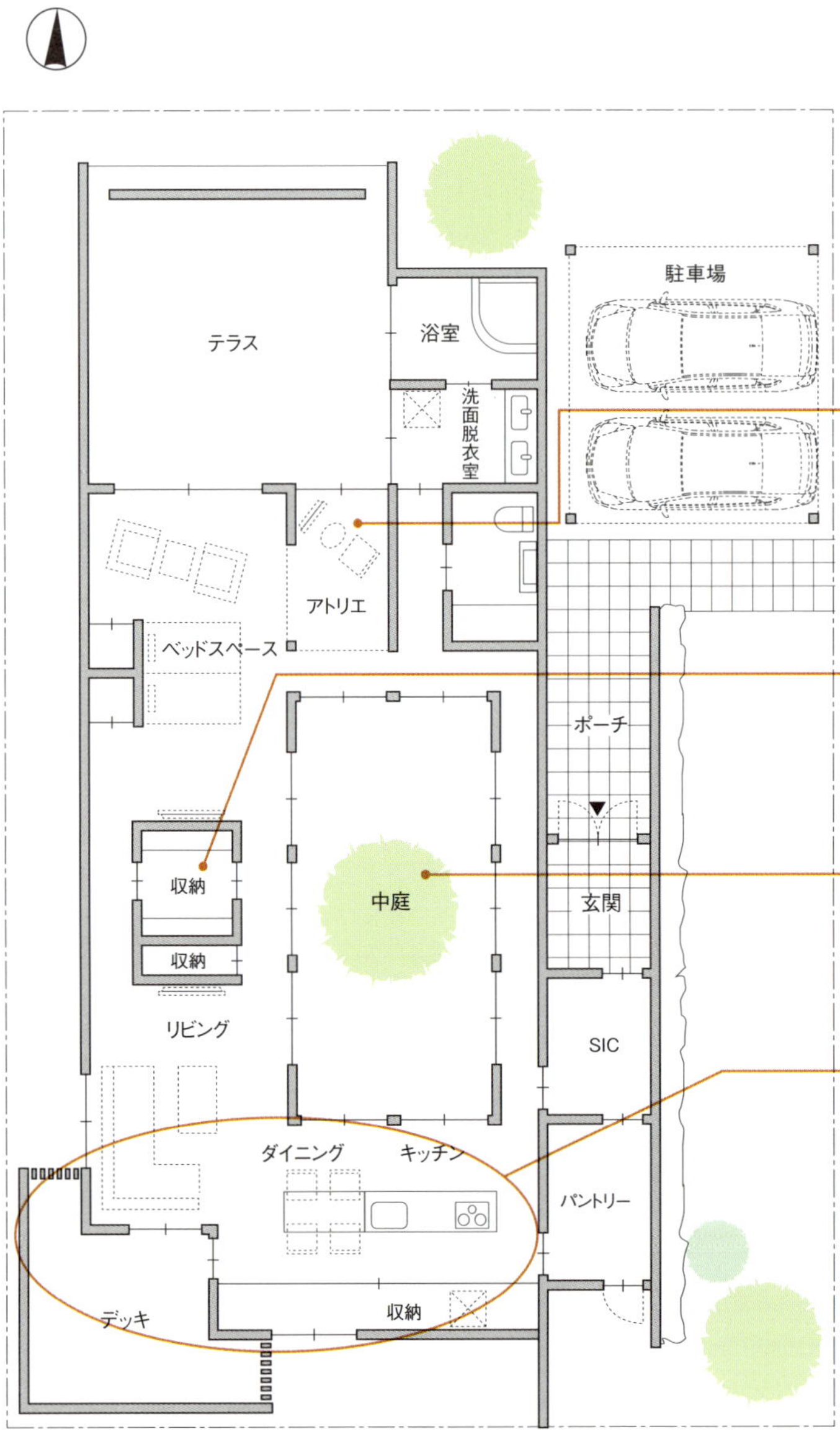

1F　S=1:150

外にいるような

北側のアトリエは、大きなテラスと中庭に挟まれた場所に置かれ、まるで外にいるような環境。LDKとは距離もあり、絵を描くことに集中できるように

収納で分ける

収納により北側と南側を分ける。収納を箱型にして両脇を通路とすることで、仕切りのイメージは薄れる

中庭から北側採光

南側に置かれたLDKだが、大きく南方向に開いているわけではない。むしろ北側に位置する中庭からの安定した明るさを得ている

南側の生活の場

日常生活の場となるLDKは、デッキスペースとともに南側に配置。リビングを多少狭くしてもデッキを大きく取ることで、開放感が高まる

建築概要	
所在地	茨城県
家族構成	夫婦（40歳代）
敷地状況	整形、東道路
敷地面積	300.00㎡（90.75坪）
延床面積	135.50㎡（40.98坪）
構造・階数	木造1階

階段に巻き付くように7層にわたって部屋がある

おもしろい家をつくりたい。それが建て主の一つ目の要望だった。敷地は30坪弱だが建蔽率50%のため、建て坪約14坪のスペースに予備室も含めた必要諸室を7層にわたって配置した。

ポイントは階段の位置。家のほぼ中央に置いた階段は、上がりながら南側と北側に部屋を振り分けていくような構成とした。家の中心となる2階LDKには、階段を利用した回遊動線もつくり出されており、小さなスペースを組み合わせた、楽しい住まいとなった。

建築概要

所在地	大阪府
家族構成	夫婦（30歳代）＋子供1人
敷地状況	整形、東道路、道路の向かいは田んぼ
敷地面積	92.84㎡（28.08坪）
延床面積	119.48㎡（36.14坪）
構造・階数	木造3階

2階フリースペースとリビングをつなぐ階段から見たところ。左がフリースペース、右の壁はリビングの収納。正面に見えるのはリビングから水廻りに向かう階段

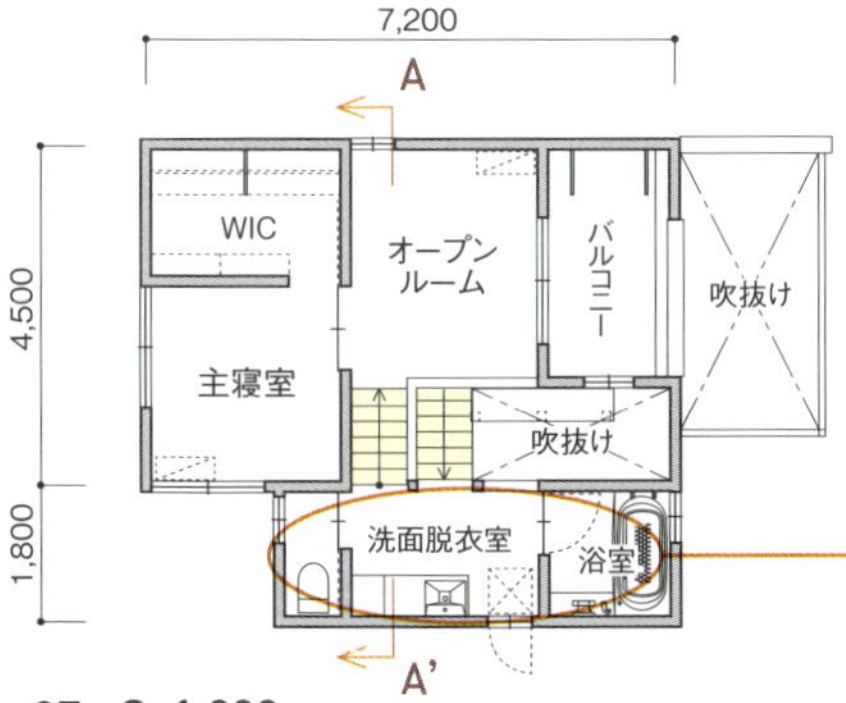

3F　S=1:200

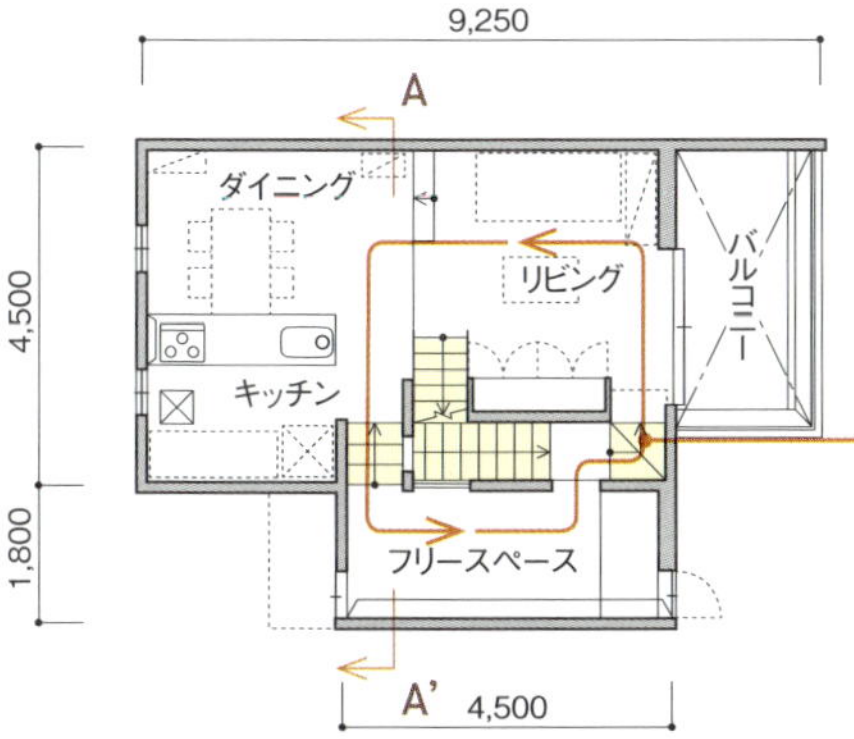

2F　S=1:200

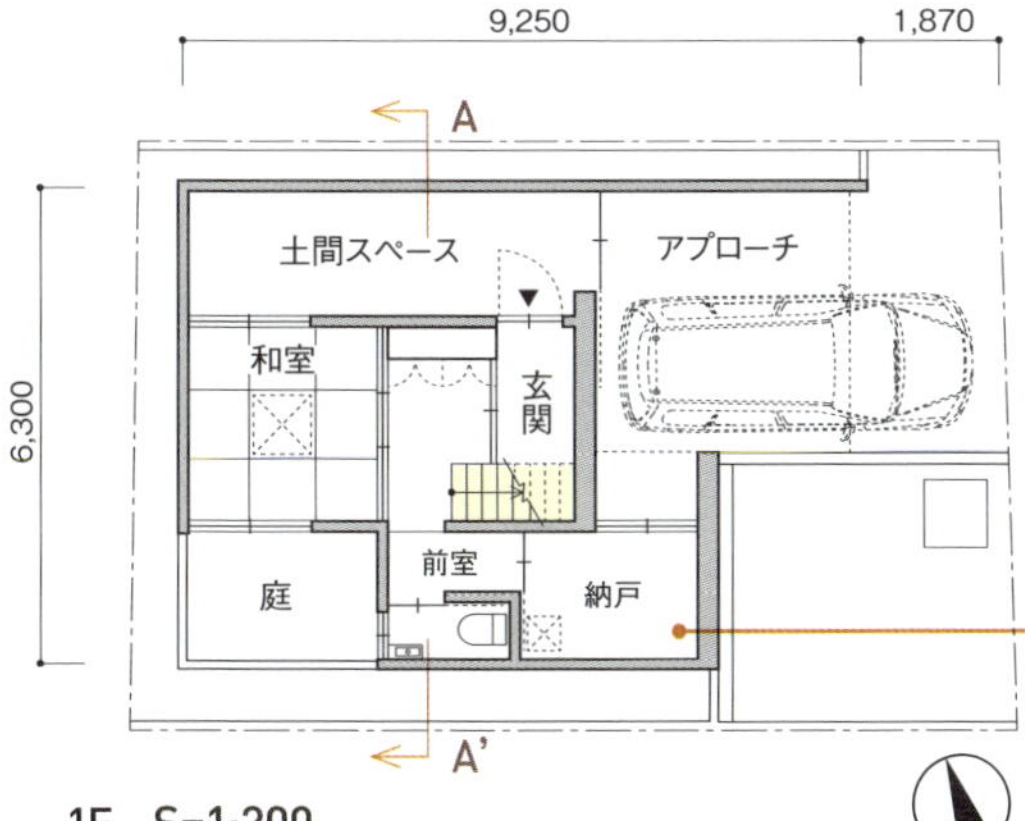

1F　S=1:200

両方から近い

2階と3階の間に水廻りを置いているため、トイレはLDKからも寝室からも近い。また浴室も寝室に近くなる

階段を回る

フリースペースには2か所の出入り口があり、リビングにもDKにも通じている。ここに回遊動線をつくることで、各部屋の閉塞感が一気に軽減される

床も天井も下げる

上階の階高を確保するため、1階納戸は床を一段下げたうえ、天井高も約2mと低く抑えている

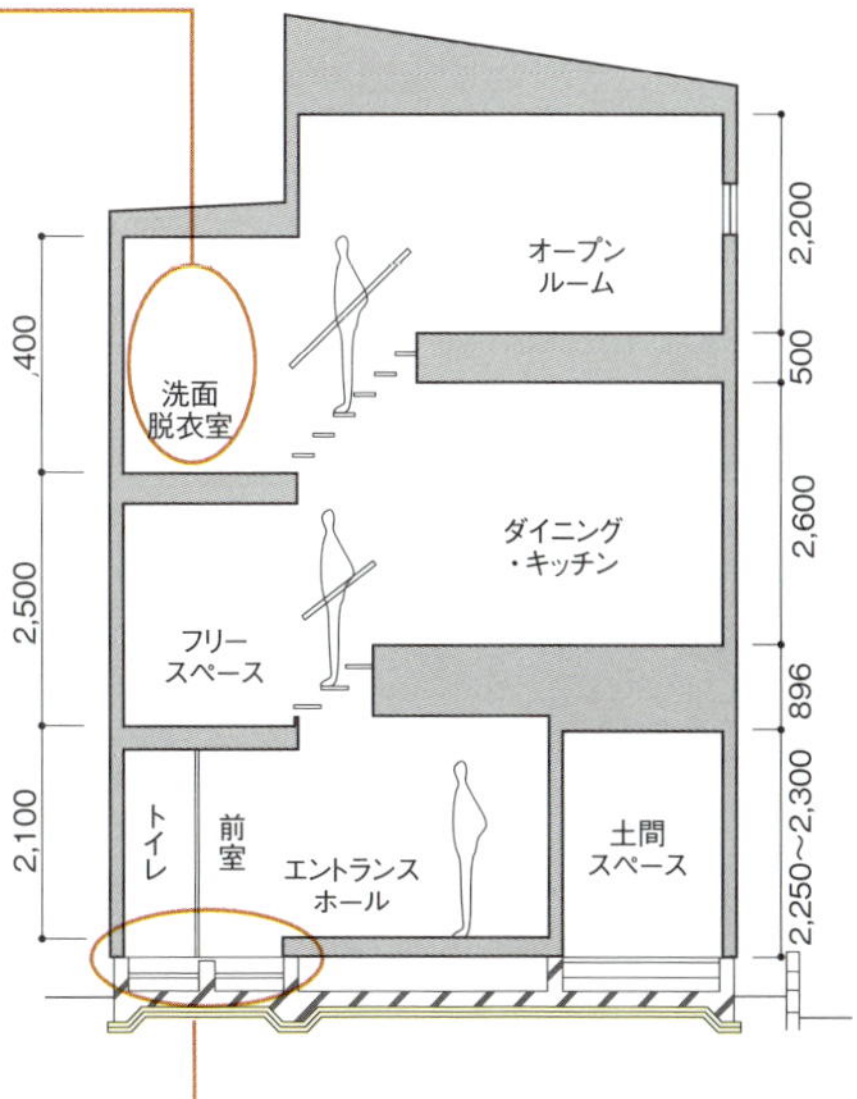

A-A'断面図　S=1:150

高台にある敷地を生かした眺望が最高の家

高台にある100坪を超える敷地に3世代5人家族が暮らす家の計画。高台の立地をどううまく計画に取り入れるかがポイントとなった。

建物は、敷地奥のゴルフ場に背を向けるように道路側に開く構成だが、敷地形状に合わせて途中で少し曲げ、平面的にはくの字に近くなっている。くの字の曲がる部分に広いデッキ、2階はくの字の下部分に大きなバルコニーと、眺望を楽しめる外部空間を充実させ、かつ父の部屋など室内からの眺めもよくなるように窓の開け方を工夫している。

建築概要
所在地　愛知県
家族構成　2世帯：夫婦（30歳代）＋子供2人＋父
敷地状況　変形、東道路、道路との高低差 2m、西側は擁壁でさらに高い地盤
敷地面積　367.29㎡（111.10坪）
延床面積　158.92㎡（48.07坪）
構造・階数　木造2階

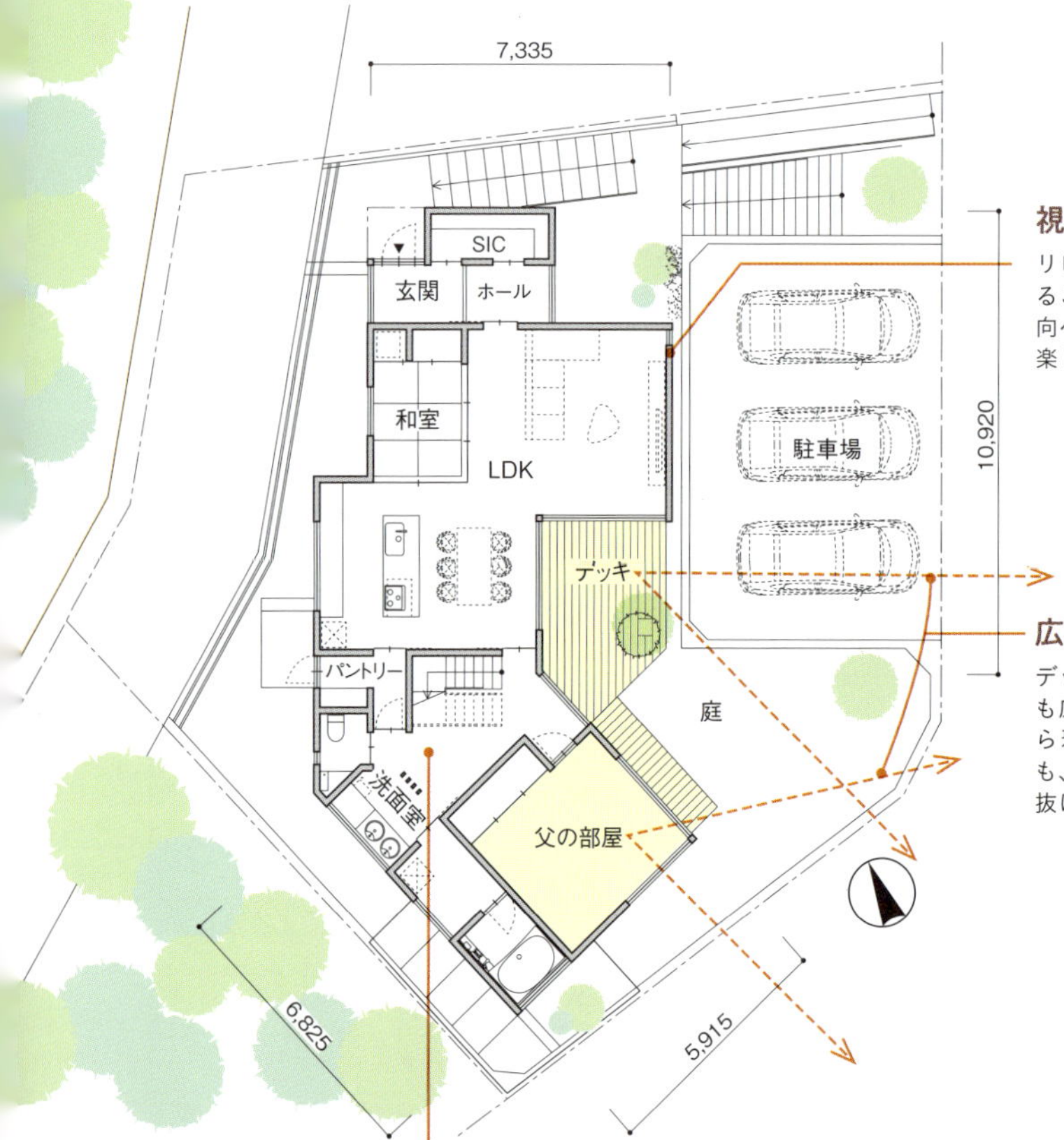

1F　S=1:250

視線を導く
リビングの北側と東側を壁で閉じることで、自然と視線はデッキ方向へと導かれ、高台からの眺望が楽しめる

広角に楽しむ
デッキはもちろん、父の部屋からも広く景色が眺められる。平地なら邪魔になる駐車スペースの車も、傾斜地なので視線は車の上を抜けていく

距離感をつくる
くの字のコーナーを使って、階段ホールを広くつくっている。この空間を挟むことで、父の部屋はLDKと距離感が生まれ、離れのように落ち着ける部屋になる

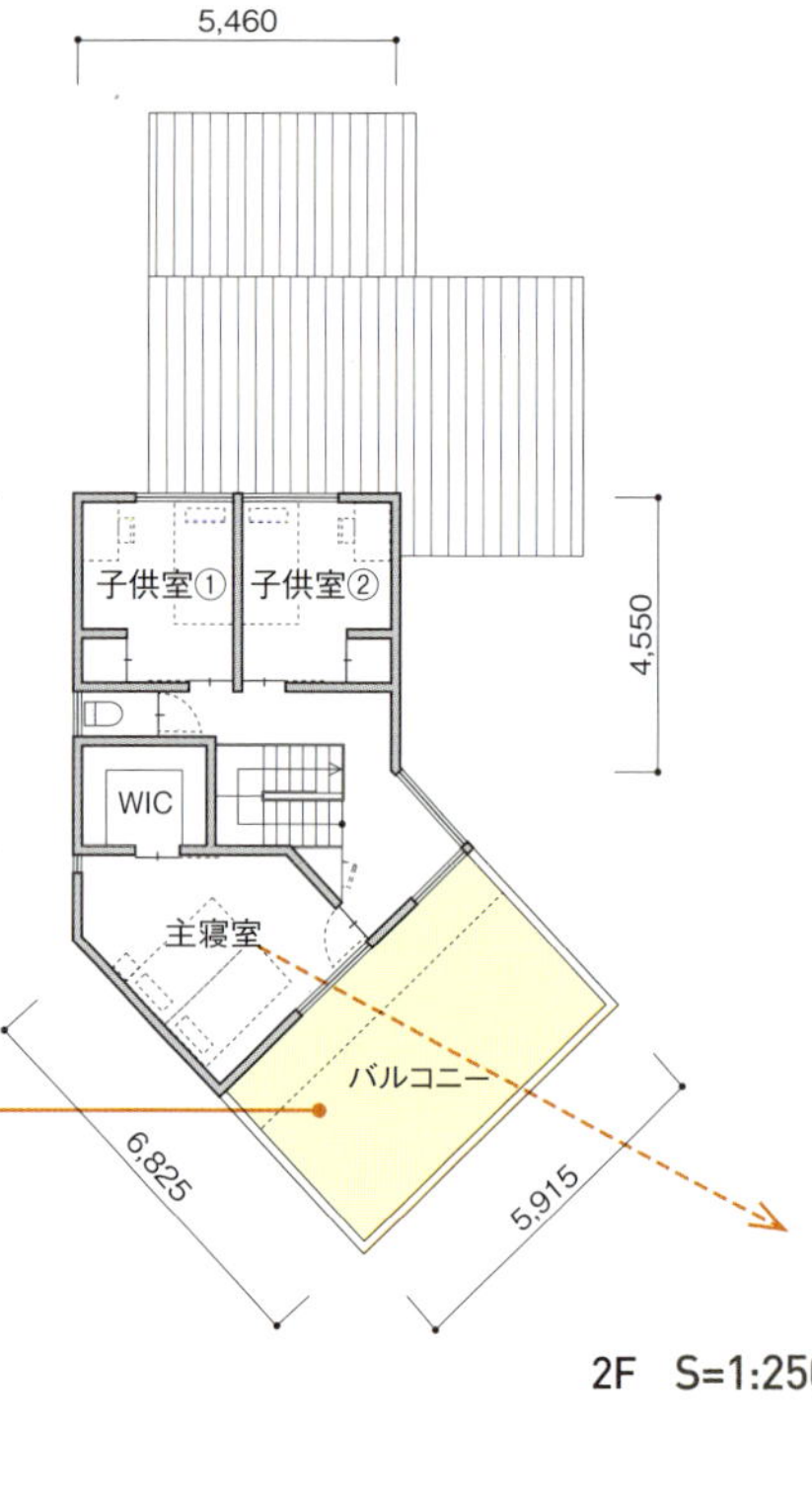

2F　S=1:250

最高の眺望
1階よりさらに高くなる2階は、さえぎるもののない見晴らしが得られる。そこで13畳分もある大きなバルコニーをつくり、多様な使い方ができるようにした

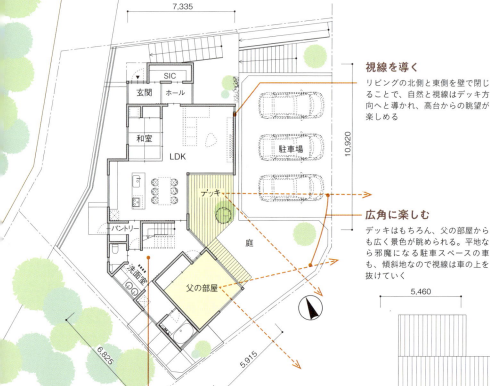

シンプルに徹してかえって目立つ外観に

外観、間取りとも無駄をなくしてシンプルに、というのがご希望。家は、ほぼ正方形に近い矩形の総2階とし、間取りは1階にLDKと水廻り、2階に個室を置いている。外観は、外装材を鎧張りとしたが、道路側の窓を少なくしたこともあり、シンプルさを極めたような、シャープで目立つものとなった。工夫点としては、玄関の脇に衣装室をつくり、ホールに洗面所を置いたこと。帰宅してそのまま着替え、手洗いができる動線をつくりだしている。

道路側外観。道路側から見える部分の窓を極力小さくしたため、建物のボリュームが際立つ

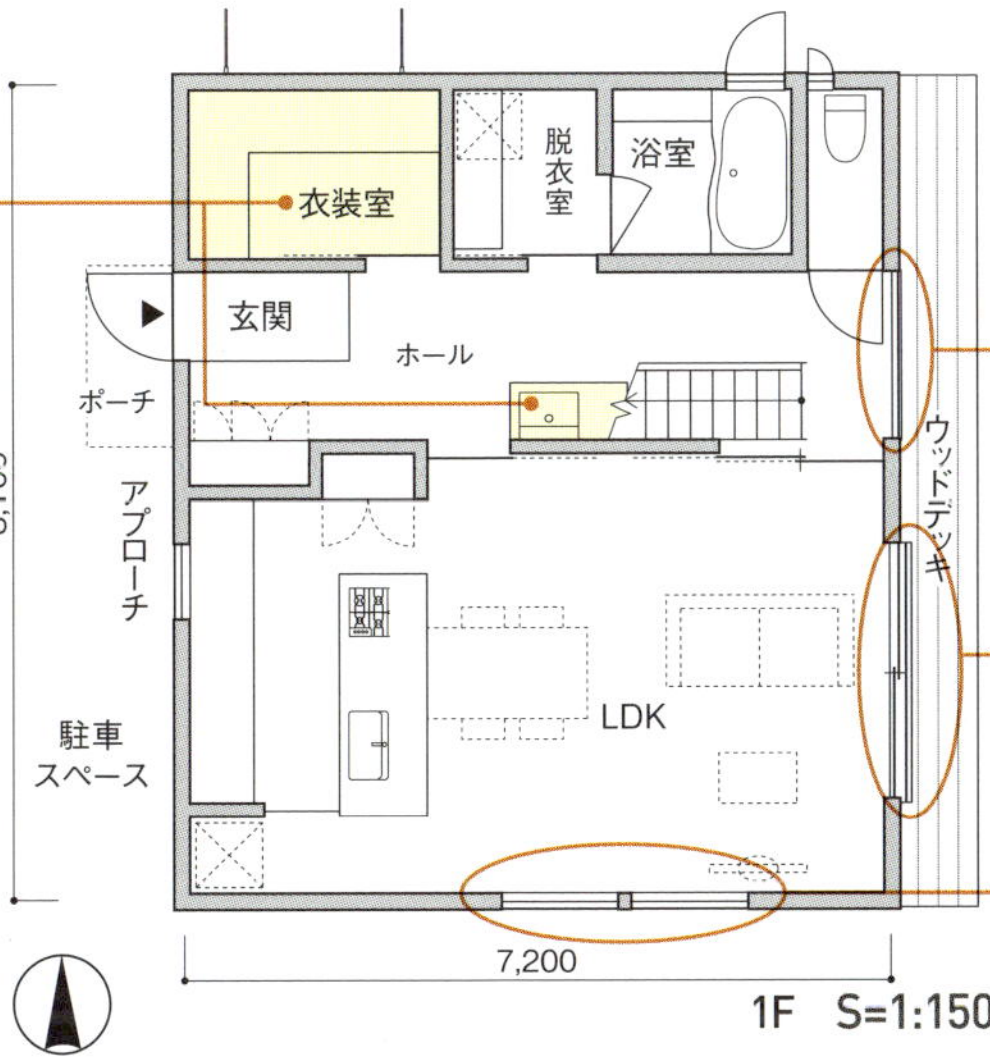

1F　S=1:150

帰宅動線

玄関脇に衣装室、玄関ホールに洗面所を配して、帰宅後、すぐに着替えて手洗いができる動線をつくっている

明るいホール

玄関ホールは幅1間で建物を横断。突き当たりとなる東面は大きなすりガラスで、玄関自体が明るくて大きな「部屋」となっている

道路面を閉じる

日常生活の場となるLDKでは、道路側は小さなハイサイドライトのみで、道路からは見えにくい東側に大きな窓を取っている

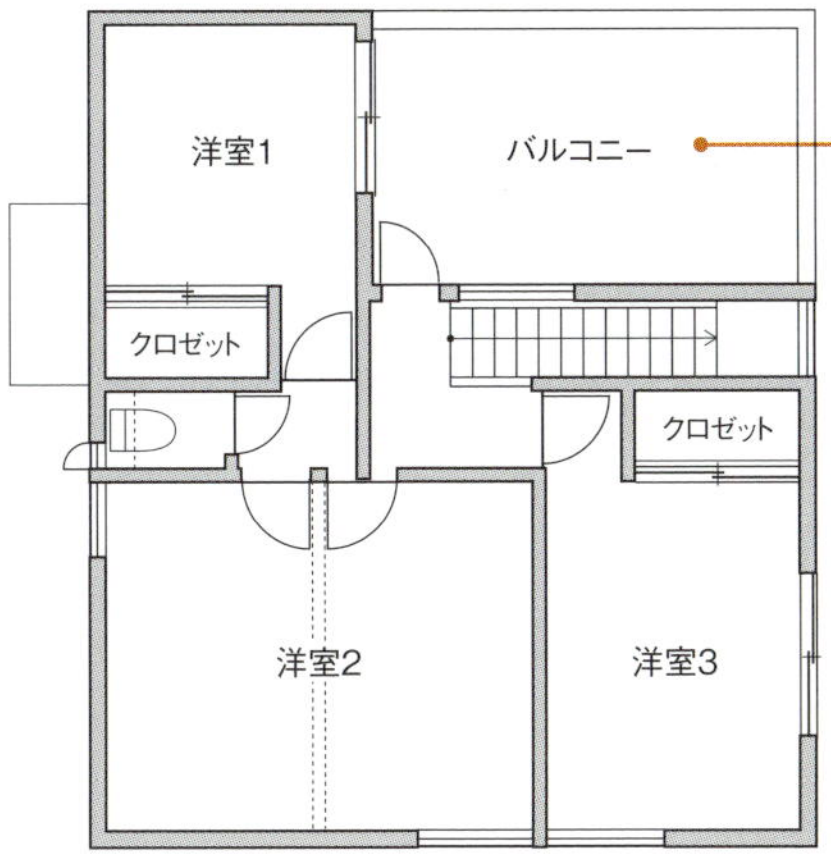

2F　S=1:150

広い外部空間

個室の集まる2階には、道路とは反対側に大きなバルコニーを配置。道路からの視線を気にせずに楽しめる広い外部空間となっている

玄関ホールに置かれた洗面所。帰宅すると、LDKや個室に入る前にここで手洗いができる

建築概要

所在地	兵庫県
家族構成	夫婦（30歳代）＋子供1人
敷地状況	整形、西道路、敷地との高低差3.0m
敷地面積	251.66㎡（76.12坪）
延床面積	104.49㎡（31.60坪）
構造・階数	木造2階

5枚の壁が家を貫く家

とにかくかっこいい住宅を！というところから始まった計画。暮らしに必要な最低限の諸室を用意しつつ、建物を特徴づけるデザインにこだわり、何度も打ち合わせを重ねた。

最大の特徴は、室内をも貫いているように見える5枚の壁。内部では、エントランス、玄関部、LDK、寝室・水廻りを分ける役割を担うが、その機能以上に視覚的なインパクトを与える。壁は、建物本体から平面的にも立面的にも突出し、周辺のランドマークにもなっている。

建築概要

所在地	岐阜県
家族構成	母＋ときどき子供家族
敷地状況	整形、北道路、敷地との高低差0.5m
敷地面積	297.54㎡（90.00坪）
延床面積	94.817㎡（28.68坪）
構造・階数	木造1階

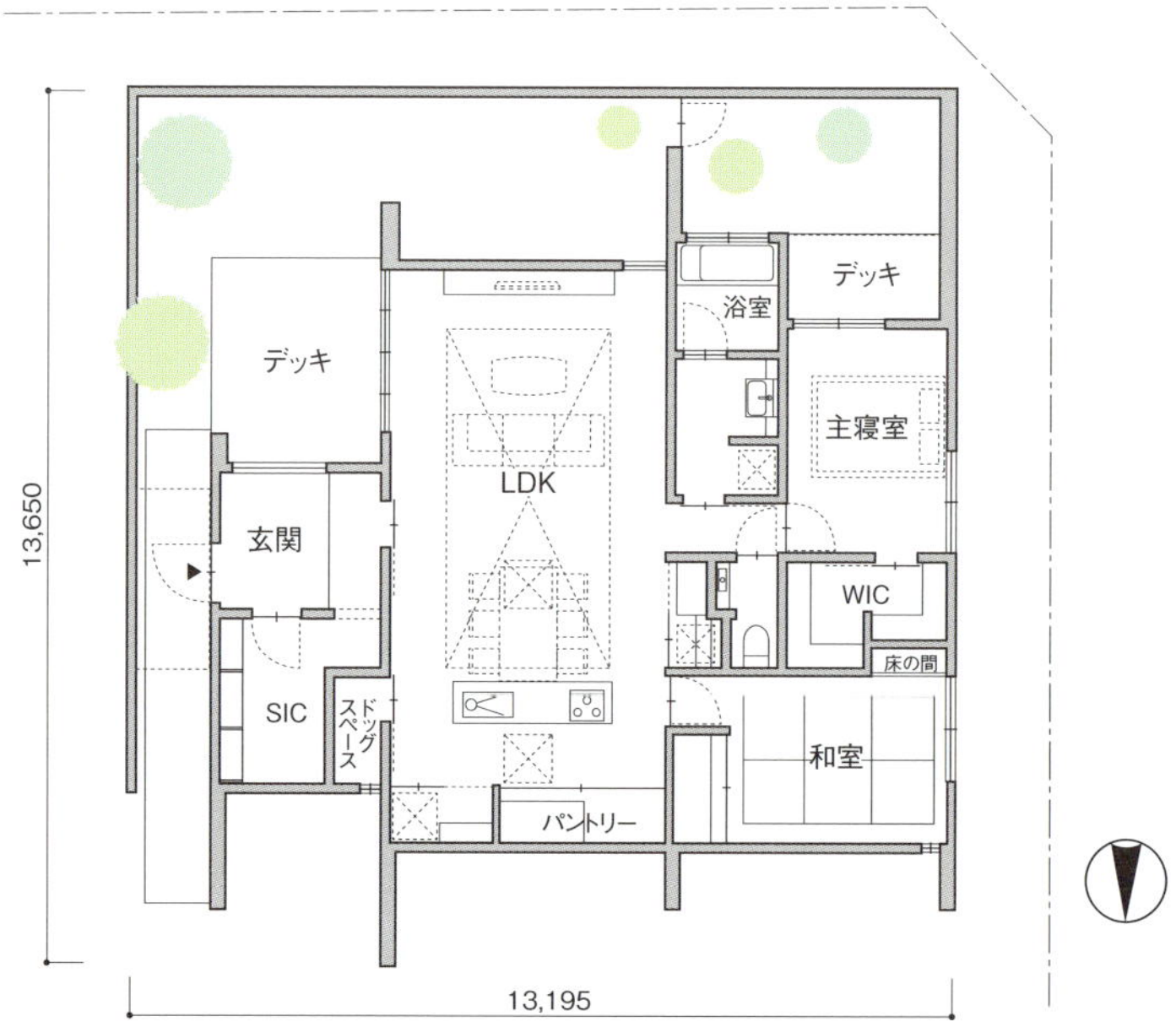

1F　S=1:200

上/道路から見て左端の壁2枚の隙間がエントランス
下/道路側外観。5枚の壁は異なるテクスチュアをもち、高さも道路側への突出寸法も変えている

立地を生かして生活空間に絶景を

敷地は小高い丘の上。道路から3m半ほど下がった土地のため、玄関は2階につくることに。その2階に生活空間となるLDKを置き、南側には大きくデッキテラスを張り出して、さえぎられることのない景色を室内にまで取り込めるようにした。

デッキテラスは9畳分の広さがあり、窓を全開放すると室内とも一体化する。南に広がる景色をさまざまな距離感で楽しめる家になった。

建築概要

所在地	神奈川県
家族構成	夫婦(30歳代)＋子供2人
敷地状況	整形、北道路、傾斜地の中腹にあり、2階からアクセスする
敷地面積	138.62㎡(41.93坪)
延床面積	94.77㎡(28.66坪)
構造・階数	木造2階

リビング夜景。正面の窓は引き込めるようになっており、テラスと一体化する。LDKに付属するので、日常的に楽しめるテラスとなっている

浮かぶロフト

DKの上には浮かぶようにロフトがある。木ルーバーで覆われたロフトは、空間のアクセントになり、さまざまな使い方ができる場所となっている

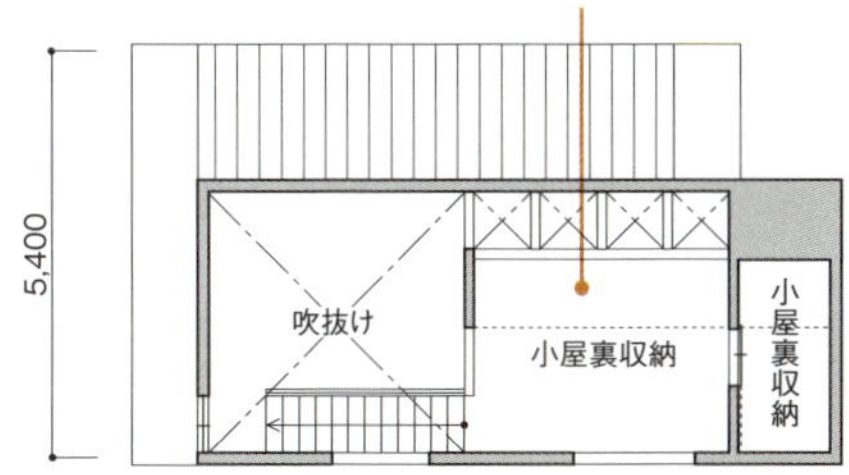

LF S=1:200

ブリッジを渡って

2階玄関にはブリッジを渡ってアクセスする。玄関を抜けるとLDKに直接入ることになるので、建物の中央付近まで玄関を引き込んで、道路との距離をとっている

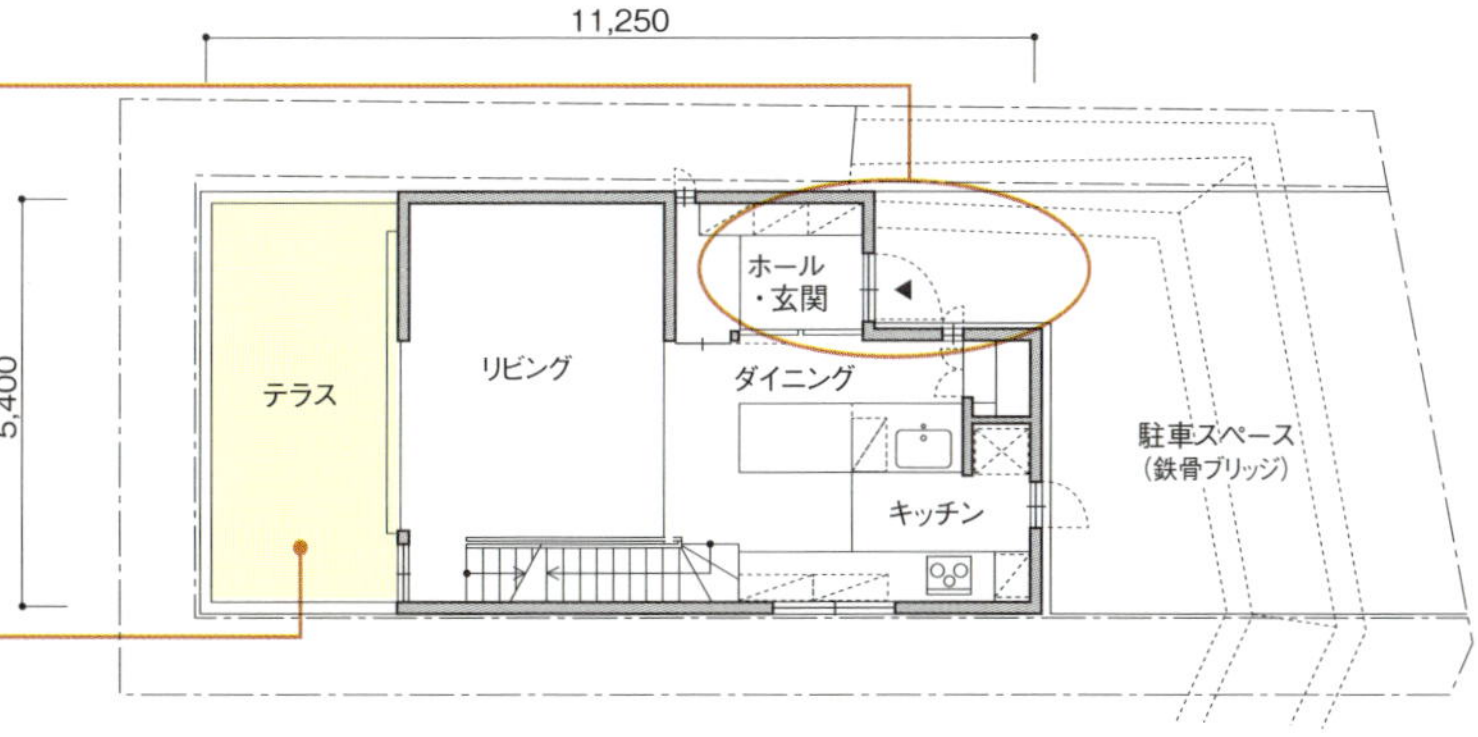

緩衝帯として

9畳分のテラスは、景観を楽しむ外部空間であると同時に、内(LDK)と外との緩衝帯としても機能する。テラスがあることで、内部は遠くの景色と適度に距離を取ることができる。開口部の開閉とテラスへの近づき具合で、外との関係が調整できる

2F S=1:200

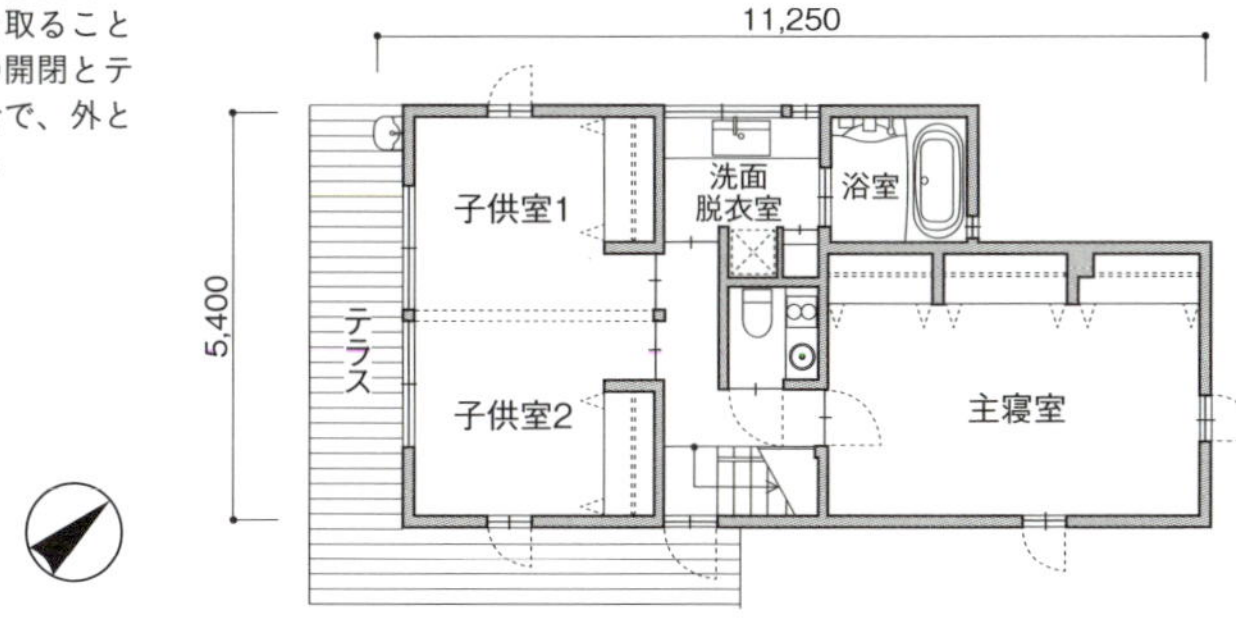

1F S=1:200

道路側外観

CHAPTER 15

新しい時代の暮らし、新しい時代の間取り

自分で叶える理想の働き方

昨今の時世柄、私たちの暮らしにはさまざまな変化が生じています。１つは働き方の変化。テレワークが浸透し、仕事だけでなく学校もオンラインが当たり前になっています。すると、働き方も、家づくりを考える上での重要なテーマになりました。せっかく毎日働くならば、仕事の効率が上がる空間が欲しいもの。人の気配や音

との距離、眺望、家事との両立など、人によって労働環境に求める条件は異なりますが、オフィスでは叶わない理想の働き方が家でなら叶うかもしれません。

家の使い方はもっと自由に

もう1つはおうち時間の増加。外出が減った分、家の中でストレス発散をしたいという欲求が大きくなるのは当然です。家族・親戚や近隣住民との関係性が変化したというケースもあるでしょう。

家族それぞれが趣味を楽しむ空間、家でもアウトドア気分になれる庭や眺望、運動不足を解消できる家や、友達が集まれる家など。家の中の活動はくつろぎだけではなく、より多様に住まい手のパーソナリティを反映したものに変化しています。自由な発想で、あなたらしい新しい生活を想像してみてください。

いつでもアウトドア気分！内でも外でも〝家キャン〟を叶える

夫婦そろってアウトドアが趣味のご家族。外出が制限される生活を経て、家でもキャンプ気分を楽しみたいという要望があった。

そこで、多目的な外部空間であるアウトドアヤード、内的な外部空間のファイヤーピット、外的な内部空間であるアウトドアリビングと、アウトドア気分を楽しめる3段階の空間をデザイン。家族団らんの場を中心としてすべての部屋を配し、晴れの日も雨の日も、キャンプするように暮らすという新しい日常が実現する家となった。

建築概要

所在地	東京都
家族構成	夫婦（20歳代）＋子供2人（これから）
敷地状況	変形、西道路
敷地面積	269.89㎡（81.64坪）
延床面積	124.58㎡（37.68坪）
構造・階数	木造2階

ファイヤーピットが家族の中心に

アウトドアの醍醐味の1つは、ゆらめく火を囲んで団らんする時間。いつでも火を起こせるファイヤーピットは、アウトドアヤードより少し掘り下げることで安心感を生み、くつろぎの空間として家の中心になった

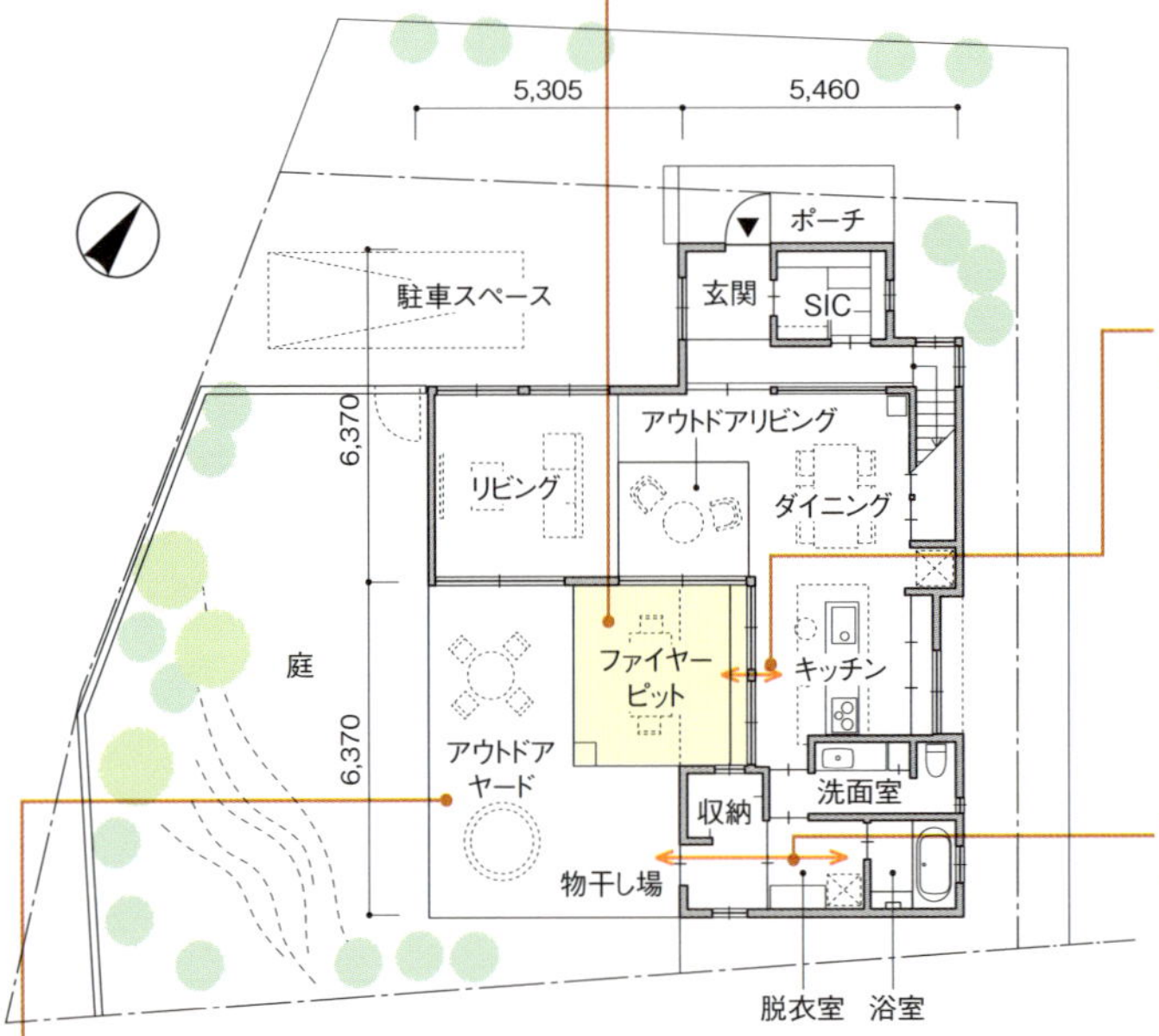

1F S=1:250

キッチンとのアクセスは良好に

特別な団らんの場を半屋外に置く一方、実用のスペースはコンパクトに。キッチンはファイヤーピットにもダイニングにもアクセスのよいカウンター型で、料理や下ごしらえした食材をすぐにサーブできる

家キャンだからこその利便性

アウトドアヤードから浴室へは、ランドリー動線を通って直行。汚れてもすぐに洗い流してすっきりできるのは、家キャンならではの快適なポイントだ

多目的なアウトドアヤード

広々としたアウトドアヤードは、バーベキューやプール、テントやタープを張ってのキャンプ、日々の洗濯など使い道は多様。同時にいくつものアクティビティを許容できる広さを確保した。庭の樹木によって外からの視線を遮ることで、本格的なアウトドアの雰囲気を楽しめる

2F S=1:250

色々なシチュエーションのアウトドアを楽しむ

2階のルーフテラスも、テントを張るのに十分な広さ。庭の自然に囲まれた場所とはまた一味違った、家キャンならではのロケーションでキャンプを堪能できる

日常を活性化する立体間取り 仲間が集まる小さなパーティー会場

テレワークが日常となった生活で、運動不足は深刻な問題。普段の生活のなかで運動不足が解消できる間取りにしたい、というのが建て主の要望だった。

中庭を囲むコの字型の間取りで、あえて階段は中央に置かず、中庭をまわり込んで中2階のリビングを通って2階へ上がる動線とした。家の中の小さな段差によって、日常的な運動量を増やすと同時に変化に富んだ空間を演出。立体的な間取りでにぎわいが家の隅々まで伝わり、まるで野外フェスのようなワクワクが味わえる家となった。

建築概要
- 所在地　埼玉県
- 家族構成　夫婦（30歳代）＋子供1人
- 敷地状況　整形、南西・南東道路
- 敷地面積　168.95㎡（51.11坪）
- 延床面積　128㎡（38.72坪）
- 構造・階数　木造2階

外と内をつなぐパティオ

リビングは、デッキテラスとつながるタイル仕上げのパティオと、ステージのような中2階からなる。パティオが緩衝材となって内部と外部の連続性を高め、より空間を広く感じられる

大人数でも集まれる居場所づくり

ダイニングからパティオ、デッキテラス、中庭に至るまでには、各所に200〜300㎜程度の段差を設けた。段差は腰かけることで居場所になり、大人数でも自然と中庭を中心に集まるように誘導される

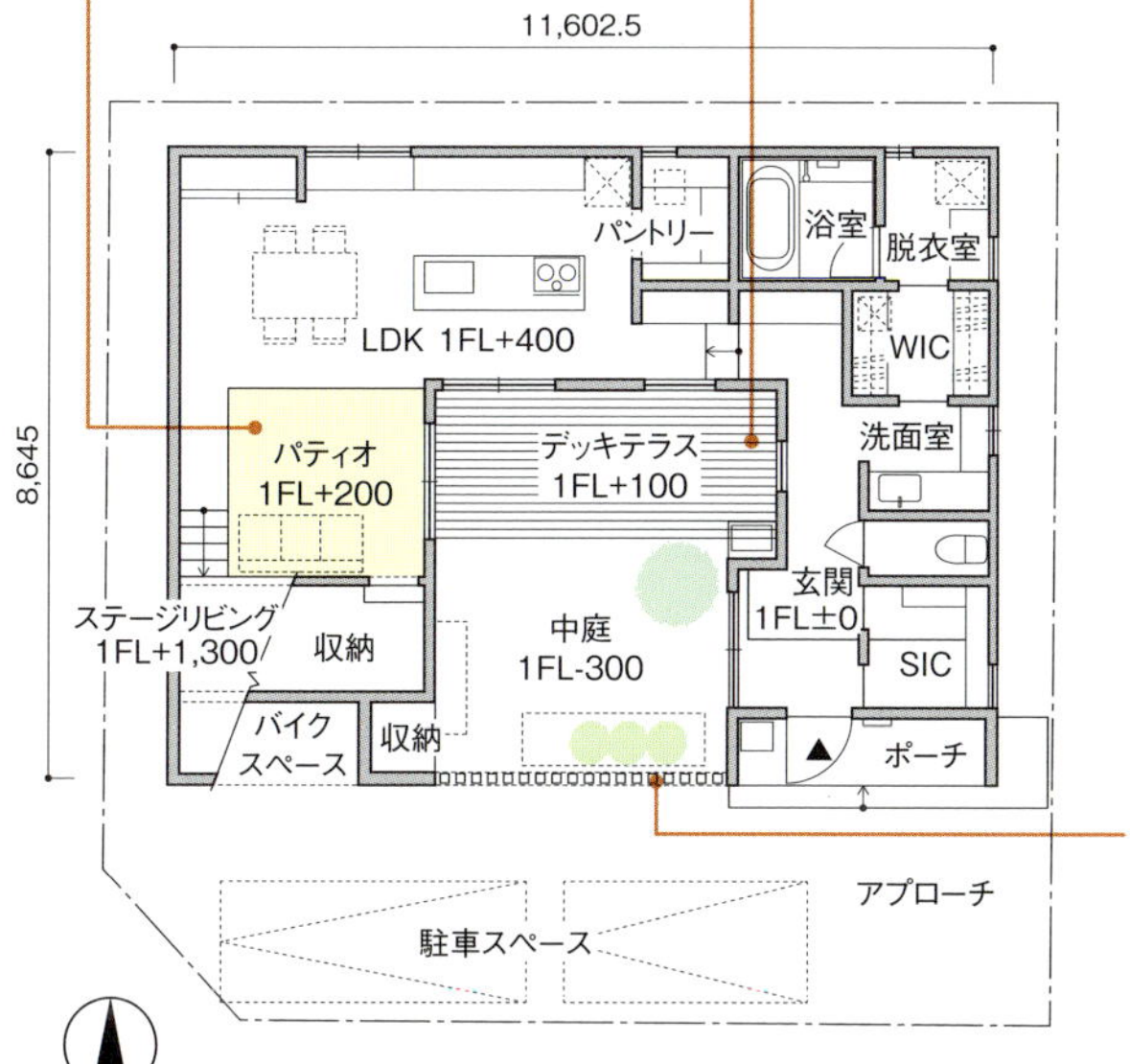

1F　S=1:200

視線の遮蔽と風通しを両立する

中庭部分のファサードは、足元のみを太い格子とし、上部は壁で囲んだ吹抜けとなっている。適度なこもり感と、風通しの良い開放感を両立した

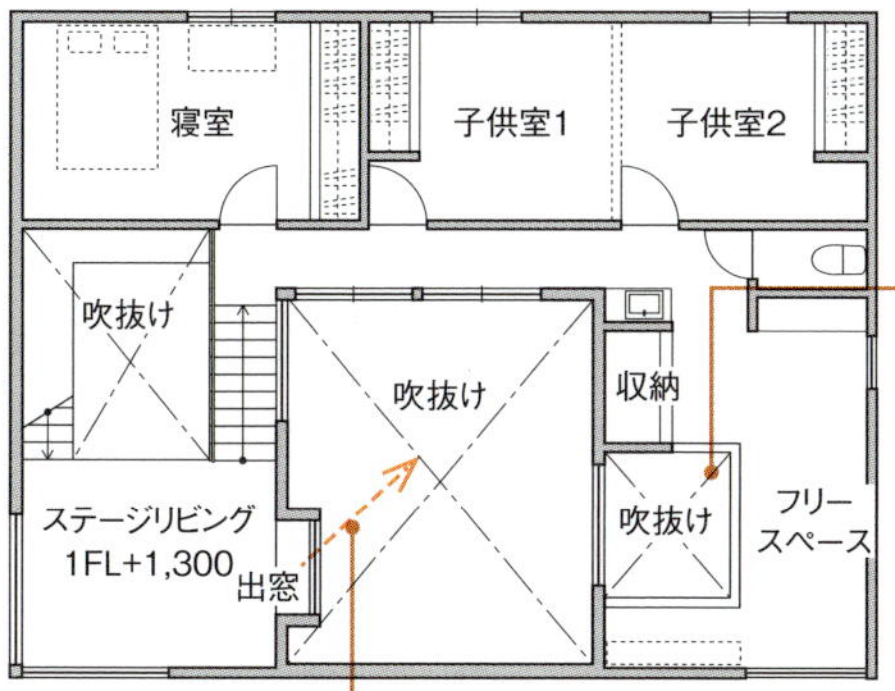

2F　S=1:200

廊下まで快適に過ごせる

コの字型の平面では風通しが悪くなりがちだが、随所に吹抜けを設けることで風の流れを促す。玄関の吹抜けにはシーリングファンを設置し、廊下まで空調が行き渡るようにしている

パーティーを上から一望

中2階のリビングでは、パティオ越しにダイニングが見え、出窓からは中庭を中心に集う人がぐるりと見渡せる。玄関から入った時にもすぐににぎわいが目に入り、集まる楽しさが増幅する

個々の時間の充足が家族の会話を豊かにする

おうち時間が長くなり、生活のスタイルに変化が訪れたケースは多い。家族が集える開放性も大切だが、家の中で心置きなく一人の時間を楽しめる閉鎖性も重視したいという建て主も増えている。

仕事や勉強だけでなく、趣味用品の手入れ、創作活動などさまざまな行動に対応できるスペースと個室を各所に散らした間取りの家。視線が交わらない距離と向きをとることで独立性が保たれているが、吹抜けやLDKを介して声は届く。程よい距離感が、逆に家族の時間を充実したものにしてくれるのだ。

建築概要
所在地　神奈川県
家族構成　夫婦（40歳代）＋子供1人
敷地状況　整形、南道路
敷地面積　181.89㎡（55.02坪）
延床面積　111.78㎡（33.81坪）
構造・階数　木造2階（＋ロフト）

多目的に使える土間

玄関から続く細長い土間は、汚れやすい作業に最適。サーフィン用具や自転車の手入れ、DIY作業などを行っている。大小さまざまな道具を楽に収納できるよう、SICは玄関脇に広めにとり、土間からも床上からも入れるようにした

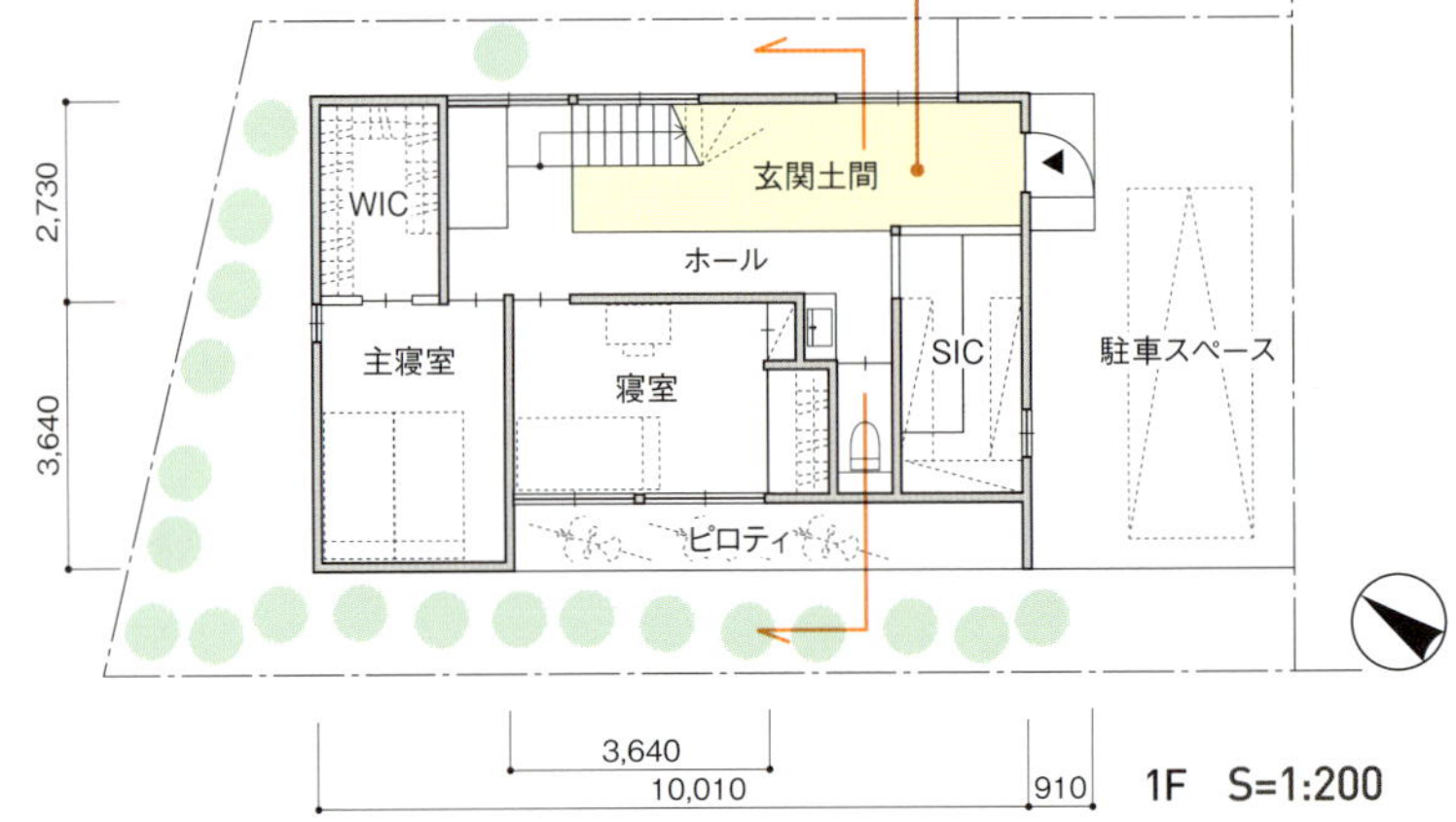

1F　S=1:200

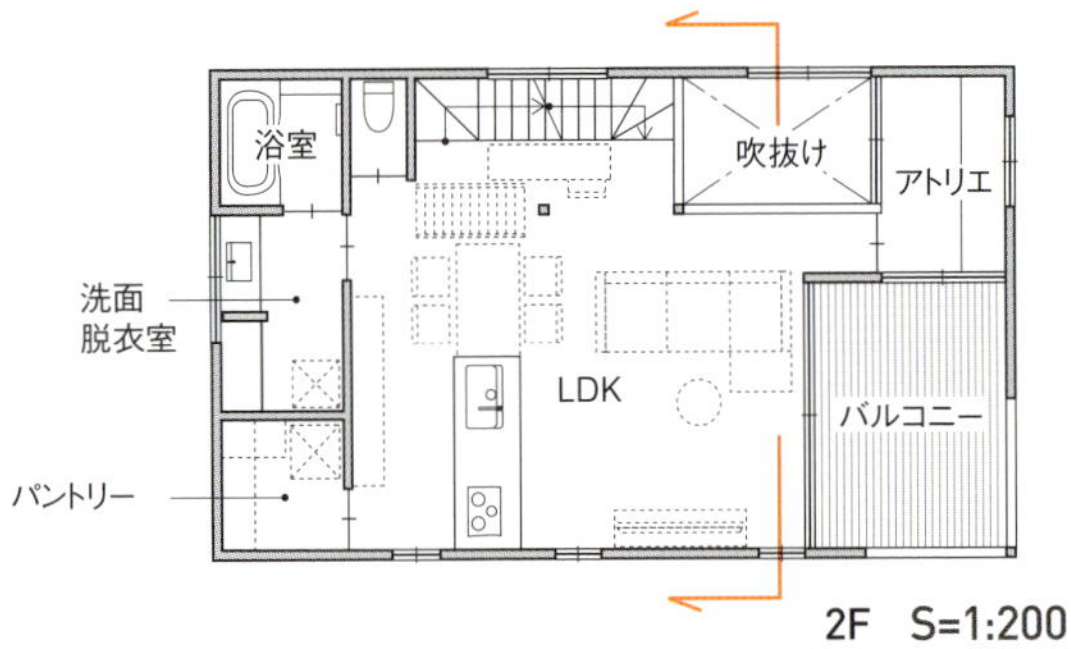

2F　S=1:200

集中力を引き出すワークスペース

勾配天井と壁に囲われて天井高さが低くなった屋根裏空間。収納などに用いることが多いが、座って過ごすワークスペースなら問題ない。高さ方向の空間を余すことなく活用できるうえ、閉じた空間を好むならば集中しやすい好環境だ

室内窓でつながる

ロフトは物置として使用予定だったので、LDKからは中が見えにくく、かつ熱がこもらないように室内窓を設けた

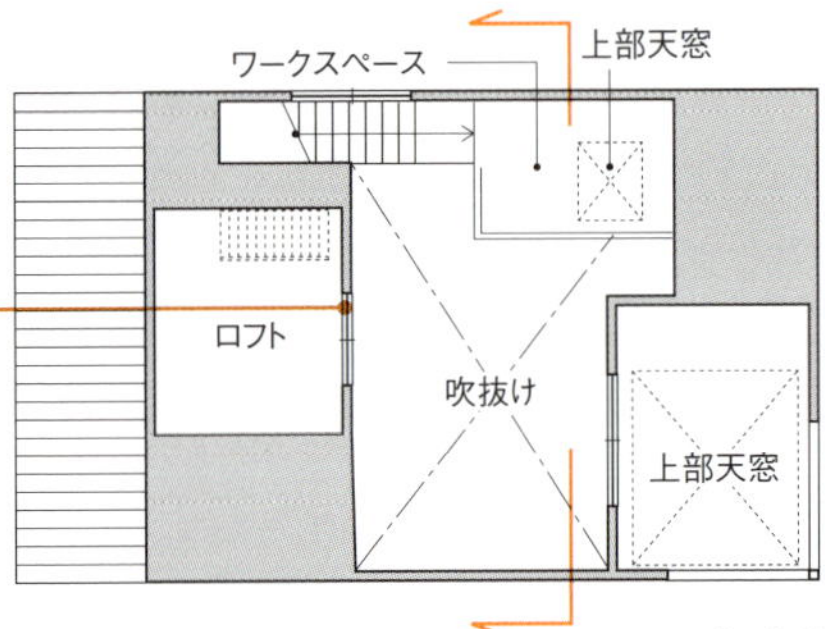

3F　S=1:200

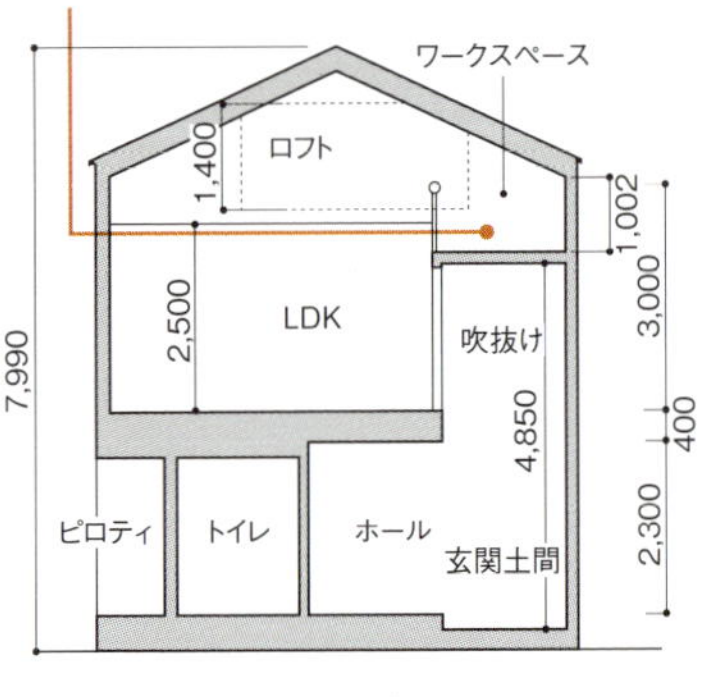

断面図　S=1:200

家族の共通の趣味を大切に
音楽が中心にある家

家族全員が共通して音楽関係の趣味を持つことから、音楽を楽しめるスタジオと、家族が集うリビングを中心に配置した家。周囲にも住宅が立ち並ぶ立地のため、半地下の防音室を設けて騒音に配慮している。

防音室の上部は、大きな吹抜けをもつ中2階のリビング。床レベルに差をつけることでリビングを介してDKと2階の個室をゆるくつなぎ、家のどこにいても家族の気配を感じられるあたたかい家となった。

建築概要
所在地　千葉県
家族構成　夫婦（40歳代）＋子供2人
敷地状況　整形、北西・南西道路
敷地面積　164.25㎡（49.68坪）
延床面積　166.44㎡（50.34坪）
構造・階数　木造2階

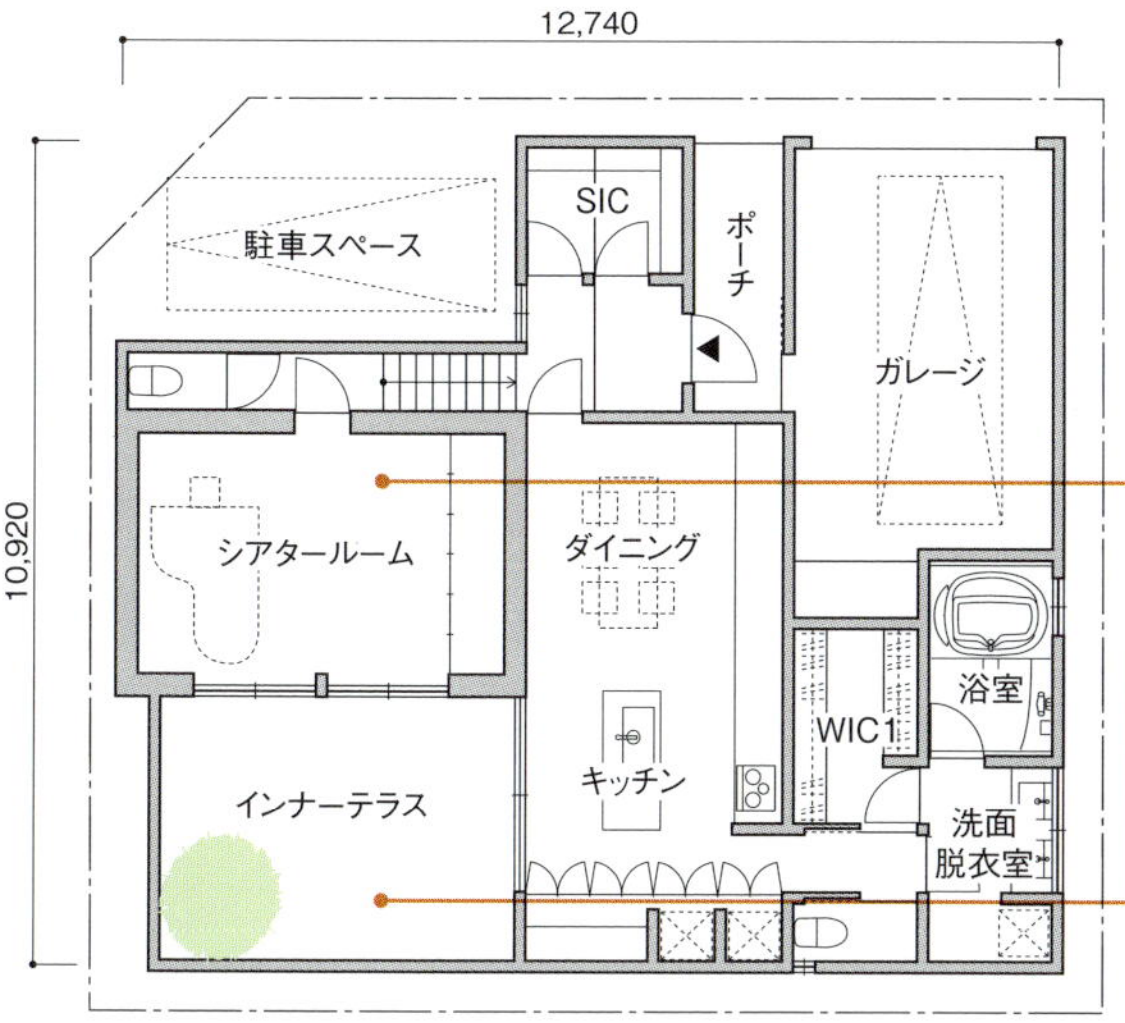

1F　S=1:200

共通の趣味が家族の中心に

家族の共通の趣味である音楽を心置きなく楽しめるシアタールーム。将来は音楽教室にも利用できるよう、玄関からのアクセスがよい場所に設けた。住宅密集地のため、壁は防音仕様としている

住宅密集地で光を引き込む工夫

インナーテラスは、バーベキューなどに利用しやすいようキッチンと接続。周囲が住宅に囲まれている立地で、インナーテラスは視線を遮りながらも各部屋に光を行き届かせる役割をもつ

将来の独立性も確保した計画

子供部屋は、将来2人の子供のそれぞれの個室に分割できるように計画。不便のないように両方に机とWICを設け、扉も2箇所設けている

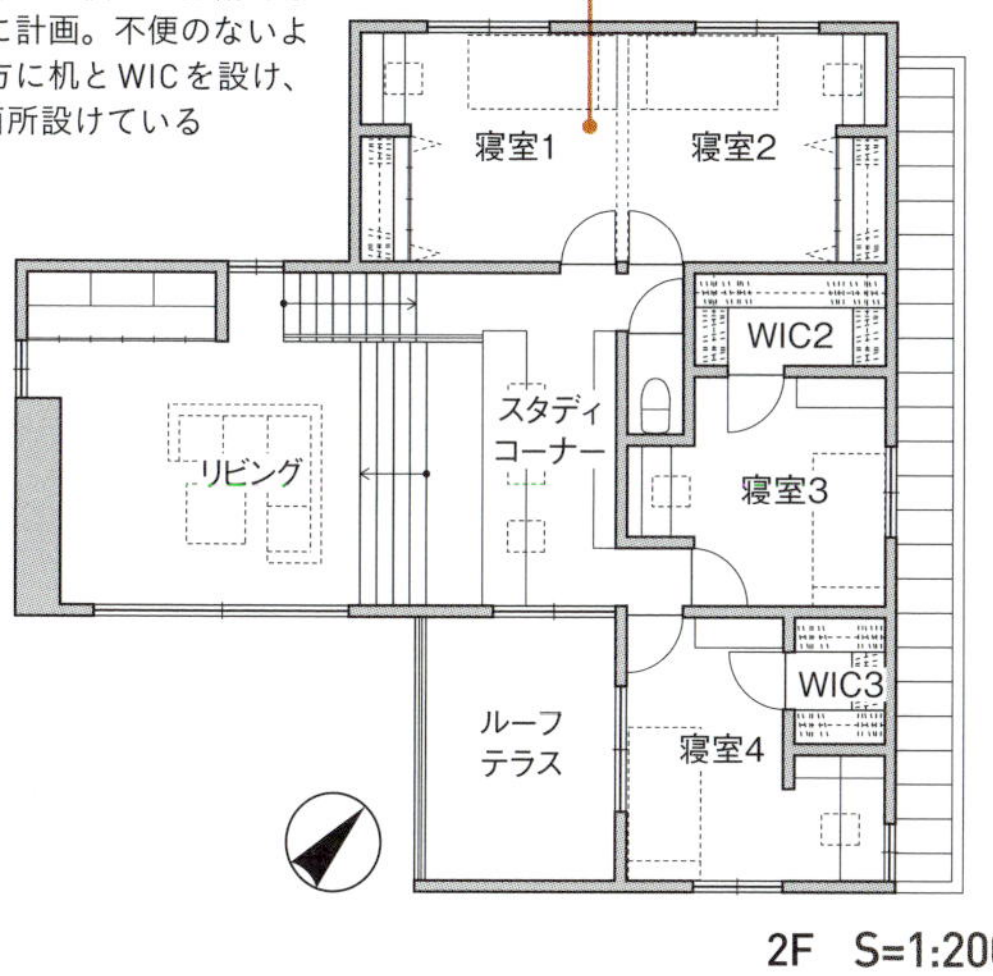

2F　S=1:200

自然と家族が視界に入る

2階には、吹抜けに面したスタディコーナーを設置。書棚やコンセントを備えているので、リビングにいる家族の様子を伺いながら勉強やテレワーク、オンライン受講も可能に

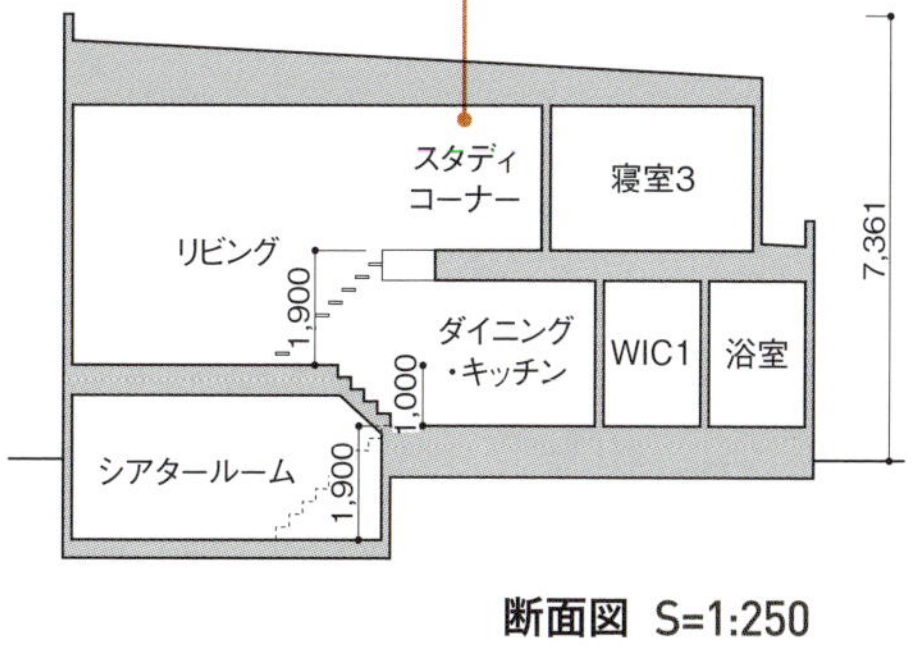

断面図　S=1:250

中庭から降り注ぐ光を引き込む森の中の音楽室

グランドピアノを伴う本格的な音楽室を備えた住宅。地域のピアノ教室の開催のほか、コンサートやレンタルスペースとしても活用できる広さを備えている。1階に音楽室や客室を配置し、2階に居住のための主室をまとめた。それらをゆるやかにつなぐ要素として、随所に大小さまざまな中庭を挿入した。パブリックとプライベートの距離を適切に取りながら、生活のさまざまなシーンで音楽とともに光や風、雨などの自然を感じられる間取りとなっている。

建築概要

所在地	東京都
家族構成	夫婦(60歳代)
敷地状況	整形、西道路
敷地面積	243.27㎡(73.59坪)
延床面積	195.33㎡(59.09坪)
構造・階数	木造2階

来客と住人の動線は分ける

音楽室側には、居住部分の玄関とは別にピアノ教室用の入口とトイレ、収納を設けた。プライベートの動線とは完全に分け、2階の居住スペースやワークスペースでの生活に影響が出ないようにしている

自然を感じる音楽室

音楽室は、簡単な発表会など少しフォーマルな場所としても使えるように見え方を検討した。奥に中庭を設け、生徒たちが座るスペースからピアノ越しに緑を望めば、自然の中でピアノを弾いているような特別な空間となる

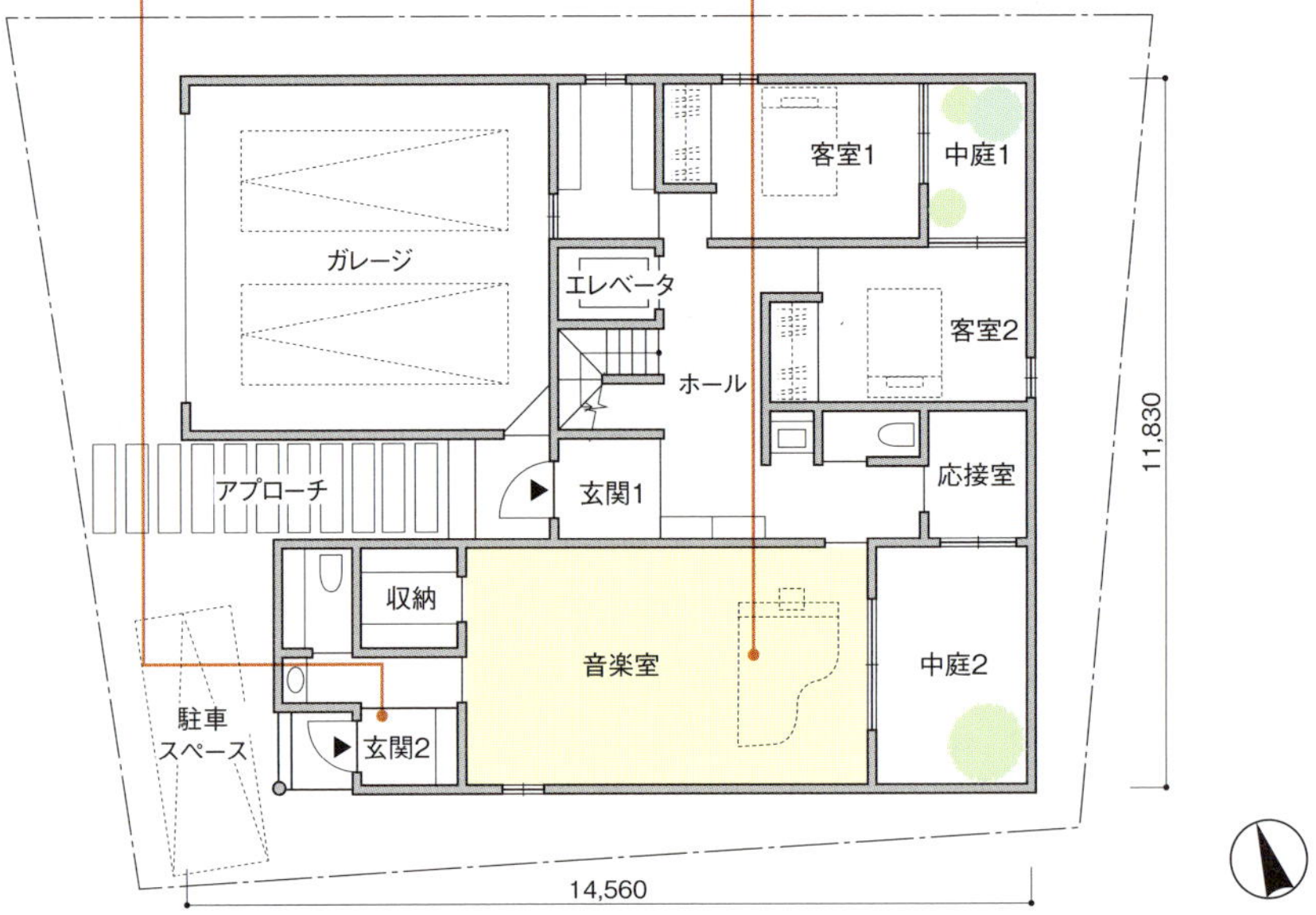

1F S=1:200

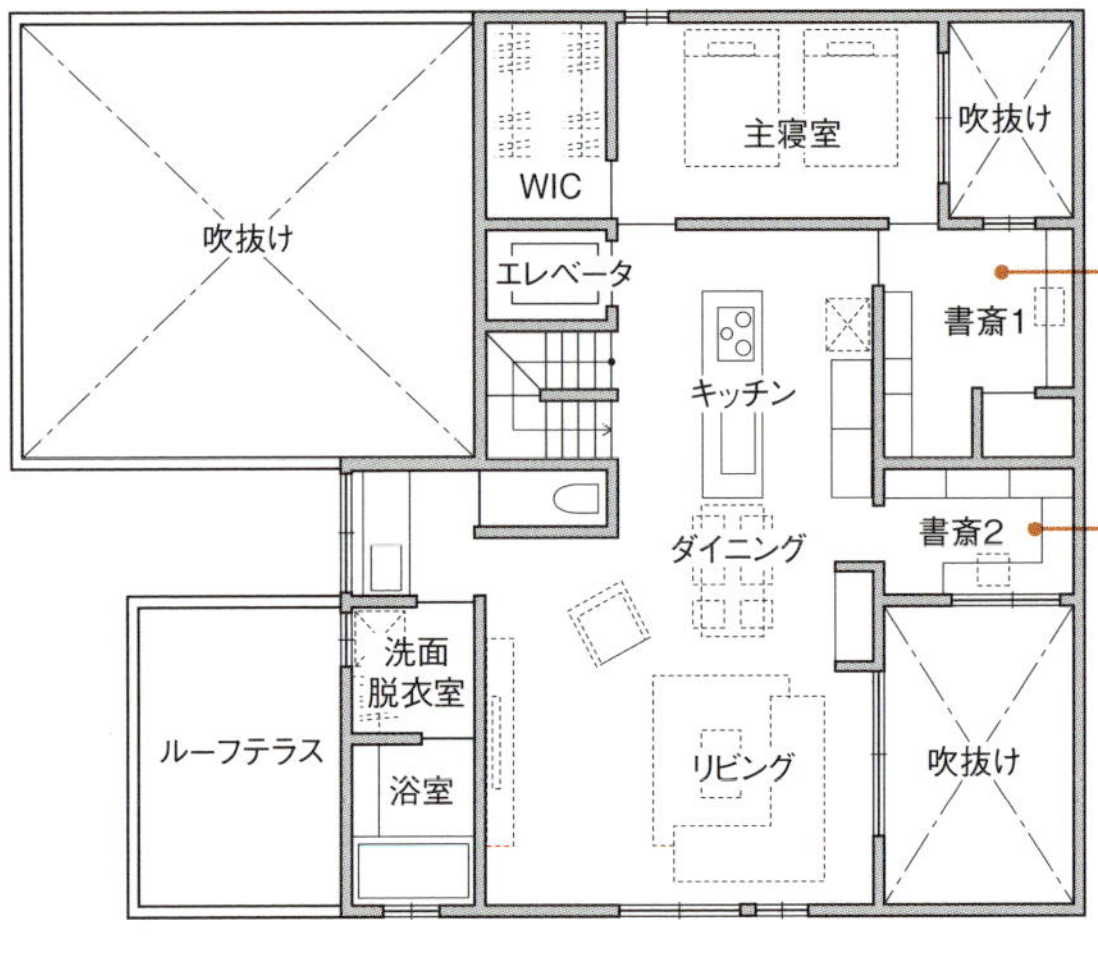

2F S=1:200

働き方に応じた2つの書斎

夫婦それぞれに書斎を設置。一方は締め切ることができて少し大きめの独立性の高い書斎、一方は家事と両立しやすいようにダイニングに直結する書斎となっている

広くて明るい玄関土間があれば家でも気軽に撮影ができる

「映える」写真や動画が撮影できることも、最近では家の要件になり得る。アパレル関係のインフルエンサーとして活躍する奥様から、家でファッションアイテムやコーディネートを撮影し、SNSで発信できるようにしたいと要望があった。

ここでは、玄関を上がってすぐの場所に中庭から光が差し込む13畳の玄関土間を設けた。撮影用の道具を収納する収納やSICを備え、テラスと中庭にもすぐにアクセスできるので、いつでも思い通りの撮影・配信が可能だ。

建築概要
所在地　愛知県
家族構成　夫婦（30歳代）＋子供1人＋犬
敷地状況　変形、西道路
敷地面積　265.00㎡（80.16坪）
延床面積　145.95㎡（44.14坪）
構造・階数　木造2階

撮影に便利なゆったり土間

広々とした玄関土間では、靴を履いた全身のコーディネートが室内で撮影できる。中庭に隣接しているので、外での撮影やペットとの撮影にも便利。頻繁に訪れる来客も、LDKまで通さずに玄関土間で対応できる

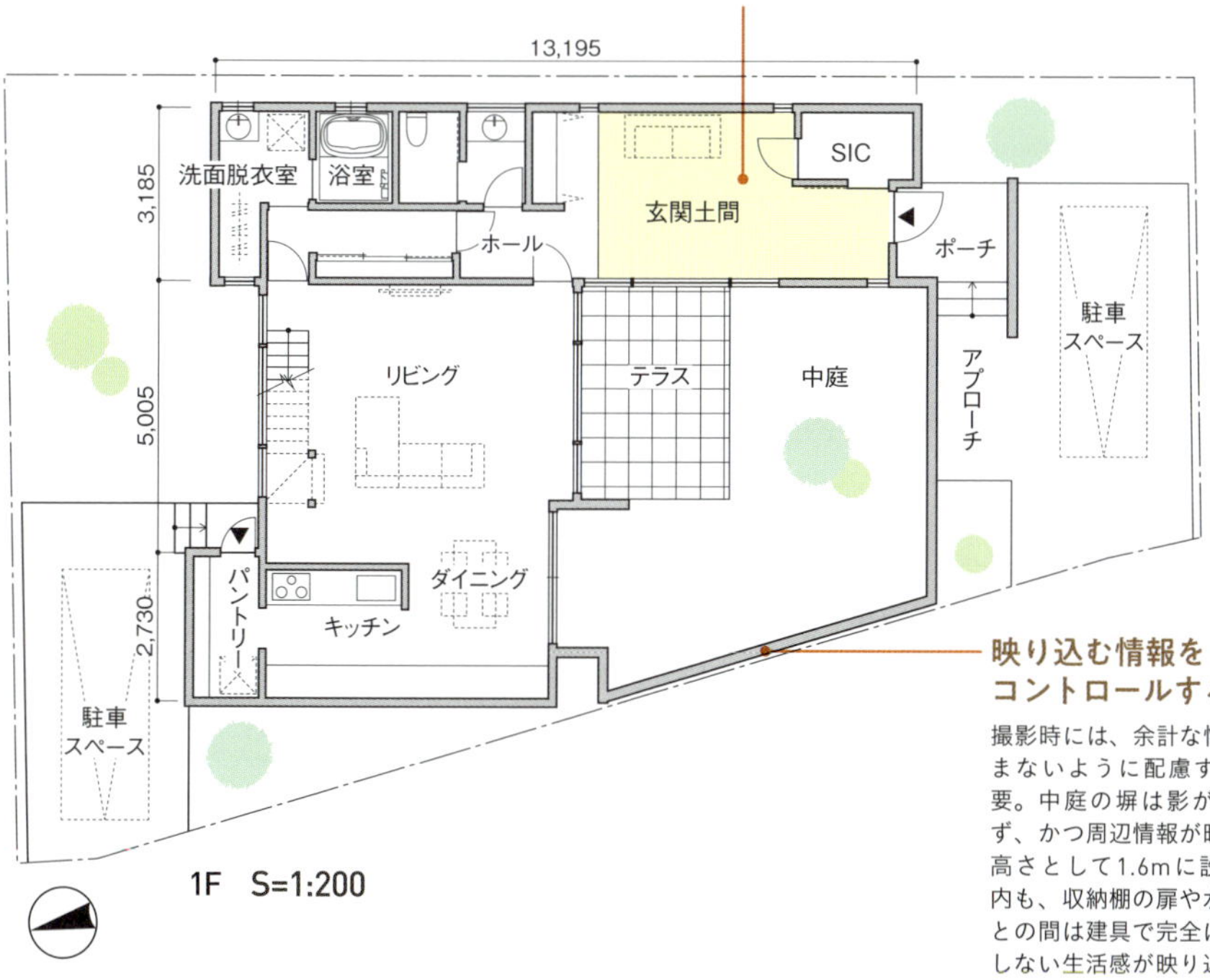

1F　S=1:200

映り込む情報をコントロールする

撮影時には、余計な情報が映り込まないように配慮することも必要。中庭の塀は影が邪魔にならず、かつ周辺情報が映り込まない高さとして1.6mに設定した。室内も、収納棚の扉や水廻り・LDKとの間は建具で完全に閉じ、意図しない生活感が映り込む可能性を排除している

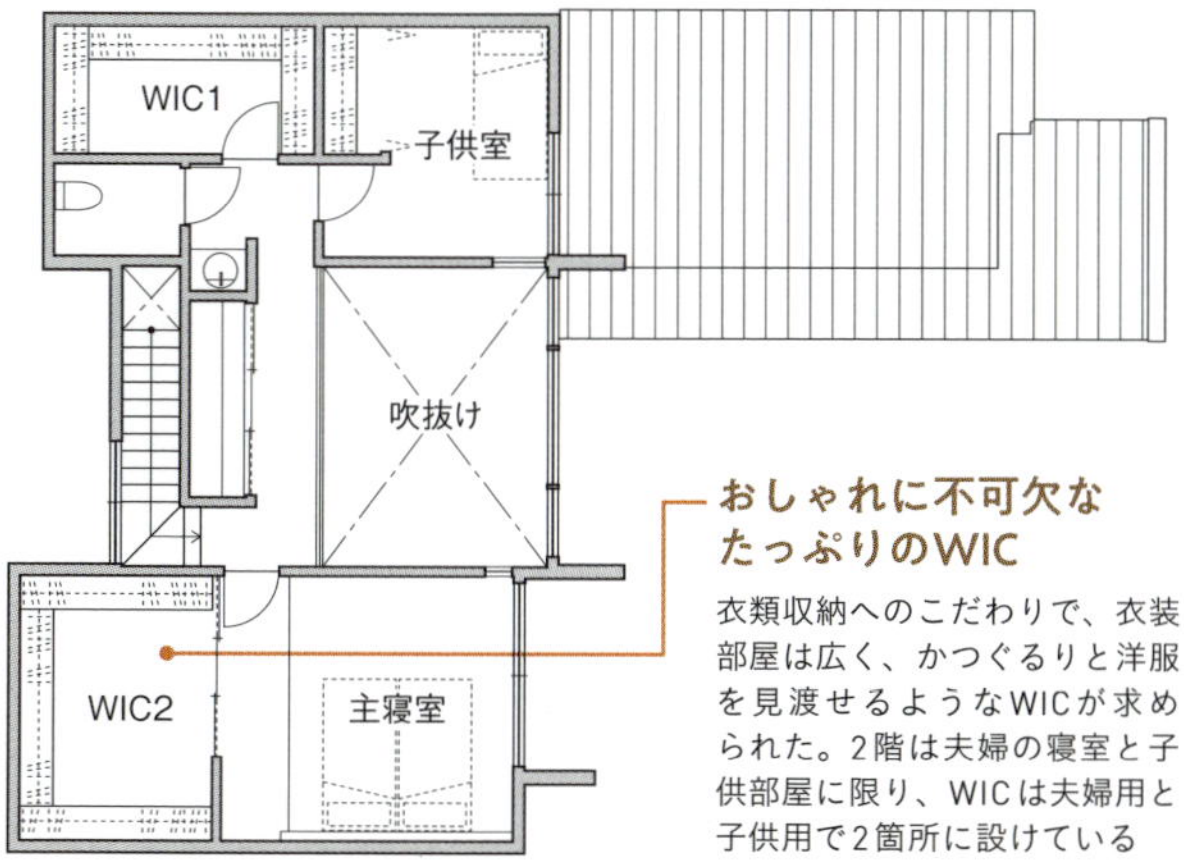

2F　S=1:200

おしゃれに不可欠なたっぷりのWIC

衣類収納へのこだわりで、衣装部屋は広く、かつぐるりと洋服を見渡せるようなWICが求められた。2階は夫婦の寝室と子供部屋に限り、WICは夫婦用と子供用で2箇所に設けている

1階の部屋は中庭とテラスに向けて天井高さいっぱいの窓を設け、光を取り込んでいる。窓から差し込む太陽光を順光として、背景は被写体が最も綺麗に撮影できる白い壁を選んだ

変形地こそ動線は明確に眺望のよい店舗併用住宅

美容院を経営する建て主が、両親・姉妹と住まうための店舗併用住宅。美容院の店舗は別の場所にあるが、お得意様のみを案内する特別なサロンを住宅と併用して構えたいとの要望があった。高低差のある変則的な六角形の土地で、店舗と居住の空間をどのように分け、動線を計画するかが課題であった。

常連客相手の親密な接客のため、トイレや玄関を住宅と共用するなど、過剰なゾーニングは行わない。その分内装仕上げや空間構成に力を入れ、リラックスできるサロン空間となった。

建築概要

所在地	愛知県
家族構成	両親（70歳代）＋姉妹（40歳代）＋犬1匹
敷地状況	変形、西道路
敷地面積	295.49㎡（89.39坪）
延床面積	218.76㎡（66.17坪）
構造・階数	木造2階

人柄が表れる生活空間をあえて隠さない

住宅と店舗の入り口は共用で、玄関土間の一部が待合室となっている。サロンはプライベート性の高い業種であり、特に個人サロンは、店主のセンスが店の魅力に直結することが多い。この家でも、建て主の好きなモノやインテリアが表現された生活空間をそのままに見せることが、サロンとしての特別感を生んでいる

客から見えない裏方は家と共用

店舗と居住部分は、シャンプースペースの奥でもつながっている。タオルなど接客で使用するモノを収納したり、すぐに洗濯に回したりと便利に使えるようにWICや脱衣室と直結させた

帰宅動線の一本化で空間を節約

玄関からWIC、洗面室・浴室まで、帰宅後の動線を一本に単純化。その分、LDKやテラスなどくつろぎの空間をたっぷりと取った。その動線上には、室内飼いの犬が散歩から帰ったらそのまま移動できるよう、WICの脇にドッグスペースを設置

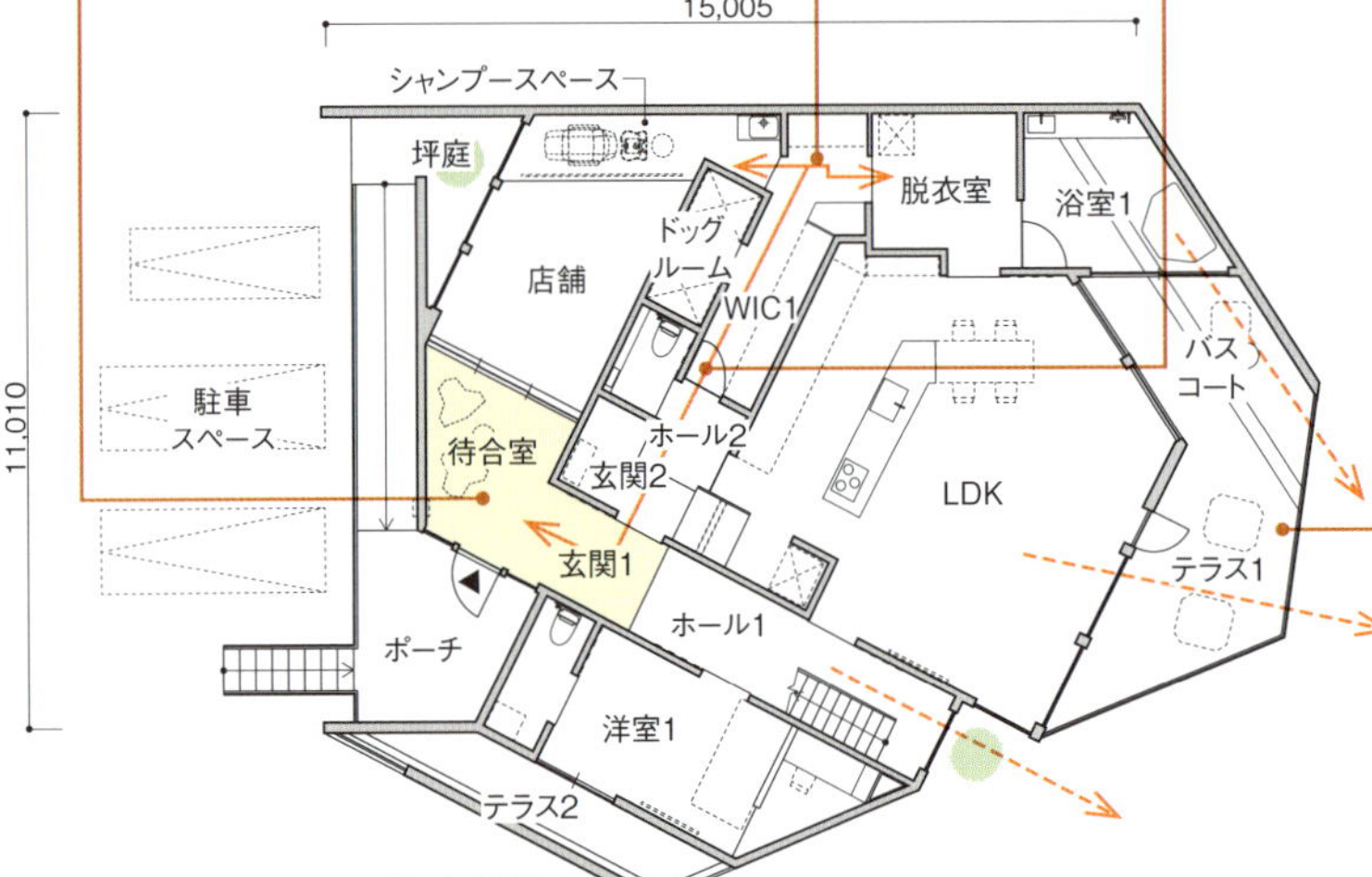

1F　S=1:250

眺望とこもり感の両方を備えたテラス

敷地の眺望の良さを活かし、東側は景色を存分に楽しめる空間づくりを目指した。テラスの北側は浴室からも出入りできるバスコートになっている。目隠しとなる壁を立てて屋根をさしかけ、外部でありながら安心感のある空間だ

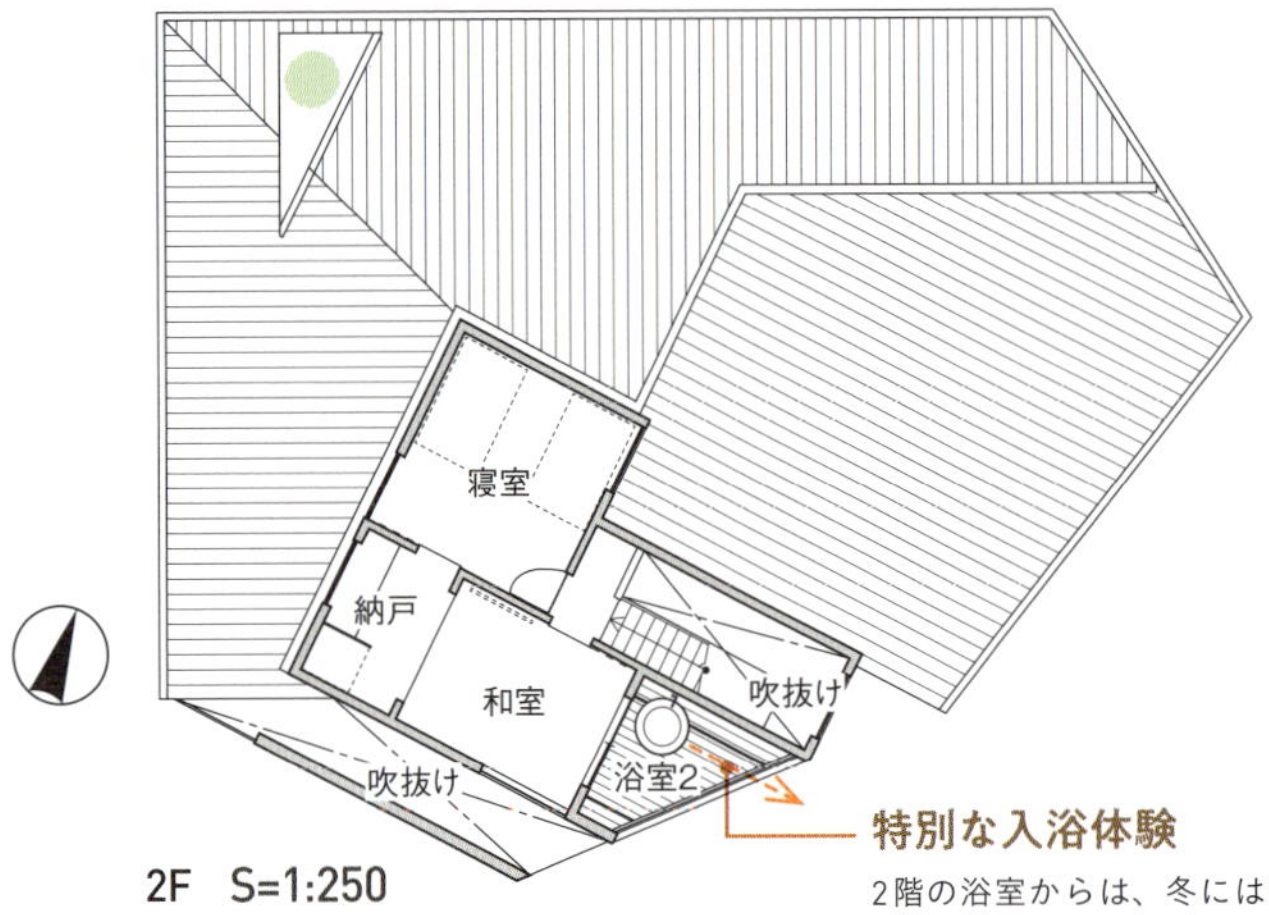

2F　S=1:250

特別な入浴体験

2階の浴室からは、冬には雪化粧の美しい山並みを眺めることができる

玄関1から、待合室とホールを見る。空間は開放的で、インテリアなどが視界に入るが、床と壁の仕上げを切り変えることによって接客スペースの境界をそれとなく示している

外からアクセスできる水廻りで清潔で快適な生活を

家の中を清潔に保つため、玄関近くに水廻りを置きたいという衛生面を気にかけた要望も増えている。ここでは、解体業に従事するご主人のためにも、家の中に仕事の汚れを持ち込まないよう外部から水廻りにアクセスできる動線計画がポイントとなった。

2世帯それぞれの玄関扉とは別に、水廻りに直接つながる入口を設置。仕事終わりに手を洗って仕事着を洗い、浴室で汚れを落とせば、仕事のスイッチがオフになり、メリハリのある快適なプライベートを過ごすことができる。

建築概要
所在地　神奈川県
家族構成　親世帯夫婦（50歳代）
＋子世帯夫婦（30歳代）
＋子供2人
敷地状況　整形、北道路
敷地面積　357.88㎡（108.26坪）
延床面積　354.40㎡（107.21坪）
構造・階数　木造2階

大容量を確保して無理なく収納

モノが多くなりがちな生活なので、収納は細かく分けるよりも、場所を絞って大きな容量を確保した。扉を閉められるようにすれば、片付けが苦手でも美観を乱さず、日々のストレスにもならない

LDK脇の小上がりが暮らしのゆとりを生む

キッチンの脇に設けられた小上がりは子供のスペースとして、家事をしながら子供の面倒を見られるようにした。小上がり脇には、子供のかさばるおもちゃ用の収納を設置。子供が大きくなったら、昼寝やくつろぎのスペースとしても活用できる

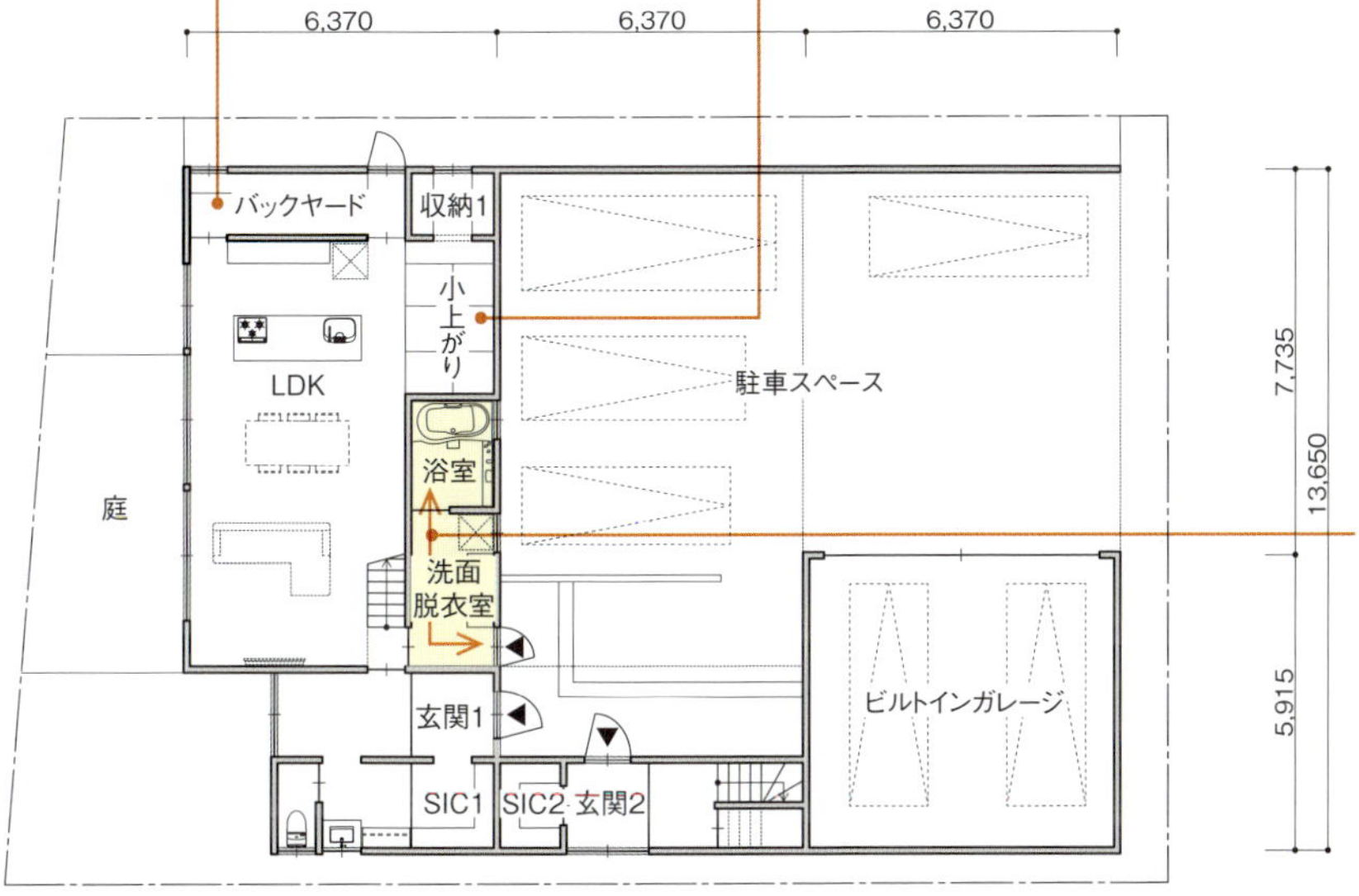

清潔さを保つ水廻り動線

外部からアクセスできる水廻り用の入口は、洗面脱衣室と浴室に直結している

1F　S=1:250

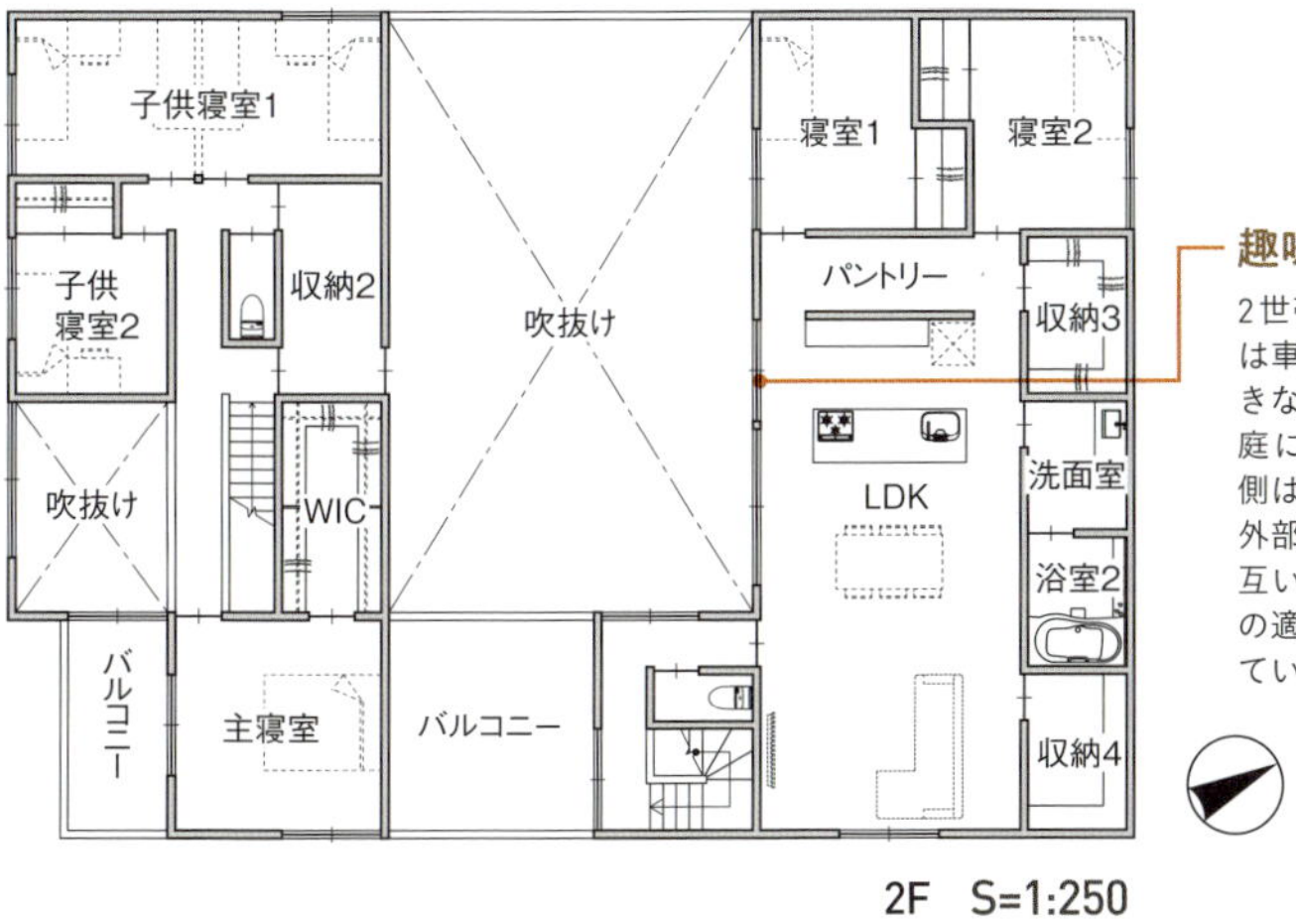

趣味を介した適度な距離感

2世帯ともに車が趣味。親世帯側には車を眺めながらの生活を叶える大きな窓を設けた。一方子世帯側は、庭に面したLDKを中心に、吹抜け側は収納など閉鎖的な空間を配置。外部吹抜けによって生活音や視線が互いに影響することを防ぎ、2世帯の適切な距離感を保つことに成功している

2F　S=1:250

隣接する公園の緑を思い切り取り込む家

敷地は静かな住宅街。北側に桜の木が植えられた公園がある。実は建て主がこの土地を選んだのは、春の桜のほか、公園の緑と開放感を享受できるから。間取りも、それに応えて北側の公園をどれだけ暮らしに取り込めるかが課題になった。

間取りは、1階にLDKと水廻り、2階に個室の構成。メインとなるLDKは大きく北側の公園に向けて開き、外部にはプライベートテラスもつくった。一年中公園の緑と風と匂いを楽しめる家になった。

建築概要
所在地　福岡県
家族構成　夫婦（30歳代）＋子供1人
敷地状況　多少変形、北西道路
敷地面積　255.99㎡（77.43坪）
延床面積　106.92㎡（32.34坪）
構造・階数　木造2階

道路側外観。建物の家型を模した玄関ポーチがかわいらしく訪れる人を出迎える

緑を独り占め
LDKの外側には囲われたテラスがつくってあり、誰にも邪魔されずに公園の緑を満喫できる特等席

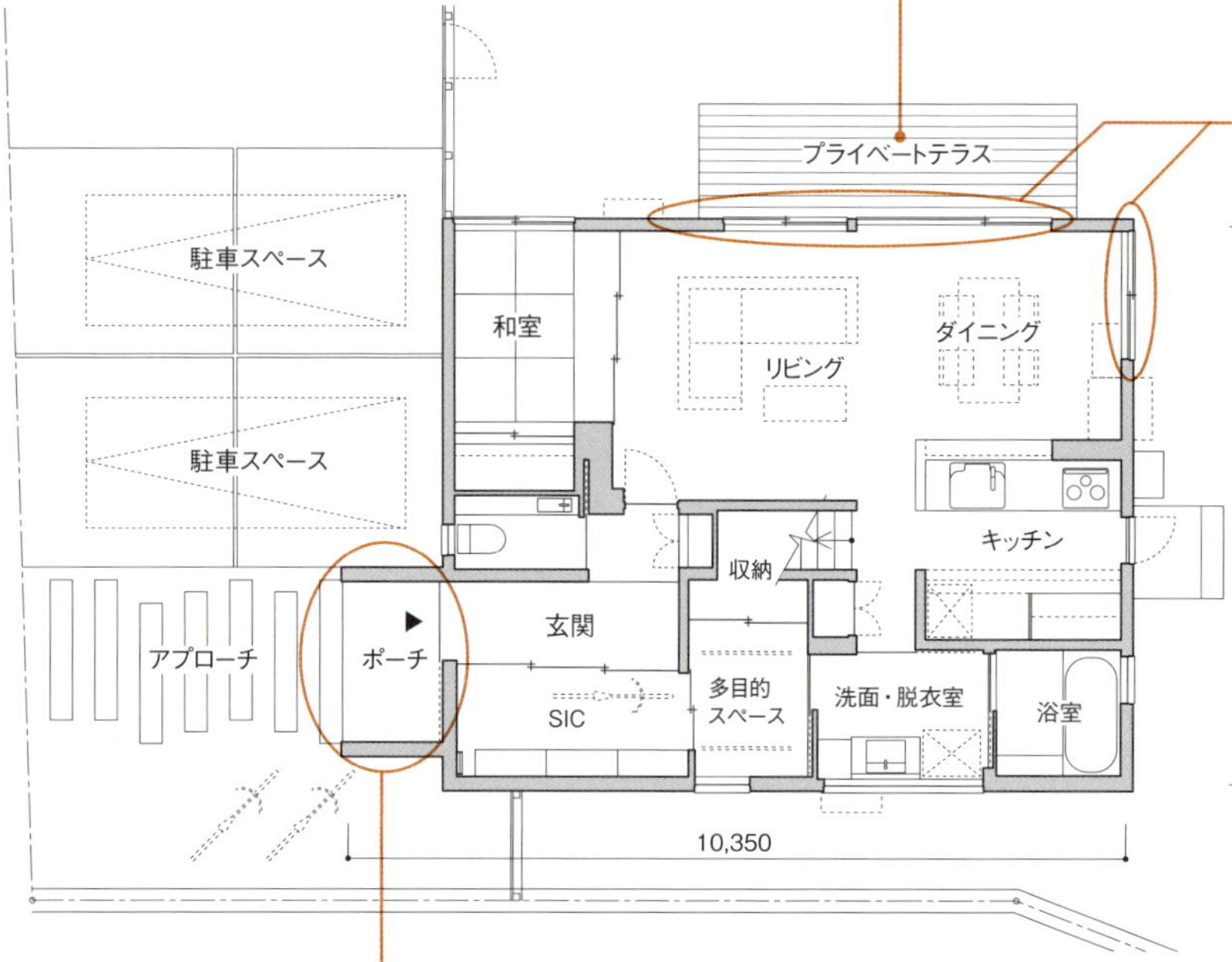

1F　S=1:150

北側に開く
公園が北側にあったので、LDKの窓も北側に大きく開いている。南からの光は望めないが、北側の安定した光が、終日LDKを明るくしてくれる。南側の光よりも北側の光のほうが木々の緑は美しく見える

ミニチュアのお出迎え
玄関扉の前のポーチは、建物の家型を模したかわいらしい屋根が架かっている。訪れた人は、ここを通り抜けて室内へと向かう

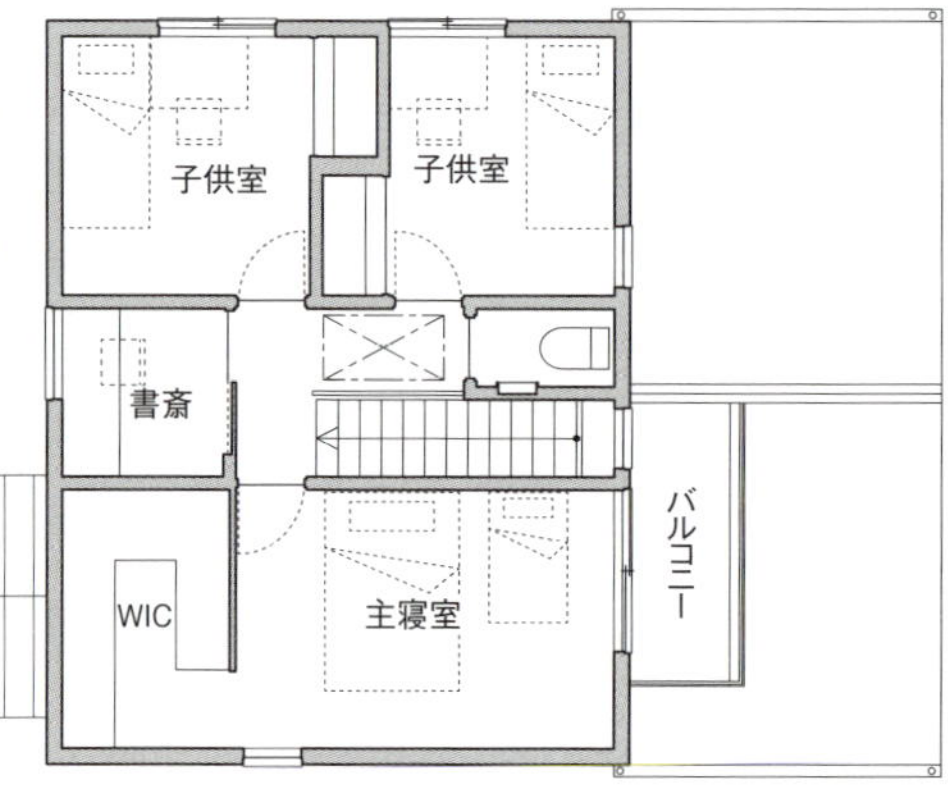

2F　S=1:150

1階LDKから見える公園。窓の外には囲われたテラスがあり、公園の緑をより近くで楽しむことができる

親密なご近所付き合いに適度な距離感で応えたい

近隣に住む親族やご近所さんなど、日常的に交流や訪問客が多い地域に建つ平屋。交流が多いことは喜ばしいが、プライベートとの線引きを明確にすることで、快適に付き合いを続けられるようにしたいとの要望があった。

そこで、LDKと建具1枚を隔てる、独立した小さな応接棟のような和室を設けた。玄関とは別の入口から和室に着座する来客動線と、キッチンから茶菓子などを運ぶもてなし動線を確立させれば、来客対応は和室で完結できる。気軽さと礼儀を兼ね備えた、ご近所付き合いに最適の間取りだ。

来客を招き入れる前庭

玄関とは別に、和室に直接出入りできるよう設えた前庭。少し奥に引き込んで踏み石でアプローチを示し、路地のようにデザインすることでおしゃれな来客用空間とした。軒先での立ち話が長くなっても、家の出入りや生活には影響しない

水廻りのプライバシーにも配慮

洗濯物はプライバシーの塊とも言えるもので、見られたくないと感じる建て主は多い。近隣の目を避けるため、ランドリーから直接出られる裏庭に一部土間コンクリートを打ち、物干し場を設けた。敷地の角に目隠し壁を設け、北側道路からの視線遮蔽も完璧だ

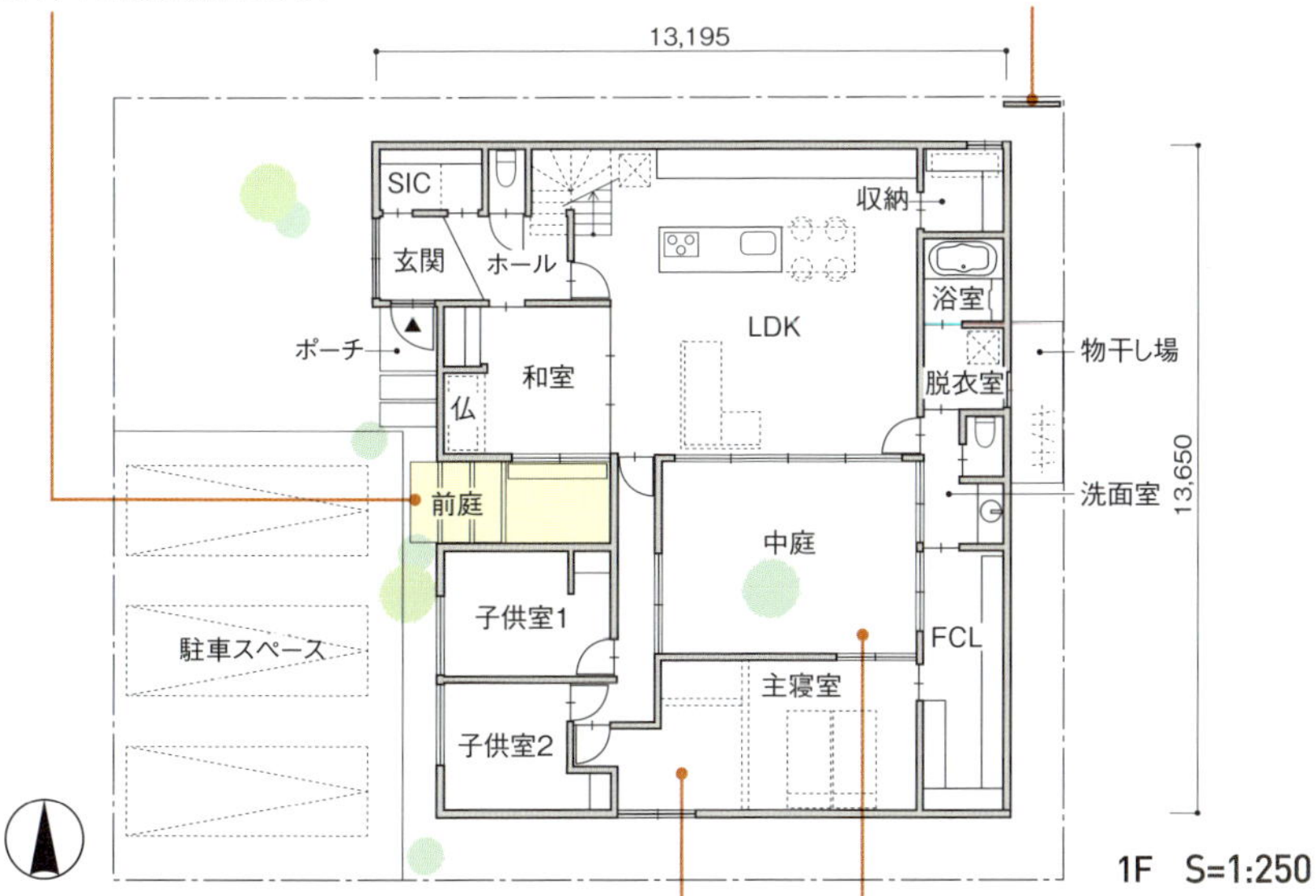

1F　S=1:250

ワンクッションが高級感を生む

寝室を広めに取り、将来的には間仕切り壁を増設して前室を設ける。書棚やソファ、お気に入りのインテリアを置けば、少しリッチなスイートルームのような雰囲気に

閉じた中庭で存分に楽しむ

外部からの視線の通り道は断ち切り、完全に家の中からしか見えない中庭を中心においた間取り。ご近所の目を気にせず、心置きなく緑を眺めたり、庭いじりを楽しんだりできる

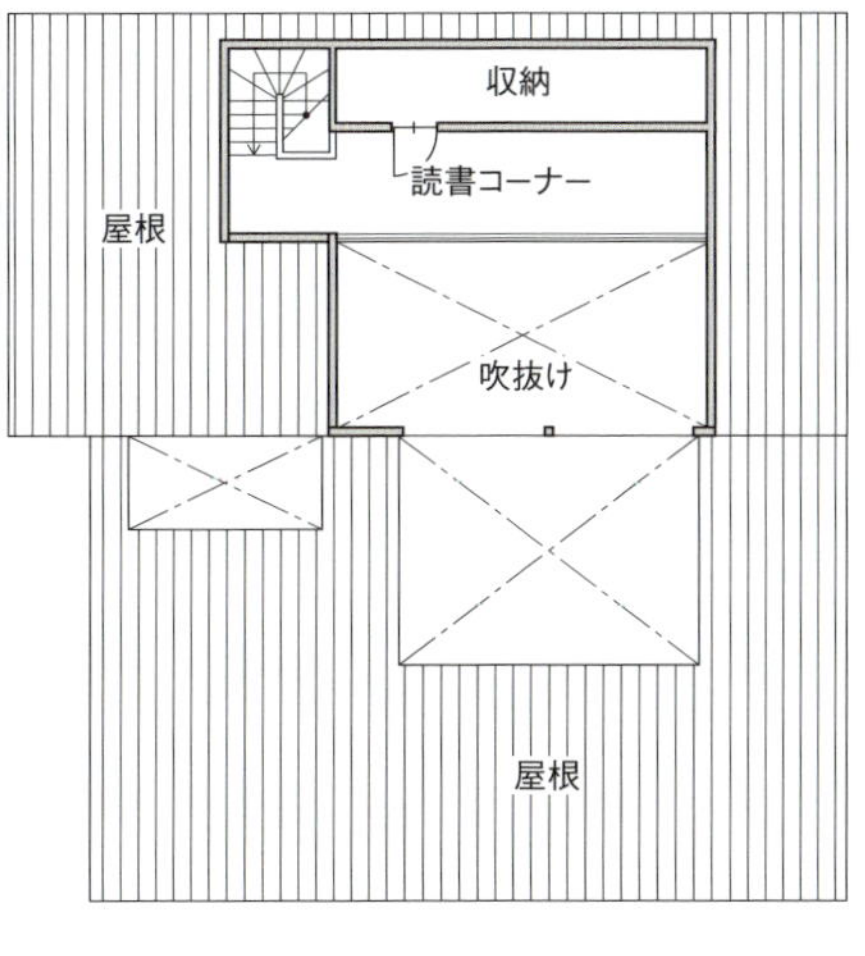

2F
S=1:250

建築概要	
所在地	愛知県
家族構成	夫婦（40歳代）＋子供3人
敷地状況	整形、西・北道路
敷地面積	318.40㎡（96.32坪）
延床面積	136.84㎡（41.39坪）
構造・階数	木造1階（＋ロフト）

穏やかな緑が集中を引き出すカフェのようなワークスペース

自然豊かな土地で、北西に山、南に海を臨む穏やかなロケーション。この条件を存分に生かし、リビングだけでなくワークスペースからも美しい景色を眺められるようにしたい、というのが一番の要望だった。

静かな景色が臨める南西の壁沿いにカウンターを設け、カフェのようなワークスペースを設計。リビングとの間には建具を設けずに廊下で緩やかにつないでいるが、視線は外部へ向いているため仕事にも集中しやすい。山の緑が疲れをやわらげ、一日中でも快適に働くことができる。

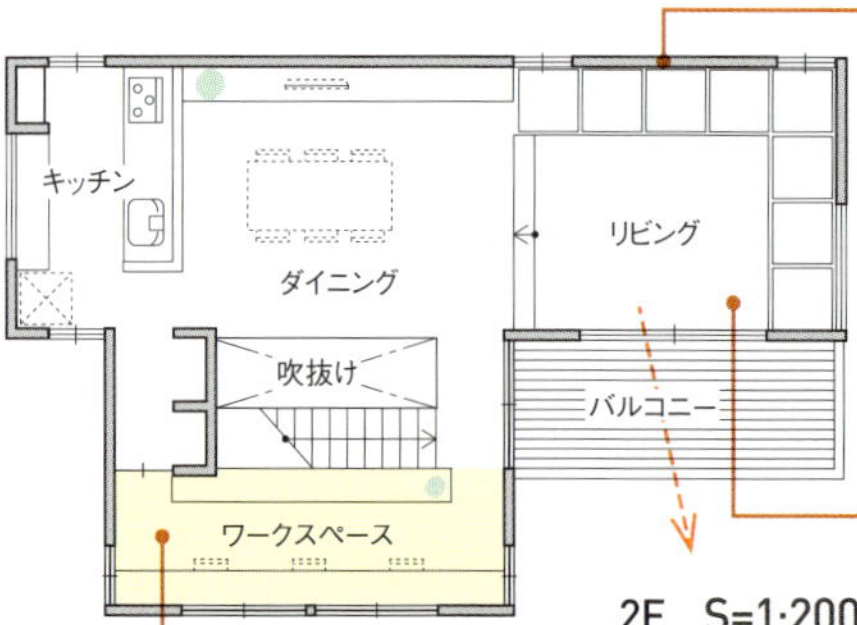

2F　S=1:200

住まい手の「らしさ」を表現する提案

LDKの東面の壁を、「遊べるカベ」と命名。黒板塗装にして落書きをしたり、ボルダリングをしたり、ディスプレイ用の棚をつけたりと使い道は多様だ。住人のパーソナリティーを表現できる要素をLDKの中心に添えた

非日常を感じるダウンリビング

緩やかに傾斜する敷地に建つため、隣家が視界を遮らず、リビングからはバルコニー越しに遠く海を臨む静かな景色を楽しめる。建て主の夢でもあった造作ベンチを伴うダウンリビングに降りれば、プライベートリゾートのような空間が楽しめる

程よく人の気配を感じて集中できる

リビングとシームレスに繋げられたワークスペース。窓からの景色でリラックスしながらも、LDKに居る人の気配を感じることで良い緊張感をもって仕事に集中できる

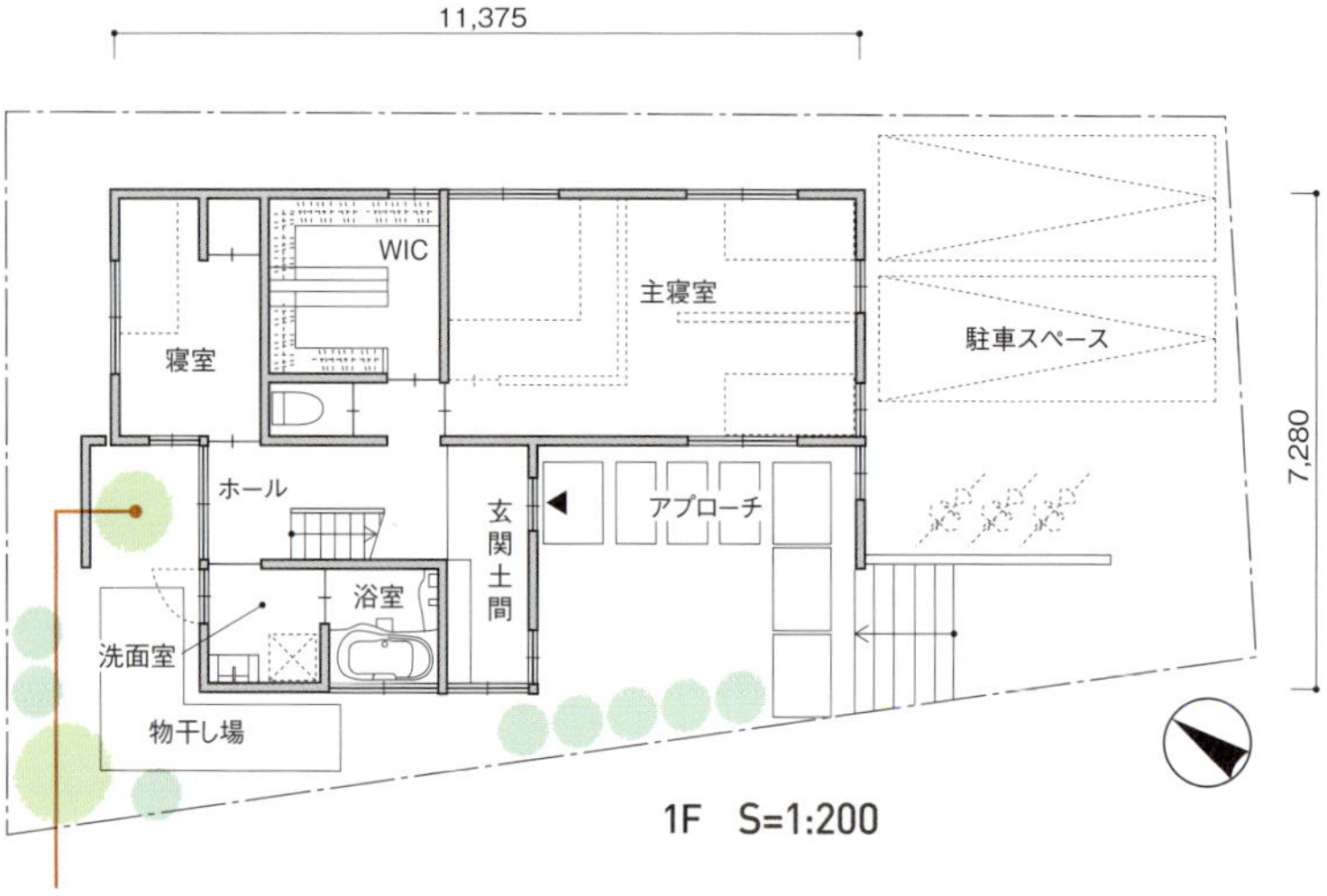

1F　S=1:200

外部を室内に取り込んだ空間づくり

玄関を入ってすぐの正面に、庭の植栽が見える掃き出し窓を設けた。階段を伴う吹抜けもあいまって、小さいながら明るく開放感のある玄関となった

建築概要

所在地	神奈川県
家族構成	夫婦（30歳代）＋子供2人（これから）
敷地状況	台形状、東道路
敷地面積	178.10㎡（53.88坪）
延床面積	142.48㎡（43.1坪）
構造・階数	木造2階

土間が空間を切り分け仕事のスイッチが入る書斎をつくる

テレワークが日常的となった生活のため、仕事に没頭できる静かな書斎が欲しいとの要望があった。そこで、最小限の操作で空間を切り分ける手法として、1階の中央を土間で分断。生活音から切り離された小さな「離れ」は、エントランスを通って移動することで気持ちの切り替わりをも促し、集中できる環境となった。

一方で、住宅地においてプライバシーを保ちながら庭（外部空間）を楽しみたいという要望も。全体をT型プランとし、外に開いた前庭とプライバシーの保たれた中庭を計画した。

住宅を貫く中間領域

アプローチからエントランスへと斜めに貫入する土間空間は、集中力を高めていくようなイメージで中庭へと視線を誘導する。屋外のアプローチと屋内のエントランスを同じ床材で仕上げることで連続性を強調し、その先に中庭をつなげることで、中庭を広く感じさせる効果もある

家族が集まるLDK

中庭に面して吹抜けを持つリビングを配し、ダイニング、キッチンと連続させることで、家族は自然とLDKに集う。日中は仕事と生活を切り離しながらも、ひとたび書斎を出れば家族とつながることができる

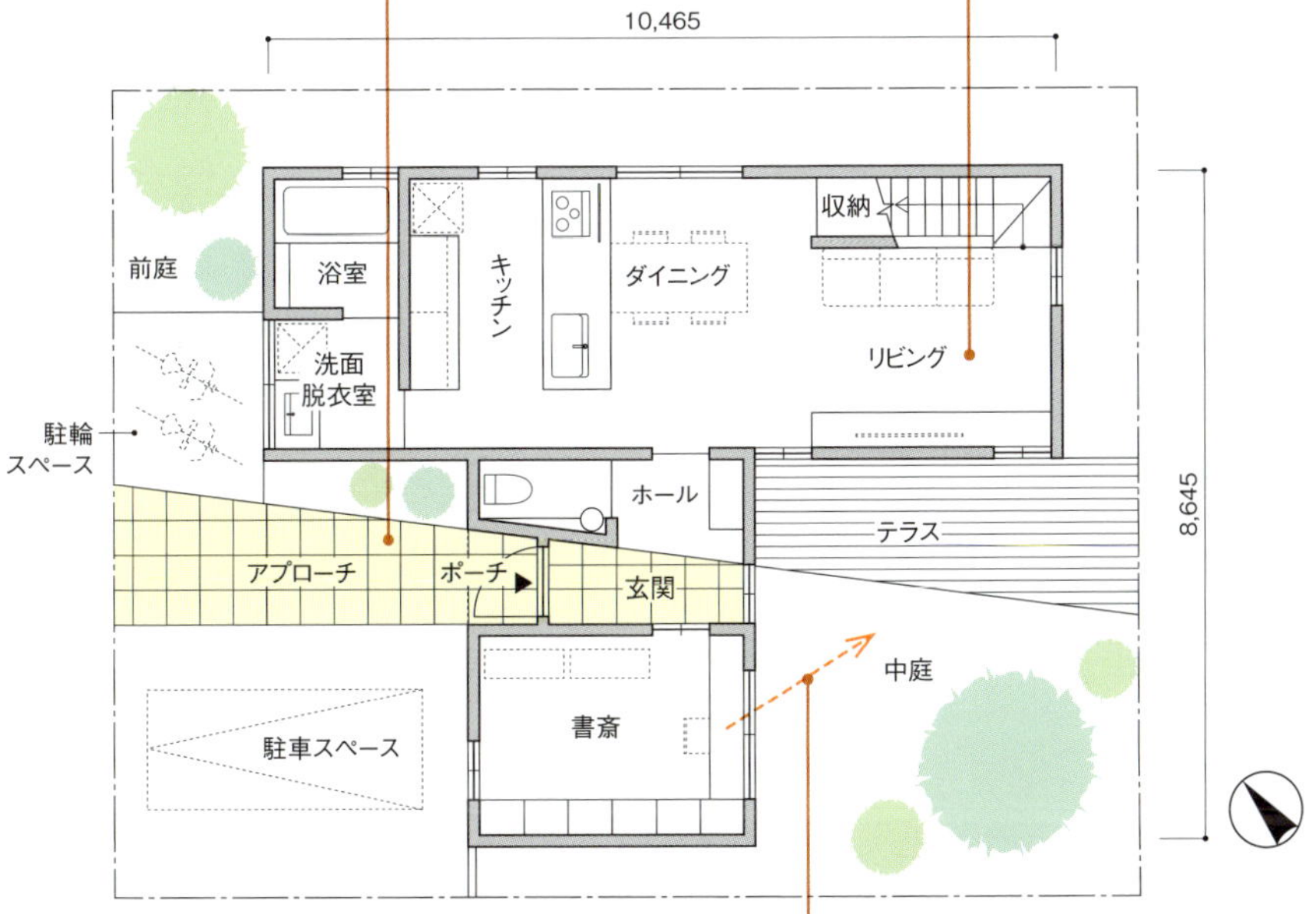

1F S=1:150

中庭を介してゆるくつながる

書斎には、中庭に面した窓から光が注ぎ込む。植栽の緑で目を楽しませたり、中庭で遊ぶ子供の姿を見てリフレッシュしたりできる

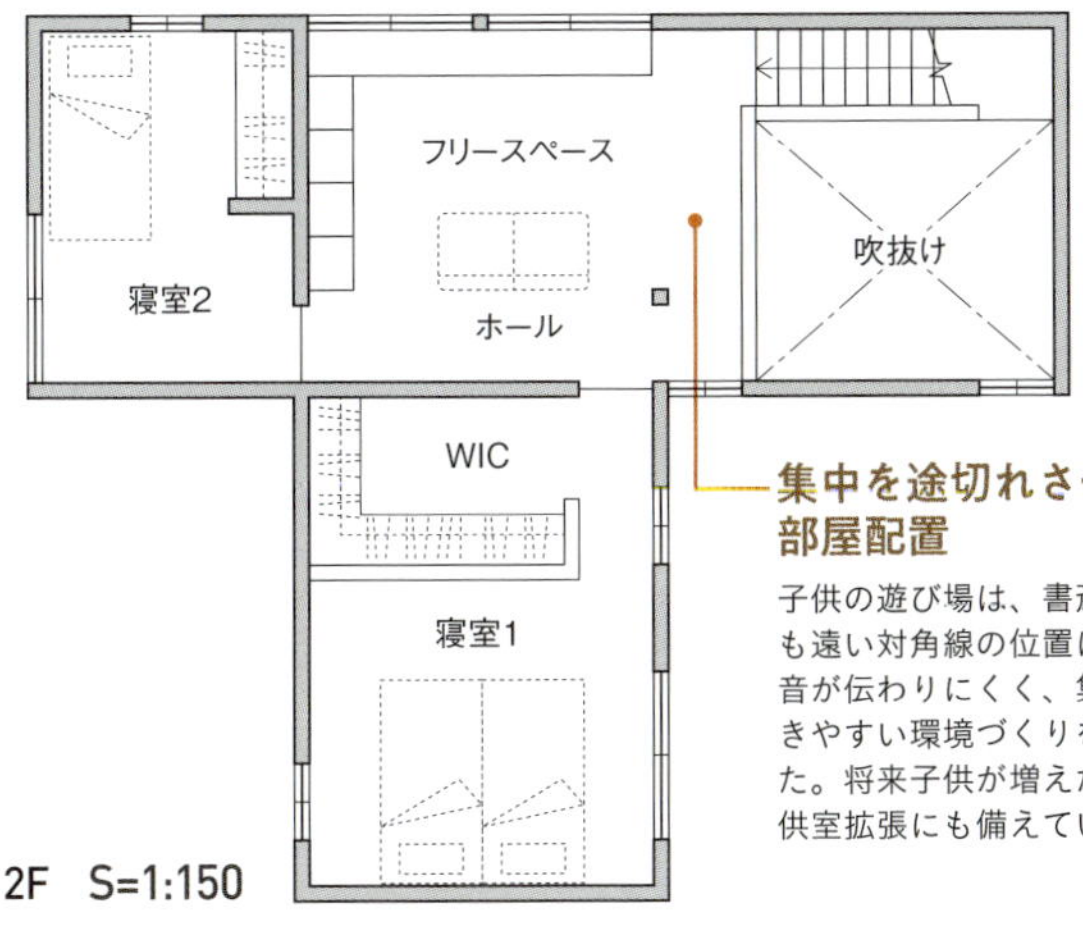

2F S=1:150

集中を途切れさせない部屋配置

子供の遊び場は、書斎から最も遠い対角線の位置に配置。音が伝わりにくく、集中が続きやすい環境づくりをめざした。将来子供が増えた時の子供室拡張にも備えている

建築概要	
所在地	東京都
家族構成	夫婦（30歳代）＋子供1人
敷地状況	整形、北西道路
敷地面積	142.38㎡（43.06坪）
延床面積	102.74㎡（31.07坪）
構造・階数	木造2階

家族に配慮して車を楽しむ 多趣味でも互いを尊重できる家

趣味の継続には、家族の理解が欠かせない。車を趣味としているご主人から、出入りの際に大きなエンジン音を発するため、家族に配慮したガレージ計画をしたいとの要望があった。また、運動やバーベキューなど、アクティブな趣味が多い家族にとって、外出制限は我慢の連続。家でも色々な趣味を行えるよう間取りを検討した。

東側はジムやテラス、客間などの趣味・接客エリア、中央が家族団らんのLDK、西側は家事や水廻りと、役割を明確にすることで、日常生活と豊かな趣味の両立をはかっている。

中庭が音の緩衝材となる

ガレージと居住スペースの間は、中庭を挟むことで距離をとり、エンジン音を軽減。ガレージ上部も普段は使わない客間なので、居住スペースまで音は届きにくい

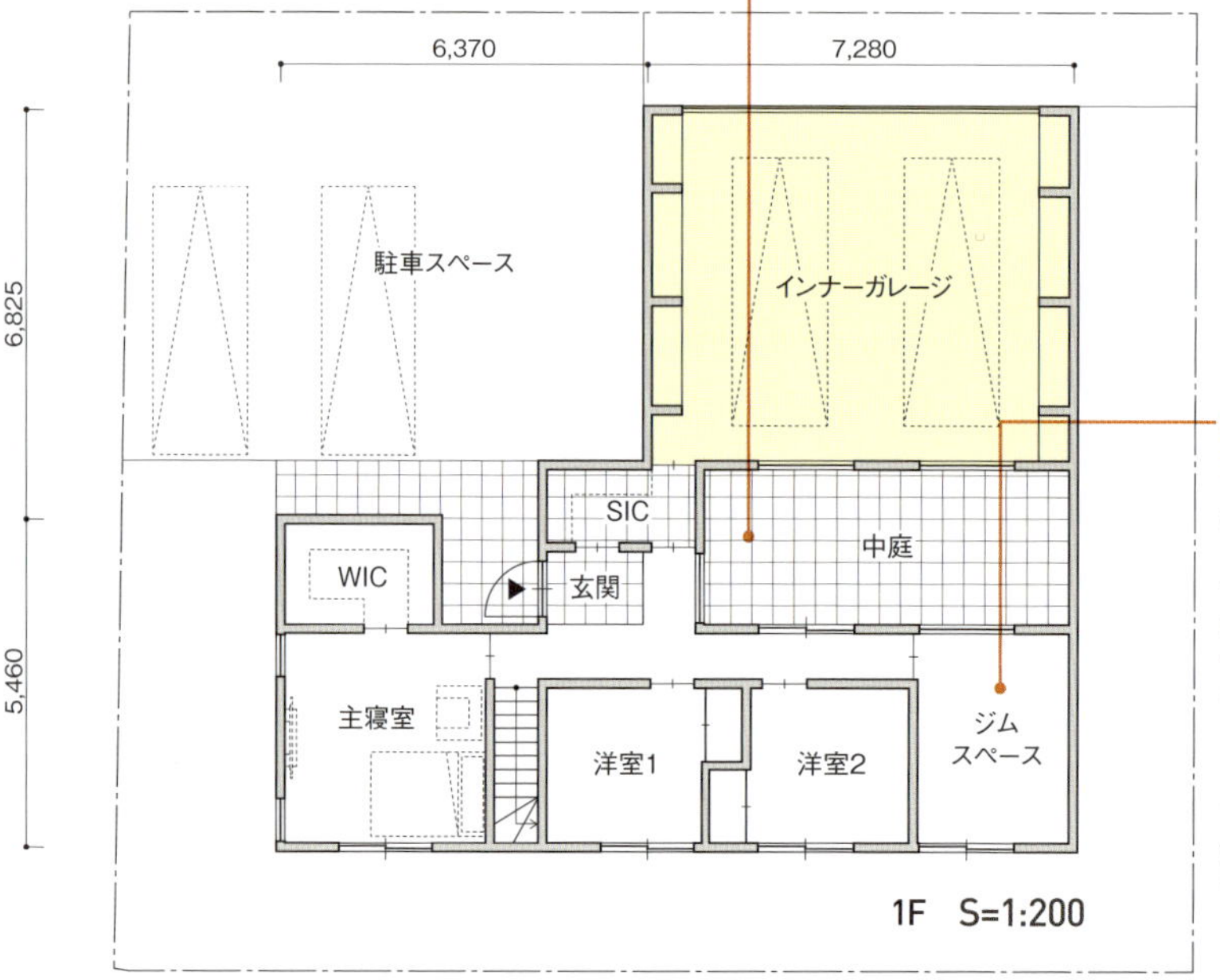

1F S=1:200

家の中に ジムをつくる

外出が減った生活で、気になるのは運動不足。家でも運動がしたいとの要望から、1階にジムスペースを設けた。6畳程度のスペースがあれば、パワーラック、ベンチ台など、一通りのトレーニング器具を入れられる。器具は重量があるので、1階が向いている

明確なエリア分けで効率的な家事

趣味のエリア、団らんのエリア、接客のエリアと分けているので、家事動線もできるだけコンパクトにまとめた。キッチン、パントリー、洗面室・洗濯室・浴室、WICを西側に集め、効率的かつ来客に生活感を見せない配置とした

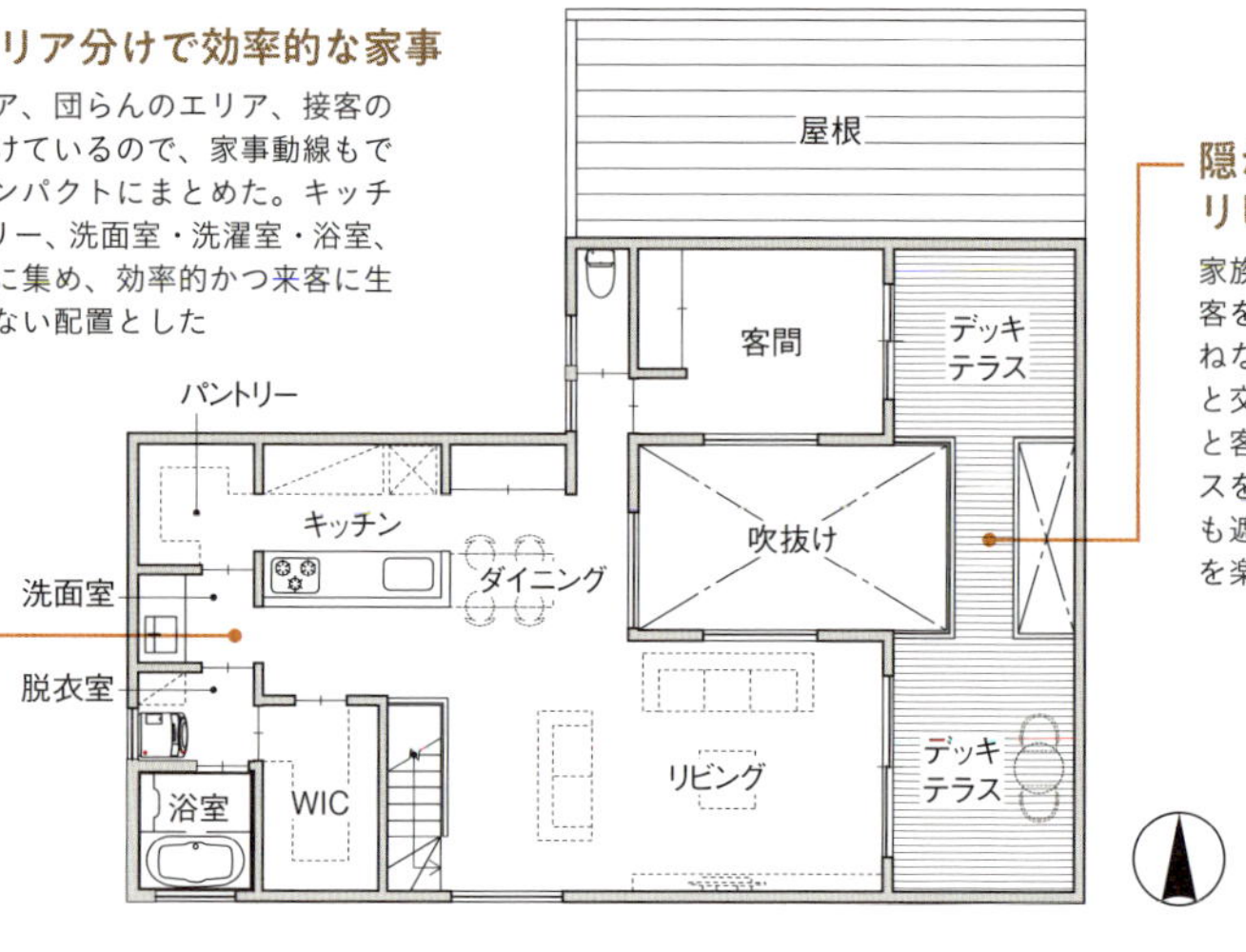

2F S=1:200

隠れたアウトサイド リビングで楽しむ

家族でのバーベキューや、来客を招いての食事なども気兼ねなく行いたい。1階の中庭と交差するように、リビングと客間から出入りできるテラスを架けた。近隣からの視線も遮りつつ、外の気持ちよさを楽しめる

建築概要

所在地	東京都
家族構成	夫婦（50歳代）＋子供2人
敷地状況	整形、北道路
敷地面積	294.99㎡（89.23坪）
延床面積	134.17㎡（40.58坪）
構造・階数	木造2階

シェアハウス利用も見込んだ新しい単位の共生住宅

母親と姉妹、息子世帯の3世代にわたる計8人が同居する家。今後の住人の変化も見込んで、核家族に限らずおひとり様世帯や単身親世帯などが混在する、自由な住まい方を叶える家として設計した。

程よくプライバシーを守れる動線計画と、あえて生活機能空間を分散させることの2点によって、多様な距離感の居場所が生まれた。どんな関係性の住人でも心地よい居場所を見つけることのできる、包容力のある間取りとなった。

建築概要	
所在地	福岡県
家族構成	母＋3姉妹（60歳代）＋息子世帯（親＋子供3人）
敷地状況	変形、北道路
敷地面積	447.98㎡（135.51坪）
延床面積	323.14㎡（97.75坪）
構造・階数	木造2階

外部の人との接点を広くもつサロン空間

最も大きな中央の棟には、2階にLDK、1階に簡単なキッチンカウンターを伴うサロンを設けた。サロンは来客を招いたり、住人の職場として利用したりと、外部の人間を招き入れる空間となっている

交流と自立のバランス

玄関は、息子世帯と子供が住む西側の棟と、母と3姉妹が住む東側の棟に加え、サロンを訪れる人用の計3箇所に設けられている。階段も2箇所に設けることで個室への動線が交わらないようにし、主要な部屋は共用としながらも世帯ごとの自立性を保っている

1F　S=1:300

変則的な形状が多様性を生む

外部をただの余白ではなく、内部と同等に扱いながら、多様な空間ができるように設計。4つの分棟にすることで、表面積が増え、光と空気の流れも豊かになった

生活機能も備えた個室で可能性を広げる

トイレ、洗面室、シャワーなどの生活機能は、共用だけでなく個室にも設置。ホテルのような独立性を持たせることで、高齢者のバリアフリーへの配慮、部屋単位の賃貸など、将来の活用の幅を広く確保している

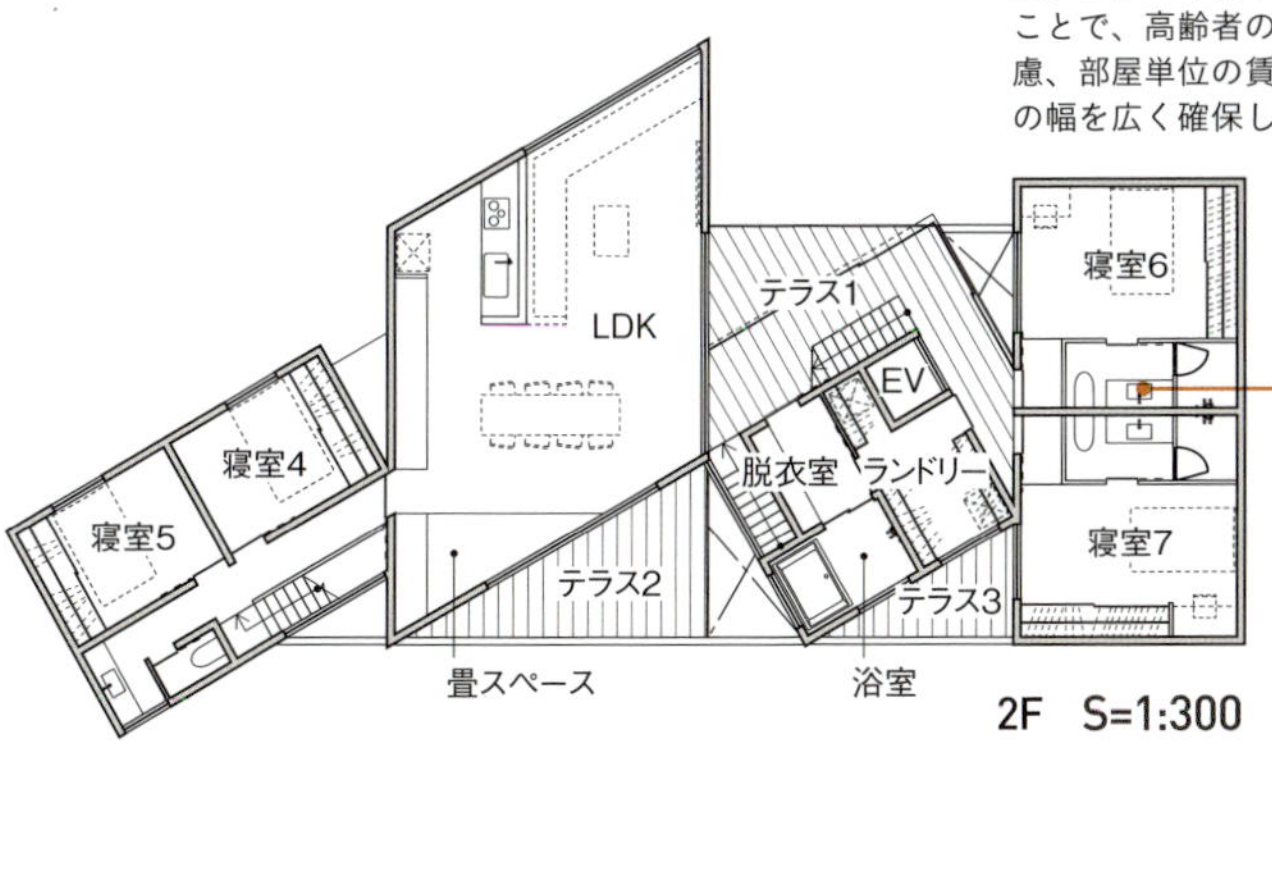

2F　S=1:300

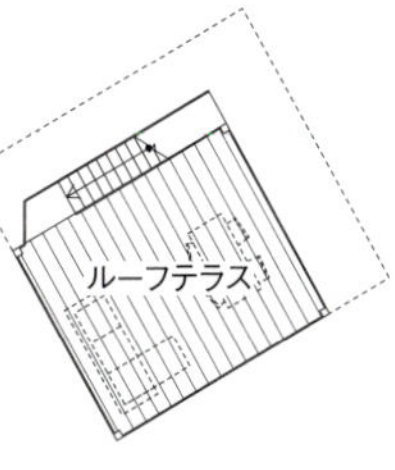

RF　S=1:300

家で過ごす時間が増えれば、家族のコミュニケーションのあり方も変わる。視線が時に交差し、時に遮られる仕掛けを間取りに仕込めば、空間のバリエーションが豊かに

著者プロフィール

フリーダムアーキテクツ
FREEDOM ARCHITECTS

1995年の阪神・淡路大震災の年に、建築設計事務所フリーダム（現フリーダムアーキテクツ）設立。現在年間約400棟の住宅を設計。この実績は完全独立系の建築設計事務所では全国トップクラス。
従来の「会社都合の家づくり」を「お客さま本位の家づくり」に変えることがフリーダムの一貫した目標。安全な住宅づくりはもとより、『お客様と対話しながら生活に合った住まいを設計すること』が建築家のできる社会貢献だと考え、「ニュートラルデザイン」を軸に豊富な住宅提案を行っている。
全国15カ所にスタジオを展開。

会社概要
会社名：FREEDOM株式会社
設立：1995年4月
代表取締役社長：鐘撞 正也
本社：103-0006東京都中央区日本橋
富沢町11-12 サンライズビル 8F
主な事業内容：建築設計監理、不動産仲介

企業理念
データ×テクノロジーで、
住宅領域に、
新しいルールと自由を。

New Rule. New Freedom.

これまで建築において高い顧客満足を実現し、
数多くのオーダーをいただいてきました。

その過程で蓄積したナレッジデータに
テクノロジーを掛け合わせて、
次のスタンダードとなる「新しいルール」を
つくることをはじめています。
すべてはニュートラルな発想から。
住宅領域に、新しい自由を広げていきます。

本書掲載間取り図の担当設計者（順不同）
石橋春菜、岩堀貴史、上田庸介、太田径範、金子典生、神長亮汰、川西隆広、菊池太郎、小島宏太、小室芳樹、鈴木崇志、津久井豊、冨田和義、長澤信、長友宏親、新村浩之、西島聡、野尻清敬、福本剛志、村上明隆、湯田幸伸

お問い合わせ
TEL：0120-489-175
WEB：https://www.freedom.co.jp

日本人がいちばん
暮らしやすい間取り図鑑　最新版

2022年12月21日　初版第1刷発行
2024年10月28日　　　第6刷発行

著者　フリーダムアーキテクツ
発行者　三輪浩之
発行所　株式会社エクスナレッジ
〒106-0032
東京都港区六本木7-2-26
https://www.xknowledge.co.jp/
問合せ先　編集　Tel：03-3403-1381
Fax：03-3403-1345
販売　Tel：03-3403-1321
Fax：03-3403-1829
info@xknowledge.co.jp